세상이 변해도
배움의 즐거움은
변함없도록

시대는 빠르게 변해도
배움의 즐거움은
변함없어야 하기에

어제의 비상은
남다른 교재부터
결이 다른 콘텐츠
전에 없던 교육 플랫폼까지

변함없는 혁신으로
교육 문화 환경의 새로운 전형을
실현해왔습니다.

비상은 오늘, 다시 한번
새로운 교육 문화 환경을 실현하기 위한
또 하나의 혁신을 시작합니다.

오늘의 내가 어제의 나를 초월하고
오늘의 교육이 어제의 교육을 초월하여
배움의 즐거움을 지속하는 혁신,

바로, 메타인지 기반 완전 학습을.

상상을 실현하는 교육 문화 기업 비상

메타인지 기반 완전 학습

초월을 뜻하는 meta와 생각을 뜻하는 인지가 결합한 메타인지는
자신이 알고 모르는 것을 스스로 구분하고 학습계획을 세우도록 하는
궁극의 학습 능력입니다. 비상의 메타인지 기반 완전 학습 시스템은
잠들어 있는 메타인지를 깨워 공부를 100% 내 것으로 만들도록 합니다.

개념┼유형

PLUS

개념편

CONCEPT

중학 수학

1·1

STRUCTURE 구성과 특징

개념➕유형의 체계적인 학습 시스템

1 개념을 이해, 확인하고!

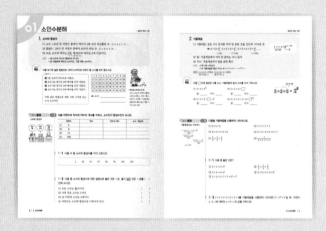

핵심 개념
자세하고 깔끔한 개념 정리와 필수 문제, 유제

2 대표 문제로 익히고!

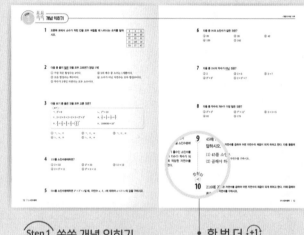

Step 1 쏙쏙 개념 익히기
보다 완벽하게 개념을 이해하기
위한 대표 문제

한 번 더 +1
조금 까다로운 문제는
쌍둥이 문제로 한 번 더!

개념편 학습 후 **유형편**

유형별 연습 문제로 **기초를 탄탄하게** 하고 싶다면

| 유형편
라이트 | 유형별
연습 문제 | 쌍둥이
기출문제 | 단원
마무리 |

개념＋유형

---

3 실전 문제로 다지기!

4 개념 정리로 마무리!

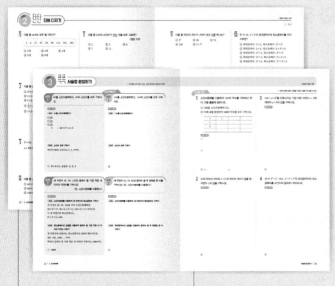

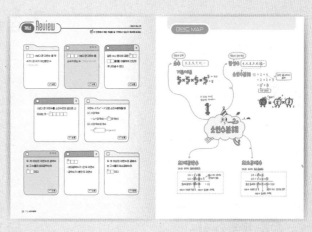

개념 리뷰
중요한 개념을 하나의
문장으로 완성하여 확인

마인드맵
단원의 핵심 개념을 한눈에 보는
개념 정리 마인드맵

Step 2 탄탄 단원 다지기
다양한 기출문제로 구성된 단원
마무리 문제

Step 3 쏙쏙 서술형 완성하기
연습과 실전이 함께하는 서술형
문제

다양한 기출문제로 **내신 만점**에 도전 한다면

| **유형편**
파워 | 중단원별
개념 정리 | 쏙쏙 **다시**
개념 익히기 | 핵심
유형 문제 | 실력 UP
문제 | 실전
테스트 |

CONTENTS 차례

개념플러스유형 1-2

Ⅰ. 기본 도형	1. 기본 도형
	2. 작도와 합동
Ⅱ. 평면도형	3. 다각형
	4. 원과 부채꼴
Ⅲ. 입체도형	5. 다면체와 회전체
	6. 입체도형의 겉넓이와 부피
Ⅳ. 통계	7. 자료의 정리와 해석

I 수와 연산

1 소인수분해

준비 학습

초5 약수와 배수

1 다음을 구하시오.

(1) 7의 약수　　　　　　(2) 12의 약수

(3) 3의 배수　　　　　　(4) 10의 배수

초5 공약수와 최대공약수

2 다음 두 수의 공약수와 최대공약수를 각각 구하시오.

(1) 12와 15　　　　　　(2) 16과 24

초5 공배수와 최소공배수

3 다음 두 수의 공배수와 최소공배수를 각각 구하시오.

(1) 4와 5　　　　　　(2) 8과 12

정답 **1.** (1) 1, 7　(2) 1, 2, 3, 4, 6, 12　(3) 3, 6, 9, 12, …　(4) 10, 20, 30, 40, …
2. (1) 공약수: 1, 3, 최대공약수: 3　(2) 공약수: 1, 2, 4, 8, 최대공약수: 8
3. (1) 공배수: 20, 40, 60, 80, … 최소공배수: 20
(2) 공배수: 24, 48, 72, 96, … 최소공배수: 24

01 소인수분해

● 정답과 해설 13쪽

1 소수와 합성수

(1) **소수**: 1보다 큰 자연수 중에서 약수가 1과 자기 자신뿐인 수 (예) 2, 3, 5, 7, 11, …

(2) **합성수**: 1보다 큰 자연수 중에서 소수가 아닌 수 (예) 4, 6, 8, 9, 10, …

(3) 모든 소수의 약수는 2개, 합성수의 약수는 3개 이상이다.
└→ 1과 자기 자신

참고 • 1은 소수도 아니고 합성수도 아니다.
• 2는 유일하게 짝수인 소수이고, 가장 작은 소수이다.

개념 확인 다음 보기와 같은 방법으로 1부터 50까지의 자연수 중 소수를 모두 찾으시오.

[보기]

❶ 1은 소수가 아니므로 지운다.

❷ 소수 2는 남기고 2의 배수를 모두 지운다.

❸ 소수 3은 남기고 3의 배수를 모두 지운다.

❹ 소수 5는 남기고 5의 배수를 모두 지운다.
⋮
이와 같은 방법으로 계속 지워 나가면 남는 수가 소수이다.

1	2	3	4	5	6	7	8	9	10
11	12	13	14	15	16	17	18	19	20
21	22	23	24	25	26	27	28	29	30
31	32	33	34	35	36	37	38	39	40
41	42	43	44	45	46	47	48	49	50

➡ 소수: _____

▶ **에라토스테네스의 체**
고대 그리스의 수학자 에라토스테네스(B.C. 275~B.C. 194?)가 고안한 소수를 찾는 방법으로 체로 걸러 내듯 소수만 걸러 낸다.

필수 문제 **1**

소수와 합성수

약수 1개 / 약수 2개 / 약수 3개 이상
1 / 소수 / 합성수

1 다음 자연수의 약수와 약수의 개수를 구하고, 소수인지 합성수인지 쓰시오.

	자연수	약수	약수의 개수	소수 / 합성수
(1)	5			
(2)	8			
(3)	17			
(4)	169			

1-1 다음 수 중 소수와 합성수를 각각 고르시오.

> 1, 19, 21, 37, 45, 78, 100, 133

1-2 다음 중 소수와 합성수에 대한 설명으로 옳은 것은 ○표, 옳지 않은 것은 ×표를 ( ) 안에 쓰시오.

(1) 모든 소수는 홀수이다. ( )

(2) 가장 작은 소수는 1이다. ( )

(3) 10 이하의 소수는 4개이다. ( )

(4) 자연수는 소수와 합성수로 이루어져 있다. ( )

2 거듭제곱

(1) **거듭제곱**: 같은 수나 문자를 여러 번 곱한 것을 간단히 나타낸 것

$$\Rightarrow 2\times2=\underset{\text{2의 제곱}}{2^2},\ 2\times2\times2=\underset{\text{2의 세제곱}}{2^3},\ 2\times2\times2\times2=\underset{\text{2의 네제곱}}{2^4},\ \cdots$$

(2) **밑**: 거듭제곱에서 여러 번 곱하는 수나 문자

(3) **지수**: 거듭제곱에서 밑을 곱한 횟수

참고 • 2^1은 2로 나타낸다.
　　• 1의 거듭제곱은 항상 1이다. ➡ $1=1^2=1^3=\cdots=1^{100}=\cdots$

주의 $\underset{\text{2를 3번 곱한 것}}{2\times2\times2=2^3}$이고, $\underset{\text{2를 3번 더한 것}}{2+2+2=2\times3}$이다.

개념
확인

다음 ☐ 안에 알맞은 수를 쓰고, 거듭제곱의 밑과 지수를 각각 구하시오.

(1) $3\times3=3^{\square}$

　밑: _____ 　지수: _____

(2) $3\times3\times3=\square^3$

　밑: _____ 　지수: _____

(3) $3\times3\times3\times\square=3^4$

　밑: _____ 　지수: _____

(4) $3\times3\times3\times3\times3=\square^{\square}$

　밑: _____ 　지수: _____

필수 **문제**

거듭제곱으로 나타내기

▶ • $\underbrace{a\times a\times\cdots\times a}_{n\text{개}}=a^n$

• $\underbrace{a\times a\times\cdots\times a}_{m\text{개}}$
　$\times\underbrace{b\times b\times\cdots\times b}_{n\text{개}}$
$=a^m\times b^n$

2 다음을 거듭제곱을 사용하여 나타내시오.

(1) $5\times5\times5$

(2) $7\times7\times7\times7$

(3) $3\times3\times3\times5\times5$

(4) $2\times2\times2\times5\times5\times7$

(5) $\dfrac{1}{2}\times\dfrac{1}{2}\times\dfrac{1}{2}$

(6) $\dfrac{1}{3\times3\times7\times7}$

2-1 다음 중 옳은 것은?

① $2\times2\times2=3^2$

② $\dfrac{1}{3}\times\dfrac{1}{3}=\dfrac{2}{3}$

③ $4\times4\times4=4^3$

④ $5+5+5+5=5^4$

⑤ $3\times3\times3\times7\times7=3^3+7^2$

2-2 $2\times5\times5\times3\times5\times3\times5$를 거듭제곱을 사용하여 나타내면 $2^a\times3^b\times5^c$일 때, 자연수 a, b, c에 대하여 $a+b+c$의 값을 구하시오.

3 소인수분해

(1) **인수**: 자연수 a, b, c에 대하여 $a=b \times c$일 때, a의 약수 b, c를 a의 인수라 한다.

(2) **소인수**: 인수 중에서 소수인 것

> 예 $6=1 \times 6=2 \times 3$ ➡ 6의 약수 1, 2, 3, 6 중에서 6의 소인수는 2, 3이다.

(3) **소인수분해**: 1보다 큰 자연수를 소인수만의 곱으로 나타내는 것

(4) **소인수분해 하는 방법**

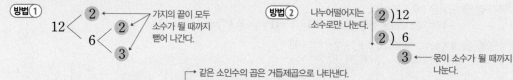

> 참고 일반적으로 소인수분해 한 결과는 크기가 작은 소인수부터 차례로 쓴다.
> 이때 곱의 순서를 생각하지 않는다면 그 결과는 오직 한 가지뿐이다.

개념 확인 다음은 두 가지 방법을 이용하여 50을 소인수분해 하는 과정이다. ☐ 안에 알맞은 것을 쓰시오.

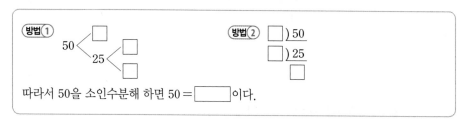

따라서 50을 소인수분해 하면 50 = ☐ 이다.

필수 문제 **3**
소인수분해 하기

다음 수를 소인수분해 하시오.

(1) 36

(2) 54

(3) 84

(4) 525

3-1 200을 소인수분해 하면 $2^a \times 5^b$일 때, 자연수 a, b에 대하여 $a+b$의 값을 구하시오.

필수 문제 **4**
소인수 구하기

▶ 소인수는 어떤 수를 소인수분해 했을 때, 밑이 되는 수이다.

다음 수의 소인수를 모두 구하시오.

(1) 16

(2) 44

(3) 60

(4) 245

4-1 560의 모든 소인수의 합을 구하시오.

4 소인수분해를 이용하여 약수와 약수의 개수 구하기

자연수 A가

$$A = a^m \times b^n \,(a,\ b\text{는 서로 다른 소수},\ m,\ n\text{은 자연수})$$

으로 소인수분해 될 때

(1) A의 약수 ➡ $(a^m$의 약수$) \times (b^n$의 약수$)$ 꼴
　　　　　　　　$\underbrace{1,\ a,\ a^2,\ \dots,\ a^m}_{(m+1)\text{개}}$　$\underbrace{1,\ b,\ b^2,\ \dots,\ b^n}_{(n+1)\text{개}}$

(2) A의 약수의 개수 ➡ $\underline{(m+1) \times (n+1)}$
　　　　　　　　　　　　→ 소인수의 각 지수에 1을 더하여 곱한다.

예 $18 = 2 \times 3^2$이므로

×	1	3	3^2
1	1	3	9
2	2	6	18

2^1의 약수 ←, → 3^2의 약수, → 18의 약수

➡ 18의 약수는 1, 2, 3, 6, 9, 18
약수의 개수는 $(1+1) \times (2+1) = 6$

참고 자연수 $A = a^l \times b^m \times c^n \,(a,\ b,\ c\text{는 서로 다른 소수},\ l,\ m,\ n\text{은 자연수})$에 대하여
(1) A의 약수: $(a^l$의 약수$) \times (b^m$의 약수$) \times (c^n$의 약수$)$ 꼴
(2) A의 약수의 개수: $(l+1) \times (m+1) \times (n+1)$

필수 문제 5

소인수분해를 이용하여 약수 구하기

다음은 소인수분해를 이용하여 약수를 구하는 과정이다. 표를 완성하고, 주어진 수의 약수를 모두 구하시오.

(1) $2^2 \times 3$

×	1	3
1		
2		
2^2		

⇨ 약수: _____

(2) $225 = $ _____ （소인수분해）

×	1	
1		
3		

⇨ 약수: _____

5-1 다음 보기 중 189의 약수를 모두 고르시오.

보기

ㄱ. 3　　　　　ㄴ. 7　　　　　ㄷ. 3×7^2　　　　　ㄹ. 3^3

ㅁ. $3^2 \times 7$　　　ㅂ. $3^2 \times 7^2$　　　ㅅ. $3^4 \times 7$　　　ㅇ. $3^3 \times 7^2$

필수 문제 6

소인수분해를 이용하여 약수의 개수 구하기

▶(3) 자연수가 $a^n(a$는 소수, n은 자연수)으로 소인수분해 될 때
① 약수: 1, a, a^2, ..., a^n
② 약수의 개수: $n+1$

다음 수의 약수의 개수를 구하시오.

(1) $3^2 \times 7$　　　　　(2) $2^2 \times 3 \times 5^3$

(3) 121　　　　　(4) 180

6-1 다음 수의 약수의 개수를 구하시오.

(1) 2^4　　　　　(2) $2 \times 3^2 \times 7$

(3) 100　　　　　(4) 450

1 오른쪽 표에서 소수가 적힌 칸을 모두 색칠할 때 나타나는 숫자를 말하시오.

5	2	11
67	26	49
37	23	31
21	105	19
53	17	47

2 다음 중 옳지 <u>않은</u> 것을 모두 고르면? (정답 2개)

① 가장 작은 합성수는 4이다.
② 5의 배수 중 소수는 1개뿐이다.
③ 모든 합성수는 짝수이다.
④ 소수가 아닌 자연수는 모두 합성수이다.
⑤ 약수가 2개인 자연수는 모두 소수이다.

3 다음 보기 중 옳은 것을 모두 고른 것은?

(보기)

ㄱ. $3^2 = 9$

ㄴ. $1^{10} = 10$

ㄷ. $2 \times 2 \times 5 \times 2 \times 2 \times 5 = 2^4 \times 5^2$

ㄹ. $\dfrac{1}{7} \times \dfrac{1}{7} \times \dfrac{1}{7} = \dfrac{3}{7}$

ㅁ. $\dfrac{2}{3} \times \dfrac{2}{3} \times \dfrac{2}{3} \times \dfrac{2}{3} = \left(\dfrac{2}{3}\right)^4$

ㅂ. $1000000 = 10^7$

① ㄱ, ㄴ, ㄷ   ② ㄱ, ㄷ, ㄹ   ③ ㄱ, ㄷ, ㅁ
④ ㄴ, ㄹ, ㅁ   ⑤ ㄴ, ㅁ, ㅂ

4 132를 소인수분해 하면?

① 2×33 ② $2^2 \times 33$ ③ 11×12
④ $2 \times 3^2 \times 11$ ⑤ $2^2 \times 3 \times 11$

5 504를 소인수분해 하면 $2^a \times 3^b \times c$일 때, 자연수 a, b, c에 대하여 $a+b+c$의 값을 구하시오.

6 다음 중 90과 소인수가 같은 것은?

① 20 ② 26 ③ 42

④ 120 ⑤ 242

7 다음 중 350의 약수가 <u>아닌</u> 것은?

① 2 ② 2×5 ③ 2×7

④ $2^2 \times 5^2$ ⑤ $2 \times 5^2 \times 7$

8 다음 중 약수의 개수가 가장 많은 것은?

① $2^3 \times 3^2$ ② $7^2 \times 11^4$ ③ $2 \times 3 \times 5$

④ 81 ⑤ 175

● 제곱인 수 만들기
❶ 주어진 수를 소인수분해
한다.
❷ 지수가 홀수인 소인수를
찾아 지수가 짝수가 되
도록 적당한 자연수를
곱한다.

9 45에 가능한 한 작은 자연수를 곱하여 어떤 자연수의 제곱이 되게 하려고 한다. 다음 물음에 답하시오.

(1) 45를 소인수분해 하시오.
(2) 곱해야 하는 가장 작은 자연수를 구하시오.

10 216에 가능한 한 작은 자연수를 곱하여 어떤 자연수의 제곱이 되게 하려고 한다. 이때 곱해야 하는 가장 작은 자연수를 구하시오.

02 최대공약수와 최소공배수

● 정답과 해설 15쪽

1 공약수와 최대공약수

(1) **공약수**: 두 개 이상의 자연수의 공통인 약수

(2) **최대공약수**: 공약수 중에서 가장 큰 수

> 예 4의 약수: 1, 2, 4
> 6의 약수: 1, 2, 3, 6 ➡ 공약수: 1, ②(최대공약수)

(3) **최대공약수의 성질**

두 개 이상의 자연수의 공약수는 그 수들의 최대공약수의 약수이다.

(4) **서로소**: 최대공약수가 1인 두 자연수 → 두 자연수가 서로소이면 두 수의 공약수는 1뿐이다.

> 예 5와 8의 최대공약수는 1이므로 5와 8은 서로소이다.
> 참고 • 1은 모든 자연수와 서로소이다.
> • 서로 다른 두 소수는 항상 서로소이다.

 개념확인 다음 ▢ 안에 알맞은 수를 쓰시오.

> 10과 20의 공약수 ▢, ▢, ▢, ▢은(는) 두 수의 최대공약수인 ▢의 약수와 같다.

필수 문제

최대공약수의 성질

▶(두 수의 공약수)
 =(두 수의 최대공약수의 약수)

1 두 자연수 A, B의 최대공약수가 6일 때, A, B의 공약수를 모두 구하시오.

1-1 어떤 두 자연수의 최대공약수가 30일 때, 이 두 자연수의 공약수는 몇 개인지 구하시오.

1-2 어떤 두 자연수의 최대공약수가 $2^2 \times 3 \times 7$일 때, 다음 중 이 두 자연수의 공약수가 아닌 것은?

① 2^2　　　② 2×3　　　③ 2×3^2

④ 3×7　　　⑤ $2^2 \times 7$

2 소인수분해를 이용하여 최대공약수 구하기

❶ 주어진 수를 각각 소인수분해 한다.

❷ 공통인 소인수를 모두 곱한다.

이때 소인수의 지수가 같으면 그대로, 다르면 지수가 작은 것을 택하여 곱한다.

$$
\begin{array}{r}
12 = 2 \times 2 \times 3 = 2^2 \times 3 \\
30 = 2 \times 3 \times 5 = 2 \times 3 \times 5 \\
\hline
(최대공약수) = 2 \times 3 = 2 \times 3 = 6
\end{array}
$$

지수가 다르면 지수가 / 지수가 같으면
작은 것을 택하고 / 그대로 곱한다.

참고 세 수 이상의 최대공약수를 구할 때에도 두 수의 최대공약수를 구할 때와 같은 방법으로 구한다.

필수 문제 **2**

최대공약수 구하기(1)

다음 수들의 최대공약수를 소인수의 곱으로 나타내시오.

(1) 3×5^2, $3^2 \times 5^3$

(2) $2^3 \times 3 \times 5$, $2 \times 3^2 \times 5 \times 7$, $2^2 \times 3 \times 5^2 \times 7$

2-1 다음 수들의 최대공약수를 소인수의 곱으로 나타내시오.

(1) $2^2 \times 7^2$, $2^2 \times 3 \times 7$

(2) $3^3 \times 5^2 \times 7$, $3 \times 5^2 \times 7^2$

(3) $2^4 \times 5$, $2^2 \times 5 \times 7$, $2^3 \times 5^2$

(4) $2^2 \times 3^2 \times 5^3$, $2^3 \times 3^3 \times 5$, $2^2 \times 3^2 \times 11$

필수 문제 **3**

최대공약수 구하기(2)

소인수분해를 이용하여 다음 수들의 최대공약수를 구하시오.

(1) 32, 40

(2) 48, 72, 96

3-1 소인수분해를 이용하여 다음 수들의 최대공약수를 구하시오.

(1) 16, 20

(2) 108, 135

(3) 36, 54, 72

(4) 40, 60, 80

필수 문제 **4**

서로소

▶두 수가 서로소이다.
⇨ 두 수의 최대공약수가 1이다.

다음 중 두 수가 서로소이면 ○표, 서로소가 아니면 ×표를 (   ) 안에 쓰시오.

(1) 4, 7　　　(　　　)

(2) 9, 21　　　(　　　)

(3) 16, 24　　　(　　　)

(4) 28, 45　　　(　　　)

3 공배수와 최소공배수

(1) **공배수**: 두 개 이상의 자연수의 공통인 배수

(2) **최소공배수**: 공배수 중에서 가장 작은 수

예 4의 배수: 4, 8, <u>12</u>, 16, 20, <u>24</u>, … ⎤ → 공배수: 12, 24, 36, …
6의 배수: 6, <u>12</u>, 18, <u>24</u>, 30, … ⎦   최소공배수

(3) **최소공배수의 성질**

① 두 개 이상의 자연수의 공배수는 그 수들의 최소공배수의 배수이다.

② 서로소인 두 자연수의 최소공배수는 두 수의 곱과 같다.

예 3과 5는 서로소이므로 3과 5의 최소공배수는 $3 \times 5 = 15$

개념 확인

다음 ☐ 안에 알맞은 수를 쓰시오.

6과 10의 공배수 ☐, ☐, ☐, ☐, …은(는) 두 수의 최소공배수인 ☐의 배수와 같다.

필수 문제

최소공배수의 성질

▶ (두 수의 공배수)
= (두 수의 최소공배수의 배수)

5 어떤 두 자연수의 최소공배수가 28일 때, 다음 중 이 두 자연수의 공배수를 모두 고르시오.

7,   28,   32,   48,   56,   64,   72,   84

5-1 두 자연수 A, B의 최소공배수가 16일 때, A, B의 공배수 중 두 자리의 자연수는 모두 몇 개인지 구하시오.

5-2 두 자연수 A, B의 최소공배수가 3×5^2일 때, 다음 중 A, B의 공배수가 <u>아닌</u> 것은?

① 3×5^2 ② $2 \times 3 \times 5^2$ ③ $3^2 \times 5^2$

④ $2 \times 3 \times 5 \times 7$ ⑤ $3^2 \times 5^2 \times 7$

4 소인수분해를 이용하여 최소공배수 구하기

❶ 주어진 수를 각각 소인수분해 한다.

❷ 공통인 소인수와 공통이 아닌 소인수를 모두 곱한다.

이때 소인수의 지수가 같으면 그대로, 다르면 지수가 큰 것을 택하여 곱한다.

$$
\begin{array}{l}
12 = 2 \times 2 \times 3 \quad\;\; = 2^2 \times 3 \\
30 = 2 \quad\;\; \times 3 \times 5 = 2 \times 3 \times 5 \\
\hline
(\text{최소공배수}) = 2 \times 2 \times 3 \times 5 = 2^2 \times 3 \times 5 = 60
\end{array}
$$

지수가 다르면 지수가 큰 것을 택하고

지수가 같으면 그대로

공통이 아닌 소인수도 곱한다.

참고 세 수 이상의 최소공배수를 구할 때에도 두 수의 최소공배수를 구할 때와 같은 방법으로 구한다.

필수 문제 **6** 다음 수들의 최소공배수를 소인수의 곱으로 나타내시오.

최소공배수 구하기⑴

(1) $3^2 \times 7$, $3 \times 5 \times 7^2$

(2) $2 \times 3 \times 5^2$, $2^2 \times 3^2 \times 5$, $3 \times 5 \times 7$

6-1 다음 수들의 최소공배수를 소인수의 곱으로 나타내시오.

(1) $3^2 \times 5$, $2 \times 3 \times 5$

(2) $2 \times 3 \times 7$, $2^2 \times 3 \times 5$

(3) 2×3^2, $2^2 \times 3 \times 5$, $2 \times 3 \times 5^2$

(4) $2 \times 3^2 \times 5$, $2 \times 3 \times 7$, $3 \times 5^2 \times 7$

필수 문제 **7** 소인수분해를 이용하여 다음 수들의 최소공배수를 구하시오.

최소공배수 구하기⑵

(1) 25, 125

(2) 12, 40, 60

7-1 소인수분해를 이용하여 다음 수들의 최소공배수를 구하시오.

(1) 14, 18

(2) 42, 56

(3) 9, 24, 36

(4) 20, 60, 72

최대공약수와 최소공배수가 주어질 때, 밑과 지수 구하기

▸주어진 수와 최대공약수, 최소공배수를 각각 소인수분해하여 소인수와 소인수의 지수를 비교한다.

다음은 두 수 $2^a \times 3^3$, $2 \times 3^b \times 7$의 최대공약수가 2×3^2이고 최소공배수가 $2^2 \times 3^3 \times 7$일 때, 자연수 a, b의 값을 구하는 과정이다. ☐ 안에 알맞은 수를 쓰시오.

$$
\begin{array}{r}
2^a \times 3^3 \\
2 \times 3^b \times 7 \\
\hline
(\text{최대공약수}) = 2 \times 3^2 \\
(\text{최소공배수}) = 2^2 \times 3^3 \times 7
\end{array}
$$

$\Rightarrow a = \boxed{}$, $b = \boxed{}$

8-1 두 수 $2^a \times 3 \times 5$, $2^5 \times 3^b$의 최대공약수가 $2^4 \times 30$이고 최소공배수가 $2^5 \times 3^2 \times 5$일 때, 자연수 a, b에 대하여 $a+b$의 값을 구하시오.

교과서 **+α**   교과서에는 없지만 시험에 자주 출제되는 내용입니다.   ● 정답과 해설 17쪽

5 최대공약수와 최소공배수의 관계

두 자연수 A, B의 최대공약수를 G, 최소공배수를 L이라 하고
$A = a \times G$, $B = b \times G$ (a, b는 서로소)라고 하면

(1) $L = a \times b \times G$

(2) $A \times B = (a \times G) \times (b \times G) = \overbrace{(a \times b \times G)}^{L} \times G = L \times G$

➡ (두 수의 곱) = (최대공약수) × (최소공배수)

예 두 자연수 4, 6에 대하여 (최대공약수) = 2, (최소공배수) = 12
   (두 수의 곱) = $4 \times 6 = 24$
   (최대공약수) × (최소공배수) = $2 \times 12 = 24$ 같다.

최대공약수 → $G \overline{)A \quad B}$
     $a \quad b$
     서로소
➡ $L = a \times b \times G$
     최소공배수

최대공약수와 최소공배수의 관계

두 자연수의 곱이 750이고 최소공배수가 150일 때, 이 두 자연수의 최대공약수를 구하시오.

9-1 두 자연수 48, N의 최대공약수가 16이고, 최소공배수가 192이다. 이때 N의 값을 구하시오.

1 세 수 2×3^3, $2^2 \times 3^2 \times 5$, 252의 최대공약수를 소인수의 곱으로 나타내시오.

2 다음 보기 중 두 수 $2^2 \times 3^2 \times 5^2$, $2^2 \times 3 \times 5$의 공약수를 모두 고른 것은?

(보기)
ㄱ. 2×3 ㄴ. 12 ㄷ. 25
ㄹ. $2^2 \times 3^2$ ㅁ. 60 ㅂ. $2^2 \times 3 \times 5^2$

① ㄱ, ㄴ, ㅁ   ② ㄱ, ㄹ, ㅁ   ③ ㄴ, ㄷ, ㅁ
④ ㄴ, ㄹ, ㅂ   ⑤ ㄷ, ㅁ, ㅂ

3 다음 중 서로소인 두 자연수로 짝 지어진 것을 모두 고르면? (정답 2개)

① 5, 17   ② 13, 65   ③ 15, 39
④ 22, 35   ⑤ 120, 210

4 어떤 두 자연수의 최소공배수가 21일 때, 이 두 자연수의 공배수 중 100에 가장 가까운 수를 구하시오.

5 세 수 9, 30, 75의 최소공배수는?

① 3^2　　　　　　　② 3×5　　　　　　　③ $2 \times 3 \times 5$

④ $2 \times 3^2 \times 5^2$　　　　⑤ $2^2 \times 3^2 \times 5^2$

6 다음 중 두 수 18, $2^2 \times 3 \times 5$의 공배수가 <u>아닌</u> 것은?

① $2^2 \times 3^3$　　　　　　② $2^2 \times 3^2 \times 5$　　　　　③ $2^3 \times 3^2 \times 5$

④ $2^2 \times 3^2 \times 5^2$　　　⑤ $2^3 \times 3^2 \times 5 \times 7$

7 두 수 $2^a \times 7^2$, $2^2 \times b \times 7^c$의 최대공약수가 $2^2 \times 7$이고 최소공배수가 $2^2 \times 5 \times 7^2$일 때, 자연수 a, b, c에 대하여 $a+b+c$의 값은?

① 6　　　　　② 7　　　　　③ 8　　　　　④ 9　　　　　⑤ 10

8 두 자연수 54, A의 최대공약수가 18이고 최소공배수가 270일 때, A의 값을 구하시오.

1 다음 중 소수는 모두 몇 개인가?

> 1, 2, 17, 27, 39, 59, 111, 201, 223

① 2개   ② 3개   ③ 4개
④ 5개   ⑤ 6개

2 다음 중 옳은 것은?

① $2^3=6$

② $3\times3=2^3$

③ $5+5+5=5^3$

④ $\dfrac{1}{3}\times\dfrac{1}{3}\times\dfrac{1}{3}\times\dfrac{1}{3}=\left(\dfrac{1}{3}\right)^4$

⑤ $2\times2\times2\times5\times5=2^3+5^2$

3 $2^a=32$, $\dfrac{1}{3^3}=\dfrac{1}{b}$ 을 만족시키는 자연수 a, b에 대하여 $a+b$의 값을 구하시오.

4 다음 중 소인수분해를 바르게 한 것은?

① $45=5\times9$ ② $63=3^2\times7$

③ $80=2\times5\times8$ ④ $128=2^5\times4$

⑤ $192=2^5\times6$

5 다음 중 540의 소인수가 <u>아닌</u> 것을 모두 고르면?

(정답 2개)

① 2   ② 3   ③ 5
④ 7   ⑤ 11

6 $1\times2\times3\times\cdots\times10$을 소인수분해 하면 $2^a\times3^b\times5^c\times7^d$이다. 이때 자연수 a, b, c, d에 대하여 $a+b+c+d$의 값을 구하시오.

7 $24\times\square$가 어떤 자연수의 제곱이 되도록 할 때, $\square$ 안에 알맞은 가장 작은 자연수를 구하시오.

8 다음 표를 이용하여 108의 약수를 구하려고 할 때, 옳지 <u>않은</u> 것은?

×	1	3	3^2	㈎
㈏				
2			㈐	
2^2				

① 108을 소인수분해 하면 $2^2\times3^3$이다.

② ㈎에 알맞은 수는 3^3이다.

③ ㈏에 알맞은 수는 1이다.

④ ㈐에 알맞은 수는 18이다.

⑤ 108의 약수는 6개이다.

9 다음 중 약수의 개수가 나머지 넷과 <u>다른</u> 하나는?

① 2^5 ② 28   ③ 75

④ 130   ⑤ 3×7^2

10 $3^2 \times 5^\square$의 약수가 12개일 때, $\square$ 안에 알맞은 자연수를 구하시오.

11 두 자연수 A, B의 최대공약수가 42일 때, 다음 중 두 수 A, B의 공약수가 <u>아닌</u> 것은?

① 2   ② 7   ③ 3^2

④ 3×7 ⑤ $2 \times 3 \times 7$

12 두 수 30, 2×3^2의 최대공약수와 최소공배수를 각각 구하면?

① 최대공약수: 2×3, 최소공배수: $2^2 \times 3^2$

② 최대공약수: 2×3, 최소공배수: $2 \times 3^2 \times 5$

③ 최대공약수: $2^2 \times 3$, 최소공배수: $2^2 \times 3^2$

④ 최대공약수: $2^2 \times 3$, 최소공배수: $2 \times 3 \times 5$

⑤ 최대공약수: $2^2 \times 5$, 최소공배수: $2^2 \times 3^2 \times 5$

13 세 수 $2^2 \times 3^2$, $2^2 \times 3^3 \times 5$, $2^3 \times 3^2 \times 5^2$의 공약수의 개수는?

① 6   ② 8   ③ 9

④ 12   ⑤ 36

14 다음 보기 중 서로소인 두 자연수는 모두 몇 개인지 구하시오.

> **보기**
>
> ㄱ. 6, 15   ㄴ. 8, 21   ㄷ. 30, 45
>
> ㄹ. 11, 121   ㅁ. 28, 35   ㅂ. 51, 82

⭐ 중요

15 10보다 크고 30보다 작은 자연수 중 18과 서로소인 수는 모두 몇 개인지 구하시오.

16 다음 중 옳지 <u>않은</u> 것을 모두 고르면? (정답 2개)

① 가장 작은 소수는 2이다.
② 합성수는 약수가 3개인 자연수이다.
③ 모든 자연수는 소수와 합성수로 이루어져 있다.
④ 모든 자연수는 1과 서로소이다.
⑤ 서로소인 두 수의 공약수는 1뿐이다.

17 다음 중 두 수 $3^2 \times 5 \times 7$, $5^2 \times 7^3$의 공배수인 것을 모두 고르면? (정답 2개)

① 5×7 ② $5^2 \times 7^3$ ③ $3^2 \times 5^2 \times 7^3$
④ $3 \times 5^2 \times 7^4$ ⑤ $3^3 \times 5^3 \times 7^3$

18 두 수 $2^a \times 3^b \times 5^c$, $2^3 \times 3^2 \times d$의 최대공약수는 36이고 최소공배수는 $2^3 \times 3^2 \times 5 \times 11$이다. 이때 자연수 a, b, c, d에 대하여 $a+b+c+d$의 값을 구하시오.

19 두 자연수 144, $\square \times 3^3 \times 5^3$의 최소공배수가 $2^4 \times 3^3 \times 5^3$일 때, $\square$ 안에 들어갈 수 있는 모든 자연수의 합을 구하시오.

20 두 자연수 28, N의 최대공약수가 14이고 최소공배수가 84일 때, N의 값은?

① 42 ② 56 ③ 60
④ 98 ⑤ 112

따라 해보자

예제 1 60을 소인수분해 하고, 60의 소인수를 모두 구하시오.

풀이 과정

1단계 60을 소인수분해 하기

2) 60
2) 30
3) 15
　　5　　∴ $60=2^2 \times 3 \times 5$

2단계 소인수 모두 구하기

따라서 60의 소인수는 2, 3, 5이다.

답 $2^2 \times 3 \times 5$, 소인수: 2, 3, 5

유제 1 140을 소인수분해 하고, 140의 소인수를 모두 구하시오.

풀이 과정

1단계 140을 소인수분해 하기

2단계 소인수 모두 구하기

답

예제 2 세 자연수 36, 90, 120의 공배수 중 가장 작은 네 자리의 자연수를 구하시오.
(단, 소인수분해를 이용한다.)

풀이 과정

1단계 소인수분해를 이용하여 세 자연수의 최소공배수 구하기

세 자연수 36, 90, 120을 각각 소인수분해 하면
$36=2^2 \times 3^2$, $90=2 \times 3^2 \times 5$, $120=2^3 \times 3 \times 5$이므로
이 세 자연수의 최소공배수는
$2^3 \times 3^2 \times 5=360$

2단계 최소공배수의 성질을 이용하여 공배수 중 가장 작은 네 자리의 자연수 구하기

세 자연수의 공배수는 최소공배수인 360의 배수이므로
360, 720, 1080, …이다.
따라서 공배수 중 가장 작은 네 자리의 자연수는 1080이다.

답 1080

유제 2 세 자연수 42, 70, 84의 공약수 중 두 번째로 큰 수를 구하시오. (단, 소인수분해를 이용한다.)

풀이 과정

1단계 소인수분해를 이용하여 세 자연수의 최대공약수 구하기

2단계 최대공약수의 성질을 이용하여 공약수 중 두 번째로 큰 수 구하기

답

▶ 모든 문제는 풀이 과정을 자세히 서술한 후 답을 쓰세요.

연습해 보자

1 소인수분해를 이용하여 196의 약수를 구하려고 한다. 다음 물음에 답하시오.

(1) 196을 소인수분해 하시오.

(2) 아래 표를 완성하여 196의 약수를 모두 구하시오.

$\times$	1		
1			
2			

풀이 과정

(1)

(2)

답 (1)　　　　　　　　(2)

2 32의 약수의 개수와 2×5^x의 약수의 개수가 같을 때, 자연수 x의 값을 구하시오.

풀이 과정

답

3 $126 \times a = b^2$을 만족시키는 가장 작은 자연수 a, b에 대하여 $a+b$의 값을 구하시오.

풀이 과정

답

4 세 수 $2^3 \times 3^4$, 504, $2 \times 3^3 \times 7^2$의 최대공약수와 최소공배수를 소인수의 곱으로 나타내시오.

풀이 과정

답

• 정답과 해설 2쪽

☑ 이 단원에서 배운 개념을 잘 기억하고 있는지 체크해 보세요.

☐ ①☐☐ : 1보다 큰 자연수 중 약수가 1과 자기 자신뿐인 수

– 약수가 2개

↩ 8쪽

☐ ②☐☐☐ : 1보다 큰 자연수 중 소수가 아닌 수 – 약수가 3개 이상

↩ 8쪽

☐ ✕ 같은 수나 문자의 곱은 ③☐☐ ☐☐을(를) 이용하여 간단하게 나타낼 수 있다.

↩ 9쪽

☐ ✕ 1보다 큰 자연수를 소인수만의 곱으로 나타내는 것 ⇨ ④☐☐☐☐☐

↩ 10쪽

☐ 자연수 A가 $a^m \times b^n$으로 소인수분해 될 때
(1) A의 약수
  ⇨ (a^m의 약수)$\times$(⑤☐의 약수)
(2) A의 약수의 개수
  ⇨ (⑥☐☐☐☐)$\times(n+1)$

↩ 11쪽

☐ ○○○ 두 개 이상의 자연수의 공약수는 그 수들의 최대공약수의 ⑦☐☐이다.

↩ 14쪽

☐ ✕ ⑧☐☐☐
• 최대공약수가 1인 두 자연수
• 공약수가 1뿐인 두 자연수

↩ 14쪽

☐ 두 개 이상의 자연수의 공배수는 그 수들의 최소공배수의 ⑨☐☐이다.

↩ 16쪽

약수가 2개

소수 2, 3, 5, 7, 11, …

거듭제곱

$5 \times 5 \times 5 = 5^3$ ← 지수
← 밑

난 소수도 아니고
합성수도 아니야~

1

약수가 3개 이상

합성수 4, 6, 8, 9, 10, 12 …

소인수분해 $12 = 2 \times 6$
$= 2 \times 2 \times 3$

소수만 남을 때까지
분해!

$= 2^2 \times 3$

12의 소인수!

분해~!

$12 = 2^2 \times 3$

소인수분해

최대공약수

24와 60의 최대공약수

$24 = 2^3 \times 3$
$60 = 2^2 \times 3 \times 5$

공통이 아닌 소인수는
생각하지 않음

최대공약수: $2^2 \times 3$ $= 12$

지수가 다르면 작은 것   지수가 같으면 그대로

최소공배수

24와 60의 최소공배수

$24 = 2^3 \times 3$
$60 = 2^2 \times 3 \times 5$

최소공배수: $2^3 \times 3 \times 5 = 120$

지수가 다르면 큰 것   공통이 아닌 소인수도 넣기

지수가 같으면 그대로

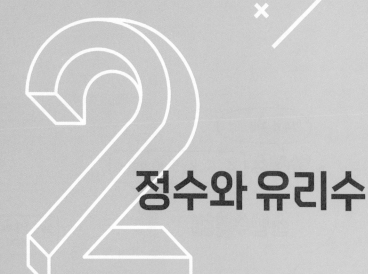

Ⅰ 수와 연산

정수와 유리수

준비 학습

초5 자연수의 혼합 계산

1 다음을 계산하시오.

(1) $12 \div 4 \times 5$

(2) $2 + 3 \times 8 \div 6$

(3) $4 \times 5 - 9 \div 3$

(4) $(6-4) \times 7 + 5$

초5 분수의 덧셈과 뺄셈

2 다음을 계산하시오.

(1) $\dfrac{1}{4} + \dfrac{7}{4}$

(2) $\dfrac{5}{7} - \dfrac{3}{7}$

(3) $\dfrac{3}{2} + \dfrac{4}{3}$

(4) $\dfrac{5}{6} - \dfrac{2}{9}$

초5 분수의 곱셈

3 다음을 계산하시오.

(1) $\dfrac{3}{5} \times \dfrac{3}{4}$

(2) $\dfrac{1}{3} \times \dfrac{6}{7}$

초5 분수의 나눗셈

4 다음을 계산하시오.

(1) $\dfrac{8}{9} \div \dfrac{2}{9}$

(2) $\dfrac{5}{6} \div \dfrac{4}{3}$

정답 1. (1) 15 (2) 6 (3) 17 (4) 19 2. (1) 2 (2) $\dfrac{2}{7}$ (3) $\dfrac{17}{6}$ (4) $\dfrac{11}{18}$ 3. (1) $\dfrac{9}{20}$ (2) $\dfrac{2}{7}$ 4. (1) 4 (2) $\dfrac{5}{8}$

01 정수와 유리수

● 정답과 해설 21쪽

1 양수와 음수

(1) **양의 부호와 음의 부호**: 서로 반대되는 성질을 가지는 양을 수로 나타낼 때, 어떤 기준을 중심으로 한쪽 수량에는 ⊕를, 다른 쪽 수량에는 ⊖를 붙여 나타낸다.

이때 +를 **양의 부호**, −를 **음의 부호**라 한다.

예	+	영상 3℃ ➡ +3℃	700원 이익 ➡ +700원	해발 800 m ➡ +800 m	5점 상승 ➡ +5점
	−	영하 5℃ ➡ −5℃	400원 손해 ➡ −400원	해저 600 m ➡ −600 m	3점 하락 ➡ −3점

(2) **양수와 음수**

① **양수**: 0보다 큰 수로 양의 부호 +를 붙인 수

② **음수**: 0보다 작은 수로 음의 부호 −를 붙인 수

예 0보다 1만큼 큰 수: +1, 0보다 2만큼 작은 수: −2

참고 • 부호 +, −는 각각 덧셈, 뺄셈의 기호와 모양은 같지만 그 뜻은 다르다.
• 0은 양수도 아니고 음수도 아니다.

필수 문제
양의 부호와 음의 부호

1 다음 (   ) 안에 알맞은 수를 양의 부호 + 또는 음의 부호 −를 사용하여 나타내시오.

(1) 현재 위치에서 동쪽으로 3 km 떨어진 지점을 +3 km로 나타내면
현재 위치에서 서쪽으로 4 km 떨어진 지점은 (   )km로 나타낸다.

(2) 지금으로부터 10년 전을 −10년으로 나타내면
지금으로부터 5년 후는 (   )년으로 나타낸다.

(3) 용돈으로 5000원을 받은 것을 +5000원으로 나타내면
준비물을 사는 데 1500원을 쓴 것은 (   )원으로 나타낸다.

1-1 다음에서 밑줄 친 부분을 양의 부호 + 또는 음의 부호 −를 사용하여 나타내시오.

(1) 지하 50 m를 −50 m로 나타낼 때, 지상 60 m

(2) 7 kg 증가한 몸무게를 +7 kg으로 나타낼 때, 5 kg 감소한 몸무게

(3) 10점 잃은 점수를 −10점으로 나타낼 때, 8점 얻은 점수

(4) 가격을 5 % 인상한 것을 +5 %로 나타낼 때, 10 % 인하한 가격

필수 문제
양수와 음수

▶0을 기준으로 0보다 큰 수에는
+ 부호를, 0보다 작은 수에는
− 부호를 붙인다.

2 다음 수를 양의 부호 + 또는 음의 부호 −를 사용하여 나타내고, 양수와 음수로 구분하시오.

(1) 0보다 4만큼 큰 수

(2) 0보다 $\frac{1}{2}$만큼 작은 수

2-1 다음 수를 양의 부호 + 또는 음의 부호 −를 사용하여 나타내고, 양수와 음수로 구분하시오.

(1) 0보다 9만큼 작은 수

(2) 0보다 0.31만큼 큰 수

2 정수와 유리수

(1) 양의 정수, 0, 음의 정수를 통틀어 **정수**라 한다.

    ① **양의 정수**: $+1$, $+2$, $+3$, …과 같이 자연수에 양의 부호 $+$를 붙인 수

    ② **음의 정수**: -1, -2, -3, …과 같이 자연수에 음의 부호 $-$를 붙인 수

(2) 양의 유리수, 0, 음의 유리수를 통틀어 **유리수**라 한다.

    ① **양의 유리수**: 분모, 분자가 자연수인 분수에 양의 부호 $+$를 붙인 수

    ② **음의 유리수**: 분모, 분자가 자연수인 분수에 음의 부호 $-$를 붙인 수

> 참고 • 양의 정수는 $+$ 부호를 생략하여 나타낼 수 있으므로 자연수와 같고,
>   양의 유리수도 양의 정수와 같이 $+$ 부호를 생략하여 나타낼 수 있다.
> • 모든 정수는 유리수이다. 예 $+3=+\dfrac{3}{1}=+\dfrac{6}{2}=\cdots$, $-2=-\dfrac{2}{1}=-\dfrac{4}{2}=\cdots$, $0=\dfrac{0}{1}=\dfrac{0}{2}=\cdots$ ← 정수는 분수로 나타낼 수 있으므로 모두 유리수이다.

3 유리수의 분류

$$
\text{유리수}\begin{cases} \text{정수}\begin{cases} \text{양의 정수(자연수)}: +1,\ +2,\ +3,\ \cdots \\ 0 \\ \text{음의 정수} \qquad : -1,\ -2,\ -3,\ \cdots \end{cases} \\ \text{정수가 아닌 유리수} \quad : -\dfrac{1}{2},\ \dfrac{2}{3},\ -0.4,\ +2.5,\ \cdots \end{cases}
$$

> 참고 앞으로 특별한 말이 없을 때 수라 하면 유리수를 말한다.

개념 확인 오른쪽 표에서 주어진 수가 양수, 음수, 자연수, 정수, 유리수에 각각 해당하면 ○표, 해당하지 않으면 ×표를 하시오.

수	0.5	-7	$+\dfrac{4}{3}$	-1.2	$-\dfrac{6}{3}$	0	4
양수							
음수							
자연수							
정수							
유리수							

필수 문제 ❸ 다음 수를 보기에서 모두 고르시오.

정수 / 정수의 분류

▶정수의 분류

$$
\text{정수}\begin{cases} \text{양의 정수(자연수)} \\ 0 \\ \text{음의 정수} \end{cases}
$$

> 보기
>
> 3, $+2$, -5, 0, 12, $+7$, -9

(1) 양의 정수   (2) 음의 정수

3-1 다음 수 중 양의 정수의 개수를 a, 음의 정수의 개수를 b라 할 때, $a-b$의 값을 구하시오.

> -2, 10, $-\dfrac{5}{3}$, 0, 7, -4, -0.8, $\dfrac{13}{6}$

필수 문제 **4**

유리수 / 유리수의 분류

▶주어진 수가 분수인 경우는 기약분수로 고친 후 정수인지 아닌지 구분한다.

다음 수를 보기에서 모두 고르시오.

보기

$$\frac{12}{3}, \quad +2, \quad -\frac{2}{5}, \quad 0, \quad 3.14, \quad -\frac{10}{2}, \quad 12.34, \quad -8$$

(1) 정수

(2) 유리수

(3) 정수가 아닌 유리수

4-1 다음 표에서 각 분류에 해당하는 수가 적힌 칸을 모두 색칠할 때 나타나는 자음을 말하시오.

정수	$+5.5$	-6	$+4$	0	$\frac{14}{2}$	$-\frac{3}{4}$
양의 유리수	$-\frac{5}{2}$	$-\frac{4}{7}$	-3.2	-11	4.2	0
음의 유리수	$\frac{9}{3}$	$-\frac{6}{5}$	$-\frac{18}{9}$	-5.6	-1.5	10
정수가 아닌 유리수	0	$+\frac{10}{2}$	-6	$-\frac{12}{4}$	$+\frac{7}{3}$	$-\frac{20}{5}$

필수 문제 **5**

정수와 유리수의 성질

다음 중 정수와 유리수에 대한 설명으로 옳은 것은 ○표, 옳지 <u>않은</u> 것은 ×표를 (   ) 안에 쓰시오.

(1) 모든 자연수는 정수이다. (   )

(2) 0은 정수가 아니다. (   )

(3) 유리수가 아닌 정수도 있다. (   )

(4) 음수는 음의 부호 −를 생략할 수 있다. (   )

(5) −3은 음의 유리수이다. (   )

5-1 다음 보기 중 정수와 유리수에 대한 설명으로 옳은 것을 모두 고르시오.

보기

ㄱ. 모든 정수는 유리수이다.

ㄴ. 0은 양수도 아니고 음수도 아니다.

ㄷ. 가장 작은 정수는 1이다.

ㄹ. 유리수는 양의 유리수와 음의 유리수로 이루어져 있다.

1 증가하거나 0보다 큰 값은 양의 부호 +를, 감소하거나 0보다 작은 값은 음의 부호 −를 사용하여 나타낼 때, 다음 중 옳은 것은?

① 해발 500 m: −500 m   ② 300원 손해: +300원
③ 영상 12℃: +12℃   ④ 5 % 적립: −5 %
⑤ 1점 실점: +1점

2 다음 수 중 정수는 모두 몇 개인가?

$$-4, \quad +\frac{17}{8}, \quad 0, \quad +5, \quad -2.7, \quad \frac{14}{2}$$

① 1개   ② 2개   ③ 3개   ④ 4개   ⑤ 5개

3 다음 수에 대한 설명으로 옳지 <u>않은</u> 것을 모두 고르면? (정답 2개)

$$\frac{1}{7}, \quad +1, \quad 0, \quad -\frac{8}{4}, \quad -1.5$$

① 자연수는 1개이다.   ② 정수는 2개이다.
③ 유리수는 5개이다.   ④ 양수는 1개이다.
⑤ 정수가 아닌 유리수는 2개이다.

4 다음은 정수와 유리수에 대한 학생의 대화이다. 바르게 말한 학생을 모두 고르시오.

성화: 모든 자연수는 유리수야.

재은: 가장 작은 양의 유리수는 1이야.

준모: 유리수는 $\dfrac{\text{(정수)}}{\text{(0이 아닌 정수)}}$ 꼴로 나타낼 수 있어.

진솔: 정수는 양의 정수, 0, 음의 정수로 이루어져 있어.

규형: 0과 1 사이에는 무수히 많은 정수가 있어.

4 수직선

직선 위에 기준이 되는 점 O를 잡아 그 점에 수 0을 대응시키고, 점 O의 좌우에 일정한 간격으로 점을 잡아 점 O의 오른쪽 점에 양의 정수를, 왼쪽 점에 음의 정수를 차례로 대응시킨다.

이와 같이 수를 대응시킨 직선을 **수직선**이라 한다.

➡ 모든 유리수는 수직선 위의 점에 대응시킬 수 있다.

참고 수직선에서 수 0에 대응하는 기준이 되는 점 O를 원점이라 한다.

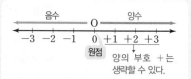

용어
• 원점 O
원점을 나타내는 O는 Origin의 첫 글자이다.

필수 **문제** 6
수직선 위의 점에 대응하는 수

다음 수직선 위의 네 점 A, B, C, D에 대응하는 수를 각각 구하시오.

6-1 다음 수직선 위의 네 점 A, B, C, D에 대응하는 수를 각각 구하시오.

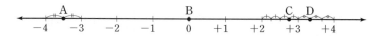

필수 **문제** 7
수직선 위에서 가장 가까운 정수 찾기

다음 물음에 답하시오.

(1) 다음 수직선 위에 $-\dfrac{8}{3}$과 $\dfrac{15}{4}$에 대응하는 점을 각각 나타내시오.

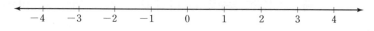

(2) 수직선 위에서 $-\dfrac{8}{3}$에 가장 가까운 정수와 $\dfrac{15}{4}$에 가장 가까운 정수를 차례로 구하시오.

7-1 수직선 위에서 $-\dfrac{9}{4}$에 가장 가까운 정수와 $\dfrac{14}{5}$에 가장 가까운 정수를 차례로 구하시오.

5 절댓값

(1) **절댓값**: 수직선 위에서 원점과 어떤 수에 대응하는 점 사이의 거리

➡ 유리수 a의 절댓값을 기호로 $|a|$와 같이 나타낸다.

예 $|+2|=2$, $\left|-\dfrac{1}{3}\right|=\dfrac{1}{3}$

참고 절댓값이 $a(a>0)$인 수는 $+a$와 $-a$의 2개이다.

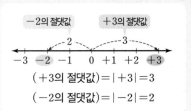

$(+3$의 절댓값$)=|+3|=3$
$(-2$의 절댓값$)=|-2|=2$

(2) **절댓값의 성질**

① 양수, 음수의 절댓값은 그 수의 부호 $+$, $-$를 떼어 낸 수와 같다.

② 0의 절댓값은 0이다. 즉, $|0|=0$이다.

③ 절댓값은 거리를 나타내므로 항상 0 또는 양수이다.

④ 절댓값이 큰 수일수록 수직선 위에서 원점으로부터 더 멀리 있는 점에 대응한다.

 다음을 구하시오.

(1) $+8$의 절댓값

(2) $-\dfrac{4}{5}$의 절댓값

(3) $|-6|$

(4) $|+2.7|$

필수 문제

절댓값

8 다음을 구하시오.

(1) 절댓값이 4인 수

(2) 절댓값이 2.5인 수

(3) 절댓값이 9인 양수

(4) 절댓값이 $\dfrac{3}{4}$인 음수

8-1 절댓값이 10인 양수를 a, 절댓값이 $\dfrac{1}{2}$인 음수를 b, 절댓값이 0인 수를 c라 할 때, a, b, c의 값을 각각 구하시오.

8-2 수직선 위에서 절댓값이 12인 서로 다른 두 수에 대응하는 두 점 사이의 거리는?

① 12 　　② 16 　　③ 20 　　④ 24 　　⑤ 28

필수 문제 **9**

절댓값이 같고
부호가 반대인 두 수

▸두 점 사이의 거리가 8이므로
두 점은 원점으로부터 각각
□만큼 떨어져 있다.

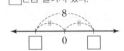

9 절댓값이 같고 부호가 반대인 어떤 두 수가 있다. 수직선 위에서 두 수에 대응하는 두 점 사이의 거리가 8일 때, 두 수를 구하시오.

9-1 절댓값이 같고 부호가 반대인 어떤 두 수가 있다. 수직선 위에서 두 수에 대응하는 두 점 사이의 거리가 10일 때, 두 수를 구하시오.

필수 문제 **10**

절댓값의 대소 관계

▸(절댓값이 가장 큰 수)
 =(수직선에서 원점으로부터
   가장 멀리 있는 점에 대응
   하는 수)

10 오른쪽의 수들을 절댓값이 큰 수부터 차례로 나열하시오.

$$-4, \quad \frac{3}{2}, \quad 1, \quad -\frac{7}{4}, \quad 2.6$$

10-1 오른쪽의 수들을 원점으로부터 거리가 가장 가까운 점에 대응하는 수부터 차례로 나열하시오.

$$-7, \quad \frac{14}{5}, \quad -1.3, \quad 6, \quad 8.4$$

6 수의 대소 관계

수직선 위에서 수는 오른쪽으로 갈수록 커지고,
왼쪽으로 갈수록 작아진다.

(1) 양수는 0보다 크고, 음수는 0보다 작다.
   즉, (음수)$<0<$(양수)

(2) 양수끼리는 절댓값이 큰 수가 크다. 예 $+3<+5$

(3) 음수끼리는 절댓값이 큰 수가 작다. 예 $-3>-5$

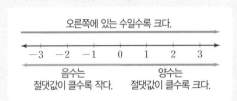

7 부등호의 사용

$a>b$	$a<b$	$a \geq b$	$a \leq b$
a는 b보다 크다. a는 b 초과이다.	a는 b보다 작다. a는 b 미만이다.	a는 b보다 크거나 같다. a는 b보다 작지 않다. a는 b 이상이다.	a는 b보다 작거나 같다. a는 b보다 크지 않다. a는 b 이하이다.

참고 부등호 기호 $\leq$는 $<$ 또는 $=$임을 나타내고, $\geq$는 $>$ 또는 $=$임을 나타낸다.

개념 확인) 다음은 $-\dfrac{3}{5}$과 $-\dfrac{2}{5}$의 크기를 비교하는 과정이다. □ 안에 알맞은 수나 부등호 $<$ 또는 $>$를 쓰시오.

> 두 수의 절댓값을 각각 구하면 $\left|-\dfrac{3}{5}\right|=$ □ , $\left|-\dfrac{2}{5}\right|=$ □
>
> 이때 $\dfrac{3}{5}$ □ $\dfrac{2}{5}$이고, 음수끼리는 절댓값이 큰 수가 작으므로 $-\dfrac{3}{5}$ □ $-\dfrac{2}{5}$이다.

필수 문제

수의 대소 관계

11 다음 □ 안에 부등호 $<$, $>$ 중 알맞은 것을 쓰시오.

(1) $+4$ □ -3

(2) 0 □ $+\dfrac{2}{3}$

(3) $-\dfrac{1}{2}$ □ -1

(4) $\dfrac{8}{3}$ □ $\dfrac{11}{4}$

11-1 다음 두 수의 대소 관계를 부등호 $<$ 또는 $>$를 사용하여 나타내시오.

(1) -3, 0

(2) $-\dfrac{2}{3}$, -0.5

필수 문제

부등호를 사용하여
나타내기

12 다음 □ 안에 알맞은 부등호를 쓰시오.

(1) x는 3보다 크거나 같다.   ⇨ x □ 3

(2) x는 -2 이상이고 5 미만이다.   ⇨ -2 □ x □ 5

(3) x는 4보다 크고 7보다 크지 않다.   ⇨ 4 □ x □ 7

1 다음 수직선 위의 다섯 개의 점 A, B, C, D, E에 대응하는 수로 옳지 <u>않은</u> 것은?

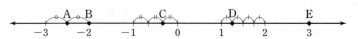

① A: -2.5 ② B: -2 ③ C: $-\dfrac{1}{3}$ ④ D: $\dfrac{7}{4}$ ⑤ E: 3

2 수직선 위에서 $-\dfrac{18}{5}$에 가장 가까운 정수를 a, $\dfrac{7}{3}$에 가장 가까운 정수를 b라 할 때, a, b의 값을 각각 구하면?

① $a=-4,\ b=2$ ② $a=-4,\ b=3$ ③ $a=-3,\ b=1$
④ $a=-3,\ b=2$ ⑤ $a=-3,\ b=3$

3 수직선에서 원점으로부터의 거리가 $\dfrac{5}{7}$인 점에 대응하는 수를 모두 구하시오.

4 절댓값이 같고 부호가 반대인 어떤 두 수가 있다. 수직선 위에서 두 수에 대응하는 두 점 사이의 거리가 14일 때, 두 수를 구하시오.

5 다음 수들을 절댓값이 큰 수부터 차례로 나열할 때, 두 번째에 오는 수는?

① -2 ② $-\dfrac{1}{2}$ ③ $\dfrac{1}{3}$ ④ 1.5 ⑤ $+1\dfrac{2}{3}$

6 다음 중 두 수의 대소 관계가 옳은 것은?

① $-7 > 3$

② $\dfrac{4}{5} < \dfrac{5}{7}$

③ $-\dfrac{5}{6} > -\dfrac{1}{3}$

④ $-9 > |-9|$

⑤ $\left|-\dfrac{1}{2}\right| > \left|+\dfrac{1}{3}\right|$

7 다음 중 부등호를 사용하여 나타낸 것으로 옳지 <u>않은</u> 것은?

① x는 -5보다 크거나 같고 1보다 작다. ⇨ $-5 \leq x < 1$

② x는 -3 초과이고 8 이하이다. ⇨ $-3 < x \leq 8$

③ x는 0보다 크고 2보다 작거나 같다. ⇨ $0 < x \leq 2$

④ x는 1보다 작지 않고 3 미만이다. ⇨ $1 < x < 3$

⑤ x는 4 이상이고 6보다 크지 않다. ⇨ $4 \leq x \leq 6$

● 조건을 만족시키는
정수 찾기
❶ 가분수는 대분수 또는
소수로 고친다.
❷ 두 수를 수직선 위에
나타내어 주어진 조
건을 만족시키는 정
수를 찾는다.

8 $-\dfrac{3}{2}$보다 크고 2보다 작거나 같은 정수의 개수를 구하려고 한다. 다음 물음에 답하시오.

(1) 다음 수직선 위에 $-\dfrac{3}{2}$과 2에 대응하는 점을 각각 나타내시오.

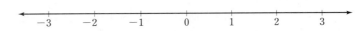

(2) $-\dfrac{3}{2}$보다 크고 2보다 작거나 같은 정수는 모두 몇 개인지 구하시오.

9 $-\dfrac{11}{4}$과 4 사이에 있는 정수의 개수는?

① 4   ② 5   ③ 6   ④ 7   ⑤ 8

1 수의 덧셈

(1) 부호가 같은 두 수의 덧셈

두 수의 절댓값의 합에 공통인 부호를 붙인다.

• $(+3)+(+2)=+(3+2)=+5$
  └ 공통인 부호

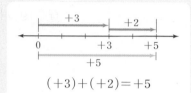

$$(+3)+(+2)=+5$$

• $(-3)+(-2)=-(3+2)=-5$
  └ 공통인 부호

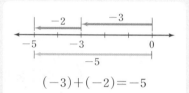

$$(-3)+(-2)=-5$$

(2) 부호가 다른 두 수의 덧셈

두 수의 절댓값의 차에 절댓값이 큰 수의 부호를 붙인다.

• $(+3)+(-2)=+(3-2)=+1$
  └ 절댓값이 큰 수의 부호

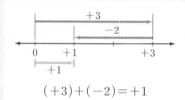

$$(+3)+(-2)=+1$$

• $(-3)+(+2)=-(3-2)=-1$
  └ 절댓값이 큰 수의 부호

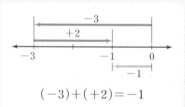

$$(-3)+(+2)=-1$$

참고 • 절댓값이 같고 부호가 다른 두 수의 합은 0이다.
예 $(+3)+(-3)=0$
• 어떤 수에 0을 더하거나 0에 어떤 수를 더하여도 그 합은 그 수 자신이 된다.
예 $(-2)+0=-2,\ 0+\left(+\dfrac{1}{2}\right)=+\dfrac{1}{2}$

개념 확인

다음 식에서 ○ 안에는 $+$, $-$ 중 알맞은 부호를, □ 안에는 알맞은 자연수를 쓰시오.

(1) $(+3)+(+5)=\bigcirc(\square+\square)=\bigcirc\square$

(2) $(-3)+(-5)=\bigcirc(\square+\square)=\bigcirc\square$

(3) $(+3)+(-5)=\bigcirc(\square-\square)=\bigcirc\square$

(4) $(-3)+(+5)=\bigcirc(\square-\square)=\bigcirc\square$

핵심
• 덧셈의 부호
$(+)+(+)$ ➡ $+$(절댓값의 합)
$(-)+(-)$ ➡ $-$(절댓값의 합)
$(+)+(-)$ ┐
$(-)+(+)$ ┘ ➡ ●(절댓값의 차)
└ 절댓값이
큰 수의 부호

필수 **문제** 1

수직선을 이용한 수의 덧셈

▶원점에서 시작하여 오른쪽으로 이동하면 양수, 왼쪽으로 이동하면 음수를 더한다.

다음 수직선으로 설명할 수 있는 덧셈식을 쓰시오.

(1)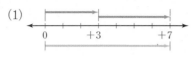

⇨ _____

(2)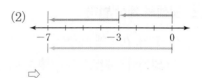

⇨ _____

(3)

⇨ _____

(4)

⇨ _____

필수 **문제** 2

수의 덧셈

▶분모가 다른 두 분수의 덧셈은 분모의 최소공배수로 통분하여 계산한다.

다음을 계산하시오.

(1) $(+4)+(+7)$

(2) $(-3)+(+9)$

(3) $\left(-\dfrac{1}{5}\right)+\left(-\dfrac{3}{5}\right)$

(4) $\left(+\dfrac{1}{2}\right)+\left(-\dfrac{2}{3}\right)$

(5) $(+2.6)+(-3.1)$

(6) $(-0.7)+(-1.6)$

2-1 다음을 계산하시오.

(1) $(+5)+(+11)$

(2) $(-7)+(+12)$

(3) $\left(-\dfrac{1}{4}\right)+\left(-\dfrac{7}{4}\right)$

(4) $\left(+\dfrac{4}{9}\right)+\left(+\dfrac{7}{9}\right)$

(5) $\left(-\dfrac{4}{5}\right)+\left(+\dfrac{9}{10}\right)$

(6) $\left(+\dfrac{3}{4}\right)+\left(-\dfrac{4}{3}\right)$

(7) $(+4)+\left(-\dfrac{2}{3}\right)$

(8) $(-1)+\left(+\dfrac{2}{7}\right)$

(9) $(+3.4)+(-2.1)$

(10) $(-1.2)+(-2.8)$

2 덧셈의 계산 법칙

세 수 a, b, c에 대하여

(1) **덧셈의 교환법칙**: $a+b=b+a$
└→ 두 수의 순서를 바꾸어 더하여도 결과는 같다.

$$(+2)+(+4)=(+4)+(+2)$$

(2) **덧셈의 결합법칙**: $(a+b)+c=a+(b+c)$
└→ 어느 두 수를 먼저 더하여도 결과는 같다.

$$\{(+3)+(-4)\}+(-1)$$
$$=(+3)+\{(-4)+(-1)\}$$

참고 세 수의 덧셈에서는 덧셈의 결합법칙이 성립하므로
$(a+b)+c$, $a+(b+c)$를 모두 $a+b+c$로 나타낼 수 있다.

필수 문제 **3**
덧셈의 계산 법칙

다음 계산 과정에서 ㈎, ㈏에 이용된 덧셈의 계산 법칙을 각각 쓰시오.

(1) $(-3)+(+5)+(-2)$
$=(+5)+(-3)+(-2)$ ┤㈎
$=(+5)+\{(-3)+(-2)\}$ ┤㈏
$=(+5)+(-5)=0$

(2) $\left(+\dfrac{7}{3}\right)+(-11)+\left(+\dfrac{14}{3}\right)$
$=\left(+\dfrac{7}{3}\right)+\left(+\dfrac{14}{3}\right)+(-11)$ ┤㈎
$=\left\{\left(+\dfrac{7}{3}\right)+\left(+\dfrac{14}{3}\right)\right\}+(-11)$ ┤㈏
$=(+7)+(-11)=-4$

3-1 다음 계산 과정에서 ㈎~㈑에 알맞은 것을 구하시오.

$$\left(+\dfrac{2}{3}\right)+\left(-\dfrac{3}{2}\right)+\left(+\dfrac{4}{3}\right)+\left(-\dfrac{5}{2}\right)$$

$$=\left(+\dfrac{2}{3}\right)+\left(+\dfrac{4}{3}\right)+\left(-\dfrac{3}{2}\right)+\left(-\dfrac{5}{2}\right)$$ 덧셈의 ㈎ 법칙

$$=\left\{\left(+\dfrac{2}{3}\right)+\left(+\dfrac{4}{3}\right)\right\}+\left\{\left(-\dfrac{3}{2}\right)+\left(-\dfrac{5}{2}\right)\right\}$$ 덧셈의 ㈏ 법칙

$$=(+2)+(\boxed{㈐})=\boxed{㈑}$$

필수 문제 **4**
세 수 이상의 덧셈

다음을 계산하시오.

(1) $(+6)+(-5)+(+3)$

(2) $\left(-\dfrac{2}{3}\right)+(+7)+\left(-\dfrac{4}{3}\right)$

(3) $\left(-\dfrac{2}{7}\right)+\left(+\dfrac{3}{5}\right)+\left(-\dfrac{5}{7}\right)$

(4) $(-2.7)+(+4)+(-3.3)$

4-1 다음을 계산하시오.

(1) $(-15)+(+23)+(+15)$

(2) $\left(+\dfrac{1}{4}\right)+(+21)+\left(-\dfrac{9}{4}\right)$

(3) $\left(+\dfrac{4}{3}\right)+\left(-\dfrac{3}{2}\right)+\left(+\dfrac{5}{3}\right)+\left(-\dfrac{7}{2}\right)$

(4) $(-1.4)+(+1.3)+(-1.6)+(+9.7)$

3 수의 뺄셈

두 수의 뺄셈은 빼는 수의 부호를 바꾸어 덧셈으로 고쳐서 계산한다.

부호 반대로
- $(+2)-(+3)=(+2)+(-3)=-(3-2)=-1$
덧셈으로

부호 반대로
- $(+2)-(-3)=(+2)+(+3)=+(2+3)=+5$
덧셈으로

참고 어떤 수에서 0을 빼면 그 수 자신이 된다.   예 $(+2)-0=+2$

주의 뺄셈에서는 교환법칙과 결합법칙이 성립하지 않는다.

- $(+2)-(+4)=-2$
- $(+4)-(+2)=+2$ 다르다.

➡ 교환법칙이 성립하지 않는다.

- $\{(+5)-(+4)\}-(-3)=+4$
- $(+5)-\{(+4)-(-3)\}=-2$ 다르다.

➡ 결합법칙이 성립하지 않는다.

개념 확인 다음 식에서 ◯ 안에는 $+,\ -$ 중 알맞은 부호를, ☐ 안에는 알맞은 자연수를 쓰시오.

(1) $\left(+\dfrac{1}{5}\right)-\left(+\dfrac{3}{5}\right)=\left(+\dfrac{1}{5}\right)+\left(\bigcirc\dfrac{3}{5}\right)=\bigcirc\left(\dfrac{\square}{5}-\dfrac{\square}{5}\right)=\bigcirc\dfrac{\square}{5}$

(2) $\left(+\dfrac{1}{2}\right)-\left(-\dfrac{1}{3}\right)=\left(+\dfrac{1}{2}\right)+\left(\bigcirc\dfrac{1}{3}\right)=\left(+\dfrac{3}{6}\right)+\left(\bigcirc\dfrac{\square}{6}\right)$

$=\bigcirc\left(\dfrac{3}{6}\bigcirc\dfrac{\square}{6}\right)=\bigcirc\dfrac{\square}{6}$

필수 문제 **5** 다음을 계산하시오.

수의 뺄셈

▶ 뺄셈을 덧셈으로 바꾸기

$(+)-(+) \Rightarrow (+)+(-)$
$(+)-(-) \Rightarrow (+)+(+)$
$(-)-(+) \Rightarrow (-)+(-)$
$(-)-(-) \Rightarrow (-)+(+)$

(1) $(+6)-(+2)$

(2) $(-8)-(-4)$

(3) $\left(+\dfrac{3}{4}\right)-\left(-\dfrac{1}{4}\right)$

(4) $\left(-\dfrac{1}{3}\right)-\left(-\dfrac{2}{7}\right)$

(5) $(-5.4)-(+1.6)$

(6) $(+6.3)-(+4.5)$

5-1 다음을 계산하시오.

(1) $(+7)-(+13)$

(2) $(-9)-(+5)$

(3) $\left(-\dfrac{4}{11}\right)-\left(-\dfrac{8}{11}\right)$

(4) $\left(+\dfrac{13}{10}\right)-(+2)$

(5) $\left(+\dfrac{2}{5}\right)-\left(-\dfrac{7}{20}\right)$

(6) $\left(-\dfrac{5}{6}\right)-\left(-\dfrac{1}{8}\right)$

(7) $(-3.2)-(+4.5)$

(8) $(+3.5)-(+2.8)$

4 덧셈과 뺄셈의 혼합 계산

❶ 뺄셈을 덧셈으로 고친다.

❷ 덧셈의 계산 법칙을 이용하여 계산한다.
이때 양수는 양수끼리, 음수는 음수끼리 모아서
계산하면 편리하다.

참고 분수가 있는 식은 분모가 같은 것끼리 모아서 계산하면 편리하다.

$$(+4)+(-3)-(-2)$$
$$=(+4)+(-3)+(+2)$$ — 뺄셈을 덧셈으로
$$=\{(+4)+(+2)\}+(-3)$$ — 덧셈의 교환법칙, 결합법칙 이용
$$=(+6)+(-3)=+3$$

5 부호가 생략된 수의 혼합 계산

❶ 생략된 양의 부호 +와 괄호를 넣는다.

❷ 뺄셈을 덧셈으로 고친다.

❸ 덧셈의 계산 법칙을 이용하여 계산한다.

참고 덧셈과 뺄셈에서
양수는 양의 부호와 괄호를 생략하여 나타낼 수 있고,
음수는 식의 맨 앞에 나올 때 괄호를 생략하여 나타낼 수 있다.
➡ $(+2)+(+3)=2+3$, $(-2)-(+3)=-2-3$

$$-7+3-5$$
$$=(-7)+(+3)-(+5)$$ — 생략된 양의 부호 +와 괄호 넣기
$$=(-7)+(+3)+(-5)$$ — 뺄셈을 덧셈으로
$$=\{(-7)+(-5)\}+(+3)$$ — 덧셈의 교환법칙, 결합법칙 이용
$$=(-12)+(+3)=-9$$

필수 문제 ⑥

덧셈과 뺄셈의 혼합 계산

다음을 계산하시오.

(1) $(-7)+(+12)-(-8)$

(2) $\left(+\dfrac{2}{9}\right)-\left(-\dfrac{1}{5}\right)+\left(-\dfrac{6}{5}\right)$

▶분수와 소수의 덧셈과 뺄셈은 소수를 분수로 바꾸어 통분하거나 분수를 소수로 바꾸어 계산한다.

6-1 다음을 계산하시오.

(1) $(-11)+(+3)-(+6)$

(2) $(+7)+(-5)-(-3)-(+4)$

(3) $\left(-\dfrac{1}{2}\right)-\left(+\dfrac{1}{3}\right)+\left(-\dfrac{2}{3}\right)-\left(-\dfrac{3}{2}\right)$

(4) $(+2.7)+\left(-\dfrac{7}{2}\right)-(-3.8)$

필수 문제 ⑦

부호가 생략된 수의 혼합 계산

다음을 계산하시오.

(1) $5+16-14$

(2) $-15+2+13-8$

(3) $-\dfrac{7}{6}-\dfrac{2}{3}+2$

(4) $7-2.4+5.8-11.4$

▶부호가 생략된 수는 + 부호를 다시 살려서 괄호가 있는 식으로 나타낸다.

7-1 다음을 계산하시오.

(1) $9-11+3$

(2) $-2+3+5-7$

(3) $\dfrac{2}{3}+\dfrac{1}{2}-\dfrac{5}{12}$

(4) $-\dfrac{5}{2}+1.2+\dfrac{2}{5}-0.6$

● 정답과 해설 27쪽

1 오른쪽 수직선으로 설명할 수 있는 계산식은?

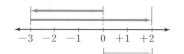

① $(-3)+(+2)=-1$
② $(-3)+(+5)=+2$
③ $(+2)-(-3)=+5$
④ $(+3)+(+2)=+5$
⑤ $(+5)-(+2)=+3$

2 다음 중 계산 결과가 옳은 것은?

① $(-6)+(-5)=-1$　　　　② $(+4)+(-4)=+8$
③ $(+5)-(-3)=-2$　　　　④ $(+0.7)+(-0.9)=-0.2$
⑤ $\left(-\dfrac{2}{5}\right)-(+0.2)=-\dfrac{1}{5}$

3 오른쪽 표는 어느 날 서울의 기온을 4시간마다 측정하여 나타낸 것이다. 다음 물음에 답하시오.

측정 시각	기온(℃)
2시	-7.4
6시	-5.1
10시	$+3$
14시	$+10.3$
18시	$+2.6$
22시	-3.9

(1) 이날의 최고 기온과 최저 기온의 차는 몇 ℃인지 구하시오.

(2) 10시의 기온은 6시의 기온보다 몇 ℃만큼 높아졌는지 구하시오.

(3) 22시의 기온은 18시의 기온보다 몇 ℃만큼 낮아졌는지 구하시오.

4 다음 수 중 절댓값이 가장 큰 수를 a, 절댓값이 가장 작은 수를 b라 할 때, $a-b$의 값을 구하시오.

$$-2.5, \quad +3, \quad -\dfrac{15}{4}, \quad -0.5, \quad +\dfrac{9}{2}$$

5 다음을 계산하시오.

(1) $(+7)-(+2)+(-9)$

(2) $(+18)+(-3)-(-6)$

(3) $-\dfrac{2}{3}-\dfrac{1}{2}+\dfrac{3}{4}-\dfrac{1}{6}$

(4) $-0.4+3.2-4.5+2.7$

6 4보다 -3만큼 작은 수를 a, 2보다 $-\dfrac{5}{8}$만큼 큰 수를 b라 할 때, 다음 물음에 답하시오.

(1) a, b의 값을 각각 구하시오.

(2) $a-b$의 값을 구하시오.

7 어떤 수에서 $-\dfrac{2}{7}$를 더해야 할 것을 잘못하여 뺐더니 2가 되었을 때, 다음 물음에 답하시오.

(1) 어떤 수를 구하시오.

(2) 바르게 계산한 답을 구하시오.

8 오른쪽 그림에서 삼각형의 한 변에 놓인 세 수의 합이 모두 같을 때, ㉠, ㉡에 알맞은 수를 각각 구하시오.

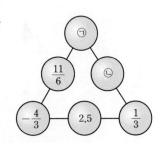

03 정수와 유리수의 곱셈과 나눗셈

● 정답과 해설 28쪽

1 수의 곱셈

(1) 부호가 같은 두 수의 곱셈: 두 수의 절댓값의 곱에 양의 부호 $+$를 붙인다.

- $(+4) \times (+3) = +(4 \times 3) = +12$
  $\quad$ 양의 부호
- $(-4) \times (-3) = +(4 \times 3) = +12$
  $\quad$ 양의 부호

(2) 부호가 다른 두 수의 곱셈: 두 수의 절댓값의 곱에 음의 부호 $-$를 붙인다.

- $(+4) \times (-3) = -(4 \times 3) = -12$
  $\quad$ 음의 부호
- $(-4) \times (+3) = -(4 \times 3) = -12$
  $\quad$ 음의 부호

참고 어떤 수와 0의 곱은 항상 0이다. **예** $2 \times 0 = 0$, $0 \times (-3) = 0$

개념 확인 다음 식에서 ◯ 안에는 $+$, $-$ 중 알맞은 부호를, ☐ 안에는 알맞은 수를 쓰시오.

핵심
- 곱셈의 부호
$$\left.\begin{array}{l} (+) \times (+) \\ (-) \times (-) \end{array}\right\} \Rightarrow +(\text{절댓값의 곱})$$
$$\left.\begin{array}{l} (+) \times (-) \\ (-) \times (+) \end{array}\right\} \Rightarrow -(\text{절댓값의 곱})$$

(1) $(+2) \times (+3) = \bigcirc (2 \times \square) = \square$

(2) $(-5) \times (-6) = \bigcirc (\square \times 6) = \square$

(3) $(+3) \times (-5) = \bigcirc (3 \times \square) = \square$

(4) $(-4) \times (+7) = \bigcirc (\square \times 7) = \square$

필수 문제 **1** 다음을 계산하시오.

두 수의 곱셈

▸분수와 소수의 곱셈은 소수를 분수로 바꾸어 계산하는 것이 편리하다.

(1) $(+6) \times (+3)$

(2) $(+4) \times (-8)$

(3) $(-10) \times \left(-\dfrac{15}{2}\right)$

(4) $\left(+\dfrac{5}{7}\right) \times \left(+\dfrac{3}{4}\right)$

(5) $\left(-\dfrac{7}{9}\right) \times \left(+\dfrac{3}{14}\right)$

(6) $(+0.6) \times \left(-\dfrac{5}{6}\right)$

1-1 다음을 계산하시오.

(1) $(-7) \times (-11)$

(2) $(-8) \times 0$

(3) $\left(+\dfrac{4}{3}\right) \times (+12)$

(4) $\left(-\dfrac{7}{4}\right) \times \left(+\dfrac{5}{21}\right)$

(5) $(-1.3) \times (-3)$

(6) $\left(+\dfrac{3}{2}\right) \times (-0.2)$

2 곱셈의 계산 법칙

세 수 a, b, c에 대하여

(1) 곱셈의 교환법칙: $a \times b = b \times a$
    └→ 두 수의 순서를 바꾸어 곱하여도 결과는 같다.

$(-2) \times (+3) = (+3) \times (-2)$

(2) 곱셈의 결합법칙: $(a \times b) \times c = a \times (b \times c)$
    └→ 어느 두 수를 먼저 곱하여도 결과는 같다.

$\{(+3) \times (-2)\} \times (-5)$
$= (+3) \times \{(-2) \times (-5)\}$

참고 세 수의 곱셈에서는 곱셈의 결합법칙이 성립하므로
$(a \times b) \times c$, $a \times (b \times c)$를 모두 $a \times b \times c$로 나타낼 수 있다.

3 세 수 이상의 곱셈

❶ 먼저 곱의 부호를 정한다. 이때 곱해진 음수가 ┌ 짝수 개이면 ➡ $+$
                                              └ 홀수 개이면 ➡ $-$

❷ 각 수의 절댓값의 곱에 ❶에서 결정된 부호를 붙여서 계산한다.

예 • $(-2) \times (+5) \times (-7) = +(2 \times 5 \times 7) = +70$

음수가 짝수 개

• $\left(-\dfrac{5}{8}\right) \times \left(-\dfrac{3}{5}\right) \times \left(-\dfrac{1}{3}\right) = -\left(\dfrac{5}{8} \times \dfrac{3}{5} \times \dfrac{1}{3}\right) = -\dfrac{1}{8}$

음수가 홀수 개

필수 문제 **2**

곱셈의 계산 법칙

오른쪽 계산 과정에서 ㈎, ㈏에 이용된 곱셈의 계산 법칙을 각각 쓰시오.

$(-20) \times (+0.17) \times (+5)$
$= (-20) \times (+5) \times (+0.17)$ ┤ ㈎
$= \{(-20) \times (+5)\} \times (+0.17)$ ┤ ㈏
$= (-100) \times (+0.17) = -17$

필수 문제 **3**

세 수 이상의 곱셈

▶ 세 수 이상의 곱셈에서
• 음수가 짝수 개이면
  ⇨ $+$(절댓값의 곱)
• 음수가 홀수 개이면
  ⇨ $-$(절댓값의 곱)

다음을 계산하시오.

(1) $(+3) \times (+5) \times (-4)$

(2) $(-4) \times (-7) \times (+15)$

(3) $8 \times \left(-\dfrac{3}{4}\right) \times \dfrac{2}{9}$

(4) $\dfrac{7}{2} \times 20 \times \left(-\dfrac{5}{21}\right) \times \left(-\dfrac{1}{10}\right)$

3-1 다음을 계산하시오.

(1) $(-2) \times (-7) \times (+3)$

(2) $(+6) \times (-3) \times (+4)$

(3) $\left(-\dfrac{3}{8}\right) \times \dfrac{5}{6} \times (-4)$

(4) $\left(-\dfrac{3}{11}\right) \times \left(-\dfrac{4}{9}\right) \times 22 \times \left(-\dfrac{3}{2}\right)$

4 거듭제곱의 계산

(1) 양수의 거듭제곱은 항상 양수이다.

(2) 음수의 거듭제곱의 부호는 지수가 ┌ 짝수이면 $+$
└ 홀수이면 $-$

(양수)$^{(홀수)}$ ➡ $+$ 부호
(양수)$^{(짝수)}$ ➡ $+$ 부호
(음수)$^{(홀수)}$ ➡ $-$ 부호
(음수)$^{(짝수)}$ ➡ $+$ 부호

예 • $(-2)^2=(-2)\times(-2)=+(2\times2)=+4$
• $(-2)^3=(-2)\times(-2)\times(-2)=-(2\times2\times2)=-8$

주의 $(-3)^2$과 -3^2을 혼동하지 않도록 한다.
➡ $(-3)^2=(-3)\times(-3)=9$, $-3^2=-(3\times3)=-9$

5 분배법칙

어떤 수에 두 수의 합을 곱한 것은 어떤 수에 두 수를 각각 곱하여 더한 것과 그 결과가 같다.
이것을 분배법칙이라 한다. 즉,
세 수 a, b, c에 대하여

(1) $a\times(b+c)=a\times b+a\times c$ (2) $(a+b)\times c=a\times c+b\times c$

예 • 분배법칙을 이용하여 괄호 풀기 ➡ $7\times103=7\times(100+3)=7\times100+7\times3$
• 분배법칙을 이용하여 괄호 묶기 ➡ $12\times98+12\times2=12\times(98+2)=12\times100$

필수 문제 4 다음을 계산하시오.

거듭제곱의 계산

▸$(-)^{(짝수)}=(+)$,
$(-)^{(홀수)}=(-)$

(1) $(+2)^5$ (2) $(-5)^3$ (3) $(-1)^8$ (4) $-\left(-\dfrac{2}{3}\right)^2$

4-1 다음을 계산하시오.

(1) $(-1)^5\times(-2)^3$ (2) $(-4)\times\left(-\dfrac{1}{4}\right)^2\times3$

필수 문제 5 다음은 분배법칙을 이용하여 계산하는 과정이다. ☐ 안에 알맞은 수를 쓰시오.

분배법칙

(1) $\left\{\left(-\dfrac{1}{8}\right)+\left(+\dfrac{7}{12}\right)\right\}\times48$

$=\left(-\dfrac{1}{8}\right)\times\boxed{}+\left(+\dfrac{7}{12}\right)\times\boxed{}$

$=-6+\boxed{}=\boxed{}$

(2) $32\times\dfrac{115}{49}+32\times\dfrac{32}{49}$

$=\boxed{}\times\left(\dfrac{115}{49}+\dfrac{32}{49}\right)$

$=\boxed{}\times3=\boxed{}$

5-1 다음을 분배법칙을 이용하여 계산하시오.

(1) $45\times\left\{\dfrac{4}{15}+\left(-\dfrac{2}{9}\right)\right\}$ (2) $(-11)\times5.3+(-11)\times4.7$

▸$a\times(b+c)=a\times b+a\times c$

5-2 세 수 a, b, c에 대하여 $a\times b=-6$, $a\times c=20$일 때, $a\times(b+c)$의 값을 구하시오.

6 수의 나눗셈

(1) 부호가 같은 두 수의 나눗셈: 두 수의 절댓값의 나눗셈의 몫에 양의 부호 $+$를 붙인다.

　• $(+6) \div (+2) = +(6 \div 2) = +3$　　　　• $(-6) \div (-2) = +(6 \div 2) = +3$

(2) 부호가 다른 두 수의 나눗셈: 두 수의 절댓값의 나눗셈의 몫에 음의 부호 $-$를 붙인다.

　• $(+6) \div (-2) = -(6 \div 2) = -3$　　　　• $(-6) \div (+2) = -(6 \div 2) = -3$

〔참고〕 • 0을 0이 아닌 수로 나누면 그 몫은 항상 0이다.　〔예〕 $0 \div 2 = 0$
　　　• $3 \div 0$과 같이 어떤 수를 0으로 나누는 경우는 생각하지 않는다.

〔주의〕 나눗셈에서는 교환법칙과 결합법칙이 성립하지 않는다.

7 역수를 이용한 수의 나눗셈

(1) 역수: 두 수의 곱이 1이 될 때, 한 수를 다른 수의 **역수**라 한다.

　〔참고〕 0에 어떤 수를 곱하여도 1이 될 수 없으므로 0의 역수는 없다.

(2) 역수를 이용한 나눗셈

　나눗셈은 곱셈으로, 나누는 수는 그 수의 역수로 바꾸어 계산한다.

$$(+6) \div (+2) = +3$$
곱셈으로 ↓　　↓ 역수로
$$(+6) \times \left(+\frac{1}{2}\right) = +3$$

〔개념확인〕 다음 수의 역수를 구하시오.

(1) $\dfrac{2}{3}$　　　　　　　　　　　(2) -3

(3) $3\dfrac{1}{2}$　　　　　　　　　　 (4) 0.2

〔핵심〕

• 역수 구하기

① 정수는 분모가 1인 분수로 고쳐서 역수를 구한다.
$$-5\left(=-\frac{5}{1}\right) \Rightarrow -\frac{1}{5}$$

② 대분수는 가분수로 고쳐서 역수를 구한다.
$$1\frac{1}{3}\left(=\frac{4}{3}\right) \Rightarrow \frac{3}{4}$$

③ 소수는 분수로 고쳐서 역수를 구한다.
$$2.5\left(=\frac{5}{2}\right) \Rightarrow \frac{2}{5}$$

〔필수 문제〕　6 다음을 계산하시오.

두 수의 나눗셈

(1) $(+12) \div (+3)$　　　　　　　(2) $(+30) \div (-5)$

(3) $(-16) \div (-8)$　　　　　　　(4) $(-5.4) \div (+6)$

6-1 다음을 계산하시오.

(1) $(+38) \div (-2)$　　　　　　　(2) $(-4.2) \div (-3)$

〔필수 문제〕　7 다음을 계산하시오.

역수를 이용한 수의 나눗셈

▶나누는 수가 분수이면 나누는
　수의 역수를 곱한다. 즉,

$$\square \div \frac{b}{a} \Rightarrow \square \times \frac{a}{b}$$

（단, $a \neq 0,\ b \neq 0$）

(1) $(-6) \div \left(+\dfrac{3}{2}\right)$　　　　　　(2) $\left(-\dfrac{2}{3}\right) \div \left(-\dfrac{8}{5}\right)$

7-1 다음을 계산하시오.

(1) $\dfrac{8}{9} \div \left(-\dfrac{4}{3}\right)$　　　　　　(2) $\left(-\dfrac{7}{10}\right) \div \left(+\dfrac{14}{15}\right)$

8 곱셈과 나눗셈의 혼합 계산

❶ 거듭제곱이 있으면 거듭제곱을 먼저 계산한다.

❷ 나눗셈은 역수를 이용하여 곱셈으로 바꾼다.

❸ 부호를 결정하고 각 수의 절댓값의 곱에 결정된 부호를 붙인다.

9 덧셈, 뺄셈, 곱셈, 나눗셈의 혼합 계산

❶ 거듭제곱이 있으면 거듭제곱을 먼저 계산한다.

❷ 괄호가 있으면 괄호 안을 먼저 계산한다.

이때 (소괄호) ➡ {중괄호} ➡ [대괄호]의 순서로 푼다.

❸ 곱셈과 나눗셈을 한다.

❹ 덧셈과 뺄셈을 한다.

거듭제곱
↓
괄호 풀기
↓
곱셈과 나눗셈
↓
덧셈과 뺄셈

개념 확인 다음 계산 과정에서 □ 안에 알맞은 수를 쓰시오.

$$2 \times \left[\frac{1}{2} - \left\{ \frac{4}{5} \div \left(-\frac{2}{15} \right) \right\} + 1 \right] - 12 = 2 \times \left[\frac{1}{2} - \left\{ \frac{4}{5} \times \left(\boxed{} \right) \right\} + 1 \right] - 12$$

$$= 2 \times \left\{ \frac{1}{2} - \left(\boxed{} \right) + 1 \right\} - 12$$

$$= 2 \times \boxed{} - 12$$

$$= \boxed{} - 12 = \boxed{}$$

❶ ❷ ❸ ❹ ❺

필수 문제 8
곱셈과 나눗셈의 혼합 계산

다음을 계산하시오.

$(1)\ -2 \times \left(-\frac{5}{3} \right) \div \left(-\frac{5}{6} \right)$

$(2)\ 2 \div \left(-\frac{2}{3} \right) \times (-1)^2$

8-1 다음을 계산하시오.

$(1)\ -\frac{5}{4} \times \frac{2}{5} \div \left(-\frac{4}{15} \right)$

$(2)\ \frac{4}{5} \div \left(\frac{1}{2} \right)^2 \times \left(-\frac{3}{4} \right)$

필수 문제 9
덧셈, 뺄셈, 곱셈, 나눗셈의 혼합 계산

$\dfrac{7}{3} - \left\{ (-2) \times \left(-\dfrac{1}{3} \right)^2 + \dfrac{5}{9} \right\}$ 를 계산하시오.

9-1 $-4 + 4 \times \left\{ (-2)^3 + 10 \div \dfrac{2}{3} \right\}$ 를 계산하시오.

한번 더 연습 **수의 혼합 계산**

1 다음을 계산하시오.

(1) $\left(-\dfrac{7}{2}\right) \times \dfrac{3}{2} \div \left(-\dfrac{9}{4}\right)$
(2) $\dfrac{9}{7} \div \left(-\dfrac{27}{8}\right) \times \dfrac{7}{6}$

(3) $\left(-\dfrac{3}{10}\right) \times \left(-\dfrac{1}{3}\right) \div \left(-\dfrac{1}{5}\right)$
(4) $\left(-\dfrac{2}{3}\right)^3 \div (-8) \times \left(-\dfrac{6}{5}\right)$

2 다음을 계산하시오.

(1) $\dfrac{2}{5} + \dfrac{1}{10} \times \left(-\dfrac{2}{3}\right)$
(2) $-\dfrac{2}{3} - \dfrac{4}{3} \times \dfrac{15}{8}$

(3) $\dfrac{27}{16} + \left(-\dfrac{9}{8}\right) \div \dfrac{2}{3}$
(4) $-\dfrac{4}{3} \times 6 + \dfrac{1}{3} \div \dfrac{1}{12}$

3 다음 식의 계산 순서를 차례로 나열하시오.

(1) $\left\{ 4 - \left(-\dfrac{5}{2}\right)^2 \div \dfrac{25}{4} \right\} \times 3 - \dfrac{4}{3}$

    ㉠   ㉡   ㉢   ㉣   ㉤

(2) $5 - \left\{ -2 + \dfrac{3}{2} \times \left(-\dfrac{5}{3}\right)^2 \right\} \div \dfrac{1}{6}$

    ㉠   ㉡   ㉢   ㉣   ㉤

4 다음을 계산하시오.

(1) $\left\{ 6 - 2 \div \left(-\dfrac{1}{3}\right) \right\} \times \left(-\dfrac{8}{3}\right)$
(2) $\left\{ 4 + (-2)^3 \times \dfrac{3}{8} \right\} \div \dfrac{24}{5}$

(3) $-\dfrac{1}{2} + \left\{ 2 - 4 \div \left(-\dfrac{2}{3}\right)^2 \right\} \times \dfrac{1}{6}$
(4) $-5 - \left\{ -1 + \dfrac{5}{2} \times \left(-\dfrac{3}{5}\right)^2 \right\} \times (-1)^3$

1 다음 중 계산 결과가 옳지 <u>않은</u> 것은?

① $\left(-\dfrac{3}{5}\right) \times \dfrac{1}{2} = -\dfrac{3}{10}$
② $\left(-\dfrac{1}{2}\right) \times \dfrac{2}{9} = -\dfrac{1}{9}$
③ $\left(-\dfrac{2}{3}\right) \div \left(-\dfrac{3}{2}\right) = \dfrac{4}{9}$

④ $\left(-\dfrac{7}{8}\right) \times 0 = 0$
⑤ $\left(-\dfrac{1}{2}\right) \div 2 = -1$

2 다음을 계산하시오.

(1) $\dfrac{4}{9} \times \left(-\dfrac{9}{8}\right) \times \left(-\dfrac{5}{3}\right)$

(2) $\dfrac{1}{6} \div (-3) \div \dfrac{4}{9}$

3 다음 중 계산 결과가 나머지 넷과 <u>다른</u> 하나는?

① $-(-1)^3$
② $-(-1)^2$
③ -1^2

④ $(-1)^3$
⑤ -1^3

4 세 수 a, b, c에 대하여 $a \times c = 10$, $a \times (b+c) = -34$일 때, $a \times b$의 값은?

① -44 　　② -42 　　③ -24 　　④ -22 　　⑤ -20

5 -6의 역수를 a, 1.5의 역수를 b라 할 때, $a+b$의 값을 구하시오.

• 정답과 해설 31쪽

6 다음 식의 계산 순서를 차례로 나열하고, 계산 결과를 구하시오.

$$\frac{1}{4} \times \left\{ 3 - \left(-\frac{5}{2} \right)^2 \div \frac{15}{4} \right\} + 8$$

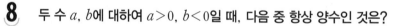
ㄱ   ㄴ   ㄷ   ㄹ   ㅁ

7 다음 보기의 식을 계산 결과가 작은 것부터 차례로 나열한 것은?

(보기)

ㄱ. $|-24| \times \dfrac{5}{8} \div 5$ 　　　　　　　　　ㄴ. $-2^3 \times (-3)^2 \div 2$

ㄷ. $(-1)^{101} + (-1)^{2024} - (-1)^9$ 　　　　ㄹ. $-5 + \left\{ 1 - \left(-\dfrac{1}{2} \right) \times \dfrac{1}{3} \right\} \div \dfrac{1}{6}$

① ㄱ, ㄴ, ㄹ, ㄷ 　　　　　② ㄴ, ㄷ, ㄹ, ㄱ 　　　　　③ ㄴ, ㄹ, ㄷ, ㄱ
④ ㄷ, ㄱ, ㄹ, ㄴ 　　　　　⑤ ㄷ, ㄹ, ㄱ, ㄴ

• 문자로 주어진 수의 부호

8 두 수 a, b에 대하여 $a>0$, $b<0$일 때, 다음 중 항상 양수인 것은?

① $a \times b$ 　　　　　② $a+b$ 　　　　　③ $a-b$
④ $b-a$ 　　　　　⑤ $a \div b$

9 두 수 a, b에 대하여 $a<0$, $b<0$일 때, 다음 중 항상 음수인 것은?

① $a+b$ 　　　　　② $a-b$ 　　　　　③ $b-a$
④ $a \times b$ 　　　　　⑤ $a \div b$

1 다음은 지수의 일기이다. 증가하거나 0보다 큰 값은 양의 부호 +를, 감소하거나 0보다 작은 값은 음의 부호 −를 사용하여 나타낼 때, 밑줄 친 부분을 바르게 나타낸 것은?

> 오늘은 수학여행 둘째 날로 친구들과 한라산을 올랐다. 어제보다 기온이 ① 5℃ 낮아져서 춥지 않을까 걱정했는데, 등산하는 동안은 추위가 느껴지지 않았다. 한라산의 높이는 ② 해발 1950 m 로 오전 7시에 등산을 시작하여 ③ 9시간 후에나 다시 출발점으로 돌아올 수 있었다. 몸무게가 최소 ④ 3 kg은 빠졌을 것 같다. 내일은 드디어 집에 돌아간다. 공항에서 파는 기념품은 다른 곳의 판매 가격보다 ⑤ 10% 인상된 가격으로 판매하고 있다고 하니 공항에 가기 전에 친구들과 돌아다니면서 틈틈이 사야겠다.

① +5℃   ② +1950 m   ③ −9시간
④ +3 kg   ⑤ −10 %

2 다음 수에 대한 설명으로 옳지 <u>않은</u> 것은?

$$-6.5, \quad 7, \quad +\frac{12}{3}, \quad -\frac{5}{6}, \quad 0, \quad -2$$

① 정수는 4개이다.
② 음수는 3개이다.
③ 양수는 3개이다.
④ 자연수가 아닌 정수는 2개이다.
⑤ 정수가 아닌 유리수는 2개이다.

3 다음 수를 수직선 위에 나타내었을 때, 왼쪽에서 두 번째에 있는 점에 대응하는 수는?

① $-\frac{3}{4}$ ② $+\frac{7}{3}$ ③ 0
④ +1.5   ⑤ −5

4 두 수 a, b는 절댓값이 같고 부호가 반대이다. a가 b 보다 8만큼 작을 때, a, b의 값을 각각 구하시오.

5 다음 중 옳지 <u>않은</u> 것을 모두 고르면? (정답 2개)

① 절댓값은 항상 0보다 크다.
② 양수는 절댓값이 클수록 크다.
③ 절댓값이 1 이하인 정수는 2개이다.
④ 절댓값이 가장 작은 정수는 0이다.
⑤ 수직선에서 절댓값이 같은 두 수에 대응하는 점은 원점으로부터 떨어진 거리가 같다.

6 절댓값이 $\frac{11}{2}$ 이하인 정수의 개수는?

① 6   ② 7   ③ 9
④ 10   ⑤ 11

7 다음 중 대소 관계가 옳은 것은?

① $\frac{1}{2} < \frac{1}{3}$ ② $-4 < -5$ ③ $-\frac{2}{3} > -0.7$
④ $-7 > 0$ ⑤ $\left| -\frac{1}{3} \right| < -\frac{1}{3}$

8 두 수 $-\dfrac{11}{3}$ 과 $\dfrac{13}{4}$ 사이에 있는 정수의 개수는?

① 3　　　　② 4　　　　③ 5
④ 6　　　　⑤ 7

9 다음 중 계산 결과가 가장 작은 것은?

① $(+5)+(-3)$
② $(-7)+(+2)$
③ $(-3.5)-(+2.9)$
④ $\left(+\dfrac{2}{7}\right)-\left(-\dfrac{3}{14}\right)$
⑤ $\left(+\dfrac{1}{2}\right)+\left(+\dfrac{4}{5}\right)$

10 다음을 계산하면?

$$\dfrac{1}{4}-\dfrac{1}{3}-\dfrac{9}{4}+\dfrac{5}{6}$$

① $-\dfrac{19}{6}$　　　② -3　　　③ $-\dfrac{3}{2}$
④ $\dfrac{5}{6}$　　　　⑤ $\dfrac{4}{3}$

11 어떤 수에서 $-\dfrac{2}{3}$ 를 빼야 할 것을 잘못하여 더했더니 $\dfrac{7}{15}$ 이 되었다. 이때 바르게 계산한 답을 구하시오.

12 다음 보기 중 옳은 것을 모두 고른 것은?

보기
ㄱ. 음수와 음수의 합은 항상 양수이다.
ㄴ. 두 수의 뺄셈에서 두 수의 순서를 바꾸어도 그 결과는 같다.
ㄷ. 부호가 같은 두 수를 곱한 값의 부호는 두 수의 공통인 부호와 같다.
ㄹ. 음수를 짝수 개 곱하면 그 결과는 양수이다.
ㅁ. $-\left(-\dfrac{1}{3}\right)^2$ 과 $-\left(\dfrac{1}{3}\right)^2$ 의 계산 결과는 같다.

① ㄱ, ㄴ　　② ㄱ, ㄹ　　③ ㄴ, ㄷ
④ ㄷ, ㅁ　　⑤ ㄹ, ㅁ

13 다음 계산 과정에서 ㈎~㈃에 들어갈 것으로 알맞게 나열한 것은?

$$\left(+\dfrac{25}{4}\right)\times(-0.39)\times(-16)$$
$$=\left(+\dfrac{25}{4}\right)\times(-16)\times(-0.39)\ \leftarrow\ \text{곱셈의 ㈎ 법칙}$$
$$=\left\{\left(+\dfrac{25}{4}\right)\times(-16)\right\}\times(-0.39)\ \leftarrow\ \text{곱셈의 ㈏ 법칙}$$
$$=(\boxed{\text{㈐}})\times(-0.39)=\boxed{\text{㈑}}$$

	㈎	㈏	㈐	㈑
①	교환	결합	-100	$+39$
②	교환	결합	$+100$	-39
③	교환	분배	-100	-39
④	결합	교환	-100	$+39$
⑤	결합	분배	$+100$	-39

★ 중요

14 다음을 계산하시오.

$$(-1)+(-1)^2+(-1)^3+(-1)^4+\cdots+(-1)^{100}$$

15 다음은 분배법칙을 이용하여 15×102를 계산하는 과정이다. 세 수 a, b, c에 대하여 $a+b+c$의 값을 구하시오.

$$\begin{aligned} 15 \times 102 &= 15 \times (100+a) \\ &= 15 \times 100 + 15 \times a \\ &= 1500 + b \\ &= c \end{aligned}$$

16 네 유리수 -3, -2, $-\dfrac{3}{2}$, $\dfrac{1}{3}$에 대하여 다음을 구하시오.

(1) 서로 다른 세 수를 뽑아 곱한 값 중 가장 큰 수
(2) 서로 다른 세 수를 뽑아 곱한 값 중 가장 작은 수

17 오른쪽 그림과 같은 전개도를 접어서 주사위 모양의 정육면체를 만들었다. 이 정육면체에서 서로 마주 보는 두 면에 적힌 두 수의 곱이 1일 때, $a+b+c$의 값을 구하시오.

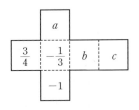

18 다음 중 계산 결과가 옳지 <u>않은</u> 것은?

① $(-8) \times \dfrac{3}{4} = -6$

② $\dfrac{6}{5} \div (-3) = -\dfrac{2}{5}$

③ $\dfrac{2}{5} \times \left(-\dfrac{1}{2}\right)^2 \times (-5) = -\dfrac{1}{2}$

④ $\left(-\dfrac{2}{5}\right)^2 \div (-4^2) = \dfrac{1}{100}$

⑤ $(-42) \times \left\{\dfrac{1}{7} + \left(-\dfrac{1}{6}\right)\right\} = 1$

19 다음 식의 계산 순서를 차례로 나열하고, 계산 결과를 구하시오.

$$\dfrac{4}{11} \times \left[\dfrac{1}{2} - \left\{\left(-\dfrac{3}{2}\right)^2 \div \dfrac{9}{8} + 6\right\} \times \dfrac{3}{4}\right]$$
$$\underset{\text{㉠}}{\uparrow} \quad \underset{\text{㉡}}{\uparrow} \quad \underset{\text{㉢}}{\uparrow} \quad \underset{\text{㉣}}{\uparrow} \quad \underset{\text{㉤}}{\uparrow} \quad \underset{\text{㉥}}{\uparrow}$$

20 두 학생 A, B가 참가한 어떤 퀴즈 대회에서는 기본 점수 100점에서 한 문제를 맞힐 때마다 50점을 더하고 한 문제를 틀릴 때마다 40점을 뺀다고 한다. 1번부터 7번까지 총 7문제를 푼 결과가 다음 표와 같을 때, 두 학생 A, B가 얻은 최종 점수는 각각 몇 점인지 구하시오.

(단, 맞히면 ○로, 틀리면 ×로 표시된다.)

	1번	2번	3번	4번	5번	6번	7번
A	○	○	×	○	×	○	○
B	○	×	×	×	○	○	×

유제를 따라 풀어 보고, 실전 문제로 연습해 보세요.

예제 1 두 수 x, y에 대하여 $|x|=5$, $|y|=2$일 때, $x+y$의 최솟값과 최댓값을 구하시오.

따라 해보자

유제 1 두 수 x, y에 대하여 $|x|=3$, $|y|=7$일 때, $x-y$의 최솟값과 최댓값을 구하시오.

풀이 과정

1단계 x의 값 구하기

$|x|=5$이므로 $x=-5$ 또는 $x=5$

2단계 y의 값 구하기

$|y|=2$이므로 $y=-2$ 또는 $y=2$

3단계 $x+y$의 최솟값, 최댓값 구하기

(ⅰ) $x=-5$, $y=-2$일 때, $x+y=(-5)+(-2)=-7$

(ⅱ) $x=-5$, $y=2$일 때, $x+y=(-5)+2=-3$

(ⅲ) $x=5$, $y=-2$일 때, $x+y=5+(-2)=3$

(ⅳ) $x=5$, $y=2$일 때, $x+y=5+2=7$

따라서 (ⅰ)~(ⅳ)에 의해 $x+y$의 최솟값은 -7, 최댓값은 7이다.

답 **최솟값: -7, 최댓값: 7**

풀이 과정

1단계 x의 값 구하기

2단계 y의 값 구하기

3단계 $x-y$의 최솟값, 최댓값 구하기

답

예제 2 어떤 수를 $-\dfrac{1}{3}$로 나누어야 할 것을 잘못하여 곱했더니 $\dfrac{1}{4}$이 되었다. 이때 바르게 계산한 답을 구하시오.

유제 2 어떤 수에 $\dfrac{3}{2}$을 곱해야 할 것을 잘못하여 나눴더니 $\dfrac{4}{5}$가 되었다. 이때 바르게 계산한 답을 구하시오.

풀이 과정

1단계 어떤 수 구하기

어떤 수를 □라 하면

$$\square \times \left(-\frac{1}{3}\right)=\frac{1}{4}$$

$$\therefore \square = \frac{1}{4} \div \left(-\frac{1}{3}\right)=\frac{1}{4}\times(-3)=-\frac{3}{4}$$

2단계 바르게 계산한 답 구하기

따라서 어떤 수가 $-\dfrac{3}{4}$이므로 바르게 계산하면

$$-\frac{3}{4} \div \left(-\frac{1}{3}\right)=-\frac{3}{4}\times(-3)=\frac{9}{4}$$

답 $\dfrac{9}{4}$

풀이 과정

1단계 어떤 수 구하기

2단계 바르게 계산한 답 구하기

답

▶ 모든 문제는 풀이 과정을 자세히 서술한 후 답을 쓰세요.

연습해 보자

1 다음 수 중 음의 정수의 개수를 a, 정수가 아닌 유리수의 개수를 b, 양의 정수의 개수를 c라 할 때, $a+b-c$의 값을 구하시오.

$$+\frac{26}{2}, \quad -3.1, \quad +\frac{2}{3}, \quad -\frac{14}{7}, \quad 0, \quad +\frac{5}{8}, \quad -4$$

풀이 과정

답

2 수직선 위에서 $-\frac{13}{3}$에 가장 가까운 정수를 a, $\frac{9}{4}$에 가장 가까운 정수를 b라 할 때, $a+b$의 값을 구하시오.

풀이 과정

답

3 -3보다 -1만큼 큰 수를 a, 4보다 $-\frac{1}{2}$만큼 작은 수를 b라 할 때, $a-b$의 값을 구하시오.

풀이 과정

답

4 다음 식에 대하여 물음에 답하시오.

$$10-\left[\frac{5}{6}-\left\{\frac{1}{2}+(-2)^2\div\frac{3}{2}\right\}\right]\times 15$$

     ↑   ↑   ↑   ↑   ↑   ↑

     ㉠   ㉡   ㉢   ㉣   ㉤   ㉥

(1) 계산 순서를 차례로 나열하시오.

(2) 계산 결과를 구하시오.

풀이 과정

답

• 정답과 해설 5쪽

☑ 이 단원에서 배운 개념을 잘 기억하고 있는지 체크해 보세요.

□

양의 정수 (=①□□□)

정수 ②□

음의 정수

↩ 31 쪽

□ ○○○

양의 유리수 → + (자연수)/(자연수)

유리수 ③□

음의 유리수 → − (자연수)/(자연수)

↩ 31 쪽

□ ×

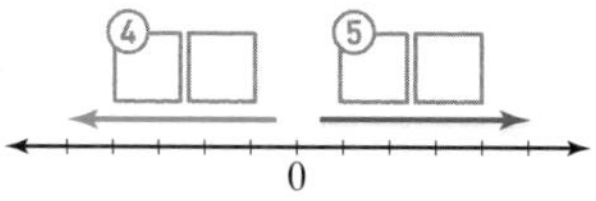

・ ④□□ ⑤□□
←————0————→

・(절댓값) ≥ ⑥□

↩ 34, 35 쪽

□

・(양수)+(양수) ⇨ ⑦○ (절댓값의 합)

・(음수)+(음수) ⇨ ⑧○ (절댓값의 합)

・(양수)+(음수), (음수)+(양수)

⇨ ● (절댓값의 차)
↑
절댓값이 ⑨□ 수의 부호

↩ 40, 43 쪽

□ ○○○

・(양수)×(양수), (음수)×(음수)
(양수)÷(양수), (음수)÷(음수) ⇨ ⑩□□

・(양수)×(음수), (음수)×(양수)
(양수)÷(음수), (음수)÷(양수) ⇨ ⑪□□

↩ 47, 50 쪽

□ ×

・양수의 거듭제곱은 항상 ⑫□□이다.

・(음수)^(짝수) ⇨ ⑬□□

(음수)^(홀수) ⇨ ⑭□□

↩ 49 쪽

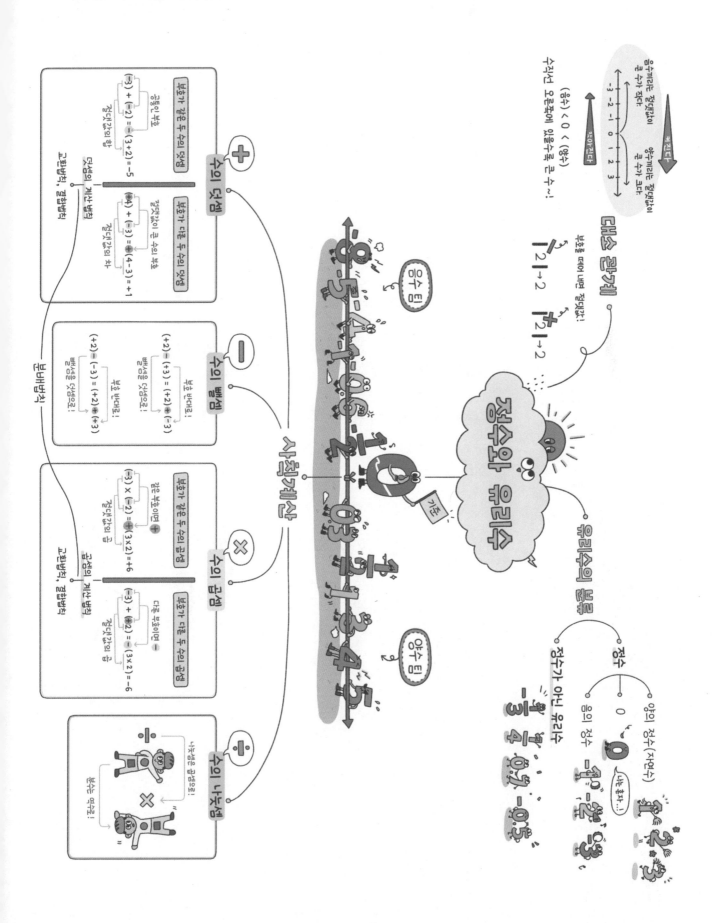

마인드 MAP

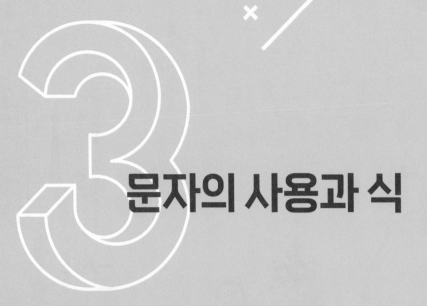

Ⅱ **문자와 식**

3

문자의 사용과 식

준비 학습

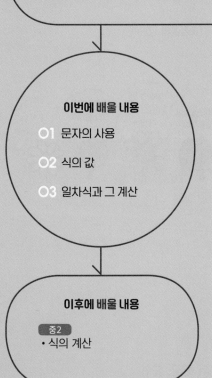

이전에 배운 내용

초5~6 • 규칙과 대응
중1 • 분배법칙

이번에 배울 내용

O1 문자의 사용

O2 식의 값

O3 일차식과 그 계산

이후에 배울 내용

중2
• 식의 계산

초5 규칙과 대응

1 다음 표는 어느 가게의 사과의 개수에 따른 가격을 나타낸 것이다. 사과가 △개일 때, 사과의 전체 가격을 □원이라 한다. 이때 △와 □ 사이의 관계를 식으로 나타내시오.

개수(개)	1	2	3	4	5
가격(원)	500	1000	1500	2000	2500

중1 분배법칙

2 다음을 분배법칙을 이용하여 계산하시오.

(1) $8 \times \left(\dfrac{1}{4} + \dfrac{1}{2} \right)$ (2) $1.5 \times 5.5 + 1.5 \times 4.5$

01 문자의 사용

● 정답과 해설 35쪽

1 문자를 사용한 식

문자를 사용하면 수량이나 수량 사이의 관계를 간단한 식으로 나타낼 수 있다.

[문자를 사용하여 식으로 나타내기]

❶ 문제의 뜻을 파악하여 규칙을 찾는다.

❷ ❶에서 찾은 규칙에 맞게 수와 문자를 사용하여 식으로 나타낸다.

예 (600원짜리 연필 x자루의 가격)=(연필 1자루의 가격)×(연필의 수)

$=600 \times x$(원) → 문자를 사용하여 식을 세울 때는 반드시 단위를 쓰도록 한다.

참고 문자를 사용한 식에 자주 쓰이는 수량 사이의 관계
- (물건 전체의 가격)=(물건 1개의 가격)×(물건의 개수)
- (거스름돈)=(지불한 금액)-(물건의 가격)
- 정가가 x원인 물건을 $a\%$ 할인하여 판매한 가격
  ➡ (정가)-(할인 금액)$=x-x\times\dfrac{a}{100}$ (원)
- (거리)=(속력)×(시간), (속력)$=\dfrac{(거리)}{(시간)}$, (시간)$=\dfrac{(거리)}{(속력)}$
- (소금물의 농도)$=\dfrac{(소금의 양)}{(소금물의 양)}\times100(\%)$, (소금의 양)$=\dfrac{(소금물의 농도)}{100}\times(소금물의 양)$

개념 확인 성재는 어버이날을 맞아 꽃다발을 만들려고 한다. 오른쪽 그림에서 꽃다발에 넣을 장미를 x송이라 할때, 나머지 꽃의 개수를 x를 사용한 식으로 나타내시오.

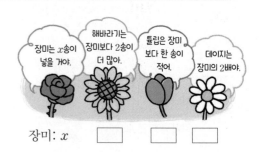

장미는 x송이 넣을 거야. / 해바라기는 장미보다 2송이 더 많아. / 튤립은 장미보다 한 송이 적어. / 데이지는 장미의 2배야.

장미: x ☐ ☐ ☐

필수 문제

문자를 사용한 식으로 나타내기

1 다음을 문자를 사용한 식으로 나타내시오.

(1) 한 봉지에 ag인 과자 세 봉지의 전체 무게

(2) 자동차가 시속 50 km로 t시간 동안 달린 거리

(3) 한 변의 길이가 x cm인 정사각형의 둘레의 길이

(4) 수학 점수가 a점, 영어 점수가 b점일 때, 두 과목의 평균 점수

1-1 다음을 문자를 사용한 식으로 나타내시오.

(1) 길이가 a m인 끈을 3등분했을 때, 한 조각의 길이

(2) 한 권에 1200원인 공책 x권을 사고 10000원을 냈을 때의 거스름돈

(3) 십의 자리의 숫자가 x, 일의 자리의 숫자가 y인 두 자리의 자연수

(4) 농도가 9%인 소금물 xg에 들어 있는 소금의 양

2 곱셈 기호와 나눗셈 기호의 생략

(1) 곱셈 기호의 생략

(수)×(문자), (문자)×(문자)에서 곱셈 기호 ×를 생략하고 다음과 같이 나타낸다.

① (수)×(문자)에서는 수를 문자의 앞에 쓴다. ➡ $a×2=2a, b×(-2)=-2b$

② 1×(문자), -1×(문자)에서는 1을 생략한다. ➡ $1×a=a, b×(-1)=-b$

③ 문자와 문자의 곱에서는 보통 알파벳 순서로 쓴다. ➡ $b×a=ab, z×y×x=xyz$

④ 같은 문자의 곱은 거듭제곱으로 나타낸다. ➡ $a×a=a^2, x×x×x=x^3$

주의 • $0.1×a$는 $0.a$로 쓰지 않고 $0.1a$로 쓴다.
• 괄호가 있을 때는 $(x-1)×3=3(x-1)$과 같이 수를 괄호 앞에 쓴다.

(2) 나눗셈 기호의 생략

나눗셈 기호 ÷를 생략하고 분수 꼴로 나타낸다. ➡ $a÷3=\dfrac{a}{3}$

$a÷3=a×\dfrac{1}{3}=\dfrac{1}{3}a$로 나타낼 수도 있다.

참고 • $a÷1=\dfrac{a}{1}=a, a÷(-1)=\dfrac{a}{-1}=-a$

• $a÷(b×c)=a÷bc=\dfrac{a}{bc}$ (단, $bc≠0$)

필수 문제 **2** 곱셈 기호와 나눗셈 기호의 생략

다음을 기호 ×, ÷를 생략한 식으로 나타내시오.

(1) $x×(-1)$ (2) $c×b×a$

(3) $a×x×x×x$ (4) $y÷5$

(5) $a÷(-b)$ (6) $(x-y)÷4$

▶(4) • $a÷\dfrac{2}{3}b=a×\dfrac{3}{2}b$ (×)

• $a÷\dfrac{2}{3}b=a÷\dfrac{2b}{3}$

$=a×\dfrac{3}{2b}$ (○)

2-1 다음을 기호 ×, ÷를 생략한 식으로 나타내시오.

(1) $0.1×a×b$ (2) $c×(x+y)×a$

(3) $(-3)×a×a×b×b$ (4) $a÷\dfrac{2}{3}b$

(5) $x÷(y+z)$ (6) $(a+2b)÷x$

▶곱셈 기호와 나눗셈 기호가 섞여 있는 식은 앞에서부터 순서대로 기호를 생략한다.

2-2 다음을 기호 ×, ÷를 생략한 식으로 나타내시오.

(1) $x×y÷2$ (2) $x÷y×(2-z)$

(3) $x÷y+b÷\dfrac{9}{8}a$ (4) $(a+b)×h÷2$

1 다음을 기호 ×, ÷를 생략한 식으로 나타내시오.

(1) $a \times a \times b \times (-1)$

(2) $(c+1) \times 6 - 4$

(3) $2 \times a \div b$

(4) $(7+x) \div (7-x)$

(5) $a - b \div a \times 2$

(6) $x \div \dfrac{y}{3} \times x + 3$

2 다음 중 기호 ×, ÷를 생략하여 나타낸 식이 나머지 넷과 <u>다른</u> 하나는?

① $a \div (b \times c)$

② $a \times \left(\dfrac{1}{b} \times \dfrac{1}{c} \right)$

③ $a \div \left(b \div \dfrac{1}{c} \right)$

④ $a \times (b \div c)$

⑤ $a \div b \div c$

3 다음을 문자를 사용한 식으로 나타내시오. (단, 곱셈 기호와 나눗셈 기호는 생략한다.)

(1) a의 3배보다 6만큼 작은 수

(2) 밑변의 길이가 a cm, 높이가 h cm인 삼각형의 넓이

(3) 정가가 1000원인 물건을 x % 할인된 가격으로 샀을 때, 지불한 금액

(4) 자동차를 타고 시속 60 km로 x시간 동안 달리다가 시속 80 km로 y시간 동안 달렸을 때, 전체 달린 거리

(5) 농도가 x %인 소금물 300 g에 들어 있는 소금의 양

4 다음은 희진이와 수정이의 대화이다. (   ) 안에 알맞은 수량을 기호 ×, ÷를 생략한 식으로 나타내시오.

> 희진: 난 어제 수학 시험에서 3점짜리 문제 a개와 5점짜리 문제 b개를 맞혀서 총 (   )점을 받았어.
>
> 수정: 나는 너보다 8점 더 높아서 총 (   )점이야.
> 참! 오늘 미술 시간에 환경 보호 포스터 그리기에 필요한 준비물로 한 장에 500원인 도화지 x장을 샀더니 가격이 (   )원이었어.
>
> 희진: 난 10장에 y원인 도화지를 한 장 샀더니 가격이 (   )원이었어.

02 식의 값

1 대입과 식의 값

(1) **대입**: 문자를 사용한 식에서 문자에 어떤 수를 바꾸어 넣는 것

(2) **식의 값**: 문자를 사용한 식에서 문자에 어떤 수를 대입하여 계산한 결과

(3) **식의 값을 구하는 방법**

  ❶ 곱셈 기호가 생략된 식의 경우, 곱셈 기호를 다시 쓴다.

  ❷ 문자에 주어진 수를 대입하여 계산한다.

  주의 문자에 음수를 대입할 때는 반드시 괄호를 사용한다.

    예 $x=-1$일 때, $2x+3$의 값 ➡ $2x+3=2\times(-1)+3=1$

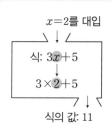

$x=2$를 대입
식: $3x+5$
$3\times 2+5$
식의 값: 11

용어
• 대입(代 대신하다, 入 넣다)
문자를 대신하여 수를 넣는 것

개념 확인 x의 값이 다음과 같을 때, $5x-3$의 값을 구하려고 한다. ☐ 안에 알맞은 수를 쓰시오.

(1) $x=2$일 때, $5\times\boxed{}-3=7$

(2) $x=3$일 때, $5\times\boxed{}-3=\boxed{}$

(3) $x=-1$일 때, $5\times(\boxed{})-3=\boxed{}$

(4) $x=-4$일 때, $5\times(\boxed{})-3=\boxed{}$

문자는 수를 담는 그릇

필수 문제   **1** $x=-1$일 때, 다음 식의 값을 구하시오.

식의 값 구하기

▸$(-x)^2$과 $-x^2$을 구분한다.
 • $(-x)^2=(-x)\times(-x)$
    $=x^2$
 • $-x^2=-(x\times x)$

(1) $7-x$

(2) $\dfrac{10}{x+6}$

(3) $(-x)^2-4x$

(4) $-x^2-\dfrac{4}{x}$

1-1 $a=4$, $b=-2$일 때, 다음 식의 값을 구하시오.

(1) $a+\dfrac{1}{2}b$

(2) $2ab$

(3) $a-b^3$

(4) $-3a+\dfrac{b^2}{4}$

▸분모에 분수를 대입할 때는 생략된 나눗셈 기호를 다시 쓴다. ⇨ $\dfrac{6}{a}=6\div a$

1-2 $a=\dfrac{1}{5}$, $b=-\dfrac{1}{3}$일 때, 다음 식의 값을 구하시오.

(1) $30ab-27b^2$

(2) $\dfrac{6}{a}+9b$

(3) $-20a-\dfrac{5}{b}$

(4) $\dfrac{2}{a}+\dfrac{3}{b}$

1 $x=-3$일 때, 다음 식의 값을 구하시오.

(1) $2x+5$

(2) $1-3x$

(3) x^2-6x+9

(4) $-\dfrac{2x^2+5x+6}{x^2}$

2 $a=-2$, $b=3$일 때, 다음 식의 값을 구하시오.

(1) $7a+8b$

(2) $\dfrac{3-a}{2+b}$

(3) $\dfrac{a-b}{ab}$

(4) $\dfrac{2}{a}+\dfrac{12}{b}$

(5) $-2a^2+3b^2$

(6) a^2b-b^3

3 $a=\dfrac{1}{2}$일 때, 다음 중 식의 값이 가장 작은 것은?

① $2(a-1)$

② $-a^2$

③ $(-a)^3$

④ $-\dfrac{2}{a}$

⑤ $\dfrac{1}{a^2}$

4 $a=\dfrac{1}{6}$, $b=-\dfrac{2}{3}$일 때, 다음 식의 값을 구하시오.

(1) $6ab-b^2$

(2) $\dfrac{3}{a}-\dfrac{2}{b}$

5 온도를 나타내는 방법 중에는 섭씨온도(℃)와 화씨온도(℉)가 있다. 화씨온도 x℉를 섭씨온도로 나타내면 $\dfrac{5}{9}(x-32)$℃일 때, 화씨온도 77℉는 섭씨온도로 몇 ℃인가?

① 23℃

② 25℃

③ 27℃

④ 29℃

⑤ 31℃

03 일차식과 그 계산

1 다항식

(1) 항과 계수

① 항: 수 또는 문자의 곱으로 이루어진 식

② 상수항: 문자 없이 수만으로 이루어진 항

③ 계수: 항에서 문자에 곱한 수

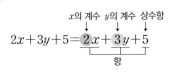

(2) 다항식과 단항식

① 다항식: 한 개 또는 두 개 이상의 항의 합으로 이루어진 식 　예 $3a$, $7x-9y+4$

　　　　　　　　　　　　　　　　　　　　　　　　　　 └ 세 개의 항 $7x$, $-9y$, 4의
　　　　　　　　　　　　　　　　　　　　　　　　　　　 합으로 이루어진 다항식

② 단항식: 다항식 중에서 항이 한 개뿐인 식 　예 x, $-3y^2$, 5

2 일차식

(1) 항의 차수: 어떤 항에서 문자가 곱해진 개수 　예 $2x^3(=2\times x\times x\times x)$에서 x의 차수는 ❸

(2) 다항식의 차수: 다항식에서 차수가 가장 큰 항의 차수 　예 다항식 $2x^2+3x+1$의 차수는 ❷

　　　　　　　　　　　　　　　　　　　　　　　 차수 ⇨ 　2　 　1　 0(상수항의 차수는 0이다.)

(3) 일차식: 차수가 1인 다항식 　예 $-3x$, $x-2$, $\dfrac{y}{3}\left(=\dfrac{1}{3}y\right)$

　주의 $\dfrac{1}{x}$, $\dfrac{1}{x-1}$과 같이 분모에 문자가 있는 식은 다항식이 아니므로 일차식이 아니다.

필수 문제 　❶ 다음 표의 빈칸에 알맞은 것을 쓰시오.

다항식의 이해

▶다항식은 항의 합으로 이루어진 식이므로 뺄셈으로 된 식은 덧셈으로 바꾼 후 항, 상수항, 계수를 구한다.

(2) $3y^2-\dfrac{y}{4}-1$

$=3y^2+\left(-\dfrac{y}{4}\right)+(-1)$

다항식	항	상수항	계수
(1) $2x+3$	(　), (　)		x의 계수: (　)
(2) $3y^2-\dfrac{y}{4}-1$	(　), (　), (　)		y^2의 계수: (　) y의 계수: (　)
(3) $-6a^3$	(　)		a^3의 계수: (　)

1-1 다항식 $-\dfrac{3}{2}x+y+4$에서 x의 계수와 상수항의 합을 구하시오.

필수 문제 　❷ 다음 다항식의 차수를 구하고, 일차식인지 말하시오.

일차식 찾기

(1) $-2x-7$ 　　　　　　　　　　　　　(2) $\dfrac{x}{2}+5$

(3) $a+a^2+3$ 　　　　　　　　　　　　(4) $-5-3y+y^3$

2-1 다음 보기 중 일차식을 모두 고르시오.

보기

ㄱ. x 　　ㄴ. a^2-3a 　　ㄷ. $5-2y$ 　　ㄹ. $\dfrac{x+1}{3}$ 　　ㅁ. $\dfrac{1}{x+2}$ 　　ㅂ. 3

3 일차식과 수의 곱셈, 나눗셈

(1) 문자를 포함한 단항식과 수의 곱셈, 나눗셈

① (단항식)×(수)	② (단항식)÷(수)
곱셈의 교환법칙과 결합법칙을 이용하여 수끼리 곱한 후 문자 앞에 쓴다. 예 $2x \times 3 = 2 \times x \times 3$ 　　　　　$= 2 \times 3 \times x$　곱셈의 교환법칙 　　　　　$= (2 \times 3) \times x = 6x$　곱셈의 결합법칙	나누는 수의 역수를 곱한다. 예 $8x \div 4 = 8x \times \dfrac{1}{4}$ 　　　　　$= 8 \times \dfrac{1}{4} \times x$ 　　　　　$= 2x$

(2) 일차식과 수의 곱셈, 나눗셈

① (수)×(일차식)	② (일차식)÷(수)
분배법칙을 이용하여 일차식의 각 항에 수를 곱한다. 예 $-3(x+1) = (-3) \times x + (-3) \times 1 = -3x - 3$ 　① ②　　　　① 　　　　② 주의 일차식에 음수를 곱하면 각 항의 부호가 바뀐다.	분배법칙을 이용하여 나누는 수의 역수를 일차식의 각 항에 곱한다. 예 $(6x-3) \div 3 = (6x-3) \times \dfrac{1}{3} = 6x \times \dfrac{1}{3} - 3 \times \dfrac{1}{3}$ 　　　　　　① ②　　　　　　① 　　　　② 　　　　　　$= 2x - 1$

필수 문제 **3**

단항식과 수의 곱셈, 나눗셈

▶ 단항식과 수의 곱셈

$3a \times 2 = 6a$

수끼리 곱한다.

다음 식을 계산하시오.

(1) $4a \times 8$

(2) $(-2b) \times 7$

(3) $12x \div 4$

(4) $32y \div \left(-\dfrac{4}{3}\right)$

3-1 다음 식을 계산하시오.

(1) $\dfrac{3}{2}a \times 6$

(2) $(-5b) \times (-4)$

(3) $(-42x) \div 7$

(4) $\left(-\dfrac{5}{6}y\right) \div \left(-\dfrac{10}{3}\right)$

필수 문제 **4**

일차식과 수의 곱셈, 나눗셈

▶ 일차식과 수의 곱셈

분배법칙을 이용한다.

• $a(b+c) = ab + ac$

• $(a+b)c = ac + bc$

▶ 일차식과 수의 나눗셈

나누는 수의 역수를 곱한다.

$a \div b = a \times \dfrac{1}{b}$, $a \div \dfrac{1}{b} = a \times b$

다음 식을 계산하시오.

(1) $4(2x+3)$

(2) $(4x-16) \times \left(-\dfrac{1}{4}\right)$

(3) $(10x-15) \div 5$

(4) $(2-x) \div \left(-\dfrac{1}{3}\right)$

4-1 다음 식을 계산하시오.

(1) $-7(3x+4)$

(2) $(50a-25) \times \left(-\dfrac{1}{5}\right)$

(3) $(14b-28) \div (-2)$

(4) $(-6y-18) \div \dfrac{3}{2}$

1 다항식 $\frac{1}{4}x-2y+1$에서 x의 계수를 a, y의 계수를 b, 상수항을 c라 할 때, $4a+b+c$의 값을 구하시오.

2 다음 중 다항식 $3x^2-2x+9$에 대한 설명으로 옳지 <u>않은</u> 것은?

① 다항식의 차수는 2이다.　② x^2의 계수는 3이다.
③ 항은 $3x^2$, $-2x$, 9의 3개이다.　④ x의 계수는 2이다.
⑤ 상수항은 9이다.

3 다음 중 일차식을 모두 고르면? (정답 2개)

① $0\times a+3$ 　② $2x^2-2x$ 　③ $0.1a+\frac{1}{4}$

④ $-\frac{y}{3}+5$ 　⑤ $\frac{4}{x+1}$

4 다음 식을 계산하시오.

(1) $(-6)\times 4x$ 　　(2) $(-11a)\times(-3)$

(3) $48\times\left(-\frac{5}{6}x\right)$ 　　(4) $44y\div(-11)$

(5) $(-12x)\div\frac{3}{4}$ 　　(6) $\frac{2}{3}a\div\left(-\frac{4}{7}\right)$

5 다음 식을 계산하시오.

(1) $7(a-2)$ 　　(2) $\frac{1}{2}(4x+6)$

(3) $(2x+5)\times 3$ 　　(4) $\left(\frac{2}{3}a-\frac{1}{6}\right)\times(-9)$

(5) $(9x-6)\div 3$ 　　(6) $(-7x+4)\div(-2)$

(7) $\left(\frac{2}{3}y+\frac{1}{3}\right)\div\frac{1}{3}$ 　　(8) $\left(\frac{x}{6}-\frac{3}{2}\right)\div\left(-\frac{1}{12}\right)$

4 동류항의 계산

(1) **동류항**: 문자가 같고, 차수도 같은 항

> 참고 상수항끼리는 모두 동류항이다.

(2) **동류항의 덧셈과 뺄셈**: 분배법칙을 이용하여 동류항의 계수끼리 더하거나 뺀 후 문자 앞에 쓴다.

> 예 $3a+2a=(3+2)a=5a$, $5a-2a=(5-2)a=3a$

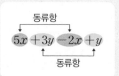

> 용어
> • **동류**(同 같다, 類 무리)**항**
>   같은 종류의 항

다음은 색칠한 직사각형의 넓이를 이용하여 $6x+2x$와 $6x-2x$를 계산하는 과정이다. □ 안에 알맞은 수를 쓰시오.

(1)

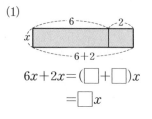

$$6x+2x=(\boxed{}+\boxed{})x$$
$$=\boxed{}x$$

(2)

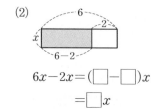

$$6x-2x=(\boxed{}-\boxed{})x$$
$$=\boxed{}x$$

> **필수 문제**
> 동류항 찾기

5 다음 중 동류항끼리 짝 지어진 것은?

① $2a$, 2
② x, $-\dfrac{1}{2}x$
③ x^2y, xy^2
④ $5x$, $5y$
⑤ a^3, $3a^2$

5-1 다항식 $x^2-2x+y+3+5x-2y$에서 동류항인 것끼리 짝 지으시오.

> **필수 문제**
> 동류항의 덧셈과 뺄셈
>
> ▶ 동류항의 계산에는 분배법칙이 이용된다.
> • $ax+bx=(a+b)x$
> • $ax-bx=(a-b)x$

6 다음 식을 계산하시오.

(1) $2a+4a$
(2) $7x-2x$
(3) $2y-\dfrac{5}{2}y+y$
(4) $4b-1-2b+8$

6-1 다음 식을 계산하시오.

(1) $-3b-5b$
(2) $0.5a+0.4a-0.2a$
(3) $3a-5-7a+6$
(4) $-2x+5+3x+4$
(5) $5y-\dfrac{1}{2}-3y-\dfrac{3}{2}$
(6) $3+5b-2+\dfrac{3}{2}b$

5 일차식의 덧셈과 뺄셈

❶ 괄호가 있으면 분배법칙을 이용하여 괄호를 푼다.

❷ 동류항끼리 모은다.

❸ ❷를 계산하여 정리한다.

주의 괄호 앞에 ┌ ⊕가 있으면 괄호 안의 **부호를 그대로**
         └ ⊖가 있으면 괄호 안의 **부호를 반대로**

$$3(3x-2)+(2x-3)$$ ┐ 분배법칙
$$=9x-6+2x-3$$ ┤ 덧셈의 교환법칙
$$=9x+2x-6-3$$ ┤ 동류항끼리 계산
$$=11x-9$$ ┘

필수 문제 ▶ **7**

일차식의 덧셈과 뺄셈

▶$A+(B-C)=A+B-C$
$A-(B-C)=A-B+C$

7 다음 식을 계산하시오.

(1) $(3x+2)+(2x-5)$

(2) $(7a-5)-(8a+3)$

(3) $2(-4x+1)-(5x-3)$

(4) $(a+6)+10\left(\dfrac{3}{5}a-2\right)$

7-1 다음 식을 계산하시오.

(1) $(x+1)+(-3x-4)$

(2) $(3a+1)-(a-4)$

(3) $3(2x+1)-4(x-3)$

(4) $\dfrac{1}{2}(10a-4)+\dfrac{3}{4}(-12a-8)$

▶ ( ) ⇨ { } ⇨ [ ]의 순서
로 괄호를 풀어 동류항끼리
계산한다.

7-2 다음 식을 계산하시오.

(1) $3x-y-\{5x+(x-2y)\}$

(2) $-5a-[2a+\{6b-(a+3b)\}]$

필수 문제 ▶ **8**

분수 꼴인 일차식의 덧셈과 뺄셈

▶ 계수가 분수인 일차식의 덧셈
과 뺄셈은 분모의 최소공배수
로 통분한 후 동류항끼리 계
산한다.

8 다음 식을 계산하시오.

(1) $\dfrac{x}{2}+\dfrac{2x+1}{5}$

(2) $\dfrac{3x-1}{4}-\dfrac{x+3}{6}$

8-1 다음 식을 계산하시오.

(1) $\dfrac{2a+7}{3}+\dfrac{a-5}{6}$

(2) $\dfrac{a-7}{5}-\dfrac{3a-4}{4}$

1 다음 보기 중 동류항끼리 짝 지어진 것을 모두 고르시오.

보기
ㄱ. $6, -4$
ㄴ. $3x, \dfrac{5}{2}y$
ㄷ. $0.5x, 1.1x^2$
ㄹ. $\dfrac{3}{x}, x$
ㅁ. $-y, \dfrac{y}{4}$
ㅂ. $7x, 4.2x$

2 다음 식을 계산하시오.

(1) $(4x+2)+(-3x+2)$

(2) $(8a-2)-2(3a-5)$

(3) $\dfrac{3}{2}(6x-2)-2\left(\dfrac{3}{2}x-1\right)$

(4) $\dfrac{3x-4}{6}+\dfrac{3x-7}{2}$

(5) $\dfrac{1}{2}x+\dfrac{1}{6}+0.25x-0.5$

(6) $2a+\{5-3(2a+4)\}$

3 오른쪽 그림과 같은 도형에서 색칠한 부분의 넓이를 a를 사용한 식으로 나타내시오.

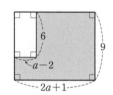

4 $A=x-1$, $B=2x+4$일 때, $2A-3B$를 계산하시오.

5 어떤 다항식에 $2x-9$를 더해야 할 것을 잘못하여 뺐더니 $-x+7$이 되었다. 다음 물음에 답하시오.

(1) 어떤 다항식을 구하시오.

(2) 바르게 계산한 식을 구하시오.

1 다음 중 기호 ×, ÷를 생략하여 나타낸 식으로 옳지 않은 것을 모두 고르면? (정답 2개)

① $a \times b \times a \times (-0.1) \times c = -0.a^2bc$

② $5 \div (a+b) \times c = \dfrac{5c}{a+b}$

③ $x + y \div 3 = \dfrac{x+y}{3}$

④ $x \div y + z \div (-1) = \dfrac{x}{y} - z$

⑤ $(x \times y) \div (a \times b) = \dfrac{xy}{ab}$

2 다음 보기 중 문자를 사용하여 나타낸 식으로 옳은 것을 모두 고른 것은?

(보기)

ㄱ. 물 20 L가 들어 있는 욕조에 1분에 3 L씩 물을 채울 때, x분 후 욕조에 들어 있는 물의 양 ⇨ $(20+3x)$ L

ㄴ. 저금통에 500원짜리 동전 x개, 100원짜리 동전 y개가 들어 있을 때, 저금통에 들어 있는 전체 금액 ⇨ $(5x+y)$원

ㄷ. 6으로 나누었을 때, 몫이 p이고 나머지가 1인 자연수 ⇨ $6p-1$

ㄹ. 40권의 공책을 7명의 학생들에게 x권씩 나누어 줄 때, 남은 공책의 수 ⇨ $40-7x$

ㅁ. 시속 4 km로 a km를 달렸을 때, 걸린 시간 ⇨ $4a$시간

① ㄱ, ㄹ   ② ㄴ, ㄷ   ③ ㄹ, ㅁ

④ ㄱ, ㄷ, ㄹ   ⑤ ㄱ, ㄹ, ㅁ

3 어느 중학교에서 작년의 학생은 a명이었다. 올해는 작년보다 학생 수가 $b\,\%$ 증가하였을 때, 올해의 학생 수를 a, b를 사용한 식으로 나타내면?

① $\dfrac{a-b}{100}$ ② $\dfrac{a+b}{100}$ ③ $\dfrac{ab}{100}$

④ $a - \dfrac{ab}{100}$ ⑤ $a + \dfrac{ab}{100}$

4 $a = -3$일 때, 다음 중 식의 값이 가장 큰 것은?

① $-a$ ② $(-a)^2$ ③ $-\dfrac{a^2}{3}$

④ a^3 ⑤ $(-a)^3$

5 $a = -\dfrac{1}{2}$, $b = 4$일 때, $\dfrac{b^2-2b}{a}$의 값을 구하시오.

6 개인의 키에 적절한 이상적인 체중을 표준 체중이라 하며, 키가 x cm인 사람의 표준 체중은 $0.9(x-100)$ kg이라고 한다. 키가 160 cm인 사람의 표준 체중은?

① 50 kg   ② 51 kg   ③ 52 kg

④ 53 kg   ⑤ 54 kg

7 오른쪽 그림과 같은 마름모의 넓이를 x, y를 사용한 식으로 나타내고 $x=6$, $y=5$일 때, 마름모의 넓이를 구하시오.

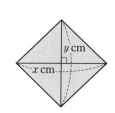

8 다음 그림은 한 변에 같은 개수의 바둑돌을 배열하여 여러 가지 정사각형 모양을 만든 것이다. 물음에 답하시오.

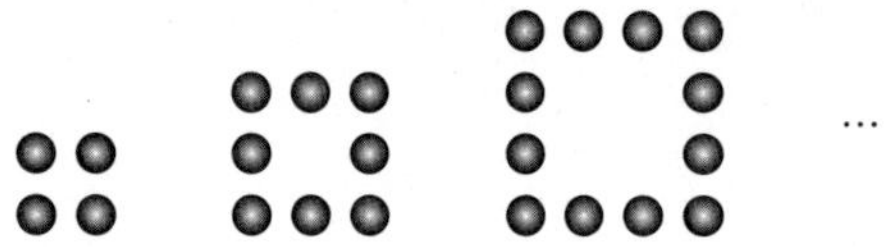

(1) n번째에 놓인 바둑돌은 모두 몇 개인지 n을 사용한 식으로 나타내시오.

(2) 13번째에 놓인 바둑돌은 모두 몇 개인지 구하시오.

9 다음 중 다항식 $\frac{1}{4}y^2-\frac{5}{4}y-1$에 대한 설명으로 옳은 것은?

① 항은 2개이다.
② 다항식의 차수는 3이다.
③ y^2의 계수는 2이다.
④ 상수항은 1이다.
⑤ y의 계수는 $-\frac{5}{4}$이다.

10 다음 보기 중 일차식은 모두 몇 개인지 구하시오.

(보기)
ㄱ. $5x+1$ ㄴ. $-\frac{1}{2}+3y$ ㄷ. x^2+2x-3
ㄹ. $\frac{3}{x}+2$ ㅁ. -3 ㅂ. $3-x$

11 x의 계수가 -3, 상수항이 5인 x에 대한 일차식에서 $x=2$일 때의 식의 값을 a, $x=-2$일 때의 식의 값을 b라 할 때, ab의 값은?

① -11 ② -1 ③ 7
④ 10   ⑤ 11

12 다음 중 식을 계산한 결과가 $-\frac{1}{2}(4x+6)$과 같은 것은?

① $-2(x+3)$ ② $(-2x+3)\times(-1)$
③ $(4x+3)\div(-2)$ ④ $(18x+27)\div(-9)$
⑤ $-4\left(\frac{1}{2}x-\frac{1}{4}\right)$

13 다음 중 $2x$와 동류항인 것은 모두 몇 개인지 구하시오.

$$\frac{4}{3}x, \quad 2y, \quad 6x^2, \quad 5xy, \quad 4x, \quad \frac{7}{x}$$

14 다음 중 식을 계산하였을 때, x의 계수가 가장 큰 것은?

① $x-2x+3x$
② $\frac{5}{12}x-\frac{2}{3}x+\frac{7}{6}x$
③ $-3(x+1)+4(x-3)$
④ $\frac{1}{3}(6x-9)-\frac{1}{2}(4x+8)$
⑤ $1.4x-0.2+\frac{8}{5}x+\frac{1}{5}$

⭐ 중요

15 다음 식을 계산하시오.

$$-2x+[3x-1-\{2+(x-4)\}]$$

16 다음 식을 계산하였을 때, a의 계수와 상수항의 합을 구하면?

$$\frac{2a+1}{3}-\frac{4a+3}{5}+\frac{5a+4}{6}$$

① $\dfrac{1}{2}$　　② $\dfrac{7}{10}$　　③ $\dfrac{9}{10}$

④ $\dfrac{11}{10}$　　⑤ $\dfrac{13}{10}$

17 오른쪽 그림과 같은 직사각형에서 색칠한 부분의 넓이를 x를 사용한 식으로 나타낸 것은?

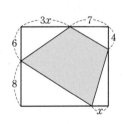

① $24x+60$　② $22x+42$　③ $20x+56$
④ $18x+54$　⑤ $16x+52$

18 $A=2x-8$, $B=x-7$일 때, $2B-2(A-B)$를 계산하면?

① $-8x$　　② -12　　③ $4x$
④ $8x$　　⑤ 15

19 다음 조건을 모두 만족시키는 두 일차식 A, B에 대하여 $A+B$를 계산하시오.

（조건）
㈎ A를 4로 나누면 $4x-3$이다.
㈏ B에서 $5x+12$를 빼면 A이다.

20 어떤 다항식에서 $2x-4$를 빼야 할 것을 잘못하여 더했더니 $5x-7$이 되었다. 이때 바르게 계산한 식을 구하시오.

따라 해보자

예제 1 오른쪽 그림과 같은 사다리꼴의 넓이를 a, b, h를 사용한 식으로 나타내고 $a=6$, $b=8$, $h=5$일 때, 사다리꼴의 넓이를 구하시오.

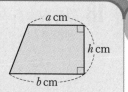

유제 1 오른쪽 그림과 같은 직육면체의 겉넓이를 a, b, c를 사용한 식으로 나타내고 $a=4$, $b=3$, $c=5$일 때, 직육면체의 겉넓이를 구하시오.

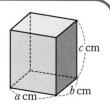

풀이 과정

[1단계] a, b, h를 사용하여 사다리꼴의 넓이 나타내기

(사다리꼴의 넓이)

$=\dfrac{1}{2} \times \{(윗변의 길이)+(아랫변의 길이)\} \times (높이)$

$=\dfrac{1}{2} \times (a+b) \times h = \dfrac{1}{2}(a+b)h(\text{cm}^2)$

[2단계] a, b, h의 값을 대입하여 사다리꼴의 넓이 구하기

위의 식에 $a=6$, $b=8$, $h=5$를 대입하면

(사다리꼴의 넓이)$=\dfrac{1}{2} \times (6+8) \times 5 = 35(\text{cm}^2)$

답 $\dfrac{1}{2}(a+b)h\,\text{cm}^2$, $35\,\text{cm}^2$

풀이 과정

[1단계] a, b, c를 사용하여 직육면체의 겉넓이 나타내기

[2단계] a, b, c의 값을 대입하여 직육면체의 겉넓이 구하기

답

예제 2 $\dfrac{3x+1}{2}-\dfrac{x-2}{3}$를 계산하면 $ax+b$일 때, 상수 a, b에 대하여 $3(a+b)$의 값을 구하시오.

유제 2 $\dfrac{2x-3}{6}-\dfrac{5x+1}{9}$을 계산하면 $ax+b$일 때, 상수 a, b에 대하여 $9ab$의 값을 구하시오.

풀이 과정

[1단계] 분모를 통분하여 동류항끼리 계산하기

$\dfrac{3x+1}{2}-\dfrac{x-2}{3}=\dfrac{3(3x+1)}{6}-\dfrac{2(x-2)}{6}$

$=\dfrac{9x+3-2x+4}{6}$

$=\dfrac{7x+7}{6}=\dfrac{7}{6}x+\dfrac{7}{6}$

[2단계] a, b의 값 구하기

즉, $\dfrac{7}{6}x+\dfrac{7}{6}=ax+b$에서 $a=\dfrac{7}{6}$, $b=\dfrac{7}{6}$

[3단계] $3(a+b)$의 값 구하기

$\therefore 3(a+b)=3 \times \left(\dfrac{7}{6}+\dfrac{7}{6}\right)=3 \times \dfrac{7}{3}=7$

답 7

풀이 과정

[1단계] 분모를 통분하여 동류항끼리 계산하기

[2단계] a, b의 값 구하기

[3단계] $9ab$의 값 구하기

답

▶ 모든 문제는 풀이 과정을 자세히 서술한 후 답을 쓰세요.

연습해 보자

1 다음 문장을 문자를 사용한 식으로 나타내시오.
(단, 곱셈 기호와 나눗셈 기호는 생략한다.)

> 집에서 출발하여 $200 \, \text{km}$ 떨어진 할머니 댁까지 자동차를 타고 가는데 시속 $50 \, \text{km}$로 t시간 동안 이동하였을 때, 남은 거리

풀이 과정

답

2 $\dfrac{2}{5}(10x-15)$를 계산하였을 때 x의 계수를 a,

$(4x-6) \div \dfrac{2}{3}$를 계산하였을 때 상수항을 b라 하자.

이때 $a+b$의 값을 구하시오.

풀이 과정

답

3 $A=-7x+5$, $B=2x-1$일 때,

$-A+2B+2(A+B)$를 계산하시오.

풀이 과정

답

4 오른쪽 보기와 같이 윗줄의 식이 바로 아랫줄의 이웃한 두 식을 더한 것과 같을 때, 다음 그림에서 두 일차식 A, B의 합을 구하시오.

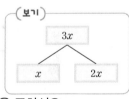

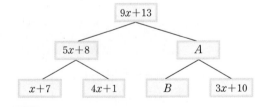

풀이 과정

답

□ ○ ○ ○

• $0.1 \times a =$ ①

• $y \times x \times z \times y =$ ②

↩ 65쪽

□ ×

• $a \div (-1) =$ ③

• $a \div b \div c =$ ④

↩ 65쪽

□

• 문자에 음수를 대입할 때는 반드시 ⑤ ☐ ☐ 을(를) 사용한다.

• 분모에 분수를 대입할 때는 생략된 ⑥ ☐ ☐ ☐ 기호를 다시 쓴다.

↩ 67쪽

□

문자 없이 수만으로 이루어진 항을 ⑦ ☐ ☐ ☐ (이)라 한다.

↩ 69쪽

□ ○ ○ ○

다항식의 차수는 다항식에서 차수가 가장 ⑧(작은, 큰) 항의 차수이고, 일차식은 차수가 ⑨ ☐ 인 다항식이다.

↩ 69쪽

□ ×

• $-3(2x-1) =$ ⑩

• $(5x-35) \div \dfrac{5}{2} =$ ⑪

↩ 70쪽

□ ×

동류항은 문자가 같고, ⑫ ☐ ☐ 도 같은 항이다.

⇨ 상수항끼리는 모두 동류항이다.
⑬(○, ×)

↩ 72쪽

□

일차식의 덧셈과 뺄셈에서 괄호 앞에

• +가 있으면 괄호 안의 부호를 ⑭(그대로, 반대로)

• −가 있으면 괄호 안의 부호를 ⑮(그대로, 반대로)

↩ 73쪽

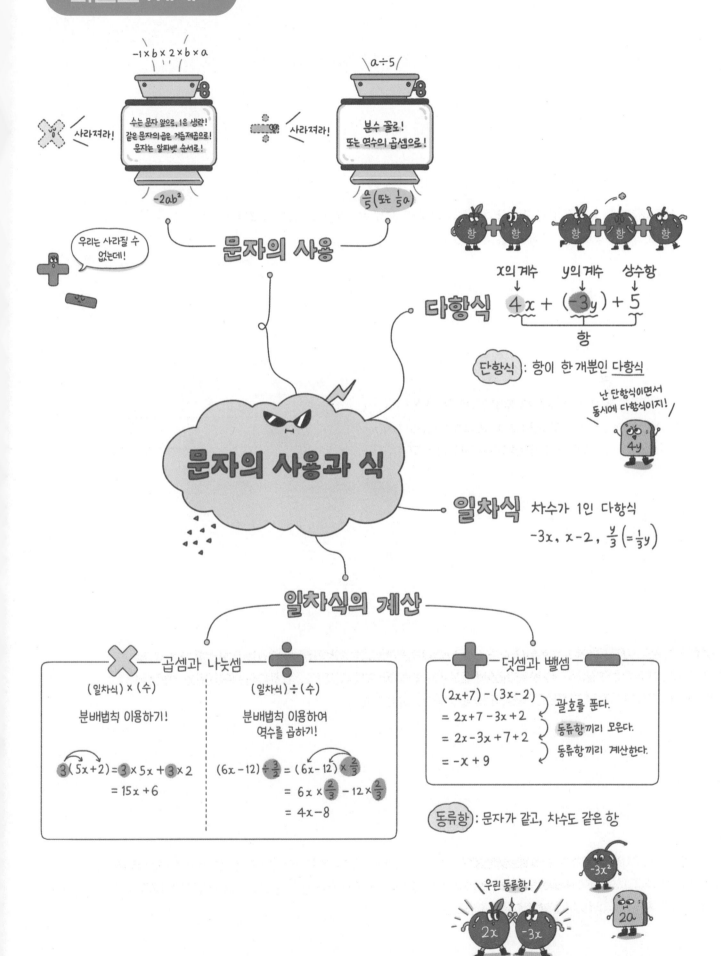

$-1 \times b \times 2 \times b \times a$

$a \div 5$

사라져라!

사라져라!

우리는 사라질 수 없는데!

수는 문자 앞으로, 1은 생략!
같은 문자의 곱은 거듭제곱으로!
문자는 알파벳 순서로!

분수 꼴로!
또는 역수의 곱셈으로!

$-2ab^2$

$\dfrac{a}{5} \left(\text{또는 } \dfrac{1}{5}a\right)$

문자의 사용

항 + 항   항 + 항 + 항

x의 계수 y의 계수   상수항

다항식 $4x + (-3y) + 5$

항

단항식 : 항이 한 개뿐인 다항식

난 단항식이면서
동시에 다항식이지!

$4y$

문자의 사용과 식

일차식 차수가 1인 다항식

$-3x$, $x-2$, $\dfrac{y}{3} \left(=\dfrac{1}{3}y\right)$

일차식의 계산

— 곱셈과 나눗셈 —

(일차식) × (수)

분배법칙 이용하기!

$3(5x+2) = 3 \times 5x + 3 \times 2$
$\qquad\qquad = 15x + 6$

(일차식) ÷ (수)

분배법칙 이용하여
역수를 곱하기!

$(6x-12) \div \dfrac{3}{2} = (6x-12) \times \dfrac{2}{3}$
$\qquad\qquad = 6x \times \dfrac{2}{3} - 12 \times \dfrac{2}{3}$
$\qquad\qquad = 4x - 8$

— 덧셈과 뺄셈 —

$(2x+7) - (3x-2)$
$= 2x+7 -3x+2$ 괄호를 푼다.
$= 2x-3x +7+2$ 동류항끼리 모은다.
$= -x + 9$ 동류항끼리 계산한다.

동류항 : 문자가 같고, 차수도 같은 항

우린 동류항!

$2x$ $-3x$ $-3x^2$ $2a$

4 일차방정식

준비 학습

초2 덧셈과 뺄셈의 관계

1 다음 □ 안에 알맞은 수를 쓰시오.

(1) $5 + \square = 16$　　　　　(2) $13 - \square = 7$

초3 곱셈과 나눗셈의 관계

2 다음 □ 안에 알맞은 수를 쓰시오.

(1) $\dfrac{1}{3} \times \square = 5$　　　　　(2) $24 \div \square = 6$

중1 식의 값

3 다음을 구하시오.

(1) $a = 3$일 때, $3 - 2a$의 값

(2) $b = -4$일 때, $5b - 1$의 값

(3) $c = \dfrac{1}{2}$일 때, $8c - 3$의 값

중1 일차식과 그 계산

4 다음 식을 계산하시오.

(1) $2(x+3) + 3(2x+1)$　　　　　(2) $\dfrac{3y-1}{4} - \dfrac{5y-3}{6}$

방정식과 그 해

• 정답과 해설 44쪽

1 방정식과 그 해

(1) **등식**: 등호(=)를 사용하여 수량 사이의 관계를 나타낸 식

　　참고 등호의 왼쪽 부분을 좌변, 오른쪽 부분을 우변이라 하고,
　　　　　좌변과 우변을 통틀어 양변이라고 한다.

$$\underset{\substack{\uparrow \\ 좌변 \quad 우변 \\ \underset{양변}{}}}{x+2\underset{\uparrow}{=}3} \quad \uparrow 등호$$

(2) **방정식**: 미지수의 값에 따라 참이 되기도 하고, 거짓이 되기도 하는 등식

　① **미지수**: 방정식에 있는 x, y 등의 문자

　② **방정식의 해(근)**: 방정식을 참이 되게 하는 미지수의 값

　　➡ 방정식의 해(근)를 구하는 것을 '방정식을 푼다.'고 한다.

　　예 등식 $x+3=5$는 $x=2$일 때 $2+3=5$이므로 참이 되고,
　　　　　　　　　　$x=3$일 때 $3+3\neq5$이므로 거짓이 된다.

　　➡ $x+3=5$는 방정식이고, $x=2$는 이 방정식의 해(근)이다.

(3) **항등식**: 미지수에 어떠한 값을 대입하여도 항상 참이 되는 등식

　　예 등식 $x+x=2x$는 x에 어떠한 값을 대입하여도 항상 참이므로 항등식이다.

개념 확인

다음 보기 중 등식을 모두 고르시오.

보기
ㄱ. $3a+2$　　　ㄴ. $x+2x=9$　　　ㄷ. $7a>7$　　　ㄹ. $2+3=5$

ㅁ. $8+8$　　　ㅂ. $2\leq3$　　　ㅅ. $4x-7\leq6$　　　ㅇ. $3x+2x=5x$

필수 문제

문장을 등식으로 나타내기

▶문장을 등식으로 나타낼 때는 문장을 적절히 끊어서 좌변과 우변이 되는 식을 각각 세운다.

1 다음 문장을 등식으로 나타내시오.

(1) 어떤 수 x의 5배에서 6을 뺀 값은 12이다.

(2) 한 변의 길이가 x cm인 정사각형의 둘레의 길이는 20 cm이다.

(3) 한 자루에 700원인 연필 x자루와 한 개에 800원인 지우개 5개의 가격은 7500원이다.

(4) 학생 1명의 입장료가 x원인 미술관에서 학생 3명의 입장료는 3000원이다.

1-1 다음 문장을 등식으로 나타내시오.

(1) 어떤 수 x에 3을 더한 후 2배 하면 x를 3으로 나눈 것과 같다.

(2) 밑변의 길이가 x cm이고, 높이가 5 cm인 삼각형의 넓이는 20 cm²이다.

(3) 복숭아 26개를 x명의 학생에게 4개씩 나누어 주었더니 2개가 남았다.

(4) 500원짜리 사탕을 x개 사고 2000원을 냈을 때, 거스름돈은 500원이었다.

x의 값이 0, 1, 2, 3일 때, 다음 방정식에 대하여 표를 완성하고, 그 해를 구하시오.

(1) $2x+3=5x$

x의 값	$2x+3$의 값	$5x$의 값	참/거짓
0	$0+3=3$	0	거짓
1			
2			
3			

해: _____

(2) $3x-4=x$

x의 값	$3x-4$의 값	x의 값	참/거짓
0			
1			
2			
3			

해: _____

필수 문제 **2**

방정식의 해

▶방정식의 해가 $x=3$이다.
⇨ 방정식에 $x=3$을 대입하면 등식이 성립한다.

다음 방정식 중 해가 $x=3$인 것은?

① $x-6=3$
② $-4x=12$
③ $\dfrac{x}{3}=9$
④ $4(x-2)=4$
⑤ $2x-3=-x$

2-1 다음 중 [　] 안의 수가 주어진 방정식의 해가 <u>아닌</u> 것은?

① $3x+4=1$　$[-1]$
② $4x-1=2x$　$\left[\dfrac{1}{2}\right]$
③ $2x=5x-6$ $[2]$
④ $2(x+1)=x$ $[-3]$
⑤ $5x+4=6x-5$ $[9]$

필수 문제 **3**

항등식 찾기

▶항등식을 찾을 때는 좌변과 우변을 각각 간단히 하여 (좌변)=(우변)인지 확인한다.

다음 보기 중 항등식을 모두 고르시오.

보기
ㄱ. $0 \times x=0$
ㄴ. $x \times 5=5x$
ㄷ. $3-x=x-3$
ㄹ. $2x=4$
ㅁ. $4x=4+x$
ㅂ. $x+2x=3x$
ㅅ. $5=x+7$
ㅇ. $2(x+3)=2x+6$
ㅈ. $x+6x-7=7(x-1)$

3-1 다음 중 x의 값에 관계없이 항상 참이 되는 등식을 모두 고르면? (정답 2개)

① $2x=0$
② $x+x=2$
③ $(3x+6) \div 3=x+2$
④ $x+2=4x$
⑤ $3(2x-1)=6x-3$

2 등식의 성질

(1) 등식의 성질

① 등식의 양변에 같은 수를 더하여도 등식은 성립한다.
➡ $a=b$이면 $a+c=b+c$이다.

② 등식의 양변에서 같은 수를 빼어도 등식은 성립한다.
➡ $a=b$이면 $a-c=b-c$이다.

③ 등식의 양변에 같은 수를 곱하여도 등식은 성립한다.
➡ $a=b$이면 $ac=bc$이다.

④ 등식의 양변을 0이 아닌 같은 수로 나누어도 등식은 성립한다.
➡ $a=b$이고 $c\neq0$이면 $\dfrac{a}{c}=\dfrac{b}{c}$이다.

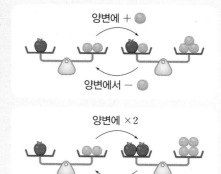

(2) 등식의 성질을 이용한 방정식의 풀이

등식의 성질을 이용하여 방정식을 $x=(수)$ 꼴로 고쳐서 해를 구한다.

예 $x+2=5$ $\xrightarrow{\text{양변에서 } 2\text{를 빼면}}$ $x+2\boxed{-2}=5\boxed{-2}$ $\xrightarrow{\text{방정식의 해}}$ $\therefore x=3$

필수 문제 **4**

등식의 성질

▶ □=○이면
(1) □$+c$=○$+c$
(2) □$-c$=○$-c$
(3) □$\times c$=○$\times c$
(4) □$\div c$=○$\div c$ (단, $c\neq0$)

$a=b$일 때, 다음 중 옳지 <u>않은</u> 것을 모두 고르면? (정답 2개)

① $a-5=b-5$ ② $2+a=2-b$ ③ $3a=3b$

④ $\dfrac{a}{2}=\dfrac{b}{4}$ ⑤ $4+2a=4+2b$

4-1 다음 보기 중 옳지 <u>않은</u> 것을 모두 고르시오.

보기
ㄱ. $a=b$이면 $a-b=0$이다.   ㄴ. $\dfrac{x}{3}=\dfrac{y}{5}$이면 $3x=5y$이다.

ㄷ. $a=b$이면 $\dfrac{a}{c}=\dfrac{b}{c}$이다.   ㄹ. $a+3=b+3$이면 $5a=5b$이다.

필수 문제 **5**

등식의 성질을 이용한
방정식의 풀이

▶ 등식의 성질을 이용하여 방정식을 풀 때
❶ 좌변에 x항만 남긴다.
❷ x의 계수를 1로 만든다.

다음은 등식의 성질을 이용하여 방정식 $3x+7=-2$를 푸는 과정이다. □ 안에 알맞은 수를 쓰시오.

$3x+7=-2$ $\xrightarrow{\text{양변에서 } \boxed{}\text{을(를) 뺀다.}}$ $3x=\boxed{}$ $\xrightarrow{\text{양변을 } \boxed{}\text{(으)로 나눈다.}}$ $x=\boxed{}$

5-1 등식의 성질을 이용하여 다음 방정식을 푸시오.

(1) $x-3=4$ (2) $\dfrac{x}{3}=-2$ (3) $5x+3=18$

1 다음 중 등식이 <u>아닌</u> 것을 모두 고르면? (정답 2개)

① $x+3=-5$　　　　② $15x \div 5$　　　　③ $2+5=7$

④ $4x-9<0$　　　　⑤ $\dfrac{3x+4}{5}-\dfrac{x-5}{2}=3$

2 다음 중 [　] 안의 수가 주어진 방정식의 해인 것은?

① $3x+7=5-x$　　　　$[-1]$　　　　② $5+3x=-2x+6\ [0]$

③ $2x-5=-2$　　　　$\left[\dfrac{1}{2}\right]$　　　　④ $2x-11=-x-8\ \left[-\dfrac{1}{3}\right]$

⑤ $2(x-1)+3=3x-2\ [3]$

3 등식 $3x+a=bx-2$가 모든 x의 값에 대하여 항상 참일 때, 상수 a, b에 대하여 $a+b$의 값은?

① -2　　　　② -1　　　　③ 0

④ 1　　　　⑤ 2

4 다음 중 옳지 <u>않은</u> 것은?

① $a=b$이면 $a-6=b-6$이다.

② $a=b$이면 $2a=a+b$이다.

③ $\dfrac{a}{4}=\dfrac{b}{3}$이면 $3a=4b$이다.

④ $3x=-6y$이면 $x=-2y$이다.

⑤ $x=3y$이면 $x-2=3(y-2)$이다.

5 오른쪽은 등식의 성질을 이용하여 방정식 $2x+2=10$의 해를 구하는 과정이다. ㈎, ㈏에 이용된 등식의 성질을 다음 보기에서 찾아 바르게 짝 지은 것은?

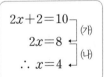

보기

$a=b$이고, c는 자연수일 때

ㄱ. $a+c=b+c$　　　　ㄴ. $a-c=b-c$

ㄷ. $ac=bc$　　　　ㄹ. $\dfrac{a}{c}=\dfrac{b}{c}$

① ㈎－ㄱ, ㈏－ㄴ　　　② ㈎－ㄱ, ㈏－ㄷ　　　③ ㈎－ㄴ, ㈏－ㄷ

④ ㈎－ㄴ, ㈏－ㄹ　　　⑤ ㈎－ㄷ, ㈏－ㄹ

02 일차방정식의 풀이

• 정답과 해설 46쪽

1 이항

등식의 성질을 이용하여 등식의 한 변에 있는 항을 그 항의 부호를 바꾸어
다른 변으로 옮기는 것을 **이항**이라 한다.

$$x \underset{\text{이항}}{\underline{-2}} = 1$$
$$x = 1 \underline{+2}$$

참고

등식의 성질	이항
$x+3=5$ ↓ 양변에서 -3 $x+3-3=5-3$ ∴ $x=2$	$x\underline{+3}=5$ → 우변으로 이항 $x=5\underline{-3}$ → 부호가 바뀐다. ∴ $x=2$

→ 등식의 양변에서 3을 빼는 것은 등식의 좌변
에 있는 $+3$을 부호를 바꾸어 우변으로 옮기는
것, 즉 이항하는 것과 같다.

2 일차방정식

등식의 모든 항을 좌변으로 이항하여 정리한 식이 $\underline{(x\text{에 대한 일차식})=0}$ 꼴로 나타나는 방정식을
x에 대한 **일차방정식**이라 한다.

$\llcorner\!\rightarrow ax+b=0\,(a\neq0)$

용어

• 이(移 옮기다)항
  항을 옮기는 것

필수 문제

이항

▶ $+▲$를 이항 ⇨ $-▲$
  $-▲$를 이항 ⇨ $+▲$

1 다음 방정식에서 밑줄 친 항을 이항하시오.

(1) $5x\underline{+1}=6$

(2) $2x+8=\underline{-10}$

(3) $x\underline{-7}=\underline{-3x}$

(4) $3x\underline{-5}=\underline{2x}+3$

1-1 다음 중 이항을 바르게 한 것은?

① $x+2=2x \Rightarrow x-2x=2$

② $3x=-12 \Rightarrow x=-12-3$

③ $2x-4=x+1 \Rightarrow 2x+x=1+4$

④ $x-5=-2x+3 \Rightarrow x+2x=3+5$

⑤ $2x-9=-3x \Rightarrow 2x+3x=-9$

필수 문제

일차방정식 찾기

▶ 일차방정식을 찾으려면 다음
을 확인한다.
① 등식인가?
② 정리하여 (일차식)=0 꼴로
  나타낼 수 있는가?

2 다음 보기 중 일차방정식을 모두 고르시오.

보기

ㄱ. $2x-1$

ㄴ. $x^2+1=x^2+x$

ㄷ. $4x-5=2x+9$

ㄹ. $-3+x=x-3$

ㅁ. $5x-7=-x^2$

ㅂ. $-2(x-2)=4-2x$

2-1 다음 중 일차방정식이 아닌 것은?

① $x=0$

② $x^2-1=x^2-3x+1$

③ $6x-5=2x$

④ $-2x+6=2(3-x)$

⑤ $\dfrac{x}{3}-2=4$

88 | 4. 일차방정식

3 일차방정식의 풀이

❶ 괄호가 있으면 분배법칙을 이용하여 괄호를 먼저 푼다.

❷ 일차항은 좌변으로, 상수항은 우변으로 각각 이항하여 정리한다.

❸ 양변을 x의 계수로 나누어 $x=(수)$ 꼴로 나타낸다.

❹ 구한 해가 일차방정식을 참이 되게 하는지 확인한다.

$$3(x-2)=x+4 \quad \text{괄호 풀기}$$
$$3x-6=x+4 \quad \text{이항하기}$$
$$3x-x=4+6 \quad \text{정리하기}$$
$$2x=10 \quad x=(수) \text{ 꼴로}$$
$$\therefore x=5 \quad \text{나타내기}$$

개념 확인

다음 방정식의 풀이 과정에서 □ 안에 알맞은 수를 쓰시오.

(1) $2x-7=15$ —(−7을 이항한다.)→ $2x=\boxed{}$ —(양변을 x의 계수로 나눈다.)→ $x=\boxed{}$

(2) $4x+5=x-2$ —(5와 x를 각각 이항한다.)→ $\boxed{}x=-7$ —(양변을 x의 계수로 나눈다.)→ $x=\boxed{}$

필수 문제

일차방정식의 풀이

▶괄호는 분배법칙
$a(b+c)=ab+ac$
를 이용하여 푼다.

3 다음 일차방정식을 푸시오.

(1) $2x+9=3$

(2) $3-4x=5x$

(3) $3(x-5)=x+1$

(4) $-2(x-3)=3(x-1)$

3-1 다음 일차방정식을 푸시오.

(1) $2x-1=5$

(2) $3x=5x+2$

(3) $3x+7=-4x-7$

(4) $7-3x=2x-33$

3-2 다음 일차방정식을 푸시오.

(1) $2(4-6x)=-16$

(2) $-2(x-1)=x+8$

(3) $7x-(2x+1)=x-3$

(4) $1+3(x-4)=4(x-2)$

(5) $6\left(\dfrac{x}{3}-\dfrac{1}{2}\right)=-4\left(\dfrac{x}{2}-\dfrac{1}{4}\right)$

(6) $12\left(\dfrac{x}{4}+\dfrac{1}{6}\right)-4=9\left(\dfrac{x}{9}-1\right)$

• 정답과 해설 46쪽

4 여러 가지 일차방정식의 풀이

계수가 소수 또는 분수인 일차방정식은 양변에 적당한 수를 곱하여
계수를 모두 정수로 고쳐서 푼다.

(1) 계수가 소수인 경우: 양변에 10의 거듭제곱을 곱한다.

예 $0.3x - 0.5 = 0.1$ $\xrightarrow[\text{양변에 } \times 10]{}$ $0.3x \times 10 - 0.5 \times 10 = 0.1 \times 10$

(2) 계수가 분수인 경우: 양변에 분모의 최소공배수를 곱한다.

예 $\dfrac{1}{2}x + 1 = \dfrac{1}{3}$ $\xrightarrow[\text{양변에 } \times 6]{}$ $\dfrac{1}{2}x \times 6 + 1 \times 6 = \dfrac{1}{3} \times 6$

주의 양변에 수를 곱할 때는 모든 항에 똑같은 수를 빠짐없이 곱해야 한다.

예 $0.8x + 0.2 = 1$ ➡ $8x + 0.2 = 1$ (×)
➡ $8x + 2 = 1$ (×)
➡ $8x + 2 = 10$ (○)

계수를 정수로 고치기
↓
괄호 풀기
↓
이항하기
↓
정리하기
↓
$x = $ (수) 꼴로 나타내기

필수 **문제** **4**

계수가 소수인
일차방정식의 풀이

다음 일차방정식을 푸시오.

(1) $0.2x + 0.3 = 0.7$

(2) $0.1x - 0.3 = 0.02x + 0.18$

4-1 다음 일차방정식을 푸시오.

(1) $0.3x - 0.5 = 0.4$

(2) $0.7x + 0.2 = 0.4x - 1$

(3) $0.09x - 0.3 = 0.05(x + 2)$

(4) $0.4(2 - 0.5x) = 1.2$

필수 **문제** **5**

계수가 분수인
일차방정식의 풀이

다음 일차방정식을 푸시오.

(1) $\dfrac{x}{3} - \dfrac{1}{2} = \dfrac{x}{4}$

(2) $\dfrac{1}{8}(x + 3) = \dfrac{3}{2}x - 1$

5-1 다음 일차방정식을 푸시오.

(1) $\dfrac{1}{3}x + 1 = \dfrac{1}{5}x + \dfrac{1}{3}$

(2) $\dfrac{3}{2}(5 - x) = \dfrac{5}{3} - x$

(3) $\dfrac{x - 3}{5} = \dfrac{2x - 3}{4}$

(4) $\dfrac{x}{6} - \dfrac{5}{4} = \dfrac{15 - x}{12}$

5-2 일차방정식 $\dfrac{2x + 3}{5} = 0.3(x - 1)$을 푸시오.

• 정답과 해설 47쪽

1　다음 일차방정식을 푸시오.

(1) $x-4=-2x-1$

(2) $5x-2=-3x+2$

(3) $2-3x=-x-6$

(4) $3x+8=-3x+4$

2　다음 일차방정식을 푸시오.

(1) $2(x+5)=-(x-7)$

(2) $1-3(2x-1)=-5x$

(3) $-(x-6)=2(3x-1)$

(4) $4(x-1)=3(x-7)+1$

3　다음 일차방정식을 푸시오.

(1) $0.6x-0.1=0.9x+2$

(2) $0.1x-0.2=0.03x-0.34$

(3) $0.5(x-2)=0.2(x+7)$

(4) $0.15(x-1)=0.2(x+1)$

4　다음 일차방정식을 푸시오.

(1) $\dfrac{2}{3}x+1=\dfrac{5}{9}x+2$

(2) $\dfrac{1}{10}(x-4)-\dfrac{1}{5}=\dfrac{1}{25}(x+6)$

(3) $\dfrac{x+2}{5}-1=\dfrac{x}{2}$

(4) $\dfrac{x-3}{4}+\dfrac{5}{3}=\dfrac{4x+13}{6}$

5　다음 일차방정식을 푸시오.

(1) $1.2(x-2)=\dfrac{2x+3}{4}$

(2) $\dfrac{2x-6}{3}+1=0.2\left(x-\dfrac{1}{3}\right)$

1 다음 중 일차방정식 $5x+3=8$에서 좌변에 있는 3을 이항한 것과 같은 의미인 것은?

① 양변에서 -3을 뺀다. ② 양변에 3을 더한다.

③ 양변에서 3을 뺀다. ④ 양변에 -3을 곱한다.

⑤ 양변을 3으로 나눈다.

2 다음 보기 중 일차방정식의 개수는?

〔보기〕

ㄱ. $3x+8$ ㄴ. $5(x^2+x)=5x^2-3(x+1)$ ㄷ. $3(x-3)+x=4x-9$

ㄹ. $\dfrac{x}{4}-1=7$ ㅁ. $2x=-(x-6)$ ㅂ. $11x-7=x^2+4x+3$

① 1 ② 2 ③ 3 ④ 4 ⑤ 5

3 다음 일차방정식 중 해가 가장 큰 것은?

① $5-8x=3x-6$ ② $2x-3(x+1)=6$

③ $10-3(4x+2)=-4(x-5)$ ④ $0.3x-0.18=0.07(4+x)$

⑤ $\dfrac{x}{2}+\dfrac{2-x}{6}=\dfrac{1}{2}(x+1)$

4 x에 대한 일차방정식 $7x-a=4x-1$의 해가 $x=3$일 때, 상수 a의 값을 구하시오.

● 두 일차방정식의 해가 서로 같을 때, 상수의 값 구하기
❶ 두 일차방정식 중 해를 구할 수 있는 일차방정식의 해를 먼저 구한다.
❷ 구한 해를 다른 일차방정식에 대입한다.

5 x에 대한 두 일차방정식 $4(x-1)=-3+3x$, $2x-a=7$의 해가 서로 같을 때, 상수 a의 값을 구하시오.

한번더
+1

6 다음 x에 대한 두 일차방정식의 해가 서로 같을 때, 상수 a의 값을 구하시오.

$$\dfrac{5x+11}{12}=\dfrac{1}{6}-\dfrac{1}{3}x, \quad 5-3(x-a)=2$$

03 일차방정식의 활용

1 일차방정식을 활용하여 문제를 해결하는 과정

❶ 문제의 뜻을 이해하고 구하려는 값을 미지수로 놓는다.

❷ 문제의 뜻에 맞게 일차방정식을 세운다.

❸ 일차방정식을 푼다.

❹ 구한 해가 문제의 뜻에 맞는지 확인한다.

주의 문제의 답을 구할 때, 반드시 단위를 쓴다.

> 미지수 정하기
> ↓
> 방정식 세우기
> ↓
> 방정식 풀기
> ↓
> 확인하기

개념 확인

다음은 어떤 수의 5배에서 3을 뺀 수가 어떤 수의 2배보다 9만큼 클 때, 어떤 수를 구하는 과정이다. ☐ 안에 알맞은 것을 쓰시오.

❶ 미지수 정하기	어떤 수를 x라 하자.
❷ 방정식 세우기	어떤 수의 5배에서 3을 뺀 수는 $5x-3$이고, 어떤 수의 2배보다 9만큼 큰 수는 ☐ 이므로 방정식을 세우면 $5x-3=$ ☐
❸ 방정식 풀기	$3x=$ ☐ ∴ $x=$ ☐ 따라서 어떤 수는 ☐ 이다.
❹ 확인하기	어떤 수가 ☐ 이면 ☐ $\times 5-3=$ ☐ $\times 2+9$ 이므로 문제의 뜻에 맞는다.

필수 문제

연속하는 자연수에 대한 문제

▶연속하는 두 짝수(홀수)
  ⇨ x, $x+2$ 또는 $x-2$, x

▶연속하는 세 자연수
 • 가장 작은 수를 x라 하면
  ⇨ x, $x+1$, $x+2$
 • 가운데 수를 x라 하면
  ⇨ $x-1$, x, $x+1$
 • 가장 큰 수를 x라 하면
  ⇨ $x-2$, $x-1$, x

1 연속하는 두 짝수의 합이 26일 때, 두 짝수 중 작은 수를 구하시오.

1-1 연속하는 세 자연수의 합이 39일 때, 세 자연수를 구하시오.

필수 문제

자리의 숫자에 대한 문제

▶십의 자리의 숫자가 a, 일의 자리의 숫자가 b인 두 자리의 자연수
  ⇨ $10a+b$

2 십의 자리의 숫자가 2인 두 자리의 자연수가 있다. 이 자연수의 십의 자리의 숫자와 일의 자리의 숫자를 바꾼 수는 처음 수보다 63만큼 크다고 할 때, 처음 자연수를 구하시오.

2-1 일의 자리의 숫자가 5인 두 자리의 자연수가 있다. 이 자연수의 십의 자리의 숫자와 일의 자리의 숫자를 바꾼 수는 처음 수보다 27만큼 작다고 할 때, 처음 자연수를 구하시오.

3

▶ 초콜릿을 x개 샀다고 하면

	초콜릿	사탕
개수	x	
금액		

1개에 800원 하는 초콜릿과 1개에 600원 하는 사탕을 합하여 20개를 사고 13000원을 지불하였다. 이때 초콜릿과 사탕은 각각 몇 개씩 샀는지 구하시오.

3-1 어느 농구 시합에서 한 선수가 2점짜리 슛과 3점짜리 슛을 합하여 19개를 성공하여 44점을 득점하였다. 이 선수는 2점짜리 슛을 몇 개 성공하였는지 구하시오.

▶ 2점짜리 슛을 x개 성공하였다고 하면

	2점 슛	3점 슛
개수	x	
점수		

3-2 현재 아버지의 나이는 48세, 아들의 나이는 12세이다. 아버지의 나이가 아들의 나이의 3배가 되는 것은 몇 년 후인지 구하시오.

▶ 현재와 x년 후의 아버지와 아들의 나이는

	아버지	아들
현재	48세	12세
x년 후		

4

▶ (직사각형의 둘레의 길이)
 $=2\times\{$(가로의 길이)
  $+$(세로의 길이)$\}$

둘레의 길이가 20 cm인 직사각형이 있다. 이 직사각형의 가로의 길이가 세로의 길이보다 2 cm 더 길 때, 세로의 길이를 구하시오.

4-1 세로의 길이가 가로의 길이보다 4 cm 더 짧은 직사각형의 둘레의 길이가 40 cm일 때, 이 직사각형의 넓이를 구하시오.

학생들에게 공책을 나누어 주는데 한 학생에게 5권씩 나누어 주면 2권이 남고, 6권씩 나누어 주면 3권이 부족하다고 한다. 학생 수를 구하려고 할 때, 다음 물음에 답하시오.

(1) 다음 ☐ 안에 알맞은 식을 쓰시오.

> 학생 수를 x라 할 때, 한 학생에게 공책을
> 5권씩 나누어 주면 2권이 남으므로 (공책의 수)=☐
> 6권씩 나누어 주면 3권이 부족하므로 (공책의 수)=☐

(2) 공책의 수가 일정함을 이용하여 학생 수를 구하시오.

5-1 어느 학교 미술 동아리 학생들에게 귤을 나누어 주는데 한 학생에게 4개씩 나누어 주면 5개가 남고, 5개씩 나누어 주면 4개가 부족하다고 할 때, 다음 물음에 답하시오.

(1) 미술 동아리 학생 수를 구하시오.

(2) 귤의 개수를 구하시오.

▶x의 변화량
• x가 a % 증가
 ⇨ $+\dfrac{a}{100}x$
• x가 b % 감소
 ⇨ $-\dfrac{b}{100}x$

어느 중학교에서 작년의 전체 학생은 700명이었다. 올해는 작년에 비하여 여학생 수는 7 % 증가하고 남학생 수는 3 % 감소하여 전체 학생은 9명이 증가하였다. 이 학교의 작년의 여학생 수를 구하려고 할 때, 다음 물음에 답하시오.

(1) 작년의 여학생 수를 x라 할 때, 다음 표를 완성하시오.

	여학생 수	남학생 수	전체 학생 수
작년	x		700
올해 변화량	$+\dfrac{7}{100}x$		$+9$

(2) (여학생 수의 변화량)+(남학생 수의 변화량)=(전체 학생 수의 변화량)임을 이용하여 일차방정식을 세우시오.

(3) 작년의 여학생 수를 구하시오.

6-1 어느 중학교에서 작년의 전체 학생은 900명이었다. 올해는 작년에 비하여 남학생 수는 4 % 증가하고 여학생 수는 8 % 감소하여 전체 학생은 15명이 감소하였다. 이 학교의 작년의 남학생 수를 구하시오.

1 연속하는 세 홀수의 합이 33일 때, 세 홀수 중 가장 작은 수를 구하시오.

2 현재 어머니의 나이는 딸의 나이의 3배이고, 14년 후에 어머니의 나이가 딸의 나이의 2배가 된다고 한다. 현재 딸의 나이를 구하시오.

3 오른쪽 그림과 같이 한 변의 길이가 10 cm인 정사각형의 가로의 길이를 5 cm만큼 늘이고 세로의 길이를 $x \text{ cm}$만큼 줄였더니 넓이가 60 cm^2인 직사각형이 되었다. 이때 x의 값을 구하시오.

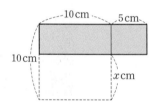

4 현재 수현이의 저금통에는 8000원, 동생의 저금통에는 3600원이 들어 있다. 내일부터 수현이는 매일 400원씩, 동생은 매일 600원씩 저금통에 넣는다면 수현이와 동생의 저금통에 들어 있는 금액이 같아지는 것은 며칠 후인지 구하시오.

5 어느 동호회에서 지난달의 회원은 60명이었다. 이번 달에는 지난달에 비하여 남자 회원 수는 5 % 감소하고 여자 회원 수는 10 % 증가하여 전체 회원은 3명이 증가하였다. 이 동호회의 이번 달의 남자 회원 수를 구하시오.

2 거리, 속력, 시간에 대한 문제

거리, 속력, 시간에 대한 문제는 다음 관계를 이용하여 방정식을 세운다.

$$(거리)=(속력)\times(시간), \quad (속력)=\frac{(거리)}{(시간)}, \quad (시간)=\frac{(거리)}{(속력)}$$

주의 주어진 단위가 다를 경우, 방정식을 세우기 전에 먼저 단위를 통일한다.

➡ $1\,km=1000\,m$, $1\,m=\frac{1}{1000}\,km$, 1시간$=60$분, 1분$=\frac{1}{60}$시간

개념 확인 다음을 문자를 사용한 식으로 나타내시오.

(1) 시속 $a\,km$로 2시간 동안 달린 거리

(2) $x\,km$의 거리를 시속 $5\,km$로 달릴 때, 걸리는 시간

(3) 3시간 동안 일정한 속력으로 $x\,km$의 거리를 걸었을 때의 속력

필수 문제 **7**

전체 걸린 시간이 주어진 경우

두 지점 A, B 사이를 자동차를 타고 왕복하는데 갈 때는 시속 $80\,km$로 가고, 올 때는 같은 길을 시속 $40\,km$로 왔더니 총 6시간이 걸렸다. 두 지점 A, B 사이의 거리를 구하려고 할 때, 다음 물음에 답하시오.

(1) 두 지점 A, B 사이의 거리를 $x\,km$라 할 때, 다음 표를 완성하시오.

	갈 때	올 때
속력	시속 $80\,km$	시속 $40\,km$
거리	$x\,km$	$x\,km$
시간		

(2) (갈 때 걸린 시간)+(올 때 걸린 시간)=(전체 걸린 시간)임을 이용하여 일차방정식을 세우시오.

(3) 두 지점 A, B 사이의 거리를 구하시오.

▸집과 학교 사이의 거리를 $x\,km$라 하면

	갈 때	올 때
속력	시속 $10\,km$	시속 $5\,km$
거리	$x\,km$	$x\,km$
시간		

7-1 집과 학교 사이를 왕복하는데 갈 때는 시속 $10\,km$로 자전거를 타고 가고, 올 때는 같은 길을 시속 $5\,km$로 걸어왔더니 총 1시간 30분이 걸렸다. 이때 집과 학교 사이의 거리를 구하시오.

필수 문제 **8**

시간 차를 두고 출발하는 경우

동생이 집을 출발한 지 10분 후에 형이 동생을 따라나섰다. 동생은 분속 40 m로 걷고, 형은 분속 60 m로 따라간다고 한다. 형이 출발한 지 몇 분 후에 동생을 만나는지 구하려고 할 때, 다음 물음에 답하시오.

(1) 형이 출발한 지 x분 후에 동생을 만난다고 할 때, 다음 표를 완성하시오.

	동생	형
속력	분속 40 m	분속 60 m
시간		x분
거리		

(2) (동생이 이동한 거리)＝(형이 이동한 거리)임을 이용하여 일차방정식을 세우시오.

(3) 형이 출발한 지 몇 분 후에 동생을 만나는지 구하시오.

▶서준이가 출발한 지 x분 후에 유미를 만난다고 하면

	유미	서준
속력	분속 50 m	분속 180 m
시간		x분
거리		

8-1 유미가 집을 출발한 지 13분 후에 서준이가 유미를 뒤따라 출발하였다. 유미는 분속 50 m로 걷고, 서준이는 분속 180 m로 자전거를 타고 따라갈 때, 서준이가 출발한 지 몇 분 후에 유미를 만나는지 구하시오.

필수 문제 **9**

마주 보고 걷거나 둘레를 걷는 경우

예지의 집과 현우의 집 사이의 거리는 1800 m이다. 예지는 분속 40 m로, 현우는 분속 50 m로 각자의 집에서 동시에 출발하여 서로 상대방의 집을 향하여 걸어갔다. 두 사람이 출발한 지 몇 분 후에 만나는지 구하려고 할 때, 다음 물음에 답하시오.

(1) 두 사람이 출발한 지 x분 후에 만난다고 할 때, 다음 표를 완성하시오.

	예지	현우
속력	분속 40 m	분속 50 m
시간	x분	x분
거리		

(2) (예지가 걸은 거리)＋(현우가 걸은 거리)＝(예지의 집과 현우의 집 사이의 거리)임을 이용하여 일차방정식을 세우시오.

(3) 두 사람이 출발한 지 몇 분 후에 만나는지 구하시오.

▶두 사람이 출발한 지 x분 후에 처음으로 다시 만난다고 하면

	선호	슬기
속력	분속 80 m	분속 120 m
시간	x분	x분
거리		

9-1 둘레의 길이가 3 km인 원 모양의 호수가 있다. 이 호수의 둘레를 선호와 슬기가 같은 지점에서 동시에 출발하여 서로 반대 방향으로 걸어갔다. 선호는 분속 80 m로, 슬기는 분속 120 m로 걸을 때, 두 사람은 출발한 지 몇 분 후에 처음으로 다시 만나는지 구하시오.

3 일에 대한 문제

일에 대한 문제는 전체 일의 양을 1로 놓고, 다음을 이용하여 방정식을 세운다.

(1) 어떤 일을 혼자서 완성하는 데 a일이 걸린다. ➡ 하루 동안 하는 일의 양은 $\dfrac{1}{a}$

(2) 하루 동안 하는 일의 양이 A이다. ➡ x일 동안 하는 일의 양은 Ax

4 원가, 정가에 대한 문제

원가, 정가에 대한 문제는 다음을 이용하여 방정식을 세운다.

(1) (정가)=(원가)+(이익)

(2) (실제 이익)=(판매 가격)-(원가)

필수 문제 　**10**

일에 대한 문제

어떤 일을 완성하는 데 아버지는 10일, 형은 15일이 걸린다고 할 때, 다음 물음에 답하시오.

(1) 전체 일의 양을 1로 놓고, 하루 동안 아버지와 형이 할 수 있는 일의 양을 각각 구하시오.

(2) 이 일을 아버지와 형이 함께 한다면 완성하는 데 며칠이 걸리는지 구하시오.

10-1 어떤 코딩용 로봇을 조립하여 완성하는 데 은우가 혼자 하면 6시간이 걸리고, 윤서가 혼자 하면 3시간이 걸린다고 한다. 은우와 윤서가 함께 조립하면 이 로봇을 완성하는 데 몇 시간이 걸리는지 구하시오.

필수 문제 　**11**

원가, 정가에 대한 문제

▶(1) 원가가 x원인 물건에 a%
 의 이익을 붙여서 정한 정가
 ⇨ (정가)$=x+\dfrac{a}{100}x$

(2) 정가가 y원인 물건을 b%
 할인하여 판매한 가격
 ⇨ (판매 가격)$=y-\dfrac{b}{100}y$

어떤 상품의 원가에 20 %의 이익을 붙여서 정가를 정한 후, 정가에서 500원을 할인하여 팔 았더니 1개를 팔 때마다 300원의 이익이 생겼다. 이 상품의 원가를 구하려고 할 때, 다음 물 음에 답하시오.

(1) 이 상품의 원가를 x원이라 할 때, 정가를 x를 사용한 식으로 나타내시오.

(2) 정가에서 500원을 할인하여 판매한 가격을 x를 사용한 식으로 나타내시오.

(3) 이 상품의 원가를 구하시오.

11-1 어떤 물건의 원가에 25 %의 이익을 붙여서 정가를 정한 후, 정가에서 1500원을 할인 하여 팔았더니 1개를 팔 때마다 1000원의 이익이 생겼다. 이 물건의 원가를 구하시오.

1 도윤이가 등산을 하는데 올라갈 때는 시속 3 km로 걷고, 내려올 때는 올라갈 때보다 2 km가 더 먼 다른 등산로를 시속 4 km로 걸었더니 총 4시간이 걸렸다고 한다. 이때 올라간 거리를 구하시오.

2 집에서 출발하여 도서관까지 같은 길로 다녀오는데 갈 때는 시속 12 km로 자전거를 타고 가고, 올 때는 시속 4 km로 걸어왔더니 올 때는 갈 때보다 30분이 더 걸렸다. 집과 도서관 사이의 거리를 구하려고 할 때, 다음 물음에 답하시오.

(1) 집과 도서관 사이의 거리를 x km라 할 때, 일차방정식을 세우시오.

(2) 집과 도서관 사이의 거리는 몇 km인지 구하시오.

3 승우가 학교를 출발한 지 9분 후에 은성이가 승우를 따라나섰다. 승우는 분속 50 m로 걷고, 은성이는 분속 80 m로 따라갈 때, 은성이가 출발한 지 몇 분 후에 승우를 만나는지 구하시오.

4 세호와 은지는 둘레의 길이가 1.5 km인 원 모양의 호수의 둘레를 걸으려고 한다. 같은 지점에서 같은 방향으로 동시에 출발하여 세호는 분속 150 m로 달리고, 은지는 분속 90 m로 걸을 때, 두 사람은 출발한 지 몇 분 후에 처음으로 다시 만나는지 구하시오.

5 어떤 일을 완성하는 데 윤서는 12일, 수지는 16일이 걸린다고 한다. 이 일을 윤서와 수지가 함께 3일 동안 하고 나머지는 수지가 혼자 하여 완성했다고 할 때, 수지가 혼자 일한 기간은 며칠인지 구하시오.

★ 중요

1 다음 중 문장을 등식으로 나타낸 것으로 옳지 <u>않은</u> 것은?

① 박물관의 학생 1명의 입장료가 x원일 때, 학생 4명의 입장료는 12000원이다. ⇨ $4x=12000$

② 가로의 길이가 7 cm, 세로의 길이가 x cm인 직사각형의 둘레의 길이는 30 cm이다.
⇨ $2(7+x)=30$

③ 거리가 x km인 길을 시속 60 km로 달렸을 때 걸린 시간이 8시간이다. ⇨ $\dfrac{x}{60}=8$

④ 5에서 어떤 수 x를 뺀 것에 2를 곱하면 -4이다.
⇨ $5-2x=-4$

⑤ 1개에 a원인 배 3개와 1 kg에 b원인 포도 2 kg 의 값은 15000원이다. ⇨ $3a+2b=15000$

2 다음 중 [ ] 안의 수가 주어진 방정식의 해인 것은?

① $5x-3=2$ $[-1]$

② $x-1=1-x$ $[0]$

③ $3x-2=2(x-2)$ $[1]$

④ $-3x+4=2x-6$ $[2]$

⑤ $4(x-2)=3(x-1)$ $[-5]$

3 등식 $2ax-a+3=b-6x$가 x의 값에 관계없이 항상 성립할 때, 상수 a, b에 대하여 $a-b$의 값은?

① -9 ② -6 ③ -3

④ 3   ⑤ 6

4 다음 중 옳은 것은?

① $a=b$이면 $a-2=b+2$이다.

② $a-b=b$이면 $a=b$이다.

③ $\dfrac{a}{4}=\dfrac{b}{6}$이면 $2a=3b$이다.

④ $12x=-8y$이면 $3x=2y$이다.

⑤ $2(x-1)=y-2$이면 $2x=y$이다.

5 다음은 방정식 $\dfrac{1}{4}(x-8)=-3$ 을 푸는 과정이다. 이때 오른쪽 그림에서 설명하고 있는 등식의 성질이 이용된 곳을 모두 고른 것은?

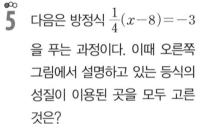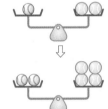

$$\dfrac{1}{4}(x-8)=-3$$
$$\dfrac{1}{4}x-2=-3 \quad\}\ ㉠$$
$$\dfrac{1}{4}x=-1 \quad\}\ ㉡$$
$$\therefore\ x=-4 \quad\}\ ㉢$$

① ㉠   ② ㉡   ③ ㉢

④ ㉠, ㉢   ⑤ ㉡, ㉢

6 방정식 $6x-9=-x-1$을 이항을 이용하여 $ax=b$ 꼴로 고쳤을 때, $a+b$의 값을 구하시오.
(단, a, b는 10보다 작은 자연수)

7 다음 중 일차방정식을 모두 고르면? (정답 2개)

① $7x-5$ ② $4x-7>9$

③ $5x-1=6$ ④ $3(x-2)=-6+3x$

⑤ $x^2-2x=x^2+3x-2$

8 $2x+7=ax+4$가 x에 대한 일차방정식이 되기 위한 상수 a의 조건은?

① $a\neq-2$ ② $a\neq0$ ③ $a\neq2$

④ $a\neq3$ ⑤ $a\neq5$

9 다음 일차방정식 중 해가 나머지 넷과 <u>다른</u> 하나는?

① $-x+4=-2$

② $3x-4=14$

③ $2x-6=5x-24$

④ $2(5x-7)=5x+11$

⑤ $\dfrac{4x+3}{9}=\dfrac{x+9}{5}$

10 다음 일차방정식의 해를 구하시오.

$$0.5x-\frac{x-3}{4}=0.2(x+7)-1$$

11 비례식 $\left(\dfrac{3}{2}x+1\right):3=\left(\dfrac{1}{3}x+4\right):2$를 만족시키는 x의 값은?

① $-\dfrac{5}{4}$ ② -1 ③ $-\dfrac{2}{3}$

④ 1 ⑤ 5

12 x에 대한 일차방정식 $5(1-x)=3+a(2x+7)$의 해가 $x=-2$일 때, 상수 a에 대하여 a^2+2a의 값을 구하시오.

13 일차방정식 $6x-7=2x+8$에서 좌변의 x의 계수 6을 다른 수로 잘못 보고 풀었더니 해가 $x=5$이었다. 이때 6을 어떤 수로 잘못 본 것인가?

① 2 ② 5 ③ 8

④ 9 ⑤ 10

14 각 자리의 숫자의 합이 16인 두 자리의 자연수가 있다. 이 자연수의 십의 자리의 숫자와 일의 자리의 숫자를 바꾼 수는 처음 수보다 18만큼 크다고 할 때, 처음 자연수를 구하시오.

15 디저트 가게에서 1개에 2000원인 쿠키와 1개에 2500원인 마카롱을 합하여 6개를 사고 13000원을 지불하였다. 이때 구매한 마카롱의 개수는?

① 1   ② 2   ③ 3

④ 4   ⑤ 5

16 현재 상현이와 누나의 나이의 합은 33세이고, 차는 5세이다. 이때 현재 누나의 나이는?

① 17세   ② 19세   ③ 21세

④ 23세   ⑤ 25세

17 다음은 고대 그리스의 수학자 피타고라스의 제자에 대한 이야기이다. 피타고라스의 제자는 모두 몇 명인지 구하시오.

> 내 제자의 $\frac{1}{2}$은 수의 아름다움을 탐구하고, $\frac{1}{4}$은 자연의 이치를 연구한다. 또 제자의 $\frac{1}{7}$은 굳게 입을 다물고 깊은 사색에 잠겨 있다. 그 외에 여자인 제자가 세 사람이 있다. 그들이 제자의 전부이다.

18 길이가 96 cm인 철사를 구부려 가로의 길이와 세로의 길이의 비가 2 : 1인 직사각형을 만들려고 한다. 이 직사각형의 가로의 길이를 구하시오.
(단, 철사는 겹치는 부분이 없도록 모두 사용한다.)

19 어느 중학교에서 작년의 전체 학생은 1200명이었다. 올해는 작년에 비하여 남학생 수는 5 % 감소하고 여학생 수는 7 % 증가하여 전체 학생 수는 2 % 증가하였을 때, 작년의 남학생 수를 구하시오.

20 승민이의 집과 유라의 집 사이의 거리는 1.2 km이다. 승민이는 분속 50 m로, 유라는 분속 70 m로 각자의 집에서 동시에 출발하여 서로 상대방의 집을 향하여 걸을 때, 두 사람이 만나는 것은 출발한 지 몇 분 후인가?

① 8분 후   ② 10분 후   ③ 12분 후

④ 14분 후   ⑤ 16분 후

21 어느 수영장에 물을 가득 채우려면 호스 A로는 8시간, 호스 B로는 12시간이 걸린다고 한다. 비어 있는 수영장에 호스 A로 2시간 동안 물을 받은 후 나머지는 호스 B로 물을 받아 수영장에 물을 가득 채울 때, 호스 B로 물을 몇 시간 동안 받아야 하는지 구하시오.

따라 해보자

예제 1 다음 x에 대한 두 일차방정식의 해가 서로 같을 때, 상수 a의 값을 구하시오.

$$\frac{3x-1}{2}-5=\frac{2x+1}{3}, \; 3x+a=x+9$$

풀이 과정

1단계 $\frac{3x-1}{2}-5=\frac{2x+1}{3}$의 해 구하기

양변에 6을 곱하면 $3(3x-1)-30=2(2x+1)$
$9x-3-30=4x+2, \; 5x=35$
$\therefore x=7$

2단계 a의 값 구하기

$3x+a=x+9$에 $x=7$을 대입하면
$3\times 7+a=7+9, \; 21+a=16 \quad \therefore a=-5$

답 -5

유제 1 다음 x에 대한 두 일차방정식의 해가 서로 같을 때, 상수 a의 값을 구하시오.

$$\frac{1}{3}(x+1)=0.2x+1, \; \frac{6-x}{5}-\frac{ax-3}{10}=-\frac{1}{2}$$

풀이 과정

1단계 $\frac{1}{3}(x+1)=0.2x+1$의 해 구하기

2단계 a의 값 구하기

답

예제 2 학생들에게 사탕을 나누어 주는데 한 학생에게 3개씩 나누어 주면 6개가 남고, 4개씩 나누어 주면 12개가 부족하다고 한다. 이때 학생 수와 사탕의 개수를 차례로 구하시오.

풀이 과정

1단계 학생 수를 x라 하고, 조건에 맞는 일차방정식 세우기

학생 수를 x라 할 때, 한 학생에게 사탕을 3개씩 나누어 주면 6개가 남으므로 (사탕의 개수)$=3x+6$
4개씩 나누어 주면 12개가 부족하므로
(사탕의 개수)$=4x-12$
사탕의 개수는 일정하므로 $3x+6=4x-12$

2단계 학생 수 구하기

$3x+6=4x-12, \; -x=-18 \quad \therefore x=18$
따라서 학생 수는 18이다.

3단계 사탕의 개수 구하기

사탕의 개수는 $3\times 18+6=60$이다.

답 18, 60

유제 2 학생들에게 연필을 나누어 주는데 한 학생에게 7자루씩 나누어 주면 4자루가 남고, 8자루씩 나누어 주면 3자루가 부족하다고 한다. 이때 학생 수와 연필의 수를 차례로 구하시오.

풀이 과정

1단계 학생 수를 x라 하고, 조건에 맞는 일차방정식 세우기

2단계 학생 수 구하기

3단계 연필의 수 구하기

답

▶ 모든 문제는 풀이 과정을 자세히 서술한 후 답을 쓰세요.

연습해 보자

1 등식 $2(x+b)=ax-10$이 x에 대한 항등식일 때, 상수 a, b에 대하여 ab의 값을 구하시오.

풀이 과정

답

2 일차방정식 $\dfrac{1}{3}(x+1)=0.5x-\dfrac{4-3x}{6}$의 해를 구하시오.

풀이 과정

답

3 x에 대한 일차방정식 $a(x+2)=4(x-1)$의 해가 $x=2$일 때, $0.7x+a=-1.1$의 해를 구하시오.

(단, a는 상수)

풀이 과정

답

4 지점 A에서 지점 B까지 가는데 자동차를 타고 시속 $40\,km$로 가면 자전거를 타고 시속 $15\,km$로 갈 때보다 1시간 30분 빨리 도착한다고 한다. 이때 두 지점 A, B 사이의 거리를 구하시오.

풀이 과정

답

정답과 해설 10쪽

☑ 이 단원에서 배운 개념을 잘 기억하고 있는지 체크해 보세요.

☐

미지수의 값에 따라 참이 되기
도 하고, 거짓이 되기도 하는 등
식 ⇨ ①☐☐☐

↶ 84 쪽

☐ ○ ○ ○

미지수에 어떠한 값을 대입하여
도 항상 참이 되는 등식
⇨ ②☐☐☐

↶ 84 쪽

☐ ✕

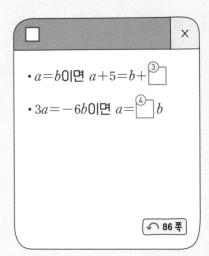

• $a=b$이면 $a+5=b+$③☐

• $3a=-6b$이면 $a=$④☐b

↶ 86 쪽

☐ ✕

등식의 성질을 이용하여 등식의
한 변에 있는 항을 그 항의 부호
를 바꾸어 다른 변으로 옮기는
것 ⇨ ⑤☐☐

↶ 88 쪽

☐

등식의 모든 항을 좌변으로
이항하여 정리한 식이
(x에 대한 일차식)$=0$ 꼴로
나타나는 방정식을 x에 대한
⑥☐☐☐☐☐(이)라 한다.

↶ 88 쪽

☐ ○ ○ ○

일차방정식의 풀이

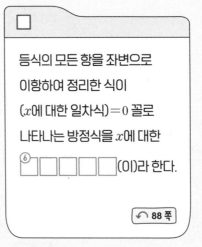

⇨ $2(x-3)=9x+1$

$2x-$⑦☐$=9x+1$

$2x-9x=1+$⑧☐

$-7x=$⑨☐

$\therefore x=$⑩☐

↶ 89 쪽

☐ ○ ○ ○

• 계수가 소수인 일차방정식은
양변에 10의 ⑪☐☐☐☐
을(를) 곱하여 푼다.

• 계수가 분수인 일차방정식은
양변에 분모의 ⑫☐☐☐☐
☐을(를) 곱하여 푼다.

↶ 90 쪽

☐ ✕

• 가장 작은 수를 x라 하면
연속하는 세 짝수(홀수)
⇨ $x,$ ⑬☐☐☐☐, ⑭☐☐☐☐

• 십의 자리의 숫자가 a, 일의 자
리의 숫자가 b인 두 자리의 자
연수 ⇨ ⑮☐☐☐☐☐

↶ 93 쪽

☐ ○ ○ ○

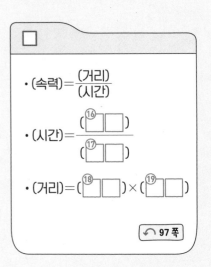

• (속력)$=\dfrac{(거리)}{(시간)}$

• (시간)$=\dfrac{(⑯☐☐)}{(⑰☐☐)}$

• (거리)$=($⑱☐☐$)\times($⑲☐☐$)$

↶ 97 쪽

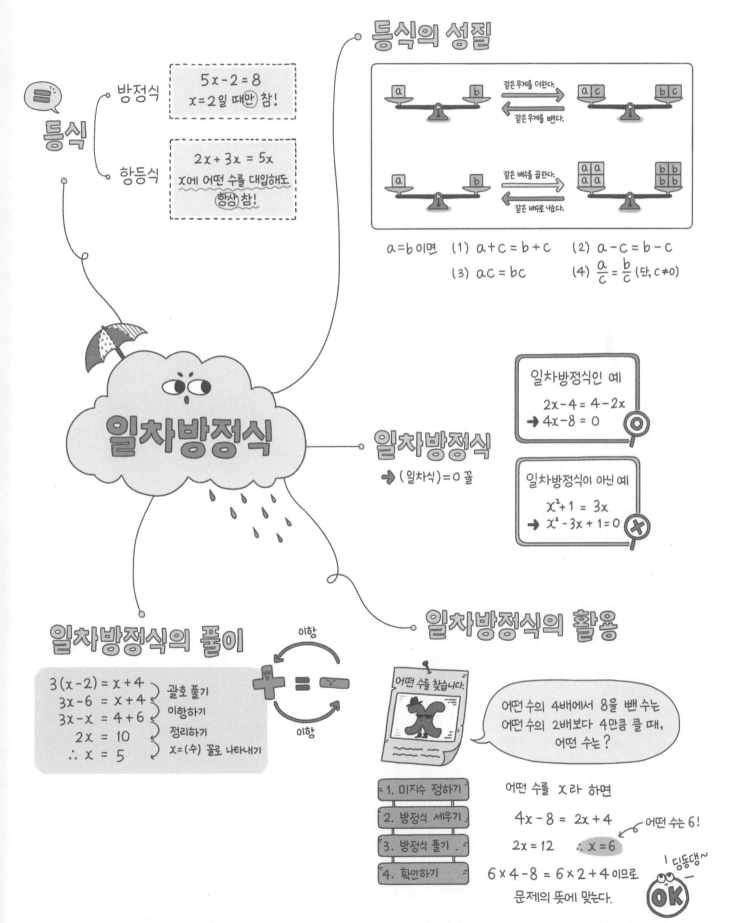

등식의 성질

등식

- 방정식
  $5x - 2 = 8$
  $x = 2$일 때만 참!

- 항등식
  $2x + 3x = 5x$
  x에 어떤 수를 대입해도 항상 참!

같은 무게를 더한다.
같은 무게를 뺀다.

같은 배를 곱한다.
같은 배수로 나눈다.

$a = b$이면 (1) $a + c = b + c$ (2) $a - c = b - c$
              (3) $ac = bc$ (4) $\dfrac{a}{c} = \dfrac{b}{c}$ (단, $c \neq 0$)

일차방정식

일차방정식
→ (일차식) = 0 꼴

일차방정식인 예
$2x - 4 = 4 - 2x$
→ $4x - 8 = 0$

일차방정식이 아닌 예
$x^2 + 1 = 3x$
→ $x^2 - 3x + 1 = 0$

일차방정식의 풀이

$3(x - 2) = x + 4$ 괄호 풀기
$3x - 6 = x + 4$ 이항하기
$3x - x = 4 + 6$ 정리하기
$2x = 10$ $x = $(수) 꼴로 나타내기
$\therefore x = 5$

이항
$+$ $=$ $-$
이항

일차방정식의 활용

어떤 수를 찾습니다.

어떤 수의 4배에서 8을 뺀 수는 어떤 수의 2배보다 4만큼 클 때, 어떤 수는?

1. 미지수 정하기
2. 방정식 세우기
3. 방정식 풀기
4. 확인하기

어떤 수를 x라 하면
$4x - 8 = 2x + 4$ 어떤 수는 6!
$2x = 12$ $\therefore x = 6$
$6 \times 4 - 8 = 6 \times 2 + 4$이므로
문제의 뜻에 맞는다.

딩동댕~
OK

좌표와 그래프

준비 학습

초4 꺾은선그래프

1 다음 꺾은선그래프는 어느 해 A 지역의 1년 동안의 강수량을 조사하여 나타낸 것이다. 물음에 답하시오.

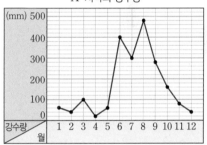

A 지역의 강수량

(1) 강수량의 변화가 가장 큰 때는 몇 월과 몇 월 사이인지 구하시오.
(2) 강수량이 가장 높을 때와 가장 낮을 때의 강수량의 차는 몇 mm 인지 구하시오.

중1 수직선

2 다음 수직선 위의 세 점 A, B, C에 대응하는 수를 각각 구하시오.

01 순서쌍과 좌표

● 정답과 해설 56쪽

1 수직선 위의 점의 좌표

수직선 위의 한 점에 대응하는 수를 그 점의 **좌표**라 한다.

기호 점 P의 좌표가 a일 때, P(a)

A(-2), O(0), B(4)

2 좌표평면

두 수직선을 점 O에서 서로 수직으로 만나도록 그릴 때

(1) 가로의 수직선을 x**축**, 세로의 수직선을 y**축**이라 하고, x축과 y축을 통틀어 **좌표축**이라고 한다.

(2) 두 좌표축이 만나는 점 O를 **원점**이라 한다.

(3) 좌표축이 정해져 있는 평면을 **좌표평면**이라 한다.

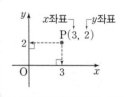

3 좌표평면 위의 점의 좌표

(1) **순서쌍**: 순서를 정하여 두 수를 짝 지어 나타낸 것

주의 $a \neq b$일 때, 순서쌍 (a, b)와 순서쌍 (b, a)는 서로 다르다.

(2) 좌표평면 위의 한 점 P에서 x축, y축에 각각 수선을 긋고 이 수선이 x축, y축과 만나는 점에 대응하는 수를 각각 a, b라 할 때, 순서쌍 (a, b)를 점 P의 좌표라 한다.

이때 a를 점 P의 x**좌표**, b를 점 P의 y**좌표**라 한다.

기호 점 P의 좌표가 (a, b)일 때, P(a, b)

참고 • x축 위의 모든 점들의 y좌표는 0이므로 x축 위의 점의 좌표 ➡ (x좌표, 0)
　　 • y축 위의 모든 점들의 x좌표는 0이므로 y축 위의 점의 좌표 ➡ (0, y좌표)

필수 문제

수직선 위의 점의 좌표

1 다음 수직선 위의 네 점 O, P, Q, R의 좌표를 각각 기호로 나타내시오.

1-1 다음 점들을 수직선 위에 각각 나타내시오.

$$A\left(-\frac{9}{2}\right), \quad B(-1), \quad C\left(\frac{5}{3}\right), \quad D(3)$$

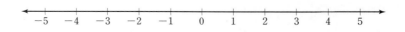

2 두 순서쌍 $(2a, 6)$, $(-4, 2b)$가 서로 같을 때, a, b의 값을 각각 구하시오.

순서쌍

▸두 순서쌍 (x, y), (n, m)이 서로 같다.
⇨ $x=n$, $y=m$

2-1 두 순서쌍 $(9, 3b)$, $\left(\dfrac{1}{3}a, -27\right)$이 서로 같을 때, $a+b$의 값을 구하시오.

3 오른쪽 좌표평면 위의 다섯 개의 점 O, P, Q, R, S의 좌표를 각각 기호로 나타내시오.

좌표평면 위의 점의 좌표

▸좌표와 좌표평면의 탄생
프랑스의 수학자 데카르트
(Descartes, R., 1596∼1650)
는 어느 날 침대에 누워 천장
에 붙어 있는 파리를 보고 파
리의 위치를 나타내는 방법을
연구하다가 '좌표'를 생각해
내었다는 이야기가 있다.

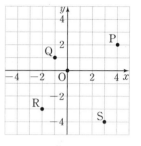

3-1 다음 점을 오른쪽 좌표평면 위에 나타내시오.

(1) $A(2, 3)$ (2) $B(-2, 5)$

(3) $C(4, -1)$ (4) $D(-3, -2)$

(5) $E(3, 0)$ (6) $F(0, -4)$

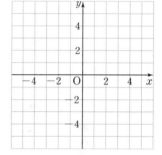

4 다음 점의 좌표를 구하시오.

x축 또는 y축 위의 점의 좌표

▸x축 위에 있다.
⇨ y좌표가 0이다.
⇨ (x좌표, 0)
▸y축 위에 있다.
⇨ x좌표가 0이다.
⇨ (0, y좌표)

(1) x축 위에 있고, x좌표가 2인 점

(2) y축 위에 있고, y좌표가 -1인 점

4-1 다음 보기 중 x축 위의 점과 y축 위의 점을 각각 고르시오.

┌─(보기)─────────────────────────────────
│ ㄱ. $\left(-4, \dfrac{1}{2}\right)$ ㄴ. $(-7, 0)$ ㄷ. $(5, 5)$
│ ㄹ. $(0, -1)$ ㅁ. $\left(\dfrac{8}{3}, 5\right)$ ㅂ. $\left(-\dfrac{3}{4}, 0\right)$
└──────────────────────────────────────

4 사분면

좌표평면은 좌표축에 의하여 네 부분으로 나뉘는데, 그 각각을
제1사분면, 제2사분면, 제3사분면, 제4사분면이라 한다.

주의 <u>좌표축 위의 점은 어느 사분면에도 속하지 않는다.</u>
    └→ 원점, x축 위의 점, y축 위의 점

예 점 $(\underset{+}{1},\ \underset{+}{2})$ ➡ 제1사분면 위의 점,   점 $(\underset{-}{-1},\ \underset{+}{2})$ ➡ 제2사분면 위의 점

    점 $(\underset{-}{-1},\ \underset{-}{-2})$ ➡ 제3사분면 위의 점,   점 $(\underset{+}{1},\ \underset{-}{-2})$ ➡ 제4사분면 위의 점

용어
• **사분면**(四 4개, 分 나누다, 面 면)
4개로 나누어진 면

개념 확인 다음 표의 빈칸에 부호 +, − 중 알맞은 것을 쓰시오.

	제1사분면	제2사분면	제3사분면	제4사분면
x좌표의 부호				
y좌표의 부호				

필수 **문제**   **5**   다음 점은 제몇 사분면 위의 점인지 구하시오.

사분면 위의 점

(1) $A(2,\ 3)$ (2) $B(2,\ -5)$

(3) $C(-4,\ -3)$ (4) $D(-7,\ 4)$

5-1 다음 보기의 점들에 대하여 물음에 답하시오.

> (보기)
>
> ㄱ. $(1,\ -6)$ ㄴ. $(0,\ 3)$ ㄷ. $\left(-\dfrac{1}{3},\ 2\right)$ ㄹ. $(10,\ 8)$
>
> ㅁ. $(-4,\ 5)$ ㅂ. $(-3,\ -8)$ ㅅ. $(2,\ -3)$ ㅇ. $\left(-1,\ -\dfrac{1}{2}\right)$

(1) 제2사분면 위의 점을 모두 고르시오.

(2) 제3사분면 위의 점을 모두 고르시오.

5-2 다음 보기 중 옳은 것을 모두 고르시오.

> (보기)
>
> ㄱ. 점 $(3,\ -2)$는 제1사분면 위의 점이다.
>
> ㄴ. 점 $(-7,\ 0)$은 어느 사분면에도 속하지 않는다.
>
> ㄷ. 제1사분면과 제4사분면 위의 점의 x좌표는 양수이다.
>
> ㄹ. 제2사분면과 제3사분면 위의 점의 y좌표는 음수이다.

1 두 순서쌍 $(a+1, 5)$, $(-2, 2b-1)$이 서로 같을 때, $a-b$의 값은?

① -6 ② -3 ③ 0 ④ 3 ⑤ 6

2 점 A$(a+3, a-3)$은 x축 위의 점이고, 점 B$(8-2b, b+4)$는 y축 위의 점일 때, 두 점 A, B의 좌표를 각각 구하시오.

3 오른쪽 좌표평면 위에 세 점 A$(-2, -3)$, B$(4, -3)$, C$(3, 2)$를 각각 나타내고, 이 세 점을 꼭짓점으로 하는 삼각형 ABC의 넓이를 구하시오.

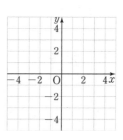

4 다음 중 점의 좌표와 그 점이 속하는 사분면이 바르게 짝 지어진 것을 모두 고르면? (정답 2개)

① $(1, 5)$ ⇨ 제1사분면 ② $(0, -2)$ ⇨ 제2사분면
③ $(-3, 7)$ ⇨ 제3사분면 ④ $(5, -4)$ ⇨ 제4사분면
⑤ $(-6, -6)$ ⇨ 제4사분면

5 점 P(a, b)가 제4사분면 위의 점일 때, 다음 점은 제몇 사분면 위의 점인지 구하시오.

(1) A$(-a, b)$ (2) B$(a, -b)$

(3) C(b, a) (4) D(a, ab)

6 $ab<0$, $a>b$일 때, 점 (a, b)는 제몇 사분면 위의 점인지 구하시오.

02 그래프와 그 해석

● 정답과 해설 57쪽

1 그래프

(1) **변수**: x, y와 같이 여러 가지로 변하는 값을 나타내는 문자

> 참고 변수와는 달리 일정한 값을 나타내는 수나 문자를 상수라 한다.

(2) **그래프**: 두 변수 x, y의 순서쌍 (x, y)를 좌표로 하는 점 전체를 좌표평면 위에 나타낸 것

2 그래프의 이해

두 양 사이의 관계를 좌표평면 위에 그래프로 나타내면 두 양의 변화 관계를 알 수 있다.

> 예 다음 그래프는 비행기의 고도를 시간에 따라 나타낸 것이고, 이 그래프에서 고도의 변화를 해석하면 아래 표와 같다.

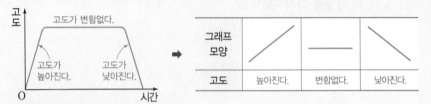

> 참고 그래프는 다음 그림처럼 곡선으로도 나타난다.

➡ 시간에 따라 속력이 점점 느리게 증가한다.   ➡ 시간에 따라 속력이 점점 빠르게 증가한다.   ➡ 시간에 따라 속력이 증가와 감소를 반복한다.

필수 문제 1

상황에 알맞은 그래프 찾기

▶ 그래프에서 x축과 y축이 각각 무엇을 나타내는지 확인하고, 주어진 상황에 알맞은 그래프를 찾는다.

다음 상황을 읽고, 음료수 병 안에 남은 음료수의 양을 시간에 따라 나타낸 그래프로 가장 알맞은 것을 보기에서 고르시오.

> 희주는 학교 가는 길에 음료수 한 병을 사서 반쯤 먹은 후 자리에 두고 수학 수업을 들었다. 수학 수업이 끝난 후 희주는 남은 음료수를 모두 마셨다.

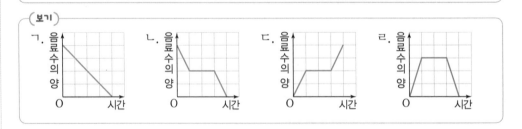

1-1 민재는 집을 출발하여 공원에 가서 나무 아래에 앉아 잠시 휴식을 취한 후 집으로 돌아왔다. 다음 중 민재가 집에서 떨어진 거리를 시간에 따라 나타낸 그래프로 알맞은 것은?

(단, 집에서 공원까지의 길은 직선이다.)

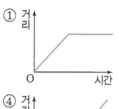
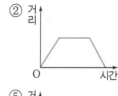
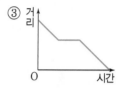
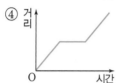
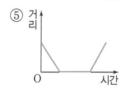

필수 **문제**

용기의 모양과 그래프

2 오른쪽 그림과 같은 두 용기 A, B에 일정한 속력으로 물을 채울 때, 물의 높이를 시간에 따라 나타낸 그래프로 가장 알맞은 것을 다음 보기에서 찾아 짝 지으시오.

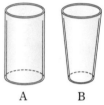

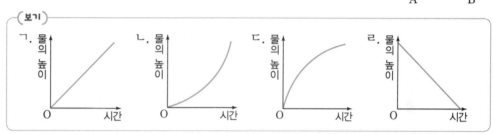

2-1 오른쪽 그림과 같은 꽃병에 일정한 속력으로 물을 채울 때, 다음 중 물의 높이를 시간에 따라 나타낸 그래프로 알맞은 것은?

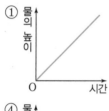
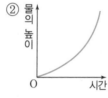
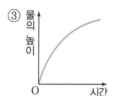
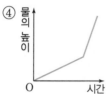
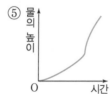

③

▸ 그래프에서 x축과 y축이 각각 무엇을 나타내는지 확인하고, 좌표를 읽어 필요한 값을 구한다.

준서는 집에서 20 km 떨어진 미술관에 자전거를 타고 가서 미술 작품을 보고 같은 길로 돌아왔다. 오른쪽 그래프는 준서가 집에서 떨어진 거리를 시각에 따라 나타낸 것이다. 다음 물음에 답하시오.

(단, 집에서 미술관까지의 길은 직선이다.)

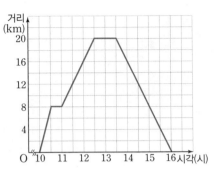

(1) 준서는 집에서 출발한 지 몇 분 후에 미술관에 도착하였는지 구하시오.

(2) 준서가 미술관에 가는 길에 친구 집에 들러 머물다가 갔을 때, 친구 집에 몇 분 동안 머물렀는지 구하시오.

3-1 지욱이네 가족은 자동차를 타고 집에서 출발하여 국립 공원에 갔다. 오른쪽 그래프는 자동차에 남아 있는 휘발유의 양을 시각에 따라 나타낸 것이다. 다음 물음에 답하시오.

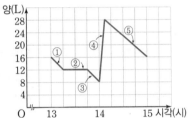

(1) 지욱이네 가족은 국립 공원에 가는 도중에 휴게소에 들러 머물다가 갔을 때, 휴게소에서 자동차가 멈춘 시간을 나타내는 구간을 ①~⑤ 중에서 고르시오.

(2) 지욱이네 가족은 국립 공원에 도착하기 전 주유소에 들러 주유를 하였다. 주유소에 도착한 시각과 주유소에서 넣은 휘발유의 양을 차례로 구하시오.

3-2 오른쪽 그래프는 무선 조종 비행기의 지면으로부터의 높이를 시간에 따라 나타낸 것이다. 다음 보기 중 이 그래프에 대한 설명으로 옳은 것을 모두 고르시오.

(보기)

ㄱ. 무선 조종 비행기의 비행시간은 총 24분이다.

ㄴ. 무선 조종 비행기가 가장 높게 날았을 때의 높이는 30 m이다.

ㄷ. 무선 조종 비행기의 높이가 낮아지다가 다시 높아지는 것은 비행을 시작한 지 14분 후이다.

ㄹ. 무선 조종 비행기의 높이가 처음으로 20 m가 되는 것은 비행을 시작한 지 8분 후이다.

ㅁ. 무선 조종 비행기의 높이가 15 m가 되는 것은 총 2번이다.

1 오른쪽 그래프는 어느 도시의 몇 년 동안의 인구 변화를 시간에 따라 나타낸 것이다. 다음 중 이 그래프에 가장 알맞은 상황은?

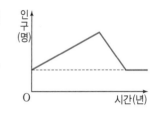

① 인구가 일정하게 유지되다가 최근 몇 년 동안은 꾸준히 증가하였다.

② 인구가 꾸준히 증가하다가 최근 몇 년 동안은 일정하게 유지되었다.

③ 인구가 꾸준히 증가하다가 증가 이전의 수준으로 감소하였다. 그 후 최근 몇 년 동안은 일정하게 유지되었다.

④ 인구가 꾸준히 감소하다가 최근 몇 년 동안은 일정하게 유지되었다.

⑤ 인구가 꾸준히 감소하다가 감소 이전의 수준으로 증가하였다. 그 후 최근 몇 년 동안은 일정하게 유지되었다.

2 놀이공원에 있는 대관람차의 어느 한 칸의 지면으로부터의 높이를 시간에 따라 측정하였더니 최고 높이까지 올라갔다가 처음 높이로 내려오기를 반복하였다. 다음 중 이 상황에 가장 알맞은 그래프는?

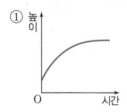
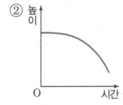
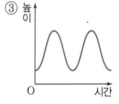

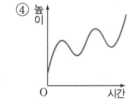
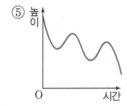

3 오른쪽 그림과 같이 두 개의 원기둥을 붙여 놓은 모양의 물통에 일정한 속력으로 물을 채울 때, 다음 중 물의 높이를 시간에 따라 나타낸 그래프로 가장 알맞은 것은?

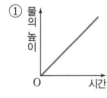

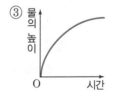

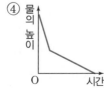
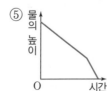

4 오른쪽 그래프는 소연이가 등산을 하는데 이동한 거리를 시간에 따라 나타낸 것이다. 다음 보기 중 각 구간에 대한 설명으로 옳은 것을 모두 고르시오.

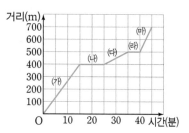

─(보기)─

ㄱ. ㈎ 구간: 15분 동안 400 m를 이동하였다.

ㄴ. ㈏ 구간: 10분 동안 400 m를 이동하였다.

ㄷ. ㈐ 구간: 10분 동안 500 m를 이동하였다.

ㄹ. ㈑ 구간: 5분 동안 한 곳에 머물렀다.

ㅁ. ㈒ 구간: 5분 동안 300 m를 이동하였다.

5 보라는 등굣길에 준비물을 집에 놓고 와서 집으로 되돌아갔다가 다시 학교에 갔다. 오른쪽 그래프는 보라가 집에서 떨어진 거리를 시간에 따라 나타낸 것이다. 다음 중 이 그래프에 대한 설명으로 옳지 <u>않은</u> 것은? (단, 집에서 학교까지의 길은 직선이다.)

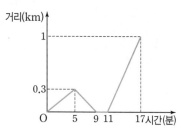

① 처음 5분 동안 집에서 0.3 km 떨어진 지점까지 갔다.

② 집으로 되돌아가는 데 걸린 시간은 4분이다.

③ 집으로 되돌아가서 집에 머문 시간은 2분이다.

④ 보라가 이동한 거리는 총 1.6 km이다.

⑤ 다시 집에서 출발하여 1 km 떨어진 학교까지 가는 데 5분이 걸렸다.

6 오른쪽 그래프는 형과 동생이 집에서 출발하여 1 km 떨어진 공원까지 같은 직선 도로로 이동할 때, 집에서 떨어진 거리를 시간에 따라 각각 나타낸 것이다. 다음 물음에 답하시오.

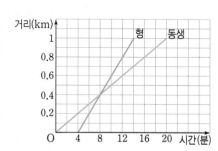

(1) 동생이 집을 출발한 지 몇 분 후에 형이 출발하였는지 구하시오.

(2) 형이 집을 출발한 지 몇 분 후에 동생과 만났는지 구하시오.

(3) 형이 공원에 도착하고 몇 분 후에 동생이 도착하였는지 구하시오.

1 두 순서쌍 $(2-a, -1)$, $(5, 2b-3)$이 서로 같을 때, $a+b$의 값을 구하시오.

2 다음 중 오른쪽 좌표평면 위의 다섯 개의 점 A, B, C, D, E의 좌표를 나타낸 것으로 옳지 <u>않은</u> 것은?

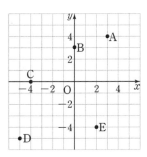

① A(3, 4)
② B(3, 0)
③ C(−4, 0)
④ D(−5, −5)
⑤ E(2, −4)

3 다음 중 x축 위에 있고, x좌표가 $-\dfrac{1}{2}$인 점의 좌표는?

① $\left(\dfrac{1}{2}, 0\right)$ ② $\left(0, \dfrac{1}{2}\right)$ ③ $\left(0, -\dfrac{1}{2}\right)$

④ $\left(-\dfrac{1}{2}, 0\right)$ ⑤ $\left(-\dfrac{1}{2}, -\dfrac{1}{2}\right)$

4 좌표평면 위의 네 점 A$(-3, 2)$, B$(-3, -3)$, C$(3, -3)$, D$(3, 4)$를 꼭짓점으로 하는 사각형 ABCD의 넓이를 구하시오.

5 다음 중 제4사분면 위의 점은?

① $(-4, -1)$ ② $(-3, 2)$ ③ $(0, -6)$
④ $(1, -4)$ ⑤ $(5, 7)$

6 다음 중 옳은 것은?

① 점 $(2, 3)$과 점 $(3, 2)$는 서로 같은 점이다.
② x축 위의 점은 x좌표가 0이다.
③ 점 $(1, 0)$은 제1사분면 위의 점이다.
④ 점 $(0, 0)$은 모든 사분면에 속하는 점이다.
⑤ 점 (a, b)가 제3사분면 위의 점이면 $a<0$, $b<0$이다.

7 점 P(a, b)가 제2사분면 위의 점일 때, 다음 중 제3사분면 위의 점은?

① $(-a, b)$ ② $(a, 2b)$ ③ $(a-b, b)$
④ (b, a) ⑤ (a, ab)

8 $\dfrac{a}{b}<0$, $b-a<0$일 때, 점 $(a-b, a)$는 제몇 사분면 위의 점인가?

① 제1사분면   ② 제2사분면
③ 제3사분면   ④ 제4사분면
⑤ 어느 사분면에도 속하지 않는다.

9 다음은 하루 동안 동준이 방의 평균 기온 변화를 나타낸 글이다. 이 상황에 가장 알맞은 그래프를 보기에서 고르시오.

> 오전부터 기온이 계속 상승해서 점심쯤에 에어컨을 틀어 기온을 낮추고, 낮춘 온도를 유지하였다. 몇 시간 후에 에어컨을 껐는데도 불구하고, 해가 지면서 기온이 조금 더 떨어졌다.

보기

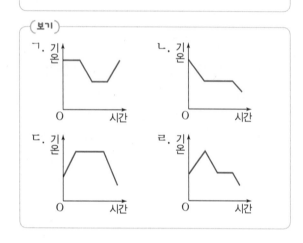

10 오른쪽 그래프는 어떤 그릇에 일정한 속력으로 물을 채울 때, 물의 높이를 시간에 따라 나타낸 것이다. 다음 중 이 그릇의 모양으로 가장 알맞은 것은?

①  ②

③  ④ ...

⑤

11 오른쪽 그래프는 주희가 1시간 동안 춤 연습을 하는 데 소모한 열량을 시간에 따라 나타낸 것이다. 이 그래프에 대한 설명으로 옳은 것을 보기에서 모두 고른 것은?

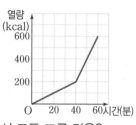

보기

ㄱ. 1시간 동안 소모한 열량은 총 600 kcal이다.
ㄴ. 춤 연습을 시작한 후 20분 동안 200 kcal의 열량을 소모하였다.
ㄷ. 춤 연습을 시작한 후 50분 동안 400 kcal의 열량을 소모하였다.
ㄹ. 열량이 급격하게 소모되기 시작한 것은 춤 연습을 시작한 지 30분 후부터이다.

① ㄱ, ㄴ   ② ㄱ, ㄷ   ③ ㄴ, ㄷ
④ ㄴ, ㄹ   ⑤ ㄷ, ㄹ

[12~13] 다음 그래프는 민하가 자전거를 타고 제주도를 9시간 동안 여행할 때, 자전거의 속력을 시간에 따라 나타낸 것이다. 물음에 답하시오.

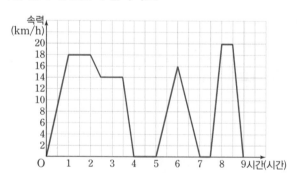

12 민하가 자전거를 타고 제주도를 여행할 때, 자전거는 모두 몇 분 동안 정지하였는가?

① 30분   ② 60분   ③ 90분
④ 120분   ⑤ 150분

13 주어진 그래프에 대하여 옳게 설명한 사람을 모두 고른 것은?

> 원섭: 자전거가 가장 빨리 달릴 때의 속력은 $20\,km/h$이다.
>
> 현정: 자전거가 일정한 속력으로 움직인 시간은 총 3시간이다.
>
> 성윤: 자전거의 속력이 세 번째로 감소하기 시작한 것은 자전거 여행을 시작한 지 6시간 후이다.

① 원섭
② 원섭, 현정
③ 원섭, 성윤
④ 현정, 성윤
⑤ 원섭, 현정, 성윤

14 일정한 속력으로 두 지점 A, B 사이를 직선으로 왕복하는 로봇이 있다. 다음 그래프는 로봇이 지점 A를 처음 출발한 지 x분 후에 지점 A와 로봇 사이의 거리 y m라 할 때, x와 y 사이의 관계를 나타낸 것이다. 이 그래프에 대한 설명으로 옳지 <u>않은</u> 것을 모두 고르면? (정답 2개)

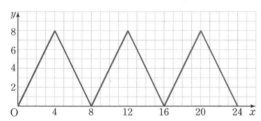

① 로봇은 지점 A를 처음 출발한 지 8분 후에 지점 A로 다시 돌아온다.
② 24분 동안 두 지점 A, B 사이를 3번 왕복한다.
③ 두 지점 A, B 사이의 거리는 $8\,m$이다.
④ 로봇이 12분 동안 움직인 거리는 총 $16\,m$이다.
⑤ 지점 A와 로봇 사이의 거리가 처음으로 $6\,m$가 되는 때는 지점 A를 처음 출발한 지 5분 후이다.

[15~17] 다음 그래프는 은성이와 혜수가 $10\,km$ 마라톤 경주에서 동시에 출발하였을 때, 달린 거리를 시간에 따라 각각 나타낸 것이다. 물음에 답하시오.

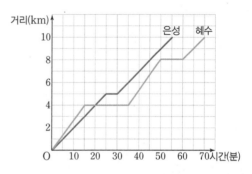

15 은성이가 혜수보다 앞서기 시작한 것은 출발한 지 몇 분 후인가?

① 10분 후
② 15분 후
③ 20분 후
④ 25분 후
⑤ 30분 후

16 마라톤 경주 중 은성이는 총 a분 동안 멈춰 있었고, 혜수는 총 b분 동안 멈춰 있었다고 할 때, $a+b$의 값은?

① 30
② 35
③ 40
④ 45
⑤ 50

17 은성이와 혜수가 마라톤 경주를 완주하는 데 걸린 시간의 차는 몇 분인지 구하시오.

⊕ 유제를 따라 풀어 보고, 실전 문제로 연습해 보세요.

따라 해보자

예제 1

점 $A(a-3,\ 5-2a)$는 x축 위의 점이고, 점 $B(3b-1,\ -b+2)$는 y축 위의 점일 때, ab의 값을 구하시오.

풀이 과정

[1단계] a의 값 구하기

점 $A(a-3,\ 5-2a)$는 x축 위의 점이므로 y좌표가 0이다.

즉, $5-2a=0$에서 $-2a=-5$ $\therefore a=\dfrac{5}{2}$

[2단계] b의 값 구하기

점 $B(3b-1,\ -b+2)$는 y축 위의 점이므로 x좌표가 0이다.

즉, $3b-1=0$에서 $3b=1$ $\therefore b=\dfrac{1}{3}$

[3단계] ab의 값 구하기

$\therefore ab=\dfrac{5}{2}\times\dfrac{1}{3}=\dfrac{5}{6}$

답 $\dfrac{5}{6}$

유제 1

점 $A(2a-1,\ 3a+6)$은 x축 위의 점이고, 점 $B\left(1-\dfrac{1}{4}b,\ 2b+3\right)$은 y축 위의 점일 때, $\dfrac{b}{a}$의 값을 구하시오.

풀이 과정

[1단계] a의 값 구하기

[2단계] b의 값 구하기

[3단계] $\dfrac{b}{a}$의 값 구하기

답

예제 2

점 $P(a+b,\ ab)$가 제1사분면 위의 점일 때, 점 $Q(-a,\ b)$는 제몇 사분면 위의 점인지 구하시오.

풀이 과정

[1단계] $a+b$, ab의 부호 구하기

점 $P(a+b,\ ab)$가 제1사분면 위의 점이므로
$a+b>0,\ ab>0$

[2단계] a, b의 부호 구하기

$ab>0$이므로 a, b의 부호는 서로 같다.
이때 $a+b>0$이므로 $a>0,\ b>0$

[3단계] 점 Q가 제몇 사분면 위의 점인지 구하기

따라서 $-a<0,\ b>0$이므로 점 $Q(-a,\ b)$는 제2사분면 위의 점이다.

답 제2사분면

유제 2

점 $P(ab,\ a-b)$가 제3사분면 위의 점일 때, 점 $Q\left(b,\ \dfrac{b}{a}\right)$는 제몇 사분면 위의 점인지 구하시오.

풀이 과정

[1단계] ab, $a-b$의 부호 구하기

[2단계] a, b의 부호 구하기

[3단계] 점 Q가 제몇 사분면 위의 점인지 구하기

답

▶ 모든 문제는 풀이 과정을 자세히 서술한 후 답을 쓰세요.

연습해 보자

1 두 수 a, b에 대하여 $|a|=3$, $|b|=5$일 때, 순서쌍 (a, b)를 모두 구하시오.

풀이 과정

답

2 다음 좌표평면 위에 세 점 A$(-2, 4)$, B$(-1, -1)$, C$(2, -1)$을 각각 나타내고, 이 세 점을 꼭짓점으로 하는 삼각형 ABC의 넓이를 구하시오.

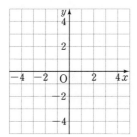

풀이 과정

답

3 다음 그래프는 수진이가 자전거를 타고 집을 출발하여 친구 집에 도착할 때까지 이동한 거리를 시간에 따라 나타낸 것이다. 물음에 답하시오.

(단, 수진이는 직선으로 이동한다.)

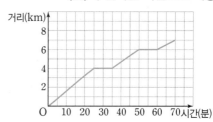

(1) 자전거를 타고 이동한 거리는 모두 몇 km인지 구하시오.

(2) 자전거는 모두 몇 분 동안 정지하였는지 구하시오.

풀이 과정
(1)

(2)

답 (1)   (2)

4 다음 그래프는 예지가 놀이공원에 있는 회전목마에 탑승했을 때, 예지가 탄 목마의 지면으로부터의 높이를 시간에 따라 나타낸 것이다. 회전목마가 움직이기 시작한 후 16초 동안 목마가 가장 높이 올라갔을 때의 높이를 a m, 높이가 1.5 m인 지점에 도달한 것은 총 b번이라 할 때, $a+b$의 값을 구하시오.

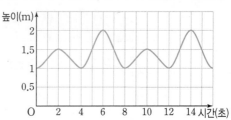

풀이 과정

답

✓ 이 단원에서 배운 개념을 잘 기억하고 있는지 체크해 보세요.

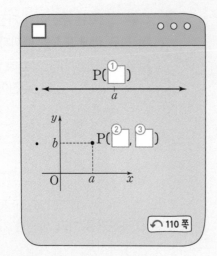

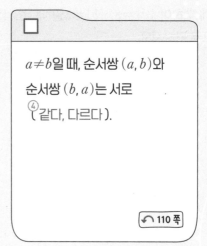

$a \neq b$일 때, 순서쌍 (a, b)와 순서쌍 (b, a)는 서로
④ (같다, 다르다).

↩ 110 쪽

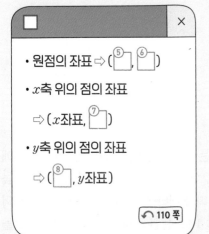

• 원점의 좌표 ⇨ (⑤ , ⑥)

• x축 위의 점의 좌표
  ⇨ (x좌표, ⑦)

• y축 위의 점의 좌표
  ⇨ (⑧ , y좌표)

↩ 110 쪽

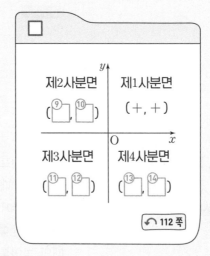

제2사분면　제1사분면
(⑨ ⑩)　$(+, +)$

제3사분면　제4사분면
(⑪ ⑫)　(⑬ ⑭)

↩ 112 쪽

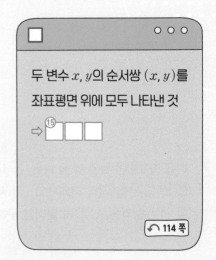

두 변수 x, y의 순서쌍 (x, y)를 좌표평면 위에 모두 나타낸 것
⇨ ⑮ □□□

↩ 114 쪽

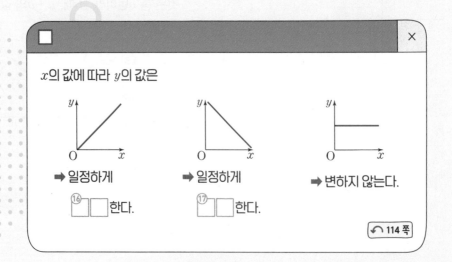

x의 값에 따라 y의 값은

➡ 일정하게
⑯ □□ 한다.

➡ 일정하게
⑰ □□ 한다.

➡ 변하지 않는다.

↩ 114 쪽

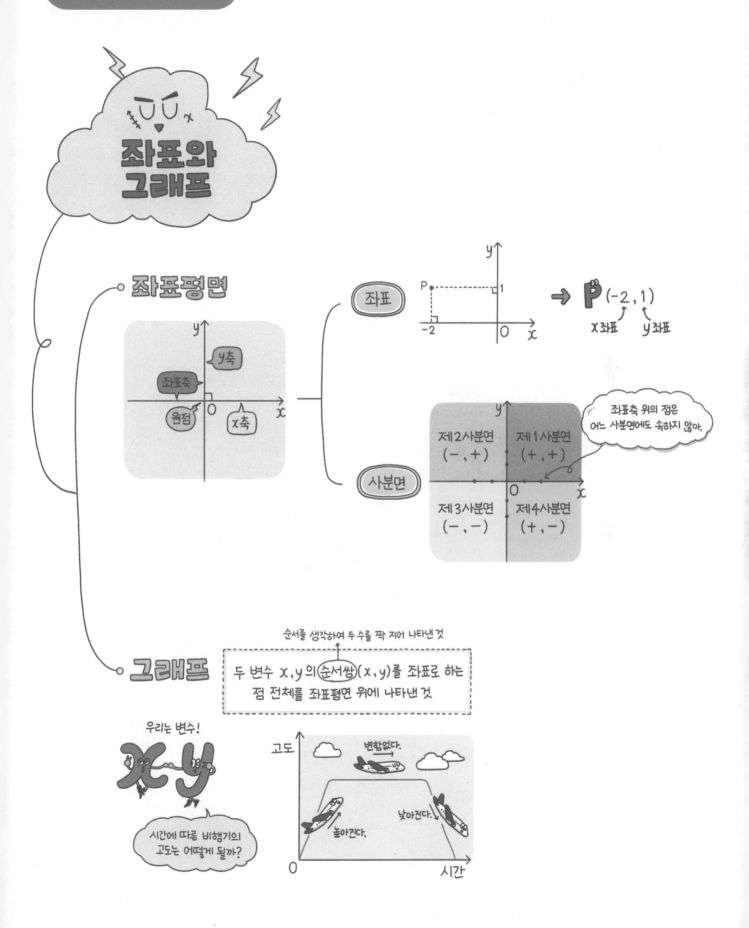

좌표와
그래프

좌표평면

좌표축
y축
원점
O
x축

좌표

사분면

P ● ┄ 1
-2   O   x

→ P(-2, 1)
x좌표   y좌표

좌표축 위의 점은
어느 사분면에도 속하지 않아.

제2사분면
(-, +)

제1사분면
(+, +)

O

제3사분면
(-, -)

제4사분면
(+, -)

그래프

순서를 생각하여 두 수를 짝 지어 나타낸 것

두 변수 x, y의 순서쌍 (x, y)를 좌표로 하는
점 전체를 좌표평면 위에 나타낸 것

우리는 변수!
X-Y

시간에 따른 비행기의
고도는 어떻게 될까?

고도
변함없다.
높아진다.
낮아진다.
O   시간

6

정비례와 반비례

준비 학습

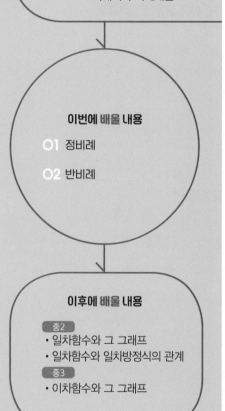

이전에 배운 내용

초5~6 • 규칙과 대응
• 비와 비율
• 비례식과 비례배분

이번에 배울 내용

O1 정비례

O2 반비례

이후에 배울 내용

중2
• 일차함수와 그 그래프
• 일차함수와 일차방정식의 관계
중3
• 이차함수와 그 그래프

초5 규칙과 대응

1 다음 표는 □와 △ 사이의 대응 관계를 나타낸 것이다. 표의 빈칸을 알맞게 채우고, □와 △ 사이의 대응 관계를 식으로 나타내시오.

□	1	2	3	4	5	6
△	5	6	7			10

초6 비례식과 비례배분

2 다음 비례식에서 □ 안에 알맞은 수를 쓰시오.

(1) $2 : 3 = 8 : \square$ (2) $\square : 30 = 5 : 6$

01 정비례

• 정답과 해설 61쪽

1 정비례 관계

(1) 두 변수 x, y에 대하여

x의 값이 2배, 3배, 4배, …로 변함에 따라

y의 값도 2배, 3배, 4배, …로 변하는 관계가

있을 때, y는 x에 **정비례**한다고 한다.

(2) y가 x에 정비례하면 x와 y 사이의 관계식은

$$y=ax\,(a\neq0)$$

로 나타낼 수 있다.

> **참고** y가 x에 정비례할 때, $\dfrac{y}{x}$의 값은 항상 일정하다.
>
> 즉, $y=ax$에서 $\dfrac{y}{x}=a$(일정)

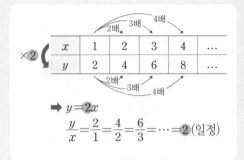

$\Rightarrow y=2x$

$$\frac{y}{x}=\frac{2}{1}=\frac{4}{2}=\frac{6}{3}=\cdots=2\,(\text{일정})$$

개념 확인 지영이의 맥박 수는 1분에 70회이다. x분 동안 지영이의 맥박 수를 y라 할 때, 다음 물음에 답하시오.

(1) 다음 표의 빈칸을 알맞게 채우시오.

x	1	2	3	4	…
y					…

(2) y가 x에 정비례하는지 말하시오.

(3) x와 y 사이의 관계식을 구하시오.

필수 문제

정비례 관계 찾기

1 다음 중 y가 x에 정비례하는 것을 모두 고르면? (정답 2개)

① $y=2+x$ ② $y=\dfrac{4}{x}$ ③ $y=\dfrac{1}{3}x$

④ $y=-7x$ ⑤ $y=2x-3$

1-1 다음 중 y가 x에 정비례하지 <u>않는</u> 것은?

① $y=\dfrac{x}{5}$ ② $y=-\dfrac{1}{6}x$ ③ $\dfrac{y}{x}=-1$

④ $y=0.1x$ ⑤ $xy=3$

1-2 다음 중 y가 x에 정비례하는 것은?

① 전체 쪽수가 100쪽인 책을 x쪽 읽고 남은 쪽수 y쪽

② 현재 14세인 민하의 x년 후의 나이 y세

③ 한 변의 길이가 $x\,\mathrm{cm}$인 정삼각형의 둘레의 길이 $y\,\mathrm{cm}$

④ 길이가 $60\,\mathrm{cm}$인 끈을 x조각으로 똑같이 자를 때, 한 조각의 길이 $y\,\mathrm{cm}$

⑤ 자동차가 시속 $x\,\mathrm{km}$로 $50\,\mathrm{km}$를 달릴 때, 걸리는 시간 y시간

필수 **문제** ② 정비례 관계식 구하기

y가 x에 정비례하고, $x=5$일 때 $y=35$이다. 이때 x와 y 사이의 관계식을 구하시오.

2-1 y가 x에 정비례하고, $x=-4$일 때 $y=16$이다. $x=3$일 때 y의 값을 구하시오.

필수 **문제** ③ 정비례 관계의 활용

▶ ① x의 값이 2배, 3배, 4배, …로 변함에 따라 y의 값도 2배, 3배, 4배, …로 변하는 관계가 있을 때
② $\dfrac{y}{x}$의 값이 일정할 때
⇨ $y=ax\,(a\neq0)$ 꼴로 놓는다.

용량이 80 L인 빈 물통에 매분 5 L씩 물을 넣으려고 한다. 물을 넣기 시작한 지 x분 후의 물통 안에 있는 물의 양을 y L라 할 때, 다음 물음에 답하시오.

(1) 다음 표의 빈칸을 알맞게 채우시오.

x	1	2	3	4	5	…	16
y						…	

(2) x와 y 사이의 관계식을 구하시오.

(3) 물을 넣기 시작한 지 12분 후의 물통 안에 있는 물의 양을 구하시오.

3-1 머리카락은 하루에 0.4 mm씩 자란다고 한다. x일 동안 자란 머리카락의 길이를 y mm라 할 때, 다음 물음에 답하시오.

(1) x와 y 사이의 관계식을 구하시오.

(2) 30일 동안 자란 머리카락의 길이는 몇 mm인지 구하시오.

3-2 우유 1 mL를 정화하는 데 필요한 물의 양이 15 mL라 한다. 우유 x mL를 정화하는 데 필요한 물의 양을 y mL라 할 때, 다음 물음에 답하시오.

(1) x와 y 사이의 관계식을 구하시오.

(2) 물 3000 mL로 정화할 수 있는 우유의 양은 몇 mL인지 구하시오.

2 정비례 관계 $y=ax(a\neq0)$의 그래프

x의 값의 범위에 따라 정비례 관계 $y=x$의 그래프를 그리면 다음과 같다.

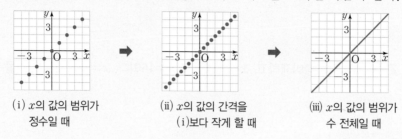

(i) x의 값의 범위가   (ii) x의 값의 간격을   (iii) x의 값의 범위가
   정수일 때   (i)보다 작게 할 때   수 전체일 때

3 정비례 관계 $y=ax(a\neq0)$의 그래프의 성질

x의 값의 범위가 수 전체일 때, 정비례 관계 $y=ax(a\neq0)$의 그래프는 원점을 지나는 직선이다.

	$a>0$일 때	$a<0$일 때
$y=ax$의 그래프	(그래프) a, $(1, a)$, O, 1	(그래프) 1, O, a, $(1, a)$
지나는 사분면	제1사분면, 제3사분면	제2사분면, 제4사분면
그래프의 모양	오른쪽 위로 향하는 직선	오른쪽 아래로 향하는 직선
증가·감소 상태	x의 값이 증가하면 y의 값도 증가한다.	x의 값이 증가하면 y의 값은 감소한다.

참고 • 특별한 말이 없으면 정비례 관계 $y=ax(a\neq0)$에서 x의 값의 범위는 수 전체로 생각한다.
     • 정비례 관계 $y=ax(a\neq0)$의 그래프는 a의 절댓값이 클수록 y축에 가깝다.

필수 문제   **4**   다음 정비례 관계의 그래프를 좌표평면 위에 그리고, ☐ 안에 알맞은 것을 쓰시오.

**정비례 관계 $y=ax(a\neq0)$의
그래프**

▸정비례 관계의 그래프는 원점
을 지나는 직선이므로 원점
O와 그래프가 지나는 다른
한 점을 구해 직선으로 이으
면 쉽게 그릴 수 있다.

(1) $y=3x$

  ① 원점과 점 $(1, ☐)$을(를) 지나는 직선이다.

  ② 오른쪽 ☐로 향하는 직선이다.

  ③ 제☐사분면과 제☐사분면을 지난다.

  ④ x의 값이 증가하면 y의 값은 ☐한다.

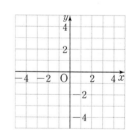

(2) $y=-\dfrac{1}{2}x$

  ① 원점과 점 $(2, ☐)$을(를) 지나는 직선이다.

  ② 오른쪽 ☐로 향하는 직선이다.

  ③ 제☐사분면과 제☐사분면을 지난다.

  ④ x의 값이 증가하면 y의 값은 ☐한다.

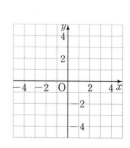

필수 문제 ⑤ 정비례 관계 $y = 5x$의 그래프가 점 $(a, -10)$을 지날 때, a의 값을 구하시오.

정비례 관계 $y = ax (a \neq 0)$의
그래프가 지나는 점

▶ $y = ax$의 그래프가 점 (p, q)
를 지난다.
⇨ $y = ax$에 $x = p$, $y = q$를
대입하면 등식이 성립한다.

5-1 정비례 관계 $y = ax$의 그래프가 점 $(-2, 18)$을 지날 때, 상수 a의 값을 구하시오.

5-2 정비례 관계 $y = -\dfrac{3}{2}x$의 그래프가 두 점 $(a, 9)$, $(4, b)$를 지날 때, $a - b$의 값을 구하시오.

필수 문제 ⑥ 다음은 오른쪽 그래프가 나타내는 x와 y 사이의 관계식을 구하는 과정이다. ☐ 안에 알맞은 것을 쓰시오.

그래프가 주어질 때,
정비례 관계식 구하기

▶ 그래프가 원점을 지나는 직선
이면 정비례 관계의 그래프이
므로
❶ $y = ax$로 놓는다.
❷ 그래프가 지나는 원점 이
외의 한 점의 좌표를 ❶에
대입하여 a의 값을 구한다.

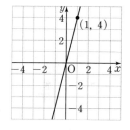

주어진 그래프가 원점을 지나는 직선이므로 정비례 관계
$y = ax$의 그래프이다. 이 그래프가 점 $(1, 4)$를 지나므로
$y = ax$에 $x = $ ☐, $y = $ ☐을(를) 대입하면
$4 = a \times$ ☐   ∴ $a = $ ☐
따라서 x와 y 사이의 관계식은 $y = $ ☐이다.

6-1 다음 그래프가 나타내는 x와 y 사이의 관계식을 구하시오.

(1)

(2)

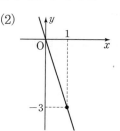

STEP 1 쏙쏙 개념 익히기

1 다음 중 y가 x에 정비례하지 <u>않는</u> 것을 모두 고르면? (정답 2개)

① 한 개의 무게가 50 g인 사탕 x개의 무게 y g

② 길이가 20 m인 테이프를 x m 사용하고 남은 길이 y m

③ 시속 140 km로 x시간 동안 이동한 거리 y km

④ 11명씩 한 개의 팀을 이룰 때, x개의 팀의 전체 사람 수 y

⑤ 하루 24시간 중 낮의 길이가 x시간일 때, 밤의 길이 y시간

2 y가 x에 정비례하고, $x=-2$일 때 $y=8$이다. $y=-20$일 때, x의 값을 구하시오.

3 어느 과자의 1 g당 열량이 6 kcal라 한다. 이 과자 x g의 열량을 y kcal라 할 때, 열량 2100 kcal를 얻기 위해 필요한 과자의 양을 구하시오.

4 정비례 관계 $y=ax(a\neq0)$의 그래프에 대한 다음 설명 중 옳지 <u>않은</u> 것은?

① 원점을 지난다.

② 점 $(1,\ a)$를 지난다.

③ 한 쌍의 곡선이다.

④ $a>0$일 때, 제1사분면과 제3사분면을 지난다.

⑤ $a<0$일 때, 제2사분면과 제4사분면을 지난다.

5 다음 정비례 관계의 그래프 중 y축에 가장 가까운 것은?

① $y=-6x$ ② $y=-x$ ③ $y=-\dfrac{1}{5}x$

④ $y=\dfrac{1}{3}x$ ⑤ $y=5x$

6 다음 중 정비례 관계 $y=-\dfrac{5}{6}x$의 그래프 위의 점이 <u>아닌</u> 것은?

① $(-12, 10)$　　　　② $\left(-6, \dfrac{5}{2}\right)$　　　　③ $\left(-2, \dfrac{5}{3}\right)$

④ $\left(3, -\dfrac{5}{2}\right)$　　　　⑤ $(6, -5)$

7 정비례 관계 $y=\dfrac{3}{4}x$의 그래프가 점 $(a, a+2)$를 지날 때, a의 값을 구하시오.

8 그래프가 원점을 지나는 직선이고 두 점 $(-2, 5)$, $(k, -10)$을 지날 때, k의 값을 구하시오.

● 정비례 관계의 그래프와
도형의 넓이

9 오른쪽 그림과 같이 정비례 관계 $y=\dfrac{2}{3}x$의 그래프 위의 한 점 A에서 x축에 수직인 직선을 그었을 때, x축과 만나는 점을 B라 하자. 점 B의 좌표가 $(6, 0)$일 때, 다음을 구하시오. (단, O는 원점)

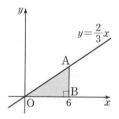

(1) 점 A의 좌표
(2) 삼각형 AOB의 넓이

10 오른쪽 그림과 같이 정비례 관계 $y=-3x$의 그래프 위의 한 점 A에서 x축에 수직인 직선을 그었을 때, x축과 만나는 점을 B라 하자. 점 A의 y좌표가 12일 때, 삼각형 ABO의 넓이를 구하시오. (단, O는 원점)

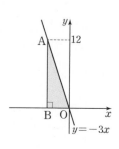

02 반비례

● 정답과 해설 63쪽

1 반비례 관계

(1) 두 변수 x, y에 대하여

x의 값이 2배, 3배, 4배, ...로 변함에 따라

y의 값이 $\frac{1}{2}$배, $\frac{1}{3}$배, $\frac{1}{4}$배, ...로 변하는 관계

가 있을 때, y는 x에 **반비례**한다고 한다.

(2) y가 x에 반비례하면 x와 y 사이의 관계식은

$$y = \frac{a}{x} \, (a \neq 0)$$

로 나타낼 수 있다.

참고 y가 x에 반비례할 때, xy의 값은 항상 일정하다.

즉, $y = \frac{a}{x}$에서 $xy = a$(일정)

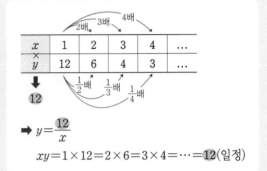

$$xy = 1 \times 12 = 2 \times 6 = 3 \times 4 = \cdots = 12\text{(일정)}$$

개념 확인 길이가 30 cm인 빵을 x개의 조각으로 똑같이 자를 때, 빵 한 조각의 길이를 y cm라 하자. 다음 물음에 답하시오.

(1) 다음 표의 빈칸을 알맞게 채우시오.

x	1	2	3	4	...	30
y					...	

(2) y가 x에 반비례하는지 말하시오.

(3) x와 y 사이의 관계식을 구하시오.

필수 문제

반비례 관계 찾기

1 다음 중 y가 x에 반비례하는 것은?

① $y = -\dfrac{x}{8}$ ② $y = \dfrac{16}{x}$ ③ $y = \dfrac{1}{2}x + 1$

④ $y = 2x$ ⑤ $y = 12 - x$

1-1 다음 중 y가 x에 반비례하지 <u>않는</u> 것을 모두 고르면? (정답 2개)

① $y = \dfrac{15}{x}$ ② $\dfrac{y}{x} = 24$ ③ $y = -\dfrac{3}{x}$

④ $y = \dfrac{1}{x} + 2$ ⑤ $xy = -9$

1-2 다음 보기 중 y가 x에 반비례하는 것을 모두 고르시오.

보기

ㄱ. 토끼 x마리의 다리의 수 y

ㄴ. 곱이 200인 두 유리수 x와 y

ㄷ. 연아네 반 학생 30명 중 남학생 수가 x일 때, 여학생 수 y

ㄹ. 시속 x km로 12 km를 갈 때, 걸리는 시간 y시간

2 y가 x에 반비례하고, $x=5$일 때 $y=3$이다. 이때 x와 y 사이의 관계식을 구하시오.

2-1 y가 x에 반비례하고, $x=4$일 때 $y=-9$이다. $x=6$일 때, y의 값은?

① -12　　　② -6　　　③ -2　　　④ 6　　　⑤ 12

필수 **문제**

반비례 관계의 활용

▶① x의 값이 2배, 3배, 4배,
　…로 변함에 따라 y의 값
　이 $\frac{1}{2}$배, $\frac{1}{3}$배, $\frac{1}{4}$배, …
　로 변하는 관계가 있을 때
② xy의 값이 일정할 때
⇨ $y=\frac{a}{x}$ ($a\neq0$)꼴로 놓는다.

3 온도가 일정할 때, 기체의 부피 $y\,\text{cm}^3$는 압력 x기압에 반비례한다. 일정한 온도에서 부피가 $2\,\text{cm}^3$인 어떤 기체의 압력이 8기압일 때, 다음 물음에 답하시오.

(1) x와 y 사이의 관계식을 구하시오.

(2) 같은 온도에서 압력이 32기압일 때, 이 기체의 부피를 구하시오.

3-1 1500 mL의 주스를 학생들에게 똑같이 나누어 주려고 한다. x명에게 똑같이 나누어 주면 한 학생이 y mL씩 마실 수 있다고 할 때, 다음 물음에 답하시오.

(1) x와 y 사이의 관계식을 구하시오.

(2) 주스를 12명에게 똑같이 나누어 줄 때, 한 학생이 마실 수 있는 주스의 양을 구하시오.

3-2 크기가 같은 정사각형 모양의 타일 100개를 겹치지 않게 빈틈없이 붙여서 직사각형을 만들려고 한다. 이 직사각형의 가로, 세로에 놓인 타일의 개수를 각각 x, y라 할 때, 다음 물음에 답하시오.

(1) x와 y 사이의 관계식을 구하시오.

(2) 이 직사각형의 세로에 놓인 타일이 20개일 때, 가로에 놓인 타일은 몇 개인지 구하시오.

2 반비례 관계 $y=\dfrac{a}{x}(a\neq0)$의 그래프

x의 값의 범위에 따라 반비례 관계 $y=\dfrac{4}{x}$의 그래프를 그리면 다음과 같다.

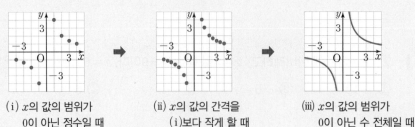

(i) x의 값의 범위가   (ii) x의 값의 간격을   (iii) x의 값의 범위가
0이 아닌 정수일 때   (i)보다 작게 할 때   0이 아닌 수 전체일 때

3 반비례 관계 $y=\dfrac{a}{x}(a\neq0)$의 그래프의 성질

x의 값의 범위가 0이 아닌 수 전체일 때, 반비례 관계 $y=\dfrac{a}{x}(a\neq0)$의 그래프는
좌표축에 가까워지면서 한없이 뻗어 나가는 한 쌍의 매끄러운 곡선이다.

	$a>0$일 때	$a<0$일 때
$y=\dfrac{a}{x}$의 그래프		
지나는 사분면	제1사분면, 제3사분면	제2사분면, 제4사분면
증가·감소 상태	$x>0$ 또는 $x<0$일 때, x의 값이 증가하면 y의 값은 감소한다.	$x>0$ 또는 $x<0$일 때, x의 값이 증가하면 y의 값도 증가한다.

참고 • 특별한 말이 없으면 반비례 관계 $y=\dfrac{a}{x}(a\neq0)$에서 x의 값의 범위는 0이 아닌 수 전체로 생각한다.

• 반비례 관계 $y=\dfrac{a}{x}(a\neq0)$의 그래프는 a의 절댓값이 클수록 원점에서 멀다.

필수 문제   ④   다음 반비례 관계의 그래프를 좌표평면 위에 그리고, ☐ 안에 알맞은 것을 쓰시오.

반비례 관계 $y=\dfrac{a}{x}(a\neq0)$의 그래프

▸반비례 관계의 그래프는 x, y의 값이 모두 정수가 되는 점을 구한 후 이 점들을 매끄러운 곡선으로 연결하면 쉽게 그릴 수 있다.

(1) $y=\dfrac{3}{x}$

① 점 $(-3,\ \square)$, $(-1,\ \square)$, $(1,\ \square)$, $(3,\ \square)$을(를) 지나는 한 쌍의 곡선이다.

② 제☐사분면과 제☐사분면을 지난다.

③ $x>0$ 또는 $x<0$일 때, x의 값이 증가하면 y의 값은 ☐한다.

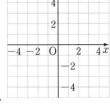

(2) $y=-\dfrac{4}{x}$

① 점 $(-4,\ \square)$, $(-1,\ \square)$, $(1,\ \square)$, $(4,\ \square)$을(를) 지나는 한 쌍의 곡선이다.

② 제☐사분면과 제☐사분면을 지난다.

③ $x>0$ 또는 $x<0$일 때, x의 값이 증가하면 y의 값은 ☐한다.

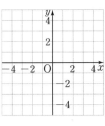

반비례 관계 $y=\dfrac{6}{x}$의 그래프가 점 $(-a, 4)$를 지날 때, a의 값을 구하시오.

5-1 반비례 관계 $y=\dfrac{a}{x}$의 그래프가 점 $(-8, 3)$을 지날 때, 상수 a의 값을 구하시오.

5-2 반비례 관계 $y=\dfrac{36}{x}$의 그래프가 두 점 $(-9, a)$, $(b, 12)$를 지날 때, $a+b$의 값을 구하시오.

다음은 오른쪽 그래프가 나타내는 x와 y 사이의 관계식을 구하는 과정이다. ☐ 안에 알맞은 것을 쓰시오.

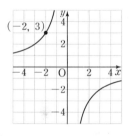

주어진 그래프가 한 쌍의 매끄러운 곡선이므로 반비례 관계
$y=\dfrac{a}{x}$의 그래프이다. 이 그래프가 점 $(-2, 3)$을 지나므로
$y=\dfrac{a}{x}$에 $x=$ ☐ , $y=$ ☐ 을(를) 대입하면
$3=\dfrac{a}{\boxed{}}$ ∴ $a=$ ☐
따라서 x와 y 사이의 관계식은 $y=$ ☐ 이다.

6-1 다음 그래프가 나타내는 x와 y 사이의 관계식을 구하시오.

(1)
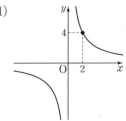

(2)
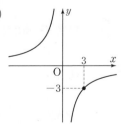

1 다음 중 y가 x에 반비례하는 것을 모두 고르면? (정답 2개)

① 가로, 세로의 길이가 각각 x cm, 5 cm인 직사각형의 둘레의 길이 y cm

② 넓이가 30 cm²인 직사각형의 가로의 길이 x cm와 세로의 길이 y cm

③ 사과 400개를 x개의 상자에 똑같이 나누어 담을 때, 한 상자에 담기는 사과의 개수 y

④ 한 시간에 3개씩 인형을 만들 때, x시간 동안 만든 인형의 개수 y

⑤ 12개의 초콜릿 중에서 x개를 먹었을 때, 남은 초콜릿의 개수 y

2 y가 x에 반비례하고, $x=2$일 때 $y=12$이다. $x=-4$일 때, y의 값을 구하시오.

3 혜은이가 자전거를 타고 집에서 14 km 떨어진 할머니 댁까지 시속 x km로 가는 데 걸리는 시간을 y시간이라 하자. 혜은이가 할머니 댁에 2시간 만에 도착하려면 시속 몇 km로 가야 하는지 구하시오.

4 반비례 관계 $y=\dfrac{a}{x}(a\neq0)$의 그래프에 대한 다음 설명 중 옳은 것을 모두 고르면? (정답 2개)

① 원점을 지나고 좌표축에 한없이 가까워지는 한 쌍의 곡선이다.

② $a<0$일 때, 제2사분면과 제4사분면을 지난다.

③ a의 절댓값이 클수록 원점에 가깝다.

④ x의 값이 2배, 3배, 4배, ...로 변하면 y의 값도 2배, 3배, 4배, ...로 변한다.

⑤ 점 $(a, 1)$을 지난다.

5 다음 중 반비례 관계 $y=-\dfrac{9}{x}$의 그래프 위의 점이 <u>아닌</u> 것은?

① $\left(-6, \dfrac{3}{2}\right)$ 　　　② $(-3, 3)$ 　　　③ $(-1, 9)$

④ $\left(6, -\dfrac{2}{3}\right)$ 　　　⑤ $(9, -1)$

6 반비례 관계 $y=\dfrac{a}{x}$의 그래프가 두 점 $(-2, 6)$, $(3, b)$를 지날 때, $a+b$의 값을 구하시오.

(단, a는 상수)

7 오른쪽 그래프를 보고 다음 물음에 답하시오.

(1) 그래프가 나타내는 x와 y 사이의 관계식을 구하시오.

(2) k의 값을 구하시오.

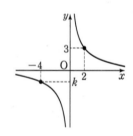

● 정비례 관계, 반비례 관계
의 그래프가 만나는 점
$y=ax\,(a\neq0)$의 그래프와
$y=\dfrac{b}{x}\,(b\neq0)$의 그래프가
점 (p, q)에서 만난다.
⇨ $y=ax$와 $y=\dfrac{b}{x}$에 $x=p$,
  $y=q$를 각각 대입하면
  등식이 성립한다.

8 오른쪽 그림과 같이 정비례 관계 $y=3x$의 그래프와 반비례 관계 $y=\dfrac{a}{x}$의 그래프가 점 $A(3, b)$에서 만날 때, a, b의 값을 각각 구하시오. (단, a는 상수)

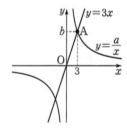

한번더
+1

9 오른쪽 그림과 같이 정비례 관계 $y=ax$의 그래프와 반비례 관계 $y=-\dfrac{16}{x}$의 그래프가 점 $A(2, b)$에서 만날 때, a, b의 값을 각각 구하시오. (단, a는 상수)

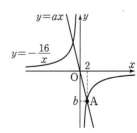

정비례 관계와 반비례 관계

	정비례 관계		반비례 관계	
뜻	x의 값이 2배, 3배, 4배, …로 변함에 따라 y의 값도 2배, 3배, 4배, …로 변하는 관계 예 $\begin{array}{c|cccc} x & 1 & 2 & 3 & 4 & \cdots \\ \hline y & 2 & 4 & 6 & 8 & \cdots \end{array}$		x의 값이 2배, 3배, 4배, …로 변함에 따라 y의 값은 $\frac{1}{2}$배, $\frac{1}{3}$배, $\frac{1}{4}$배, …로 변하는 관계 예 $\begin{array}{c|cccc} x & 1 & 2 & 3 & 4 & \cdots \\ \hline y & 12 & 6 & 4 & 3 & \cdots \end{array}$	
관계식	$y=ax\,(a\neq0)$		$y=\dfrac{a}{x}\,(a\neq0)$	
	$a>0$	$a<0$	$a>0$	$a<0$
그래프	원점을 지나고 오른쪽 위로 향하는 직선	원점을 지나고 오른쪽 아래로 향하는 직선	좌표축에 가까워지면서 한없이 뻗어 나가는 한 쌍의 매끄러운 곡선	
	제1사분면과 제3사분면을 지난다.	제2사분면과 제4사분면을 지난다.	제1사분면과 제3사분면을 지난다.	제2사분면과 제4사분면을 지난다.
	x의 값이 증가하면 y의 값도 증가한다.	x의 값이 증가하면 y의 값은 감소한다.	$x>0$ 또는 $x<0$일 때, x의 값이 증가하면 y의 값은 감소한다.	$x>0$ 또는 $x<0$일 때, x의 값이 증가하면 y의 값도 증가한다.
	a의 절댓값이 클수록 y축에 가깝다.		a의 절댓값이 클수록 원점에서 멀다.	

STEP 2 탄탄 단원 다지기

• 정답과 해설 66쪽

⭐ 중요

1 다음 중 y가 x에 정비례하는 것을 모두 고르면?

(정답 2개)

① $y=-6x$　② $y=\dfrac{5}{x}$　③ $y=-\dfrac{2}{x}$

④ $y=\dfrac{1}{4}x$　⑤ $y=x+7$

2 y가 x에 정비례하고, $x=-6$일 때 $y=3$이다. 다음 보기 중 옳은 것을 모두 고른 것은?

┌─(보기)──────────────────────
│ ㄱ. x의 값이 2배가 되면 y의 값은 $\dfrac{1}{2}$배가 된다.
│ ㄴ. x와 y 사이의 관계식은 $y=\dfrac{1}{2}x$이다.
│ ㄷ. $x=12$일 때, $y=-6$이다.
│ ㄹ. $y=-5$일 때, $x=10$이다.
└──────────────────────────

① ㄱ, ㄴ　② ㄱ, ㄷ　③ ㄴ, ㄷ

④ ㄴ, ㄹ　⑤ ㄷ, ㄹ

3 어떤 물체의 달에서의 무게는 지구에서의 무게의 $\dfrac{1}{6}$ 이다. 이 물체의 지구에서의 무게를 x kg, 달에서의 무게를 y kg이라 할 때, 다음 물음에 답하시오.

(1) x와 y 사이의 관계식을 구하시오.

(2) 지구에서의 몸무게가 78 kg인 우주 비행사가 달에 착륙했을 때의 몸무게를 구하시오.

4 오른쪽 그래프는 훌라후프와 줄넘기를 할 때, 운동 시간 x분 과 소모되는 열량 y kcal 사이 의 관계를 각각 나타낸 것이다. 훌라후프와 줄넘기를 각각 30분 동안 할 때, 소모되는 열량의 차는?

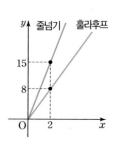

① 90 kcal　② 95 kcal　③ 100 kcal

④ 105 kcal　⑤ 110 kcal

5 다음 중 정비례 관계 $y=\dfrac{4}{3}x$의 그래프는?

① 　②

③ 　④

⑤

6 다음 중 정비례 관계 $y=-\dfrac{3}{5}x$의 그래프에 대한 설명으로 옳지 <u>않은</u> 것은?

① 원점을 지난다.

② 점 $(-5, 3)$을 지난다.

③ 오른쪽 아래로 향하는 직선이다.

④ 제1사분면과 제3사분면을 지난다.

⑤ x의 값이 증가하면 y의 값은 감소한다.

7 오른쪽 그림은 다음 보기의 정비례 관계의 그래프를 좌표평면 위에 모두 나타낸 것이다. 이때 정비례 관계 $y=3x$의 그래프인 것은?

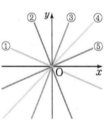

보기

$y=-3x,\ y=3x,\ y=x,\ y=-\dfrac{1}{2}x,\ y=\dfrac{1}{2}x$

8 정비례 관계 $y=-\dfrac{5}{2}x$의 그래프가 두 점 $(a,\ 15)$, $(-4,\ b)$를 지날 때, ab의 값은?

① -60 ② -30 ③ -15
④ 30 ⑤ 60

9 오른쪽 그림과 같은 그래프가 두 점 $(-3,\ 4)$, $\left(\dfrac{9}{2},\ k\right)$를 지날 때, k의 값은?

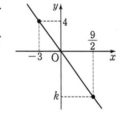

① -8 ② $-\dfrac{15}{2}$
③ -7 ④ $-\dfrac{13}{2}$
⑤ -6

10 두 정비례 관계 $y=-2x$, $y=\dfrac{1}{3}x$의 그래프가 오른쪽 그림과 같이 x좌표가 -6인 두 점 A, B를 각각 지날 때, 삼각형 OAB의 넓이는?
(단, O는 원점)

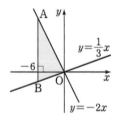

① 10 ② 26 ③ 36
④ 40 ⑤ 42

11 다음 보기 중 y가 x에 반비례하는 것을 모두 고르시오.

보기

ㄱ. 한 개에 800원인 빵 x개의 가격 y원
ㄴ. 물 3 L를 x명이 똑같이 나누어 마실 때, 한 사람이 마시는 물의 양 y L
ㄷ. 시속 10 km로 x시간 동안 이동한 거리 y km
ㄹ. 합이 10인 두 자연수 x와 y
ㅁ. 2000원을 주고 산 x원짜리 과자 y개

12 매분 3 L씩 물을 넣으면 40분 만에 물이 가득 차는 물탱크가 있다. 이 물탱크에 매분 x L씩 물을 넣으면 가득 채우는 데 y분이 걸린다고 할 때, 다음 물음에 답하시오.

(1) x와 y 사이의 관계식을 구하시오.
(2) 10분 만에 이 물탱크에 물을 가득 채우려면 매분 몇 L씩 물을 넣어야 하는지 구하시오.

13 다음 중 반비례 관계 $y=-\dfrac{5}{x}$의 그래프에 대한 설명으로 옳은 것은?

① 원점을 지나는 직선이다.

② 제2사분면과 제3사분면을 지난다.

③ x축, y축과 만나지 않는다.

④ $x<0$일 때, x의 값이 증가하면 y의 값은 감소한다.

⑤ 반비례 관계 $y=-\dfrac{10}{x}$의 그래프보다 원점에서 더 멀다.

14 다음 관계식 중 그 그래프가 제2사분면과 제4사분면을 지나는 것을 모두 고르면? (정답 2개)

① $y=-4x$ ② $y=-\dfrac{2}{x}$ ③ $y=\dfrac{3}{x}$

④ $y=\dfrac{1}{2}x$ ⑤ $y=7x$

15 반비례 관계 $y=\dfrac{18}{x}$의 그래프가 두 점 $(-3,\ a)$, $(b,\ 12)$를 지날 때, $a+b$의 값을 구하시오.

16 점 $(4,\ 2)$가 반비례 관계 $y=\dfrac{a}{x}$의 그래프 위의 점일 때, 이 그래프 위의 점 중에서 x좌표와 y좌표가 모두 정수인 점은 몇 개인지 구하시오. (단, a는 상수)

17 오른쪽 그림과 같은 그래프가 두 점 $(1,\ -2)$, $\left(-\dfrac{2}{3},\ k\right)$를 지날 때, k의 값을 구하시오.

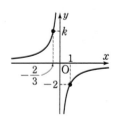

18 오른쪽 그림과 같이 x좌표가 각각 3, -3인 두 점 A, C가 반비례 관계 $y=\dfrac{15}{x}$의 그래프 위에 있다. 직사각형 ABCD의 네 변이 x축 또는 y축에 각각 평행할 때, 다음을 구하시오.

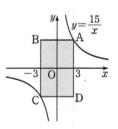

(1) 점 D의 좌표

(2) 직사각형 ABCD의 넓이

19 오른쪽 그림과 같이 정비례 관계 $y=\dfrac{1}{2}x$의 그래프와 반비례 관계 $y=\dfrac{a}{x}$의 그래프가 점 A$(b,\ 2)$에서 만날 때, $a+b$의 값은? (단, a는 상수)

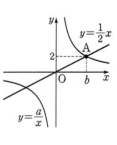

① 6   ② 8   ③ 10

④ 12   ⑤ 14

따라 해보자

예제 1

다음 표에서 y가 x에 정비례할 때, $A+B$의 값을 구하시오.

x	-4	-2	3	B
y	32	A	-24	-40

풀이 과정

1단계 x와 y 사이의 관계식 구하기

y가 x에 정비례하므로 $y=ax$로 놓고, 이 식에 $x=-4$, $y=32$를 대입하면 $32=a\times(-4)$ $\therefore a=-8$

$\therefore y=-8x$

2단계 A, B의 값 구하기

$y=-8x$에 $x=-2$, $y=A$를 대입하면

$A=-8\times(-2)=16$

$y=-8x$에 $x=B$, $y=-40$을 대입하면

$-40=-8\times B$ $\therefore B=5$

3단계 $A+B$의 값 구하기

$\therefore A+B=16+5=21$

답 **21**

유제 1

다음 표에서 y가 x에 반비례할 때, $B-A$의 값을 구하시오.

x	-9	-6	12	B
y	A	-6	3	$\frac{1}{2}$

풀이 과정

1단계 x와 y 사이의 관계식 구하기

2단계 A, B의 값 구하기

3단계 $B-A$의 값 구하기

답

예제 2

톱니가 각각 16개, 32개인 두 톱니바퀴 A, B가 서로 맞물려 돌아가고 있다. 톱니바퀴 A가 x번 회전하면 톱니바퀴 B는 y번 회전한다고 할 때, 톱니바퀴 A가 10번 회전하면 톱니바퀴 B는 몇 번 회전하는지 구하시오.

풀이 과정

1단계 x와 y 사이의 관계식 구하기

두 톱니바퀴 A, B가 서로 맞물려 돌아갈 때

(A의 톱니의 수)$\times$(A의 회전수)

$=$(B의 톱니의 수)$\times$(B의 회전수)

이므로 $16\times x=32\times y$ $\therefore y=\frac{1}{2}x$

2단계 답 구하기

$y=\frac{1}{2}x$에 $x=10$을 대입하면 $y=\frac{1}{2}\times10=5$

따라서 톱니바퀴 B는 5번 회전한다.

답 **5번**

유제 2

서로 맞물려 돌아가는 두 톱니바퀴 A, B가 있다. 톱니가 12개인 톱니바퀴 A가 1분 동안 5번 회전할 때, 톱니가 x개인 톱니바퀴 B는 1분 동안 y번 회전한다고 한다. 톱니바퀴 B가 1분 동안 4번 회전할 때, 톱니바퀴 B의 톱니의 수를 구하시오.

풀이 과정

1단계 x와 y 사이의 관계식 구하기

2단계 답 구하기

답

연습해 보자

1 정비례 관계 $y = -\dfrac{3}{4}x$의 그래프를 다음 좌표평면 위에 그리시오.

(단, 그래프가 지나는 점을 2개 이상 표시하시오.)

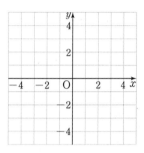

풀이 과정

답

2 정비례 관계 $y = -4x$의 그래프가 세 점 $A(2a, 8)$, $B(4, 8b)$, $C(c, -12)$를 지날 때, $a+b+c$의 값을 구하시오.

풀이 과정

답

3 어떤 일을 완성하는 데 2명이 함께 하면 일주일이 걸린다. 이 일을 완성하는 데 x명이 함께 하면 y일이 걸린다고 할 때, 다음을 구하시오.

(단, 모든 사람이 하는 일의 양은 같다.)

(1) x와 y 사이의 관계식

(2) 2일 만에 이 일을 완성하려고 할 때, 필요한 사람 수

풀이 과정

(1)

(2)

답 (1)　　　　　　　　(2)

4 오른쪽 그림에서 점 P는 반비례 관계 $y = \dfrac{8}{x}(x > 0)$의 그래프 위의 점이다. 점 P에서 x축, y축에 각각 수선을 그어 x축, y축과 만나는 점을 각각 A, B라 할 때, 직사각형 OAPB의 넓이를 구하시오. (단, O는 원점)

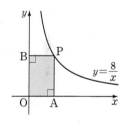

풀이 과정

답

개념 Review

• 정답과 해설 12쪽

☑ 이 단원에서 배운 개념을 잘 기억하고 있는지 체크해 보세요.

☐

y가 x에 정비례하면

• x와 y 사이의 관계식: ①[   ] $(a \neq 0)$

• ②$\left(\dfrac{y}{x}, xy \right)$의 값은 항상 일정하다.

↩ 128 쪽

☐   ○ ○ ○

정비례 관계 $y = ax(a \neq 0)$의 그래프는

③[ ][ ]을(를) 지나는 직선이다.

↩ 130 쪽

☐   ○ ○ ○

y가 x에 반비례하면

• x와 y 사이의 관계식: ④[ ] $(a \neq 0)$

• ⑤$\left(\dfrac{y}{x}, xy \right)$의 값은 항상 일정하다.

↩ 134 쪽

☐   ✕

반비례 관계 $y = \dfrac{a}{x}(a \neq 0, x \neq 0)$의 그래프는 좌표축에 가까워지면서 한없이 뻗어 나가는 한 쌍의 매끄러운 ⑥[ ][ ]이다.

↩ 136 쪽

☐   ✕

정비례 관계 $y = ax$의 그래프는

• $a > 0$일 때, 제 ⑦[ ] 사분면, 제 ⑧[ ] 사분면을 지난다.

• $a > 0$일 때, 오른쪽 ⑨(아래, 위)로 향한다.

• a의 절댓값이 클수록 ⑩[ ][ ]에 가깝다.

↩ 130 쪽

☐

반비례 관계 $y = \dfrac{a}{x}$의 그래프는

• $a < 0$일 때, 제 ⑪[ ] 사분면, 제 ⑫[ ] 사분면을 지난다.

• $a < 0$이고, $x > 0$ 또는 $x < 0$일 때, x의 값이 증가하면 y의 값도 ⑬[ ][ ] 한다.

• a의 절댓값이 클수록 ⑭[ ][ ]에서 멀다.

↩ 136 쪽

정비례와
반비례

$\dfrac{y}{x}$의 값이
일정해~

xy의 값이
일정해~

정비례

$y = ax \ (a \neq 0)$ 꼴

반비례

$y = \dfrac{a}{x} \ (a \neq 0)$ 꼴

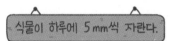
식물이 하루에 5 mm씩 자란다.

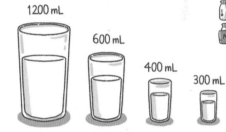
우유 1200 mL를 나눠 마신다.

1200 mL   600 mL   400 mL   300 mL

1일	2일	3일	4일
5 mm	10 mm	15 mm	20 mm

2배 3배 4배
2배 3배 4배

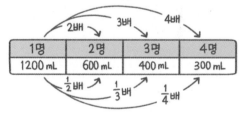

1명	2명	3명	4명
1200 mL	600 mL	400 mL	300 mL

2배 3배 4배
$\frac{1}{2}$배 $\frac{1}{3}$배 $\frac{1}{4}$배

그래프

그래프

$a > 0$일 때 $a < 0$일 때

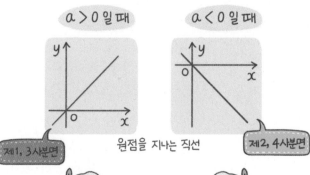

제1, 3사분면   원점을 지나는 직선   제2, 4사분면

$a > 0$일 때 $a < 0$일 때

제1, 3사분면   한 쌍의 매끄러운 곡선   제2, 4사분면

MEMO

✛ 개념·플러스·유형·시리즈 개념과 유형이 하나로! 가장 효과적인 수학 공부 방법을 제시합니다.

http://book.visang.com/

비상교재
누리집에
방문해보세요

발간 이후에 발견되는 오류 비상교재 누리집 〉 학습자료실 〉 중등교재 〉 정오표
본 교재의 정답 비상교재 누리집 〉 학습자료실 〉 중등교재 〉 정답·해설

개념＋유형 PLUS

2022 개정 교육과정

유형편

기초탄탄 LITE

개념과 유형이 하나로

중학 수학

1·1

visang

ABOVE IMAGINATION

우리는 남다른 상상과 혁신으로
교육 문화의 새로운 전형을 만들어
모든 이의 행복한 경험과 성장에 기여한다

개념+유형

기초
탄탄 **LITE**

중학 수학

1·1

WHY

왜 유형편 라이트를
보아야 하나요?

다양한 유형의 문제를 기초부터 반복하여 연습할 수 있도록
구성하였으므로 앞으로 배울 내용을 예습하거나
부족한 유형을 학습하려는 친구라면 누구나 꼭 갖고 있어야 할 교재입니다.
아무리 기초가 부족하더라도 이 한 권만 내 것으로 만든다면 상위권으로 도약할 수 있습니다.

유형편 라이트의 구성

● 문제 풀이의 비법을 담은
  내용 정리

● 부족한 유형은
  한 번 더 연습

● 자주 출제되는 문제는
  두 번씩 보는
  쌍둥이 기출문제

● 쌍둥이 기출문제 중
  핵심 문제만을 모아
  단원 마무리

● 꼼꼼하게 짚어주는
  단계별 연습 문제

● 발전된 유형은
  한 걸음 더 연습

● 핵심 기출문제와
  서술형 문제

CONTENTS 차례

1 소인수분해

소인수분해

• 정답과 해설 12쪽

개념편 8쪽

유형 1 소수와 합성수

자연수	약수	약수의 개수	소수 / 합성수
1	1	1	➡ 소수도 합성수도 아니다.
2	1, 2	2	➡ 소수
3	1, 3	2	➡ 소수
4	1, 2, 4	3	➡ 합성수
5	1, 5	2	➡ 소수
6	1, 2, 3, 6	4	➡ 합성수

자연수 ┌ 1: 약수가 1개인 수
      ├ 소수: 약수가 2개인 수
      │   └ 1과 자기 자신
      └ 합성수: 약수가 3개 이상인 수

1 다음 보기와 같은 방법으로 1부터 60까지의 자연수 중 소수를 모두 구하시오.

(보기)

❶ 1은 소수가 아니므로 지운다.

❷ 소수 2는 남기고 2의 배수를 모두 지운다.

❸ 소수 3은 남기고 3의 배수를 모두 지운다.

❹ 소수 5는 남기고 5의 배수를 모두 지운다.
                    ⋮

1	2	3	4	5	6	7	8	9	10
11	12	13	14	15	16	17	18	19	20
21	22	23	24	25	26	27	28	29	30
31	32	33	34	35	36	37	38	39	40
41	42	43	44	45	46	47	48	49	50
51	52	53	54	55	56	57	58	59	60

⇨ 소수: _____

_____

2 다음 자연수의 약수를 모두 구하고, 주어진 자연수를 소수와 합성수로 구분하시오.

자연수	약수	소수 / 합성수
9		
11		
18		
32		
47		

3 다음 수 중 소수를 모두 골라 ○표를 하시오.

1, 17, 25, 29, 31, 43, 81

4 다음 수 중 합성수를 모두 골라 ○표를 하시오.

2, 13, 15, 33, 57, 101, 123

5 다음 중 소수와 합성수에 대한 설명으로 옳은 것은 ○표, 옳지 <u>않은</u> 것은 ×표를 (   ) 안에 쓰시오.

(1) 가장 작은 합성수는 1이다.   (   )

(2) 가장 작은 소수는 2이다.   (   )

(3) 소수가 아닌 자연수는 합성수이다.   (   )

(4) 1은 소수도 아니고 합성수도 아니다.   (   )

(5) 3의 배수는 모두 합성수이다.   (   )

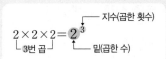

유형 2 거듭제곱

개념편 9쪽

- $\underset{3번 곱}{2\times2\times2}$ $\xrightarrow{거듭제곱으로\ 나타내면}$ 2^3
- $\underset{3번 곱}{2\times2\times2}\times\underset{2번 곱}{5\times5}$ $\xrightarrow{거듭제곱으로\ 나타내면}$ $2^3\times5^2$

$$\underset{3번 곱}{2\times2\times2}=2\overset{지수(곱한 횟수)}{\underset{밑(곱한 수)}{3}}$$

1 다음 거듭제곱의 밑과 지수를 각각 구하시오.

거듭제곱	밑	지수
(1) 5^2		
(2) 10^2		
(3) $\left(\dfrac{1}{2}\right)^4$		
(4) $\left(\dfrac{3}{5}\right)^{10}$		

[2~3] 다음을 거듭제곱을 사용하여 나타내시오.

2 (1) $3\times3\times3\times3$ _____

(2) $10\times10\times10\times10\times10$ _____

(3) $\dfrac{1}{11}\times\dfrac{1}{11}\times\dfrac{1}{11}$ _____

(4) $\dfrac{1}{5\times5\times5\times5}$ _____

3 (1) $2\times3\times3\times2\times3\times3$ _____

(2) $3\times5\times3\times7\times7$ _____

(3) $\dfrac{1}{5}\times\dfrac{1}{5}\times\dfrac{1}{7}\times\dfrac{1}{7}\times\dfrac{1}{7}$ _____

(4) $\dfrac{1}{2\times3\times3\times5\times5\times5}$ _____

4 다음 수를 [ ] 안의 수의 거듭제곱으로 나타내시오.

(1) 16 [2] _____

(2) 27 [3] _____

(3) 125 [5] _____

(4) 10000 [10] _____

(5) $\dfrac{1}{32}$ $\left[\dfrac{1}{2}\right]$ _____

(6) $\dfrac{1}{1000}$ $\left[\dfrac{1}{10}\right]$ _____

도형의 넓이를 구하는 공식을 생각해 봐.

5 다음을 거듭제곱을 사용하여 나타내시오.

(1) 한 변의 길이가 2인 정사각형의 넓이

_____

(2) 한 모서리의 길이가 5인 정육면체의 부피

_____

유형 **3** 소인수분해

• 12를 소인수분해 하기
└→ 소인수(소수인 약수)만의 곱으로 나타내는 것

방법 ① 가지의 끝이 모두 소수가 될 때까지 뻗어 나간다.

방법 ② 나누어떨어지는 소수로만 나눈다. 몫이 소수가 될 때까지 나눈다.

소인수분해 결과 $12 = 2 \times 2 \times 3 = 2^2 \times 3$
12의 소인수: 2, 3

---

1 다음은 두 가지 방법을 이용하여 주어진 자연수를 소인수분해 하는 과정과 그 결과를 나타낸 것이다. □ 안에 알맞은 수를 쓰시오.

(1) 방법 ①

$20 \Big\langle \begin{array}{c} \boxed{} \\ 10 \end{array} \Big\langle \begin{array}{c} \boxed{} \\ \boxed{} \end{array}$

방법 ②

$\boxed{})20$
$\boxed{})10$
$\boxed{}$

소인수분해 결과 $20 = 2^{\square} \times \boxed{}$

(2) 방법 ①

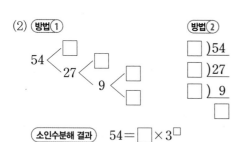

방법 ②

$\boxed{})54$
$\boxed{})27$
$\boxed{}) \ 9$
$\boxed{}$

소인수분해 결과 $54 = \boxed{} \times 3^{\square}$

2 다음 수를 소인수분해 하고, 각각의 소인수를 모두 구하시오.

(1) $\boxed{}) \ 28$
$\boxed{})\underline{}$
$28 =$ 소인수: _____

(2) $\boxed{}) \ 40$
$\boxed{})\underline{}$
$\boxed{})\underline{}$
$40 =$ 소인수: _____

(3) $\boxed{}) \ 140$
$\boxed{})\underline{}$
$\boxed{})\underline{}$
$140 =$ 소인수: _____

(4) $\boxed{}) \ 540$
$\boxed{})\underline{}$
$\boxed{})\underline{}$
$\boxed{})\underline{}$
$\boxed{})\underline{}$
$540 =$ 소인수: _____

3 다음 문장에서 잘못된 부분을 찾아 밑줄을 긋고, 그 부분을 바르게 고치시오.

(1) 24를 소인수분해 하면 4×6이다.
⇨ _____

(2) 81을 소인수분해 하면 9^2이다.
⇨ _____

(3) $48 = 2^4 \times 3$에서 48의 소인수는 2^4, 3이다.
⇨ _____

4 360을 소인수분해 한 후, 다음 물음에 답하시오.

(1) 소인수를 모두 구하시오. _____

(2) 각 소인수의 지수를 구하시오.
_____

유형 4 소인수분해를 이용하여 제곱인 수 만들기

제곱인 수를 만들 때는 다음과 같은 순서로 한다.
❶ 주어진 수를 소인수분해 한다.
❷ 모든 소인수의 지수가 짝수가 되도록 적당한 자연수를 곱하거나 적당한 자연수로 나눈다.

• 제곱인 수: 어떤 자연수의 제곱인 수는 소인수분해 하였을 때, 모든 소인수의 지수가 짝수이다.
예 $9=3^2$, $16=2^4$, $36=2^2 \times 3^2$

---

1 다음 보기와 같이 주어진 수에 가능한 한 작은 자연수를 곱하여 어떤 자연수의 제곱인 수가 되게 하려고 한다. 이때 곱해야 하는 가장 작은 자연수를 구하시오.

┌─보기─
$2^2 \times 3$ ← 3의 지수가 짝수가 되어야 한다.
⇨ $2^2 \times 3 \times 3 = 2 \times 2 \times 3 \times 3$
$= (2 \times 3) \times (2 \times 3)$
$= (2 \times 3)^2$
└─

(1) 5^3

(2) $2^4 \times 7$

(3) $2 \times 3^2 \times 5$

---

2 다음 보기와 같이 주어진 수를 가능한 한 작은 자연수로 나누어 어떤 자연수의 제곱인 수가 되게 하려고 한다. 이때 나눠야 하는 가장 작은 자연수를 구하시오.

┌─보기─
$2^2 \times 5^3$ ← 5의 지수가 짝수가 되어야 한다.
⇨ $\dfrac{2^2 \times 5^3}{5} = \dfrac{2 \times 2 \times 5 \times 5 \times 5}{5} = 2 \times 2 \times 5 \times 5$
$= (2 \times 5) \times (2 \times 5)$
$= (2 \times 5)^2$
└─

(1) 3^5

(2) $2^3 \times 11^2$

(3) $2^4 \times 3 \times 7$

---

3 156에 가능한 한 작은 자연수를 곱하여 어떤 자연수의 제곱이 되게 하려고 한다. 다음 물음에 답하시오.

(1) 156을 소인수분해 하시오.

(2) 곱해야 하는 가장 작은 자연수를 구하시오.

---

4 180을 가능한 한 작은 자연수로 나누어 어떤 자연수의 제곱이 되게 하려고 한다. 다음 물음에 답하시오.

(1) 180을 소인수분해 하시오.

(2) 나눠야 하는 가장 작은 자연수를 구하시오.

---

5 다음 수가 어떤 자연수의 제곱이 되도록 할 때, ☐ 안에 알맞은 가장 작은 자연수를 구하시오.

(1) $48 \times \square$ _____

(2) $60 \times \square$ _____

(3) $\dfrac{99}{\square}$ _____

(4) $\dfrac{189}{\square}$ _____

유형 5 소인수분해를 이용하여 약수와 약수의 개수 구하기

• 소인수분해를 이용하여 18의 약수와 약수의 개수 구하기

❶ 18을 소인수분해 하기 ➡ $18=2\times3^2$

❷ 표 그리기

→3^2의 약수

×	1	3	3^2
1	1	3	9
2	2	6	18

→18의 약수

→2^1의 약수

❸ 18의 약수 ➡ (2의 약수)×(3^2의 약수) ➡ 1, 2, 3, 6, 9, 18

18의 약수의 개수 ➡ (2^1의 약수의 개수)×(3^2의 약수의 개수) ➡ $\underline{(1+1)\times(2+1)=6}$

→ 각 소인수의 지수에 1을 더하여 곱한다.

---

1 다음은 소인수분해를 이용하여 약수를 구하는 과정이다. 표를 완성하고, 주어진 수의 약수를 모두 구하시오.

(1) $2^2\times5$

×		1	
1			

⇨ $2^2\times5$의 약수: _____

(2) 소인수분해
$72=$ _____

×		1		
1				

⇨ 72의 약수: _____

(3) 소인수분해
$108=$ _____

×		1			
1					

⇨ 108의 약수: _____

---

2 다음 수의 약수를 보기에서 모두 고르시오.

(1) $3^2\times5^3$ _____

> **보기**
> ㄱ. 1   ㄴ. 3   ㄷ. $2^2\times5$
> ㄹ. 3^3 ㅁ. $3^2\times5^2$ ㅂ. 3×5^4

(2) 112 _____

> **보기**
> ㄱ. 8   ㄴ. 2×5 ㄷ. 14
> ㄹ. 7^2 ㅁ. $2^2\times7$ ㅂ. $2^4\times7$

---

3 다음 수의 약수의 개수를 구하시오.

(1) $2^2\times7$ ⇨ ($\square$+1)×($\square$+1)=$\square$

(2) $2^4\times5^2$ _____

(3) $2^2\times5\times7^3$ _____

(4) $3^2\times5^3\times7^2$ _____

(5) 소인수분해
$200=\boxed{}$ _____

(6) 135 _____

쌍둥이 01

1 다음 수 중 소수는 모두 몇 개인지 구하시오.

> 1, 5, 27, 32, 47, 51, 63

2 10보다 크고 20보다 작은 자연수 중 소수가 a개, 합성수가 b개일 때, $b-a$의 값을 구하시오.

쌍둥이 02

3 다음 중 옳은 것은?

① 1은 소수이다.
② 한 자리의 자연수 중 소수는 5개이다.
③ 가장 작은 소수는 3이다.
④ 모든 자연수는 약수가 2개 이상이다.
⑤ 자연수는 1과 소수, 합성수로 이루어져 있다.

4 다음 보기 중 옳은 것을 모두 고르시오.

> (보기)
> ㄱ. 모든 짝수는 합성수이다.
> ㄴ. 9의 약수는 1과 9뿐이다.
> ㄷ. 가장 작은 합성수는 4이다.
> ㄹ. 두 소수의 합은 항상 합성수이다.
> ㅁ. 1을 제외한 모든 자연수는 약수가 2개 이상이다.

쌍둥이 03

5 $5 \times 5 \times 5 \times 5$를 거듭제곱으로 나타낼 때, 밑을 a, 지수를 b라 하자. 이때 $a+b$의 값은?

① 9   ② 10   ③ 11
④ 12   ⑤ 13

6 다음 중 거듭제곱으로 나타내었을 때, 밑이 7이고 지수가 3인 수는?

① 21   ② 98   ③ 147
④ 343   ⑤ 441

쌍둥이 04

7 다음 중 옳은 것은?

① $2+2+2=2^3$ ② $7^2=49$
③ $10^4=1000$ ④ $\frac{1}{5} \times \frac{1}{5} \times \frac{1}{5} = \frac{3}{5}$
⑤ $3 \times 3 \times 5 \times 3 \times 5 = 3^3 + 5^2$

8 다음 중 옳지 <u>않은</u> 것을 모두 고르면? (정답 2개)

① $2^2=4$ ② $5^3=15$
③ $3^3=27$ ④ $\frac{2}{3} \times \frac{2}{3} \times \frac{2}{3} = \frac{2^3}{3}$
⑤ $\dfrac{1}{2 \times 2 \times 7 \times 7 \times 7} = \dfrac{1}{2^2 \times 7^3}$

쌍둥이 05

9 270을 바르게 소인수분해 한 것은?

① $2 \times 3 \times 5 \times 9$ ② 27×10

③ $27 \times 2 \times 5$ ④ $2^2 \times 3^2 \times 5$

⑤ $2 \times 3^3 \times 5$

10 다음 중 소인수분해를 바르게 한 것을 모두 고르면?

(정답 2개)

① $56 = 2^2 \times 14$ ② $72 = 2^3 \times 9$

③ $108 = 2^2 \times 3^3$ ④ $150 = 3 \times 5 \times 10$

⑤ $350 = 2 \times 5^2 \times 7$

쌍둥이 06

11 126의 소인수를 모두 구하시오.

12 다음 중 196의 소인수인 것을 모두 고르면?

(정답 2개)

① 2   ② 2^2 ③ 7

④ 14   ⑤ 7^2

쌍둥이 07

13 132를 소인수분해 하면 $2^a \times 3^b \times 11^c$일 때, 다음 물음에 답하시오. (단, a, b, c는 자연수)

(1) 132를 소인수분해 하시오.

(2) $a+b+c$의 값을 구하시오.

풀이 과정

(1)

(2)

답 (1)   (2)

14 60을 소인수분해 하였을 때, 모든 소인수의 지수의 합을 구하시오.

쌍둥이 08

15 84에 자연수를 곱하여 어떤 자연수의 제곱이 되게 하려고 한다. 이때 곱해야 하는 가장 작은 자연수를 구하시오.

16 63에 가능한 한 작은 자연수 a를 곱하여 어떤 자연수의 제곱이 되게 하려고 한다. 다음 물음에 답하시오.

서술형

(1) a의 값을 구하시오.

(2) $63 \times a$가 어떤 자연수의 제곱이 되는지 구하시오.

풀이 과정

(1)

(2)

답 (1)　　　　　　(2)

쌍둥이 09

17 다음 중 $2^3 \times 7$의 약수가 <u>아닌</u> 것은?

① 1　　　　② 2　　　　③ 2×7
④ 2^3　　　⑤ $2^2 \times 7^2$

18 다음 중 72의 약수가 <u>아닌</u> 것은?

① 2×3　　② $2^2 \times 3^2$　　③ 2^3
④ 3^3　　　⑤ $2^3 \times 3^2$

쌍둥이 10

19 $2^2 \times 5^2$의 약수의 개수는?

① 4　　　　② 5　　　　③ 6
④ 9　　　　⑤ 14

20 120의 약수의 개수는?

① 8　　　　② 10　　　③ 16
④ 20　　　⑤ 25

쌍둥이 11

21 $2^a \times 3^2$의 약수의 개수가 12일 때, 자연수 a의 값은?

① 1　　　　② 2　　　　③ 3
④ 4　　　　⑤ 5

22 자연수 $5^2 \times \square$의 약수의 개수가 9일 때, 다음 중 $\square$ 안에 알맞은 수는?

① 2　　　　② 3　　　　③ 5
④ 7　　　　⑤ 9

02 최대공약수와 최소공배수

(1) **공약수**: 두 개 이상의 자연수의 공통인 약수
(2) **최대공약수**: 공약수 중에서 가장 큰 수
(3) **최대공약수의 성질**
공약수는 최대공약수의 약수이다.

$$8의 약수: 1, 2, 4, 8$$
$$12의 약수: 1, 2, 3, 4, 6, 12$$ 최대공약수: 4
➡ 공약수 1, 2, 4는 최대공약수 4의 약수와 같다.

(4) **서로소**: 최대공약수가 1인 두 자연수
예 • 4와 9의 최대공약수는 1 ➡ 4와 9는 서로소이다.
• 15와 21의 최대공약수는 3 ➡ 15와 21은 서로소가 아니다.

(5) **소인수분해를 이용하여 최대공약수 구하기**
❶ 주어진 수를 각각 소인수분해 한다.
❷ 공통인 소인수를 모두 곱한다. 이때 소인수의 지수가 같으면 그대로, 다르면 지수가 작은 것을 택하여 곱한다.

$$12 = 2^2 \times 3$$
$$36 = 2^2 \times 3^2$$
$$\overline{\qquad\qquad} $$
$$2^2 \times 3 = 12$$

지수가 같으면 그대로　　지수가 다르면 지수가 작은 것

---

1 어떤 두 자연수의 최대공약수가 다음과 같을 때, 이 두 자연수의 공약수를 모두 구하시오.

(1) 15　　　　　　(2) 16

(3) 35　　　　　　(4) 54

공통인 소인수 중 지수가 작거나 같은 것을 택하여 모두 곱하면 돼.

2 다음 수들의 최대공약수를 소인수의 곱으로 나타내시오.

(1) $2^2 \times 3$
　　2×3^3

(2) $2^2 \times 3 \times 5^2$
　　$2^2 \times 3 \quad\ \times 7$

(3) $3^2 \times 5,\ 3^4 \times 5^3$

(4) $2 \times 3^2 \times 7,\ 2^2 \times 3^2 \times 5$

(5) $3 \times 5^2 \times 7,\ 3^2 \times 5 \times 7,\ 3^3 \times 7^2$

(6) $2 \times 3^2 \times 5,\ 2^2 \times 3^3 \times 5,\ 3^2 \times 5^2 \times 7$

---

3 소인수분해를 이용하여 다음 수들의 최대공약수를 구하시오.

(1) 9, 12　　　　　(2) 24, 32

(3) 48, 72　　　　(4) 70, 98

(5) 8, 10, 30　　　(6) 60, 84, 108

(7) 66, 110, $2^2 \times 3 \times 11$　(8) 180, 216, $2^4 \times 3^3$

---

4 다음 중 두 수가 서로소인 것은 ○표, 서로소가 아닌 것은 ×표를 ( ) 안에 쓰시오.

(1) 3, 5　　( )　　(2) 9, 25　　( )

(3) 12, 51　( )　　(4) 15, 18　　( )

(5) 17, 21　( )　　(6) 20, 34　　( )

유형 7 공배수와 최소공배수

(1) **공배수**: 두 개 이상의 자연수의 공통인 배수

(2) **최소공배수**: 공배수 중에서 가장 작은 수

(3) **최소공배수의 성질**

① 공배수는 최소공배수의 배수이다.

② 서로소인 두 자연수의 최소공배수는 두 수의 곱과 같다.

> 2의 배수: 2, 4, 6, 8, ...
> 4의 배수: 4, 8, ... ⎦ 최소공배수: 4
> ➡ 공배수 4, 8, ...은 최소공배수 4의 배수와 같다.

(4) **소인수분해를 이용하여 최소공배수 구하기**

❶ 주어진 수를 각각 소인수분해 한다.

❷ 공통인 소인수와 공통이 아닌 소인수를 모두 곱한다. 이때 소인수의 지수가 같으면 그대로, 다르면 지수가 큰 것을 택하여 곱한다.

$$12 = 2^2 \times 3$$
$$30 = 2 \times 3 \times 5$$
$$\overline{2^2 \times 3 \times 5 = 60}$$

지수가 다르면 지수가 큰 것 / 지수가 같으면 그대로 / 공통이 아닌 것도

---

1 어떤 두 자연수의 최소공배수가 다음과 같을 때, 이 두 자연수의 공배수를 작은 수부터 차례로 3개만 구하시오.

(1) 7

(2) 16

(3) 20

(4) 35

2 어떤 두 자연수의 최소공배수가 다음과 같을 때, 이 두 자연수의 공배수 중에서 100 이하인 수는 모두 몇 개인지 구하시오.

(1) 15

(2) 25

> 공통인 소인수와 공통이 아닌 소인수를 모두 곱하고, 지수는 크거나 같은 것을 택하면 돼.

3 다음 수들의 최소공배수를 소인수의 곱으로 나타내시오.

(1) 2×3
$2^2 \times 3 \times 5$
_____

(2) $2 \times 3^2 \times 5$
$2 \times 3 \quad\quad \times 7$
$\quad\quad 3 \times 5^2 \times 7$
_____

(3) 2×3^2, $2^4 \times 3$

(4) $3^2 \times 5$, 3×7

(5) 2×3^2, 3×5, $2^2 \times 3 \times 5^2$

(6) $2 \times 3^3 \times 7$, $2^2 \times 7$, $2^3 \times 7$

4 소인수분해를 이용하여 다음 수들의 최소공배수를 구하시오.

(1) 10, 32

(2) 15, 75

(3) 42, 78

(4) 60, 72

(5) 18, 30, 45

(6) 20, 36, 42

(7) 5×7, 70, 84

(8) 66, 99, $2^2 \times 3 \times 5$

1 다음 수의 최대공약수를 구하고, 최대공약수를 이용하여 공약수를 모두 구하시오.

(1) $2^2 \times 3$, 3×5^2 최대공약수: _____

공약수: _____

(2) $2 \times 3 \times 5^2$, $2^3 \times 5^2 \times 7$, $2 \times 5 \times 7^2$

최대공약수: _____

공약수: _____

(3) 78, 102   최대공약수: _____

공약수: _____

(4) 96, 108, 144   최대공약수: _____

공약수: _____

2 다음 수의 최소공배수를 구하고, 최소공배수를 이용하여 공배수를 작은 수부터 차례로 3개만 구하시오.

(1) 2×3, 3×5 최소공배수: _____

공배수: _____

(2) $2^2 \times 3$, $2 \times 3 \times 5$, $2^2 \times 3^2 \times 5$

최소공배수: _____

공배수: _____

(3) 12, 28   최소공배수: _____

공배수: _____

(4) 30, 40, 45   최소공배수: _____

공배수: _____

3 주어진 두 수의 최대공약수가 다음과 같을 때, 자연수 a, b의 값을 각각 구하시오.

(1)
$$\begin{array}{r} 2^2 \times 3^a \times 5^4 \\ 3^3 \times 5^b \\ \hline (\text{최대공약수}) = \quad 3^2 \times 5^3 \end{array}$$

(2)
$$\begin{array}{r} 2^2 \times 3^2 \times 5^3 \\ 2^a \times 3^3 \times 5^b \\ \hline (\text{최대공약수}) = 2 \times 3^2 \times 5^2 \end{array}$$

(3)
$$\begin{array}{r} 2^a \times 3^5 \quad \times 7 \\ 2^4 \times 3^b \times 5 \\ \hline (\text{최대공약수}) = 2 \times 3^3 \end{array}$$

4 주어진 두 수의 최소공배수가 다음과 같을 때, 자연수 a, b, c의 값을 각각 구하시오.

(1)
$$\begin{array}{r} 2^a \times 3 \\ 2^2 \times 3^b \times 5^c \\ \hline (\text{최소공배수}) = 2^4 \times 3^2 \times 5 \end{array}$$

(2)
$$\begin{array}{r} 2 \times 3^2 \times 5^c \\ 2^a \times 3^b \quad \times 7 \\ \hline (\text{최소공배수}) = 2^3 \times 3^4 \times 5^2 \times 7 \end{array}$$

(3)
$$\begin{array}{r} 2^a \quad \times 5 \times 7^c \\ 2^2 \times 3 \times 5^b \\ \hline (\text{최소공배수}) = 2^5 \times 3 \times 5^3 \times 7 \end{array}$$

쌍둥이 01

1 두 자연수 A, B의 최대공약수가 10일 때, 다음 중 A, B의 **공약수가 아닌** 것은?

① 1 　　② 2 　　③ 5
④ 6 　　⑤ 10

2 어떤 두 자연수의 최대공약수가 25일 때, 이 두 자연수의 공약수를 모두 구하시오.

쌍둥이 02

3 두 수 $2^3 \times 3^3$, $2 \times 3^2 \times 7^2$의 **최대공약수**를 소인수의 곱으로 나타내시오.

4 세 수 12, 40, 60의 최대공약수를 소인수분해를 이용하여 구하시오.

쌍둥이 03

5 다음 중 두 수 $2 \times 3^2 \times 5$, $2^2 \times 3^3 \times 7$의 공약수가 **아닌** 것은?

① 2 　　② 6 　　③ 9
④ 18 　　⑤ 30

6 다음 중 세 수 45, 3×5^2, $2 \times 3^2 \times 5$의 공약수를 모두 고르면? (정답 2개)

① 3 　　② 6 　　③ 9
④ 12 　　⑤ 15

쌍둥이 04

7 다음 중 서로소인 두 자연수로 짝 지어진 것은?

① 6, 21 　　② 8, 9 　　③ 9, 15
④ 12, 21 　　⑤ 35, 63

8 다음 중 서로소인 두 자연수로 짝 지어진 것이 **아닌** 것은?

① 2, 3 　　② 4, 9 　　③ 6, 25
④ 13, 52 　　⑤ 27, 70

쌍둥이 05

9 다음 중 최소공배수가 24인 두 자연수의 공배수가 아닌 것은?

① 48   ② 72   ③ 96

④ 124   ⑤ 144

10 어떤 두 자연수의 최소공배수가 30일 때, 이 두 자연수의 공배수 중 200에 가장 가까운 수를 구하시오.

쌍둥이 06

11 세 수 2×3^2, $2^2 \times 3^2 \times 5$, $2 \times 3 \times 5^2$의 최소공배수는?

① $2 \times 3^2 \times 5^2$ ② $2^2 \times 3^2 \times 5^2$

③ $2^2 \times 3^3 \times 5^2$ ④ $2^3 \times 3^2 \times 5$

⑤ $2^3 \times 3^3 \times 5^2$

12 두 수 $2^2 \times 3 \times 5$, 140의 최소공배수를 소인수의 곱으로 나타내시오.

쌍둥이 07

13 다음 중 두 수 $2 \times 3^2 \times 5^2$, $2^2 \times 3^3 \times 7$의 공배수가 아닌 것은?

① $2^2 \times 3^3 \times 5^2 \times 7$ ② $2^3 \times 3^3 \times 5^2 \times 7^2$

③ $2^4 \times 3^3 \times 5^4 \times 7$ ④ $2^2 \times 3^4 \times 5 \times 7^2$

⑤ $2^2 \times 3^3 \times 5^2 \times 7^3$

14 다음 중 세 수 $2^2 \times 3^3 \times 7$, $2 \times 3^2 \times 7^2$, 63의 공배수를 모두 고르면? (정답 2개)

① $2 \times 3^2 \times 7$ ② $2^2 \times 3^4 \times 7$

③ $2^3 \times 3^2 \times 7^2$ ④ $2^2 \times 3^4 \times 7^2$

⑤ $2^4 \times 3^5 \times 7^3$

쌍둥이 08

15 두 자연수 $2^2 \times 3^a \times 5$, $2^4 \times 3^5 \times 5^b$의 최대공약수가 $2^2 \times 3^3 \times 5$이고 최소공배수가 $2^4 \times 3^5 \times 5^2$일 때, 자연수 a, b에 대하여 $a+b$의 값은?

① 5   ② 6   ③ 8

④ 10   ⑤ 12

16 세 자연수 $2^a \times 3 \times b \times 11$, $2^4 \times 3^2 \times 5^2$, $2^4 \times 3^3 \times 5^2$의 최대공약수가 $2^3 \times 3 \times 5$이고 최소공배수가 $2^4 \times 3^c \times 5^2 \times 11$일 때, 자연수 a, b, c에 대하여 $a+b+c$의 값을 구하시오.

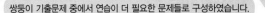
1 20 이하의 자연수 중 약수가 2개인 수는 모두 몇 개인지 구하시오.

                              ∂ 소수와 합성수

2 다음 중 옳은 것을 모두 고르면? (정답 2개)   ∂ 거듭제곱으로 나타내기

 ① $2^3 = 6$ ② $3 \times 3 \times 3 \times 3 = 4^3$ ③ $\dfrac{1}{7} \times \dfrac{1}{7} \times \dfrac{1}{7} = \left(\dfrac{1}{7}\right)^3$

 ④ $100000 = 10^6$ ⑤ $2 \times 2 \times 3 \times 3 \times 3 = 2^2 \times 3^3$

3 다음 중 소인수분해를 바르게 한 것을 모두 고르면? (정답 2개)   ∂ 소인수분해 하기

 ① $24 = 2^2 \times 6$ ② $75 = 3 \times 5^2$ ③ $100 = 10^2$

 ④ $180 = 2 \times 6 \times 15$ ⑤ $204 = 2^2 \times 3 \times 17$

4 234의 모든 소인수의 합은?   ·   ∂ 소인수

 ① 5   ② 12   ③ 17

 ④ 18   ⑤ 24

5 120에 가능한 한 작은 자연수 x를 곱하여 어떤 자연수 y의 제곱이 되도록 할 때, $x+y$ ∂ 소인수분해를 이용하여
 의 값을 구하시오.   제곱인 수 만들기

6 다음 보기 중 150의 약수가 <u>아닌</u> 것을 모두 고르시오.

소인수분해를 이용하여 약수 구하기

> 보기
>
> ㄱ. 2×3　　　　ㄴ. 3^2　　　　ㄷ. $2 \times 3 \times 5$
>
> ㄹ. 2×5^2　　　ㅁ. $2^2 \times 3 \times 5^2$　　ㅂ. $2 \times 3 \times 5^2$

7 다음 중 약수의 개수가 나머지 넷과 <u>다른</u> 하나는?

약수의 개수 구하기

① $2^3 \times 3^2$　　　② $3 \times 5^2 \times 7$　　　③ $7^2 \times 11^3$

④ 84　　　⑤ 112

8 세 수 $2^2 \times 3^3$, $2^3 \times 3^2 \times 7$, $2^4 \times 3^2 \times 5$의 최대공약수는?

최대공약수 구하기

① 2^2　　　② 2×3　　　③ $2^2 \times 3^2$

④ $2 \times 3 \times 7$　　　⑤ $2^2 \times 3^2 \times 5$

서술형

9 세 수 80, 140, 200에 대하여 다음 물음에 답하시오.

최대공약수의 성질

(1) 소인수분해를 이용하여 세 수 80, 140, 200의 최대공약수를 구하시오.

(2) (1)을 이용하여 세 수 80, 140, 200의 공약수를 모두 구하시오.

풀이 과정

(1)

(2)

답 (1)　　　　(2)

10 다음 수 중 10과 서로소인 수의 개수는?

서로소

$$2, \quad 5, \quad 13, \quad 15, \quad 17, \quad 24, \quad 27$$

① 2   ② 3   ③ 4

④ 5   ⑤ 6

11 다음 중 두 수의 최소공배수가 $2^3 \times 3^2 \times 7$인 것은?

최소공배수 구하기

① $2^2 \times 3$, $2 \times 3^2 \times 7$ ② $2^3 \times 3 \times 7$, $2 \times 3 \times 7$ ③ $2^2 \times 3$, $2 \times 3 \times 7$

④ $2^3 \times 3$, $3^2 \times 7$ ⑤ $2^5 \times 3^2 \times 7$, $2^3 \times 3^4 \times 5 \times 7$

12 다음 중 세 수 12, 84, $2^3 \times 3^2 \times 7$의 공배수가 <u>아닌</u> 것은?

최소공배수의 성질

① $2^3 \times 3 \times 7$ ② $2^3 \times 3^2 \times 7$ ③ $2^3 \times 3^2 \times 7^2$

④ $2^4 \times 3^2 \times 7$ ⑤ $2^4 \times 3^2 \times 5 \times 7$

13 두 수 $2^a \times 3^2$, $2^2 \times 3^b \times 5$의 최대공약수는 $2^2 \times 3^2$이고 최소공배수는 $2^2 \times 3^3 \times 5$일 때, 자연수 a, b에 대하여 $a+b$의 값은?

최대공약수와 최소공배수가 주어질 때, 밑과 지수 구하기

① 3   ② 4   ③ 5

④ 6   ⑤ 7

2 정수와 유리수

01 정수와 유리수

● 정답과 해설 22쪽

유형 1 양수와 음수 / 정수와 유리수   개념편 30~32쪽

(1) 양수와 음수

• $\begin{cases} 2\,^{\circ}\text{C 증가} \Rightarrow +2\,^{\circ}\text{C} \quad \text{— 양의 부호} \\ 3\,^{\circ}\text{C 감소} \Rightarrow -3\,^{\circ}\text{C} \quad \text{— 음의 부호} \end{cases}$

• 0보다 5만큼 큰 수 ⟹ $+5$ ⟹ **양수**

• 0보다 $\dfrac{1}{3}$만큼 작은 수 ⟹ $-\dfrac{1}{3}$ ⟹ **음수**

(2) 정수와 유리수

유리수 $\begin{cases} \text{정수} \begin{cases} \text{양의 정수(자연수): } +1, +2, +3, \ldots \\ 0 \\ \text{음의 정수: } -1, -2, -3, \ldots \end{cases} \\ \text{정수가 아닌 유리수: } -\dfrac{1}{2}, \dfrac{2}{3}, -0.4, \ldots \end{cases}$

— 양의 유리수, 0, 음의 유리수를 통틀어 유리수라 한다.

---

1 다음을 양의 부호 + 또는 음의 부호 −를 사용하여 나타내시오.

(1) 500원 수입: +500원

300원 지출: _____

(2) 지상 15층: +15층

지하 4층: _____

(3) 10 cm 하강: −10 cm

6 cm 상승: _____

2 다음 수를 양의 부호 + 또는 음의 부호 −를 사용하여 나타내시오.

(1) 0보다 8만큼 큰 수 _____

(2) 0보다 11만큼 작은 수 _____

(3) 0보다 $\dfrac{1}{7}$만큼 큰 수 _____

(4) 0보다 0.6만큼 작은 수 _____

3 다음 수를 보기에서 모두 고르시오.

┌─ 보기 ─────────────────┐
│ -1, -5, $+3$, $+4$, 0, -100 │
└─────────────────────────┘

(1) 양수 _____

(2) 음수 _____

4 다음 수 중 정수의 개수를 구하시오. _____

┌─────────────────────────────┐
│ $+5$, -2.5, $\dfrac{4}{2}$, $\dfrac{3}{4}$, -7, 0.4 │
└─────────────────────────────┘

5 다음 수를 보기에서 모두 고르시오.

┌─ 보기 ─────────────────────────┐
│ -3, 0, $+\dfrac{1}{2}$, $-\dfrac{3}{5}$, 3.14, 10, $-\dfrac{10}{5}$ │
└─────────────────────────────────┘

(1) 정수 _____

(2) 정수가 아닌 유리수 _____

(3) 양의 유리수 _____

(4) 음의 유리수 _____

6 다음 중 정수와 유리수에 대한 설명으로 옳은 것은 ○표, 옳지 않은 것은 ×표를 (   ) 안에 쓰시오.

(1) 모든 자연수는 유리수이다. (   )

(2) 정수는 양의 정수와 음의 정수로 이루어져 있다. (   )

(3) 가장 작은 양의 유리수는 1이다. (   )

(4) 0은 음수도 아니고 양수도 아니다. (   )

개념편 34~36 쪽

유형 2 수직선 / 절댓값

(1) **수직선**

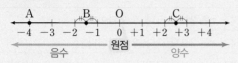

➡ A: -4, B: $-\dfrac{3}{2}$, C: $+\dfrac{5}{2}$

(2) **절댓값** → 수직선 위에서 원점과 어떤 수에 대응하는 점 사이의 거리

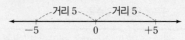

➡ -5의 절댓값: $|-5|=5$
$\quad +5$의 절댓값: $|+5|=5$

참고 절댓값은 거리를 나타내므로 항상 0 또는 양수이다.

---

1 다음 수직선 위의 네 점 A, B, C, D에 대응하는 수를 각각 구하시오.

A: _____   B: _____
C: _____   D: _____

2 다음 수에 대응하는 점을 수직선 위에 나타내시오.

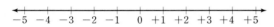

(1) $+2$ (2) -5

(3) $-\dfrac{1}{3}$ (4) $+\dfrac{7}{2}$

3 다음 수의 절댓값을 구하시오.

(1) $+7$ _____   (2) -2.6 _____

(3) 0 _____   (4) $-\dfrac{5}{6}$ _____

4 다음을 구하시오.

(1) $|-11|$ _____   (2) $|+14|$ _____

(3) $\left|-\dfrac{5}{4}\right|$ _____   (4) $\left|+\dfrac{13}{6}\right|$ _____

5 다음을 구하시오.

(1) 절댓값이 9인 수   _____

(2) 절댓값이 0.5인 양수   _____

(3) 절댓값이 $\dfrac{2}{3}$인 음수   _____

6 절댓값이 4인 수에 대응하는 점을 다음 수직선 위에 모두 나타내고, 두 점 사이의 거리를 구하시오.

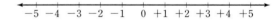

7 다음 수를 절댓값이 큰 수부터 차례로 나열하시오.

(1) -4, 0, $+11$, -27, $+9$

_____

(2) $+2$, $-\dfrac{1}{3}$, -3, $\dfrac{5}{4}$, -1

_____

8 다음 중 절댓값에 대한 설명으로 옳은 것은 ○표, 옳지 않은 것은 ×표를 ( ) 안에 쓰시오.

(1) 절댓값이 가장 작은 수는 0이다.   (   )

(2) 양수의 절댓값은 음수의 절댓값보다 항상 크다.
(   )

(3) 절댓값이 같은 수는 항상 2개이다.   (   )

(4) 절댓값이 클수록 수직선 위에서 원점으로부터 멀리 떨어진 점에 대응한다.   (   )

유형 3 수의 대소 관계 / 부등호의 사용

개념편 37쪽

(1) 수의 대소 관계

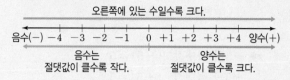

오른쪽에 있는 수일수록 크다.

음수(−) −4 −3 −2 −1 0 +1 +2 +3 +4 양수(+)

음수는 절댓값이 클수록 작다.　　양수는 절댓값이 클수록 크다.

(2) 부등호의 사용

$x>2$	x는 2보다 크다, 2 초과이다.
$x<2$	x는 2보다 작다, 2 미만이다.
$x\geq2$	x는 2보다 크거나 같다, 작지 않다, 2 이상이다.
$x\leq2$	x는 2보다 작거나 같다, 크지 않다, 2 이하이다.

[1~2] 다음 □ 안에 부등호 <, > 중 알맞은 것을 쓰시오.

1
(1) $+7$ □ $+2$
(2) -6 □ -1
(3) $+3$ □ -7
(4) -5 □ 0

2
(1) $+\dfrac{11}{3}$ □ $+3$
(2) $-\dfrac{1}{2}$ □ $-\dfrac{1}{3}$
(3) $+\dfrac{7}{5}$ □ $+1.8$
(4) -2.7 □ -3.5

3 다음 수를 작은 수부터 차례로 나열하시오.
(1) -8, $+2.5$, $-\dfrac{16}{3}$, 0, 5

(2) $+3$, $-\dfrac{5}{4}$, 0, -2, $\dfrac{21}{4}$

4 다음을 부등호를 사용하여 나타내시오.
(1) x는 5보다 크지 않다.
(2) x는 -1보다 크고 6보다 작거나 같다.
(3) x는 3 이상이고 8 미만이다.
(4) x는 $-\dfrac{2}{3}$보다 작지 않다.

5 수직선을 이용하여 다음을 만족시키는 수를 모두 구하시오.

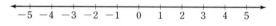

−5 −4 −3 −2 −1 0 1 2 3 4 5

(1) $-\dfrac{5}{2}$보다 크고 4보다 작은 정수
(2) -1보다 크거나 같고 2 이하인 정수
(3) 절댓값이 2 이하인 정수

6 다음을 만족시키는 정수 a의 값을 모두 구하시오.
(1) $-3\leq a<1$
(2) $-\dfrac{9}{4}<a\leq\dfrac{7}{3}$

쌍둥이 01

1 증가하거나 0보다 큰 값은 양의 부호 +를, 감소하거나 0보다 작은 값은 음의 부호 −를 사용하여 나타낼 때, 다음 중 옳은 것은?

① 600원 손해: +600원

② 해저 300 m: +300 m

③ 실점 15점: +15점

④ 출발 7일 전: −7일

⑤ 영상 9℃: −9℃

2 증가하거나 0보다 큰 값은 양의 부호 +를, 감소하거나 0보다 작은 값은 음의 부호 −를 사용하여 밑줄 친 부분을 나타낼 때, 다음 중 옳지 않은 것은?

① 작년보다 키가 5 cm 커졌다.: +5 cm

② 지혜의 생일은 8일 후이다.: +8일

③ 중간고사의 평균 점수가 3점 올랐다.: +3점

④ 책 값이 10 % 인하되었다.: −10 %

⑤ 1개월 전보다 몸무게가 1 kg 감소했다.: +1 kg

쌍둥이 02

3 다음 수에 대한 설명으로 옳지 않은 것을 모두 고르면? (정답 2개)

$$-5.5, \quad 4, \quad +\frac{1}{3}, \quad -\frac{5}{4}, \quad 0, \quad -\frac{9}{3}$$

① 정수는 3개이다.

② 유리수는 3개이다.

③ 양수는 2개이다.

④ 음수는 4개이다.

⑤ 자연수는 1개이다.

4 다음 중 정수가 아닌 유리수를 모두 고르면?

(정답 2개)

① 3.9   ② 0   ③ $-\frac{16}{4}$

④ -5 ⑤ $\frac{7}{2}$

쌍둥이 03

5 다음 중 수직선 위의 다섯 개의 점 A, B, C, D, E에 대응하는 수로 옳지 않은 것은?

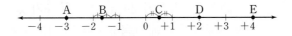

① A: -3 ② B: $-\frac{2}{3}$ ③ C: $+\frac{1}{2}$

④ D: $+2$ ⑤ E: $+4$

6 다음 중 수직선 위의 다섯 개의 점 A, B, C, D, E에 대응하는 수로 옳은 것을 모두 고르면? (정답 2개)

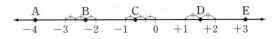

① A: $+4$ ② B: $-\frac{7}{3}$ ③ C: $-\frac{4}{3}$

④ D: $+\frac{5}{2}$ ⑤ E: $+3$

쌍둥이 04

7 다음 수를 수직선 위에 나타내었을 때, 가장 왼쪽에 있는 점에 대응하는 수는?

① -3 ② 0 ③ $+\dfrac{9}{2}$

④ -1.5 ⑤ $+6$

8 다음 수를 수직선 위에 나타내었을 때, 가장 오른쪽에 있는 점에 대응하는 수는?

① $-\dfrac{1}{2}$ ② -5 ③ 4

④ $\dfrac{10}{3}$ ⑤ 0

쌍둥이 05

9 수직선 위에서 $-\dfrac{3}{4}$에 가장 가까운 정수를 a, $\dfrac{10}{3}$에 가장 가까운 정수를 b라 할 때, 다음 물음에 답하시오.

(1) 다음 수직선 위에 $-\dfrac{3}{4}$과 $\dfrac{10}{3}$에 대응하는 점을 각각 나타내시오.

$$\xleftarrow{\quad} -4 \quad -3 \quad -2 \quad -1 \quad 0 \quad 1 \quad 2 \quad 3 \quad 4 \xrightarrow{\quad}$$

(2) a, b의 값을 각각 구하시오.

10 수직선 위에서 $-\dfrac{8}{3}$에 가장 가까운 정수를 a, $\dfrac{14}{5}$에 가장 가까운 정수를 b라 할 때, a, b의 값을 각각 구하시오. (단, 풀이 과정에서 수직선 위에 $-\dfrac{8}{3}$과 $\dfrac{14}{5}$에 대응하는 점을 각각 나타내시오.)

[서술형]

〔풀이 과정〕

🔲

쌍둥이 06

11 절댓값이 같고 부호가 반대인 어떤 두 수가 있다. 수직선 위에서 두 수에 대응하는 두 점 사이의 거리가 6일 때, 이 두 수를 구하시오.

12 절댓값이 같고 부호가 반대인 어떤 두 수가 있다. 수직선 위에서 두 수에 대응하는 두 점 사이의 거리가 22일 때, 이 두 수를 구하시오.

쌍둥이 07

13 다음 중 절댓값이 가장 큰 수는?

① $-\dfrac{2}{3}$ ② -3 ③ 2

④ 0 ⑤ $\dfrac{1}{2}$

14 다음 수를 절댓값이 큰 수부터 차례로 나열할 때, 세 번째에 오는 수를 구하시오.

$$-1.5, \quad -\dfrac{4}{3}, \quad 1, \quad 0, \quad +\dfrac{1}{2}, \quad -0.8, \quad +2$$

쌍둥이 08

15 다음 중 두 수의 대소 관계가 옳은 것은?

① $-4>0$ ② $-3>\dfrac{2}{3}$

③ $0>+5$ ④ $-\dfrac{1}{4}<-\dfrac{1}{5}$

⑤ $+1<-7$

16 다음 중 두 수의 대소 관계가 옳지 <u>않은</u> 것을 모두 고르면? (정답 2개)

① $-7<3$ ② $\dfrac{4}{5}>\dfrac{4}{7}$

③ $-\dfrac{3}{4}<-\dfrac{4}{3}$ ④ $0<\dfrac{2}{3}$

⑤ $-4>|-4|$

쌍둥이 09

17 다음을 부등호를 사용하여 나타내시오.

x는 -2보다 크거나 같고 2보다 작다.

18 다음을 부등호를 사용하여 나타내시오.

(1) x는 -5보다 작지 않고 $\dfrac{3}{4}$보다 크지 않다.

(2) x는 -3 초과이고 $\dfrac{7}{2}$ 이하이다.

쌍둥이 10

19 -4보다 크거나 같고 $\dfrac{5}{2}$보다 작은 정수의 개수를 구하려고 한다. 다음 물음에 답하시오.

(1) 다음 수직선 위에 -4와 $\dfrac{5}{2}$에 대응하는 점을 각각 나타내시오.

(2) -4보다 크거나 같고 $\dfrac{5}{2}$보다 작은 정수의 개수를 구하시오.

20 $-\dfrac{13}{4}$과 3 사이에 있는 정수의 개수는?

① 2 ② 3 ③ 4

④ 5 ⑤ 6

O2 정수와 유리수의 덧셈과 뺄셈

● 정답과 해설 26쪽

유형 **4** 수의 덧셈

개념편 40~41쪽

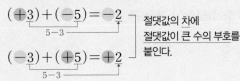

(1) 부호가 같은 두 수의 덧셈

$$(+3)+(+5)=+8$$
$$\underbrace{\quad}_{3+5}$$

절댓값의 합에 공통인 부호를 붙인다.

$$(-3)+(-5)=-8$$
$$\underbrace{\quad}_{3+5}$$

(2) 부호가 다른 두 수의 덧셈

$$(+3)+(-5)=-2$$
$$\underbrace{\quad}_{5-3}$$

절댓값의 차에 절댓값이 큰 수의 부호를 붙인다.

$$(-3)+(+5)=+2$$
$$\underbrace{\quad}_{5-3}$$

1 다음 수직선을 보고, 주어진 식을 계산하시오.

(1)
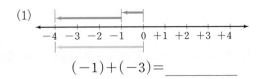

$$(-1)+(-3)=\underline{\hspace{2cm}}$$

(2)

$$(-1)+(+4)=\underline{\hspace{2cm}}$$

[2~4] 다음을 계산하시오.

2 (1) $(+1)+(+5)$ _____

(2) $(-5)+(-4)$ _____

3 (1) $(-2.3)+(-1.7)$ _____

(2) $\left(+\dfrac{2}{3}\right)+\left(+\dfrac{3}{4}\right)$ _____

4 (1) $(-7)+0$ _____

(2) $0+(+3)$ _____

[5~6] 다음을 계산하시오.

5 (1) $(-9)+(+3)$ _____

(2) $(+10)+(-6)$ _____

(3) $(+5)+(-13)$ _____

(4) $(-17)+(+20)$ _____

6 (1) $(-5.3)+(+3.7)$ _____

(2) $(+3)+(-0.5)$ _____

(3) $\left(-\dfrac{4}{9}\right)+\left(+\dfrac{7}{9}\right)$ _____

(4) $\left(-\dfrac{2}{5}\right)+\left(+\dfrac{1}{3}\right)$ _____

어떤 수보다 ■만큼 큰 수를 구할 때는 덧셈을 이용하자!

7 다음을 구하시오.

(1) -1보다 $+3$만큼 큰 수 _____

(2) $+2$보다 $-\dfrac{3}{5}$만큼 큰 수 _____

유형 5 **덧셈의 계산 법칙**

$(+4)+(-6)+(+7)+(-5)$
$=(+4)+(+7)+(-6)+(-5)$ ── 덧셈의 교환법칙: $a+b=b+a$
$=\{(+4)+(+7)\}+\{(-6)+(-5)\}$ ── 덧셈의 결합법칙: $(a+b)+c=a+(b+c)$
$=(+11)+(-11)$
$=0$

---

1 다음 계산 과정에서 (가), (나)에 이용된 덧셈의 계산 법칙을 각각 쓰시오.

$(+13)+(+7)+(-13)+(-17)$
$=(+13)+(-13)+(+7)+(-17)$ (가)
$=\{(+13)+(-13)\}+\{(+7)+(-17)\}$ (나)
$=0+(-10)$
$=-10$

2 다음 ☐ 안에 알맞은 것을 쓰시오.

(1)
$(+6.2)+(-7)+(-1.2)$
$=(-7)+(+6.2)+(-1.2)$ ── 덧셈의 ☐ 법칙
$=(-7)+\{(+6.2)+(\boxed{})\}$ ── 덧셈의 결합법칙
$=(-7)+(\boxed{})$
$=\boxed{}$

(2)
$\left(+\dfrac{2}{3}\right)+\left(-\dfrac{1}{2}\right)+\left(+\dfrac{1}{3}\right)$
$=\left(+\dfrac{2}{3}\right)+\left(+\dfrac{1}{3}\right)+\left(\boxed{}\right)$ ── 덧셈의 교환법칙
$=\left\{\left(+\dfrac{2}{3}\right)+\left(+\dfrac{1}{3}\right)\right\}+\left(\boxed{}\right)$ ── 덧셈의 ☐ 법칙
$=(\boxed{})+\left(-\dfrac{1}{2}\right)$
$=\boxed{}$

[3~4] 다음을 계산하시오.

3 (1) $(+4)+(-10)+(+10)$ _____

(2) $(-3)+(+17)+(+3)$ _____

(3) $(+6)+(+15)+(-16)$ _____

(4) $(-7)+(-13)+(+11)$ _____

(5) $(-22)+(+15)+(-8)+(+9)$

_____

> 분모가 다른 두 분수를 더할 때는 분모의 최소공배수로 통분하여 계산하면 편리해.

4 (1) $\left(+\dfrac{3}{5}\right)+(-2)+\left(+\dfrac{2}{5}\right)$ _____

(2) $\left(-\dfrac{3}{2}\right)+\left(+\dfrac{1}{3}\right)+\left(-\dfrac{5}{3}\right)$ _____

(3) $(-2.8)+(+5.5)+(-3.2)$ _____

(4) $\left(+\dfrac{4}{3}\right)+\left(-\dfrac{1}{2}\right)+\left(+\dfrac{3}{2}\right)+\left(-\dfrac{5}{3}\right)$

_____

(5) $(+2.7)+(+5)+(-0.7)+(-3)$

_____

유형 6 수의 뺄셈

개념편 43쪽

$$(+3)-(+2)=(+3)+(-2)=+1$$
$$(+3)-(-2)=(+3)+(+2)=+5$$
빼는 수의 부호를 바꾸어 덧셈으로 고쳐서 계산한다.

$$-(+\blacksquare)=+(-\blacksquare), \quad -(-\blacksquare)=+(+\blacksquare)$$

1 다음 □ 안에 알맞은 수를 쓰시오.

(1) $(+11)-(+4)=(+11)+(\boxed{})=\boxed{}$

(2) $(-5)-(+2)=(-5)+(\boxed{})=\boxed{}$

(3) $(+10)-(-3)=(+10)+(\boxed{})=\boxed{}$

(4) $(-8)-(-2)=(-8)+(\boxed{})=\boxed{}$

[2~3] 다음을 계산하시오.

2 (1) $(+1)-(+4)$ _____

(2) $\left(+\dfrac{1}{5}\right)-\left(+\dfrac{3}{5}\right)$ _____

(3) $\left(+\dfrac{3}{7}\right)-\left(+\dfrac{8}{21}\right)$ _____

(4) $(+6.7)-(+3.2)$ _____

3 (1) $(-12)-(+12)$ _____

(2) $\left(-\dfrac{1}{9}\right)-\left(+\dfrac{4}{9}\right)$ _____

(3) $\left(-\dfrac{3}{4}\right)-\left(+\dfrac{1}{3}\right)$ _____

(4) $(-4.2)-(+3)$ _____

[4~6] 다음을 계산하시오.

4 (1) $0-(+2)$ _____

(2) $0-(-3)$ _____

5 (1) $(+3)-(-8)$ _____

(2) $\left(+\dfrac{4}{3}\right)-\left(-\dfrac{5}{3}\right)$ _____

(3) $\left(+\dfrac{5}{6}\right)-\left(-\dfrac{2}{3}\right)$ _____

(4) $(+0.9)-(-0.1)$ _____

6 (1) $(-7)-(-7)$ _____

(2) $\left(-\dfrac{1}{8}\right)-\left(-\dfrac{9}{8}\right)$ _____

(3) $\left(-\dfrac{2}{3}\right)-\left(-\dfrac{1}{2}\right)$ _____

(4) $(-2.3)-(-6.8)$ _____

어떤 수보다 ■만큼 작은 수를 구할 때는 뺄셈을 이용하자!

7 다음을 구하시오.

(1) -1보다 $+3$만큼 작은 수 _____

(2) $+2$보다 $-\dfrac{3}{5}$만큼 작은 수 _____

유형 7 덧셈과 뺄셈의 혼합 계산 / 부호가 생략된 수의 혼합 계산

개념편 44쪽

(1) 덧셈과 뺄셈의 혼합 계산

$$(+2)+(-3)-(-4)$$
$$=(+2)+(-3)+(+4)$$
$$=\{(+2)+(+4)\}+(-3)$$
$$=(+6)+(-3)=+3$$

❶ 뺄셈을 덧셈으로 고치기
❷ 덧셈의 교환법칙, 결합법칙 이용하기

참고 분수가 있는 식은 분모가 같은 것끼리 모아서 계산하면 편리하다.

(2) 부호가 생략된 수의 혼합 계산

$$-11+16-2$$
$$=(-11)+(+16)-(+2)$$
$$=(-11)+(+16)+(-2)$$
$$=\{(-11)+(-2)\}+(+16)$$
$$=(-13)+(+16)=3$$

❶ 생략된 + 부호와 괄호 넣기
❷ 뺄셈을 덧셈으로 고치기
❸ 덧셈의 교환법칙, 결합법칙 이용하기

[1~2] 다음을 계산하시오.

1 (1) $(-2)-(+10)+(+3)$ _____

  (2) $(-17)+(+12)-(-3)$ _____

  (3) $(+3)-(-9)+(-5)-(+1)$ _____

2 (1) $\left(-\dfrac{2}{7}\right)-\left(-\dfrac{3}{7}\right)+\left(-\dfrac{4}{7}\right)$ _____

  (2) $\left(+\dfrac{9}{4}\right)+\left(-\dfrac{3}{2}\right)-\left(+\dfrac{1}{4}\right)$ _____

  (3) $\left(-\dfrac{3}{2}\right)+\left(-\dfrac{1}{5}\right)-\left(-\dfrac{1}{2}\right)-\left(+\dfrac{4}{5}\right)$

  _____

3 다음을 계산하시오.

  (1) $-2+5$ _____

  (2) $-4-9$ _____

  (3) $-10+15-2$ _____

  (4) $-1-3-5$ _____

  (5) $-7+4-10+6$ _____

[4~5] 다음을 계산하시오.

4 (1) $1-\dfrac{3}{2}$ _____

  (2) $-\dfrac{1}{4}-\dfrac{11}{4}$ _____

  (3) $-\dfrac{5}{7}+3+\dfrac{12}{7}$ _____

  (4) $-\dfrac{5}{6}+\dfrac{1}{2}-\dfrac{2}{3}$ _____

  (5) $\dfrac{1}{4}-\dfrac{7}{5}-\dfrac{5}{4}+\dfrac{22}{5}$ _____

5 (1) $-8.3+7.5$ _____

  (2) $-2.5+6+1.2$ _____

  (3) $6.2-2.3+5.1$ _____

  (4) $2-6.7+11+1.7$ _____

  (5) $1.8-1.2-3.8+2.2$ _____

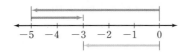

쌍둥이 01

1 다음 수직선으로 설명할 수 있는 계산식은?

① $(-5)+(+2)=-3$
② $(-3)-(-2)=-1$
③ $(+2)+(-3)=-1$
④ $(+2)-(-3)=+5$
⑤ $(+5)+(-2)=+3$

2 다음 수직선으로 설명할 수 있는 계산식을 모두 고르면? (정답 2개)

① $(+3)+(-7)=-4$
② $(+3)-(-7)=+10$
③ $(+3)-(+7)=-4$
④ $(+4)+(-7)=-3$
⑤ $(+4)-(+7)=-3$

쌍둥이 02

3 다음 중 계산 결과가 옳지 <u>않은</u> 것은?

① $0+(-3)=-3$
② $(-7)+(+11)=+4$
③ $\left(+\dfrac{4}{3}\right)+(-5)=-\dfrac{11}{3}$
④ $\left(-\dfrac{1}{4}\right)-\left(-\dfrac{2}{3}\right)=-\dfrac{11}{12}$
⑤ $\left(-\dfrac{5}{6}\right)-\left(+\dfrac{1}{3}\right)=-\dfrac{7}{6}$

4 다음 중 계산 결과가 나머지 넷과 <u>다른</u> 하나는?

① $\left(-\dfrac{1}{2}\right)+\left(+\dfrac{5}{6}\right)$　　② $\left(+\dfrac{1}{2}\right)+\left(-\dfrac{1}{6}\right)$
③ $\left(+\dfrac{2}{3}\right)-\left(+\dfrac{1}{3}\right)$　　④ $\left(+\dfrac{3}{4}\right)-\left(+\dfrac{5}{12}\right)$
⑤ $\left(-\dfrac{4}{5}\right)-\left(-\dfrac{7}{15}\right)$

쌍둥이 03

5 다음 계산 과정에서 (가), (나)에 이용된 덧셈의 계산 법칙을 각각 쓰시오.

$$\begin{aligned}
&(-18)+(-15)+(+18)\\
&=(-15)+(-18)+(+18) \quad \rbrace \text{(가)}\\
&=(-15)+\{(-18)+(+18)\} \quad \rbrace \text{(나)}\\
&=(-15)+0=-15
\end{aligned}$$

6 다음은 덧셈의 계산 법칙을 이용하여 계산하는 과정이다. ㉠~㉤에 알맞지 <u>않은</u> 것은?

$$\begin{aligned}
&\left(-\dfrac{6}{5}\right)+(+7)+\left(-\dfrac{4}{5}\right)\\
&=\left(-\dfrac{6}{5}\right)+(\boxed{㉡})+(+7) \quad \rbrace \substack{\text{덧셈의} \\ \boxed{㉠} \text{ 법칙}}\\
&=\left\{\left(-\dfrac{6}{5}\right)+(\boxed{㉢})\right\}+(+7) \quad \rbrace \substack{\text{덧셈의} \\ \boxed{㉣} \text{ 법칙}}\\
&=(\boxed{㉣})+(+7)=\boxed{㉤}
\end{aligned}$$

① ㉠: 교환　　② ㉡: $-\dfrac{4}{5}$　　③ ㉢: 결합
④ ㉣: -2　　⑤ ㉤: -5

7 다음 수 중 가장 큰 수와 가장 작은 수의 합을 구하시오.

$$-\frac{5}{4}, \quad +\frac{1}{3}, \quad +2, \quad -\frac{7}{8}, \quad 0$$

8 다음 수 중 가장 큰 수를 a, 가장 작은 수를 b라 할 때, $a-b$의 값을 구하시오.

$$-\frac{5}{3}, \quad +\frac{7}{3}, \quad -\frac{9}{2}, \quad -\frac{3}{4}, \quad +\frac{2}{3}$$

9 $(+2)+(-5)-(+9)$를 계산하면?

① -12 ② -2 ③ $+6$
④ $+8$ ⑤ $+16$

10 $\left(-\frac{8}{9}\right)-\left(-\frac{9}{8}\right)+\left(-\frac{1}{9}\right)$을 계산하시오.

11 다음 중 계산 결과가 옳은 것은?

① $4+7-2=13$
② $4+\frac{2}{5}-5=\frac{3}{5}$
③ $-\frac{1}{2}-\frac{1}{4}+\frac{1}{8}=-\frac{7}{8}$
④ $-1.2+2.1+1.1=2$
⑤ $-\frac{3}{4}-1-\frac{1}{2}+3=-\frac{13}{4}$

12 다음 중 계산 결과가 가장 큰 것은?

① $-1-\frac{1}{2}+3$
② $4+\frac{1}{2}-1.5$
③ $2-1.6+4-3$
④ $-1+2-3+4$
⑤ $-0.5+0.75+1.5$

쌍둥이 07

13 3보다 5만큼 작은 수를 a, -6보다 -7만큼 큰 수를 b라 할 때, 다음 물음에 답하시오.

(1) a, b의 값을 각각 구하시오.

(2) $a+b$의 값을 구하시오.

14 4보다 -6만큼 큰 수를 a, -3보다 -7만큼 작은 수를 b라 할 때, $a-b$의 값을 구하시오.

쌍둥이 08

15 어떤 수에서 9를 빼야 할 것을 잘못하여 더했더니 -5가 되었다. 다음 물음에 답하시오.

(1) 어떤 수를 구하시오.

(2) 바르게 계산한 답을 구하시오.

서술형

풀이 과정

(1)

(2)

답 (1)　　　　　(2)

16 어떤 수에 $-\dfrac{2}{5}$를 더해야 할 것을 잘못하여 뺐더니 $\dfrac{7}{4}$이 되었다. 이때 바르게 계산한 답을 구하시오.

쌍둥이 09

17 오른쪽 그림에서 삼각형의 한 변에 놓인 세 수의 합이 모두 같을 때, ㉠, ㉡에 알맞은 수를 각각 구하시오.

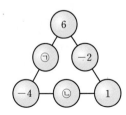

18 오른쪽 그림에서 삼각형의 한 변에 놓인 세 수의 합이 모두 같을 때, ㉠$-$㉡의 값을 구하시오.

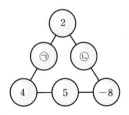

03 정수와 유리수의 곱셈과 나눗셈

(1) 부호가 같은 두 수의 곱셈

$$(+2) \times (+3) = +6$$
$$2 \times 3$$

부호가 같은
두 수의 곱셈 ➡ +(절댓값의 곱)

$$(-2) \times (-3) = +6$$
$$2 \times 3$$

(2) 부호가 다른 두 수의 곱셈

$$(+2) \times (-3) = -6$$
$$2 \times 3$$

부호가 다른
두 수의 곱셈 ➡ -(절댓값의 곱)

$$(-2) \times (+3) = -6$$
$$2 \times 3$$

> 분수와 소수가 혼합된 계산식일 때는
> 소수를 분수로 바꿔서 계산하면 편리해.

1 다음을 계산하시오.

(1) $(+2) \times (+5)$ _____

(2) $(-3) \times (-7)$ _____

(3) $(-1) \times (-1)$ _____

(4) $(+1.5) \times (+2)$ _____

(5) $(-9) \times (-0.7)$ _____

(6) $\left(-\dfrac{1}{3}\right) \times (-6)$ _____

(7) $(+16) \times \left(+\dfrac{7}{4}\right)$ _____

(8) $\left(+\dfrac{3}{4}\right) \times \left(+\dfrac{8}{9}\right)$ _____

(9) $\left(-\dfrac{7}{15}\right) \times \left(-\dfrac{5}{14}\right)$ _____

(10) $\left(+\dfrac{5}{6}\right) \times (+0.3)$ _____

2 다음을 계산하시오.

(1) $(+4) \times (-3)$ _____

(2) $(-6) \times (+8)$ _____

(3) $(-1) \times (+1)$ _____

(4) $(+2.5) \times (-4)$ _____

(5) $(+5) \times (-1.2)$ _____

(6) $(-8) \times \left(+\dfrac{5}{2}\right)$ _____

(7) $\left(-\dfrac{4}{3}\right) \times (+27)$ _____

(8) $\left(+\dfrac{3}{2}\right) \times \left(-\dfrac{5}{6}\right)$ _____

(9) $\left(-\dfrac{9}{4}\right) \times \left(+\dfrac{8}{21}\right)$ _____

(10) $(-0.7) \times \left(+\dfrac{2}{7}\right)$ _____

유형 9 곱셈의 계산 법칙 / 세 수 이상의 곱셈　　　　개념편 48쪽

(1) 곱셈의 계산 법칙

$$(+5)\times(-7)\times(-2)$$
$$=(-7)\times(+5)\times(-2)$$
$$=(-7)\times\{(+5)\times(-2)\}$$
$$=(-7)\times(-10)=+70$$

곱셈의 교환법칙
: $a\times b=b\times a$

곱셈의 결합법칙
: $(a\times b)\times c=a\times(b\times c)$

(2) 세 수 이상의 곱셈

• $(-2)\times(+4)\times(-3)=+(2\times4\times3)=+24$
　　음수가 짝수 개　　　　절댓값의 곱

• $(-2)\times(-4)\times(-3)=-(2\times4\times3)=-24$
　　음수가 홀수 개　　　　절댓값의 곱

---

1 다음 계산 과정에서 ⑺, ⑻에 이용된 곱셈의 계산 법칙을 각각 쓰시오.

$$(-8)\times(+12)\times(-5)$$
$$=(-8)\times(-5)\times(+12)　⑺$$
$$=\{(-8)\times(-5)\}\times(+12)　⑻$$
$$=(+40)\times(+12)$$
$$=+480$$

2 다음 □ 안에 알맞은 것을 쓰시오.

(1)
$$(-5)\times(+1.1)\times(-1.4)$$
$$=(+1.1)\times(\square)\times(-1.4)$$　곱셈의 □법칙
$$=(+1.1)\times\{(\square)\times(-1.4)\}$$　곱셈의 결합법칙
$$=(+1.1)\times(\square)$$
$$=\square$$

(2)
$$\left(-\frac{6}{5}\right)\times(+3.8)\times\left(-\frac{5}{6}\right)$$
$$=\left(-\frac{6}{5}\right)\times(\square)\times(+3.8)$$　곱셈의 교환법칙
$$=\left\{\left(-\frac{6}{5}\right)\times(\square)\right\}\times(+3.8)$$　곱셈의 □법칙
$$=(\square)\times(+3.8)$$
$$=\square$$

[3~4] 다음을 계산하시오.

3 (1) $(-2)\times(-3)\times(+5)$ _____

(2) $(-4)\times(-9)\times(-5)$ _____

(3) $(+4)\times(-8)\times(+3)$ _____

(4) $(-2)\times(+6)\times(-5)\times(-4)$ _____

(5) $(-3)\times(-5)\times(-1)\times(-3)$ _____

4 (1) $(-4)\times\left(-\frac{4}{5}\right)\times\left(-\frac{15}{2}\right)$ _____

(2) $\left(+\frac{1}{4}\right)\times\left(-\frac{3}{2}\right)\times\left(+\frac{4}{7}\right)$ _____

(3) $\left(-\frac{5}{6}\right)\times\left(-\frac{3}{8}\right)\times\left(+\frac{3}{10}\right)$ _____

(4) $\left(+\frac{3}{5}\right)\times(-4)\times\left(-\frac{13}{24}\right)\times(+5)$ _____

(5) $\left(-\frac{9}{2}\right)\times\left(+\frac{5}{4}\right)\times\left(-\frac{2}{3}\right)\times\left(-\frac{8}{5}\right)$ _____

유형 10 거듭제곱의 계산

개념편 49쪽

(1) 양수의 거듭제곱의 부호 ➡ ＋

(2) 음수의 거듭제곱의 부호 ➡ 지수가 ┌ 짝수이면 ＋
└ 홀수이면 －

(양수)$^{(홀수)}$ ➡ ＋ 부호
(양수)$^{(짝수)}$ ➡ ＋ 부호
(음수)$^{(홀수)}$ ➡ － 부호
(음수)$^{(짝수)}$ ➡ ＋ 부호

[1~2] 다음을 계산하시오.

1 (1) $(-3)^2=(-3)\times(-3)=$ _____

(2) $-3^2=-(3\times3)=$ _____

(3) $(-2)^3$ _____

(4) -2^3 _____

2 (1) $(-1)^{50}$ _____

(2) $(-1)^{101}$ _____

3 다음을 계산하시오.

(1) $(-4)^2\times\left(-\dfrac{1}{2}\right)$ _____

(2) $(-2)^3\times\left(-\dfrac{3}{4}\right)^2$ _____

(3) $(-1)^5\times(-5)^2$ _____

(4) $(-3)^2\times(-5)\times(-1)^6$ _____

(5) $(-6)^2\times\left(-\dfrac{5}{9}\right)\times\left(-\dfrac{1}{2}\right)^3$ _____

유형 11 분배법칙

개념편 49쪽

• $11\times(100+2)$ $\xrightarrow{\text{괄호 풀기}}$ $11\times100+11\times2=1100+22=1122$

• $(-9)\times98+(-9)\times2$ $\xrightarrow{\text{괄호 묶기}}$ $(-9)\times(98+2)=(-9)\times100=-900$

$a\times(b+c)=a\times b+a\times c$
$(a+b)\times c=a\times c+b\times c$

1 분배법칙을 이용하여 다음을 계산하시오.

(1) $15\times(100+4)$ _____

(2) $20\times\left(\dfrac{7}{4}-\dfrac{3}{5}\right)$ _____

(3) $\left\{3+\left(-\dfrac{11}{7}\right)\right\}\times(-14)$ _____

2 분배법칙을 이용하여 다음을 계산하시오.

(1) $(-7)\times9.8+(-7)\times0.2$ _____

(2) $\dfrac{9}{7}\times13-\dfrac{2}{7}\times13$ _____

(3) $6.8\times12.3+3.2\times12.3$ _____

유형 **12** 수의 나눗셈 / 역수를 이용한 수의 나눗셈 개념편 50쪽

(1) 부호가 같은 두 수의 나눗셈

$$(+6) \div (+3) = +2$$
$$(-6) \div (-3) = +2$$
부호가 같은 두 수의 나눗셈 ➡ $+\left(\begin{array}{c}\text{절댓값의}\\\text{나눗셈의 몫}\end{array}\right)$

(2) 부호가 다른 두 수의 나눗셈

$$(+6) \div (-3) = -2$$
$$(-6) \div (+3) = -2$$
부호가 다른 두 수의 나눗셈 ➡ $-\left(\begin{array}{c}\text{절댓값의}\\\text{나눗셈의 몫}\end{array}\right)$

참고 수의 나눗셈에서 0으로 나누는 경우는 생각하지 않는다.

(3) 역수를 이용한 수의 나눗셈 ← $\triangle \times \square = 1 \Rightarrow \triangle$와 $\square$는 서로 역수

나눗셈은 곱셈으로

$$(+6) \div \left(-\frac{2}{3}\right) = (+6) \times \left(-\frac{3}{2}\right) = -9$$

역수

참고 역수를 구할 때 부호는 바뀌지 않는다.

---

1 다음을 계산하시오.

(1) $(+10) \div (+5)$ _____

(2) $(-21) \div (-3)$ _____

(3) $(-12) \div (+2)$ _____

(4) $(+35) \div (-7)$ _____

(5) $0 \div (+6)$ _____

2 다음 ☐ 안에 알맞은 수를 쓰시오.

(1) $7 \times \boxed{} = 1$　　(2) $(-4) \times \left(\boxed{}\right) = 1$

(3) $\frac{1}{5} \times \boxed{} = 1$　　(4) $\left(-\frac{4}{3}\right) \times \left(\boxed{}\right) = 1$

3 다음 수의 역수를 구하시오.

(1) 3 _____ 　　(2) -2 _____

(3) $\frac{5}{6}$ _____ 　　(4) $-\frac{7}{5}$ _____

(5) $1\frac{2}{3}$ _____ 　　(6) -0.6 _____

[4~5] 다음을 계산하시오.

4 (1) $\left(-\frac{3}{8}\right) \div \left(-\frac{6}{7}\right) = \left(-\frac{3}{8}\right) \times \left(\boxed{}\right) = $ _____

(2) $\left(+\frac{2}{5}\right) \div \left(-\frac{1}{20}\right)$ _____

(3) $(-3) \div \left(+\frac{9}{5}\right)$ _____

(4) $(+1.25) \div \left(+\frac{15}{2}\right)$ _____

(5) $(-0.7) \div (-10.5)$ _____

5 (1) $(+4) \div \left(-\frac{10}{3}\right) \div \left(+\frac{2}{15}\right)$ _____

(2) $(-20) \div \left(+\frac{5}{6}\right) \div \left(-\frac{3}{2}\right)$ _____

(3) $\left(-\frac{9}{4}\right) \div (-5) \div \left(+\frac{3}{16}\right)$ _____

(4) $\left(+\frac{3}{7}\right) \div \left(-\frac{5}{14}\right) \div \left(+\frac{3}{10}\right)$ _____

유형 **13** 곱셈과 나눗셈의 혼합 계산 / 덧셈, 뺄셈, 곱셈, 나눗셈의 혼합 계산

(1) 곱셈과 나눗셈의 혼합 계산
  ❶ 거듭제곱이 있으면 거듭제곱을 먼저 계산한다.
  ❷ 나눗셈은 역수를 이용하여 곱셈으로 바꾼다.
  ❸ 부호를 결정하고 각 수의 절댓값의 곱에 결정된 부호를 붙인다.

(2) 덧셈, 뺄셈, 곱셈, 나눗셈의 혼합 계산
  ❶ 거듭제곱이 있으면 거듭제곱을 먼저 계산한다.
  ❷ 괄호가 있으면 괄호 안을 먼저 계산한다.
   ➡ (소괄호) → {중괄호} → [대괄호]의 순서로
  ❸ 곱셈과 나눗셈을 한다.
  ❹ 덧셈과 뺄셈을 한다.

[1~2] 다음을 계산하시오.

1 (1) $(-5) \times \dfrac{3}{4} \div \left(-\dfrac{1}{8}\right)$ _____

(2) $\dfrac{5}{6} \div \left(-\dfrac{7}{12}\right) \times 14$ _____

(3) $\dfrac{3}{2} \times \left(-\dfrac{2}{3}\right)^2 \div \left(-\dfrac{1}{6}\right)$ _____

(4) $(-2)^3 \times (-1)^5 \div \dfrac{8}{5}$ _____

(5) $(-3^2) \div \left(-\dfrac{4}{5}\right) \times \dfrac{36}{5}$ _____

2 (1) $(-3) \times 8 - 24 \div (-2)$ _____

(2) $(-12) \div (-3) + (-5) \times (+4)$ _____

(3) $3 + 12 \div 4 - 3 \times 7$ _____

(4) $6 \div \left(-\dfrac{3}{5}\right) - 2 + 9 \times \dfrac{8}{3}$ _____

(5) $(-2)^2 \div \dfrac{1}{10} + (-5)^2 \div \left(-\dfrac{1}{2}\right)$ _____

3 다음 식의 계산 순서 ①~⑤를 ☐ 안에 쓰시오.

(1) $7 - \{8 \div (4 - 2) + 3\} \times 5$
    ☐ ☐ ☐ ☐ ☐

(2) $\dfrac{1}{6} \div \left\{1 - \dfrac{1}{3} \times \left(-\dfrac{5}{2}\right)^2\right\} - 7$
    ☐ ☐ ☐ ☐ ☐

(3) $2 + \left[3 + \dfrac{5}{4} \times \left\{\dfrac{3}{10} - \left(-\dfrac{2}{10}\right)\right\}\right] \div 6$
    ☐ ☐ ☐ ☐ ☐

4 다음을 계산하시오.

(1) $9 - \{25 \div (-5) + 7\}$ _____

(2) $13 - 4 \times \{2 - (-1)^3\}$ _____

(3) $\dfrac{3}{4} \times \left\{(-2)^2 - \dfrac{2}{5}\right\} \div \left(-\dfrac{6}{5}\right)$ _____

(4) $\left[-7 + \left\{1 - \dfrac{1}{3} \times \left(-\dfrac{3}{2}\right)^2\right\} \div \dfrac{1}{12}\right] \times \dfrac{11}{2}$

_____

쌍둥이 01

1 다음 중 계산 결과가 가장 작은 것은?

① $(+2) \times (+4)$ ② $(+6) \times (-2)$

③ $(-10) \div (+5)$ ④ $(+1.6) \div (-0.4)$

⑤ $\left(-\dfrac{3}{2}\right) \div \left(-\dfrac{3}{8}\right)$

2 다음 중 계산 결과가 나머지 넷과 <u>다른</u> 하나는?

① $(+4) \times \left(-\dfrac{3}{4}\right)$ ② $(-9) \div (+3)$

③ $(+1.2) \times (-3)$ ④ $\left(+\dfrac{2}{3}\right) \div \left(-\dfrac{2}{9}\right)$

⑤ $\left(-\dfrac{5}{3}\right) \times \left(+\dfrac{9}{5}\right)$

쌍둥이 02

3 다음 계산 과정에서 ㈎, ㈏에 이용된 곱셈의 계산 법칙을 차례로 나열한 것은?

$$
\begin{aligned}
&(+2) \times (-19) \times (+5) \\
&= (-19) \times (+2) \times (+5) \quad \text{㈎} \\
&= (-19) \times \{(+2) \times (+5)\} \quad \text{㈏} \\
&= (-19) \times (+10) = -190
\end{aligned}
$$

① 분배법칙, 곱셈의 교환법칙
② 분배법칙, 곱셈의 결합법칙
③ 곱셈의 교환법칙, 곱셈의 결합법칙
④ 곱셈의 교환법칙, 분배법칙
⑤ 곱셈의 결합법칙, 곱셈의 교환법칙

4 다음 계산 과정에서 ㈎, ㈏에 이용된 곱셈의 계산 법칙을 각각 쓰시오.

$$
\begin{aligned}
&\left(+\dfrac{9}{16}\right) \times \left(-\dfrac{5}{7}\right) \times \left(+\dfrac{8}{3}\right) \times \left(-\dfrac{7}{5}\right) \\
&= \left(+\dfrac{9}{16}\right) \times \left(+\dfrac{8}{3}\right) \times \left(-\dfrac{5}{7}\right) \times \left(-\dfrac{7}{5}\right) \quad \text{㈎} \\
&= \left\{\left(+\dfrac{9}{16}\right) \times \left(+\dfrac{8}{3}\right)\right\} \times \left\{\left(-\dfrac{5}{7}\right) \times \left(-\dfrac{7}{5}\right)\right\} \quad \text{㈏} \\
&= \left(+\dfrac{3}{2}\right) \times (+1) \\
&= +\dfrac{3}{2}
\end{aligned}
$$

쌍둥이 03

5 다음 중 계산 결과가 가장 큰 것은?

① -4^2 ② $(-4)^3$ ③ $-(-4^3)$

④ $(-4)^2$ ⑤ $-4 \times (-4)^2$

6 다음 중 계산 결과가 가장 작은 것은?

① $\left(-\dfrac{1}{2}\right)^2$ ② $-\left(\dfrac{1}{2}\right)^2$ ③ $\left(-\dfrac{1}{2}\right)^3$

④ $-\left(-\dfrac{1}{2}\right)^3$ ⑤ $\dfrac{1}{(-2)^3}$

쌍둥이 04

7 $(-1)^{1001} \div (-1)^{1003} \times (-1)^{1004}$을 계산하면?

① -2 ② -1 ③ 0

④ 1 ⑤ 2

8 다음을 계산하시오.

서술형

$$(-1)^{2024} - (-1)^{2025} - 1^{2026}$$

풀이 과정

답

쌍둥이 05

9 다음은 분배법칙을 이용하여 14×95를 계산하는 과정이다. 두 수 a, b의 값을 각각 구하시오.

$$14 \times 95 = 14 \times (a-5) = 14 \times a - 14 \times 5 = b$$

10 분배법칙을 이용하여 $(-2.75) \times 15 + 0.75 \times 15$를 계산하시오.

쌍둥이 06

11 세 수 a, b, c에 대하여 $a \times b = 12$, $a \times c = 16$일 때, $a \times (b+c)$의 값을 구하려고 한다. 다음 물음에 답하시오.

(1) $a \times (b+c)$를 분배법칙을 이용하여 나타내시오.

(2) $a \times b = 12$, $a \times c = 16$과 (1)의 답을 이용하여 $a \times (b+c)$의 값을 구하시오.

12 세 유리수 a, b, c에 대하여 $a \times b = 32$, $a \times c = 24$일 때, $a \times (b-c)$의 값을 구하시오.

쌍둥이 07

13 $\frac{5}{9}$의 역수를 a, -3의 역수를 b라 할 때, $a \times b$의 값은?

① $-\frac{9}{5}$ ② $-\frac{5}{3}$ ③ $-\frac{2}{3}$

④ $-\frac{3}{5}$ ⑤ $\frac{5}{3}$

14 0.28의 역수를 a, $-1\frac{2}{5}$의 역수를 b라 할 때, $a+b$의 값을 구하시오.

쌍둥이 08

15 다음을 계산하시오.

$$\left(-\frac{9}{10}\right) \times \left(\frac{2}{3}\right)^2 \div \left(-\frac{12}{5}\right)$$

16 다음 중 계산 결과가 옳지 <u>않은</u> 것은?

① $4 \times (-5) \div (-2) = 10$

② $(-60) \div 12 \div (-3)^2 = -\frac{5}{9}$

③ $16 \times \frac{3}{4} \div \left(-\frac{6}{5}\right) = -10$

④ $\frac{1}{4} \times (-10) \div (-2)^2 = -\frac{5}{8}$

⑤ $\left(-\frac{2}{3}\right) \div \frac{4}{9} \times \frac{3}{4} = -2$

쌍둥이 09

17 다음 식에 대하여 물음에 답하시오.

서술형

$$-\frac{3}{5} - \frac{3}{4} \div \left\{ \left(\frac{2}{3} - \frac{1}{2} \right) \times \frac{5}{6} \right\}$$
$$\qquad \uparrow \quad \uparrow \qquad \uparrow \qquad \uparrow$$
$$\qquad ㉠ \quad ㉡ \qquad ㉢ \qquad ㉣$$

(1) 계산 순서를 차례로 나열하시오.

(2) 계산 결과를 구하시오.

풀이 과정

(1)

(2)

18 다음 식을 계산하시오.

$$3 - \left[2 \times \left\{ (-3)^2 - 6 \div \left(-\frac{3}{2} \right) \right\} + 1 \right]$$

 답 (1)   (2)

쌍둥이 기출문제 중에서 연습이 더 필요한 문제들로 구성하였습니다.

1 다음 수 중 양의 유리수의 개수를 a, 음의 유리수의 개수를 b, 정수가 아닌 유리수의 개수를 c라 할 때, $a+b+c$의 값을 구하시오.

🔗 정수와 유리수

$$+3.5, \quad -1, \quad +8, \quad -\frac{2}{3}, \quad 0, \quad -2.9, \quad -\frac{40}{8}$$

2 수직선 위에서 $-\frac{4}{3}$에 가장 가까운 정수를 a, $\frac{13}{4}$에 가장 가까운 정수를 b라 할 때, a, b의 값을 각각 구하시오.

🔗 수직선 위에서 가장 가까운 정수 찾기

3 다음 중 절댓값이 가장 큰 수는?

🔗 절댓값

① $\frac{5}{4}$ ② -0.1 ③ $\frac{9}{2}$ ④ -4.6 ⑤ 0

4 다음 중 ▢ 안에 부등호 < 또는 >를 쓸 때, 그 방향이 나머지 넷과 <u>다른</u> 하나는?

🔗 수의 대소 관계

① $\frac{1}{3} ▢ \frac{1}{2}$ ② $-3 ▢ -\frac{3}{5}$ ③ $-3.2 ▢ -\frac{11}{4}$

④ $-1 ▢ 0$ ⑤ $|-6| ▢ |-5.2|$

5 -2 이상이고 $\frac{13}{5}$보다 작은 정수는 모두 몇 개인지 구하시오.

🔗 두 수 사이에 있는 정수 찾기

6 다음 계산 과정에서 (가), (나)에 이용된 계산 법칙을 차례로 나열한 것은?

덧셈의 계산 법칙

$$\left(+\frac{9}{4}\right)+\left(-\frac{2}{3}\right)+\left(-\frac{1}{4}\right)$$
$$=\left(-\frac{2}{3}\right)+\left(+\frac{9}{4}\right)+\left(-\frac{1}{4}\right) \quad \text{(가)}$$
$$=\left(-\frac{2}{3}\right)+\left\{\left(+\frac{9}{4}\right)+\left(-\frac{1}{4}\right)\right\} \quad \text{(나)}$$
$$=\left(-\frac{2}{3}\right)+(+2)=+\frac{4}{3}$$

① 덧셈의 교환법칙, 덧셈의 결합법칙   ② 덧셈의 교환법칙, 분배법칙
③ 덧셈의 결합법칙, 덧셈의 교환법칙   ④ 덧셈의 결합법칙, 곱셈의 교환법칙
⑤ 곱셈의 교환법칙, 곱셈의 결합법칙

7 다음을 계산 결과가 작은 것부터 차례로 나열하시오.

덧셈과 뺄셈의 혼합 계산

ㄱ. $(+11)+(-6)$ ㄴ. $(-2)+\left(+\frac{24}{7}\right)$

ㄷ. $\left(+\frac{3}{8}\right)-\left(-\frac{13}{8}\right)$ ㄹ. $\left(-\frac{2}{9}\right)-\left(+\frac{1}{3}\right)$

8 다음 중 계산 결과가 옳지 <u>않은</u> 것은?

① $-3+4=1$ ② $-\frac{4}{3}-\frac{2}{3}=-2$

③ $-7+5-3=-5$ ④ $-1.1-5-(+0.9)=-5.2$

⑤ $-12-3-(-6)=-9$

9 5보다 $-\frac{1}{3}$ 만큼 큰 수를 a, 2보다 $-\frac{1}{2}$ 만큼 작은 수를 b라 할 때, $a-b$의 값을 구하시오.

■만큼 큰(작은) 수

10 어떤 수에 $-\frac{3}{4}$을 더해야 할 것을 잘못하여 뺐더니 $\frac{2}{3}$가 되었다. 이때 바르게 계산한 답을 구하시오.

바르게 계산한 답 구하기

11 다음 중 계산 결과가 가장 작은 것은?

① $-(-2)^2$ ② $(-2)^3$ ③ -2^2

④ $\left(-\dfrac{1}{2}\right)^2$ ⑤ $-\left(\dfrac{1}{2}\right)^4$

                                                         🔗 거듭제곱의 계산

12 분배법칙을 이용하여 다음을 계산하시오.

$$13.2 \times (-0.12) + 86.8 \times (-0.12)$$

                                                         🔗 분배법칙

서술형

13 1.5의 역수를 a, $-\dfrac{3}{4}$의 역수를 b라 할 때, $a+b$의 값을 구하시오.

풀이 과정

                                                         🔗 역수

답

14 다음 중 계산 결과가 가장 큰 것은?

① $(-2) \times (-8)$ ② $(+7) \times (-3)$

③ $(+24) \div (+8)$ ④ $(-56) \div (-7) \times (+4)$

⑤ $(-3)^2 \times (+2) \div (+6)$

                                                 🔗 곱셈과 나눗셈의
                                                      혼합 계산

15 다음을 계산하시오.

$$-1 - \left[20 \times \left\{ \left(-\dfrac{1}{2}\right)^3 \div \left(-\dfrac{5}{2}\right) + 1 \right\} - 2 \right]$$

                                                       🔗 덧셈, 뺄셈, 곱셈, 나눗셈
                                                       의 혼합 계산

문자의 사용과 식

01 문자의 사용

● 정답과 해설 39쪽

유형 1 곱셈 기호와 나눗셈 기호의 생략

개념편 64~65쪽

(1) 곱셈 기호의 생략

- $3 \times a = 3a$　←수는 문자 앞에 쓴다.
- $1 \times a = a,\ b \times (-1) = -b$　←1은 생략한다.
- $a \times x \times b = abx$　←문자는 알파벳 순서로 쓴다.
- $\underline{a \times a} \times \underline{b \times b \times b} = \underline{a^2 b^3}$　←같은 문자의 곱은 거듭제곱으로 나타낸다.
- $(a+1) \times 2 = 2(a+1)$　←괄호가 있으면 수를 괄호 앞에 쓴다.

주의 $0.1 \times a$는 $0.a$로 쓰지 않고 $0.1a$로 쓴다.

(2) 나눗셈 기호의 생략

$a \div 5 = \dfrac{a}{5}$　←분수 꼴로 바꾼다.

참고 나눗셈 기호는 역수의 곱셈으로 바꾸어 생략할 수도 있다.

주의 곱셈 기호와 나눗셈 기호가 섞여 있는 경우에는 앞에서부터 차례로 기호를 생략한다.

- $3 \div a \times b = 3 \div ab = \dfrac{3}{ab}$ (×)
- $3 \div a \times b = \dfrac{3}{a} \times b = \dfrac{3b}{a}$ (○)

[1~3] 다음을 기호 $\times$, $\div$를 생략한 식으로 나타내시오.

1
(1) $y \times (-1)$ _____

(2) $y \times 0.1 \times x \times y$ _____

(3) $(a+b) \times (-6)$ _____

(4) $(-3) \times a + b \times 10$ _____

2
(1) $x \div (-y)$ _____

(2) $a \div (a+b)$ _____

(3) $(x-y) \div 5$ _____

(4) $a \div 2 - b \div \dfrac{3}{4} c$ _____

3
(1) $a \div b \div c$ _____

(2) $3 - 2 \div x \times y$ _____

(3) $(a+b) \times 7 \div c$ _____

4 다음을 곱셈 기호 $\times$를 사용한 식으로 나타내시오.

(1) $3ab$ _____

(2) $-xy^2$ _____

(3) $2(a+b)h$ _____

(4) $5a^2 bx$ _____

(5) $-1.7xy^3$ _____

5 다음을 나눗셈 기호 $\div$를 사용한 식으로 나타내시오.

(1) $\dfrac{1}{a}$ _____

(2) $\dfrac{a-b}{3}$ _____

(3) $\dfrac{8}{a+b}$ _____

(4) $\dfrac{1}{2}(x+y)$ _____

(5) $-\dfrac{1}{5}(x-y)$ _____

[6~10] 다음을 기호 ×, ÷를 생략한 식으로 나타내시오.

(금액)

6 (1) 한 개에 a원인 사과 5개의 가격

⇨ $a \times 5$ = _____

(2) 100원짜리 동전 a개와 500원짜리 동전 b개를 합한 금액

⇨ _____ = _____

(3) 한 자루에 200원인 연필 x자루를 사고 y원을 냈을 때의 거스름돈

⇨ _____ = _____

(4) 사탕 10개의 가격이 x원일 때, 사탕 1개의 가격

⇨ _____ = _____

• (물건 전체의 가격)=(물건 1개의 가격)×(물건의 개수)
• (거스름돈)=(지불한 금액)−(물건의 가격)

(수)

7 (1) a를 2배 한 것에서 b를 5배 한 것을 뺀 수

⇨ _____ = _____

(2) 십의 자리의 숫자가 a, 일의 자리의 숫자가 b인 두 자리의 자연수

⇨ _____ = _____

(3) 백의 자리의 숫자가 a, 십의 자리의 숫자가 b, 일의 자리의 숫자가 7인 세 자리의 자연수

⇨ _____ = _____

• (두 자리의 자연수)=10×□+1×△
                십의 자리의   일의 자리의
                 숫자   숫자
• (세 자리의 자연수)=100×○+10×□+1×△
                백의 자리의 십의 자리의 일의 자리의
                 숫자   숫자   숫자
  (예) • 23=10×2+1×3
      • 456=100×4+10×5+1×6

(도형)

8 (1) 한 변의 길이가 x cm인 정삼각형의 둘레의 길이

⇨ _____ = _____

(2) 가로의 길이가 x cm, 세로의 길이가 y cm인 직사각형의 둘레의 길이

⇨ _____ = _____

(3) 밑변의 길이가 a cm, 높이가 b cm인 삼각형의 넓이

⇨ _____ = _____

• (정삼각형의 둘레의 길이)=3×(한 변의 길이)
• (직사각형의 둘레의 길이)
  =2×{(가로의 길이)+(세로의 길이)}
• (삼각형의 넓이)=$\frac{1}{2}$×(밑변의 길이)×(높이)

(거리, 속력, 시간)

9 (1) 자동차가 시속 80 km로 t시간 동안 달린 거리

⇨ _____ = _____

(2) x km의 거리를 시속 5 km로 걷는 데 걸리는 시간

⇨ _____ = _____

• (거리)=(속력)×(시간), (속력)=$\frac{(거리)}{(시간)}$, (시간)=$\frac{(거리)}{(속력)}$

(비율, 정가, 농도)

10 (1) x명의 3 % ⇨ $x \times \frac{3}{100}$ = _____

(2) 원가가 a원인 물건에 b %의 이익을 붙여서 정한 정가

⇨ _____ = _____

(3) 농도가 17 %인 소금물 y g에 들어 있는 소금의 양

⇨ _____ = _____

• a % ⇨ $a \times \frac{1}{100} = \frac{a}{100}$ (예) x의 a % ⇨ $x \times \frac{a}{100}$
• (정가)=(원가)+(이익)
• (소금의 양)=$\frac{(소금물의 농도)}{100}$×(소금물의 양)

O2 식의 값

• 정답과 해설 40쪽

유형 2 **대입과 식의 값** 개념편 67쪽

(1) 곱셈 기호를 다시 쓰는 경우

$x=-2 \Rightarrow 3x+1=3\times x+1$ ← 생략된 곱셈 기호를 다시 쓴다.
$=3\times(-2)+1$ ← $x=-2$를 대입한다.
$=-5$ ← 식의 값을 구한다.

주의 문자에 음수를 대입할 때는 반드시 괄호를 사용한다.

(2) 나눗셈 기호를 다시 쓰는 경우

$x=\dfrac{1}{2} \Rightarrow \dfrac{3}{x}=3\div x$ ← 생략된 나눗셈 기호를 다시 쓴다.
$=3\div\dfrac{1}{2}$ ← $x=\dfrac{1}{2}$을 대입한다.
$=3\times 2$ ← 곱셈으로 고친다.
$=6$ ← 식의 값을 구한다.

---

1 a의 값이 다음과 같을 때, $2a+5$의 값을 구하시오.

(1) $a=3$ ⇨ $2\times\boxed{}+5=\boxed{}$

(2) $a=0$ _____

(3) $a=-2$ _____

2 $x=-3$, $y=5$일 때, 다음 식의 값을 구하시오.

(1) $2x+y=2\times(\boxed{})+\boxed{}=\boxed{}$

(2) $-x+3y$ _____

(3) $x-\dfrac{1}{5}y$ _____

분모에 분수를 대입할 때는 생략된 나눗셈 기호를 다시 쓰자!

3 $a=\dfrac{1}{3}$일 때, 다음 식의 값을 구하시오.

(1) $\dfrac{4}{a}=4\div a=4\div\boxed{}=4\times\boxed{}=\boxed{}$

(2) $\dfrac{2}{a}-2$ _____

(3) $6-\dfrac{3}{a}$ _____

거듭제곱이 포함된 식의 값을 구할 때는 특히 부호에 주의하자!

4 $a=-3$일 때, 다음 식의 값을 구하시오.

(1) $a^2=(\boxed{})^2=\boxed{}$

(2) $-a^2$ _____

(3) $(-a)^2$ _____

(4) a^3 _____

5 $b=-2$일 때, 다음 식의 값을 구하시오.

(1) $b^2+1=(\boxed{})^2+1=\boxed{}$

(2) $7-b^2$ _____

(3) $b^3+\dfrac{4}{b}$ _____

6 $a=\dfrac{1}{2}$, $b=-1$일 때, 다음 식의 값을 구하시오.

(1) $4a^2+b^2$ _____

(2) a^2-6ab _____

(3) $\dfrac{10}{a}-3b^2$ _____

쌍둥이 01

1 다음 중 기호 ×, ÷를 생략하여 나타낸 식으로 옳지 <u>않은</u> 것은?

① $y \times 0.1 = 0.1y$

② $x \times (-1) \times y = -xy$

③ $(x+y) \div 3 = \dfrac{x+y}{3}$

④ $x \times 4 + y \div 2 = 4x + \dfrac{y}{2}$

⑤ $2 \times x \div y \div z = \dfrac{2xz}{y}$

2 다음 보기 중 기호 ×, ÷를 생략하여 나타낸 식으로 옳은 것을 모두 고른 것은?

(보기)

ㄱ. $a \times b \div c = \dfrac{a}{bc}$ ㄴ. $a \div b \times c = \dfrac{ac}{b}$

ㄷ. $a \times \left(\dfrac{1}{b} \div c\right) = \dfrac{a}{bc}$ ㄹ. $a \div (b \div c) = \dfrac{ab}{c}$

① ㄱ, ㄴ   ② ㄱ, ㄷ   ③ ㄱ, ㄹ

④ ㄴ, ㄷ   ⑤ ㄴ, ㄹ

쌍둥이 02

3 다음 중 문자를 사용하여 나타낸 식으로 옳지 <u>않은</u> 것은?

① 한 자루에 900원인 연필 x자루의 가격 ⇨ $900x$원

② 펜 50자루를 학생 6명에게 a자루씩 나누어 줄 때, 남은 펜의 수 ⇨ $50 - 6a$

③ 사탕을 3명에게 x개씩 나누어 주고 2개 남았을 때, 처음 사탕의 개수 ⇨ $3x + 2$

④ 자동차가 시속 60 km로 a시간 동안 달린 거리 ⇨ $60a$ km

⑤ 정가가 2000원인 음료수를 a % 할인하여 판매한 가격 ⇨ $20a$원

4 다음 중 옳은 것을 모두 고르면? (정답 2개)

① 한 권에 3500원인 공책 a권과 한 자루에 1800원인 펜 b자루의 가격은 $(3500a + 1800b)$원이다.

② 원가가 800원인 물건에 a %의 이익을 붙여서 정한 정가는 $(800 + a)$원이다.

③ 농도가 a %인 소금물 400 g에 들어 있는 소금의 양은 $400a$ g이다.

④ 두 수 a, b의 평균은 $\dfrac{a+b}{2}$이다.

⑤ 십의 자리의 숫자가 a, 일의 자리의 숫자가 b인 두 자리의 자연수는 ab이다.

쌍둥이 03

5 오른쪽 그림과 같은 평행사변형의 넓이를 x, y를 사용한 식으로 나타내시오.

6 오른쪽 그림과 같은 사다리꼴의 넓이를 a, b, h를 사용한 식으로 나타내시오.

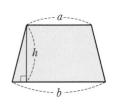

쌍둥이 04

7 $a=-1$일 때, $-a^2+2a$의 값을 구하시오.

8 $x=-5$일 때, 다음 중 식의 값이 가장 작은 것은?

① $-x$　　　② x^2　　　③ $-(-x)^2$

④ $\dfrac{25}{x}$　　　⑤ $-x^2+x$

쌍둥이 05

9 $a=2$, $b=-3$일 때, $4a^2-2b$의 값은?

① 22　　　② 23　　　③ 24

④ 25　　　⑤ 26

10 $x=1$, $y=-\dfrac{1}{2}$일 때, $2xy-4y^2$의 값은?

① -10　　　② -2　　　③ 0

④ 1　　　⑤ 2

쌍둥이 06

11 기온이 $x\,°\text{C}$일 때, 공기 중에서 소리의 속력은 초속 $(0.6x+331)\,\text{m}$라 한다. 기온이 $15\,°\text{C}$일 때, 소리의 속력은?

① 초속 330 m　　② 초속 340 m

③ 초속 350 m　　④ 초속 360 m

⑤ 초속 370 m

12 지면의 기온이 $20\,°\text{C}$일 때, 지면에서 높이가 $h\,\text{km}$ 인 곳의 기온은 $(20-6h)\,°\text{C}$라 한다. 이때 지면에서 높이가 $5\,\text{km}$인 곳의 기온을 구하시오.

03 일차식과 그 계산

개념편 69~70쪽

유형 3 **다항식과 일차식 / 일차식과 수의 곱셈, 나눗셈**

(1) **다항식**: 한 개 또는 두 개 이상의 항의 합으로 이루어진 식

예 $\underset{\text{항}}{\underbrace{5x + \underset{y\text{의 계수}}{\underbrace{-2y}} + \underset{\text{상수항}}{\underbrace{3}}}} \leftarrow 5x + (-2y) + 3$

(2) **단항식**: 다항식 중에서 항이 한 개뿐인 식

예 $-x, 6y, 4$

(3) **일차식**: 차수가 1인 다항식

예 $3x+2, \dfrac{a}{2}-1\left(=\dfrac{1}{2}a-1\right)$

주의 $\dfrac{1}{x+1}$ 과 같이 분모에 문자가 있는 식은 다항식이 아니다.

(4) **(수) × (일차식)**: 분배법칙을 이용하여 일차식의 각 항에 수를 곱한다.

예 $-2\overset{\frown}{(3x+1)}=-6x-2$

(5) **(일차식) ÷ (수)**: 분배법칙을 이용하여 나누는 수의 역수를 일차식의 각 항에 곱한다.

예 $(5x-3)\div 3=(5x-3)\times\dfrac{1}{3}=\dfrac{5}{3}x-1$

나눗셈은 곱셈으로 고친다. 3의 역수

[다른 풀이] $(5x-3)\div 3=\dfrac{5x-3}{3}=\dfrac{5}{3}x-1$

[1~2] 다음 표의 빈칸에 알맞은 것을 쓰시오.

1

다항식	항	상수항
(1) $-3x+7y+1$		
(2) $a+2b-3$		
(3) x^2-6x+3		
(4) $\dfrac{y}{4}-\dfrac{1}{2}$		

2

다항식	계수	
(1) $5x-y$	x의 계수:	y의 계수:
(2) $\dfrac{a}{8}-4b+1$	a의 계수:	b의 계수:
(3) $-x^2+9x+4$	x^2의 계수:	x의 계수:

3 다음 중 일차식인 것은 ○표, 일차식이 <u>아닌</u> 것은 ×표를 ( ) 안에 쓰시오.

(1) $x-1$ (   )   (2) $3x$ (   )

(3) a^2-5a-1 (   )   (4) $0\times x+5$ (   )

(5) $\dfrac{1}{b}+1$ (   )   (6) $\dfrac{2}{3}y-\dfrac{1}{2}$ (   )

[4~6] 다음 식을 계산하시오.

4

(1) $2x \times 4$ _____

(2) $5 \times (-3x)$ _____

(3) $8x \div 4$ _____

(4) $(-3x) \div \left(-\dfrac{6}{5}\right)$ _____

5

(1) $2(3a+2)$ _____

(2) $3(-2a-5)$ _____

(3) $-(a+1)$ _____

(4) $(4-a) \times (-3)$ _____

6

(1) $(-2x+6) \div 2$ _____

(2) $(-12x-8) \div (-4)$ _____

(3) $\left(9x+\dfrac{6}{5}\right) \div \dfrac{1}{3}$ _____

(4) $\left(\dfrac{3}{2}x-2\right) \div \left(-\dfrac{3}{2}\right)$ _____

• 정답과 해설 42쪽

(1) **동류항**: 문자가 같고, 차수도 같은 항   예 $3x$와 $\frac{1}{5}x$, $-2y^2$과 $3y^2$, 2와 3
$\quad\quad\quad\quad\quad\quad\quad\quad\quad\quad\quad\quad\quad\quad\quad\quad\quad$↳ 상수항은 모두 동류항이다.

(2) **동류항의 덧셈과 뺄셈**: 분배법칙을 이용하여 동류항의 계수끼리 더하거나 뺀 후 문자 앞에 쓴다.

예 $3x+1-2x-3=3x-2x+1-3$
$\quad\quad\quad\quad\quad\quad\quad\; =(3-2)x+1-3$ ← 분배법칙(괄호 묶기)
$\quad\quad\quad\quad\quad\quad\quad\; =x-2$

---

1 다항식 $2a-3b+3+3a+b-4$에서 다음을 구하시오.

(1) $2a$의 동류항 _____

(2) b의 동류항 _____

(3) 3의 동류항 _____

2 다음 식에서 동류항을 모두 말하시오.

(1) $2x-3-3x+5$ _____

(2) $\frac{1}{3}+6y-y-\frac{3}{5}$ _____

(3) $x^2-2x+4+3x^2+7x$ _____

$\boxed{ax+bx=(a+b)x,\ ax-bx=(a-b)x}$

3 다음 식을 계산하시오.

(1) $-2x+5x$ _____

(2) $-7y-y$ _____

(3) $-\frac{1}{2}a+a$ _____

(4) $\frac{1}{2}b-\frac{5}{3}b$ _____

[4~5] 다음 식을 계산하시오.

4 (1) $-2x+3x-10x$ _____

(2) $7a-11a+15a$ _____

(3) $2.8x-1.3x-x$ _____

(4) $\frac{5}{2}y-3y+\frac{3}{2}y$ _____

(5) $-\frac{1}{4}b+2b-\frac{2}{3}b$ _____

5 (1) $7x-1-3x+4$ _____

(2) $-2x+9+4x-13$ _____

(3) $5.4a+1.7-4.3a-0.8$ _____

(4) $-\frac{1}{2}+6y-\frac{5}{2}-7y$ _____

(5) $\frac{1}{3}a-1+\frac{3}{2}a-5$ _____

(6) $\frac{2}{3}-\frac{7}{5}b+\frac{4}{9}+\frac{1}{2}b$ _____

유형 5 일차식의 덧셈과 뺄셈　　　　　　　　　　　　　　　　　　　　개념편 **73**쪽

(1) 일차식의 덧셈

$$\underbrace{2(3x-7)}+(x-4)$$
$$=6x-14+x-4$$
$$=6x+x-14-4$$
$$=7x-18$$

❶ 분배법칙을 이용하여 괄호를 푼다.
❷ 동류항끼리 모은다.
❸ 동류항끼리 계산한다.

(2) 일차식의 뺄셈

$$(5x-3)-(-x+2)$$
$$=5x-3+x-2$$
$$=5x+x-3-2$$
$$=6x-5$$

❶ 빼는 식의 각 항의 부호를 바꾸어 괄호를 푼다.
❷ 동류항끼리 모은다.
❸ 동류항끼리 계산한다.

> 괄호 앞에 ㅡ가 있으면 괄호 안의 부호를 모두 반대로!

[1~2] 다음 식을 계산하시오.

1　(1) $(3x+4)+(5x-2)$ ＿＿＿＿＿

　　(2) $(2x-5)+(-4x+9)$ ＿＿＿＿＿

　　(3) $(-6y-2)+(5y+7)$ ＿＿＿＿＿

　　(4) $\left(\dfrac{3}{2}x-3\right)+\left(\dfrac{1}{2}x+5\right)$ ＿＿＿＿＿

　　(5) $\left(\dfrac{1}{3}-\dfrac{3}{4}b\right)+\left(-\dfrac{2}{3}+\dfrac{5}{4}b\right)$ ＿＿＿＿＿

　　(6) $(0.5x-1)+(-3.5x+4)$ ＿＿＿＿＿

[3~4] 다음 식을 계산하시오.

3　(1) $(2x-3)-(5x-7)$ ＿＿＿＿＿

　　(2) $(7y+4)-(-2y+9)$ ＿＿＿＿＿

　　(3) $(-2a+4)-(-3a-5)$ ＿＿＿＿＿

　　(4) $\left(\dfrac{1}{5}-6b\right)-\left(\dfrac{6}{5}-b\right)$ ＿＿＿＿＿

　　(5) $\left(\dfrac{2}{3}y+1\right)-\left(-\dfrac{1}{3}y-6\right)$ ＿＿＿＿＿

　　(6) $(3.7a-3)-(-0.3a+5)$ ＿＿＿＿＿

2　(1) $4(3a-2)+(-7a-6)$ ＿＿＿＿＿

　　(2) $(5x+7)+3(2x-6)$ ＿＿＿＿＿

　　(3) $2(a-8)+5(2a+4)$ ＿＿＿＿＿

　　(4) $5(-x+3)+8\left(\dfrac{1}{2}x-3\right)$ ＿＿＿＿＿

　　(5) $4(x-2)+\dfrac{1}{3}(6x-9)$ ＿＿＿＿＿

　　(6) $\dfrac{1}{2}(4a-2)+\dfrac{1}{6}(6a-12)$ ＿＿＿＿＿

4　(1) $(-3x+7)-2(x-5)$ ＿＿＿＿＿

　　(2) $4(-2x+1)-3(x-3)$ ＿＿＿＿＿

　　(3) $-(-4x-3)+3(2x+8)$ ＿＿＿＿＿

　　(4) $-6\left(\dfrac{2}{3}+x\right)+8\left(\dfrac{1}{4}-x\right)$ ＿＿＿＿＿

　　(5) $-\left(\dfrac{3}{2}x+6\right)-4\left(\dfrac{5}{8}x-3\right)$ ＿＿＿＿＿

　　(6) $-\dfrac{1}{3}(6x+9)-\dfrac{2}{5}(-10x+5)$ ＿＿＿＿＿

5 다음 식을 계산하시오.

(1) $4x-\{6-2(x+4)\}$ _____

(2) $9a+6b-\{a-(5a-b)\}$ _____

(3) $3x-5y-\{6(x-y)-3y\}$ _____

분모가 서로 다를 때는 분모의 최소공배수로 통분하자!

6 다음 식을 계산하시오.

(1) $\dfrac{x}{2}+\dfrac{x-1}{3}$ _____

(2) $\dfrac{a-2}{3}+\dfrac{3a+1}{4}$ _____

(3) $\dfrac{3y+1}{4}-\dfrac{y+3}{2}$ _____

(4) $\dfrac{2b-1}{6}-\dfrac{b-2}{9}$ _____

7 다음 다항식을 계산하였을 때, x의 계수와 상수항을 각각 구하시오.

(1) $-\dfrac{1}{2}(12x+16)+\dfrac{1}{3}(9x-6)$

x의 계수: _____ , 상수항: _____

(2) $\dfrac{8x-1}{5}-\dfrac{2x+2}{3}$

x의 계수: _____ , 상수항: _____

8 다음 ☐ 안에 알맞은 식을 쓰시오.

(1) $(\boxed{})-(3x-1)=5x+7$

(2) $(5x-2)+(\boxed{})=-2x+1$

(3) $(\boxed{})+(4b+1)=3b-2$

9 어떤 다항식에 $3x-4$를 더해야 할 것을 잘못하여 뺐더니 $2x-6$이 되었다. 다음 물음에 답하시오.

(1) 다음 ◯ 안에 기호 + 또는 −를 쓰시오.

$$(어떤\ 다항식)\bigcirc(3x-4)=2x-6$$

(2) (1)의 식을 이용하여 어떤 다항식을 구하시오. _____

(3) 바르게 계산한 식을 구하시오. _____

10 어떤 다항식에서 $2x-5$를 빼야 할 것을 잘못하여 더했더니 $x-3$이 되었다. 다음 물음에 답하시오.

(1) 어떤 다항식을 구하시오. _____

(2) 바르게 계산한 식을 구하시오. _____

쌍둥이 01

1 다음 설명 중 옳은 것은?

① a^2+a는 단항식이다.

② x^2-2x+3에서 x의 계수는 2이다.

③ $-3y$는 다항식이다.

④ $3a^2+4a-3$에서 상수항은 3이다.

⑤ x^3+2x의 다항식의 차수는 2이다.

2 다항식 $-\dfrac{3}{4}x^2+7x+2$에서 항의 개수를 a, x^2의 계수를 b, 상수항을 c라 할 때, $2abc$의 값을 구하시오.

쌍둥이 02

3 다음 중 일차식을 모두 고르면? (정답 2개)

① -10

② $3x$

③ $2+y$

④ x^2-x

⑤ $\dfrac{1}{x}$

4 다음 보기 중 일차식의 개수는?

〈보기〉

ㄱ. $2x-4$　　ㄴ. $0.5x$　　ㄷ. $3x^3-x$

ㄹ. $\dfrac{5}{x-1}$　　ㅁ. $3-\dfrac{x}{7}$　　ㅂ. $0\times x+6$

① 1

② 2

③ 3

④ 4

⑤ 5

쌍둥이 03

5 $5(2x-3)$을 계산하면 $ax+b$일 때, 상수 a, b에 대하여 $a+b$의 값을 구하시오.

6 $(12x+6)\div(-3)$을 계산하면 $ax+b$일 때, 상수 a, b에 대하여 $a-b$의 값을 구하시오.

쌍둥이 04

7 다음 중 동류항끼리 짝 지어진 것은?

① $2x$, $2x^2$ ② $-3x$, $-3y$

③ $\dfrac{4}{x}$, $-4x$ ④ $5x$, $-\dfrac{1}{5}x$

⑤ 3, $3a$

8 다음 보기 중 동류항끼리 짝 지어진 것을 모두 고르시오.

보기
ㄱ. x^2, $-\dfrac{1}{3}x^2$ ㄴ. $2y^2$, $\dfrac{1}{2}y$

ㄷ. $6x$, x ㄹ. $3y$, y^3

ㅁ. $-9x$, $\dfrac{9}{x}$ ㅂ. 2, $\dfrac{1}{4}$

쌍둥이 05

9 다음 식을 계산하면?

$$(-2a+4)+(-3a+2)$$

① $-5a-20$ ② $-5a-4$

③ $-5a+4$ ④ $-5a+6$

⑤ $5a+20$

10 다음 중 식을 계산하였을 때, x의 계수가 가장 큰 것은?

① $(2x+11)+(x-4)$

② $(-8x+1)+(-x-7)$

③ $(9x+13)-(7x-5)$

④ $(4x-3)-(2x-6)$

⑤ $(-4x-10)-(-12x+10)$

쌍둥이 06

11 다항식 $4(2x+1)-3(x-2)$를 계산하였을 때, x의 계수와 상수항의 곱은?

① 50 ② 52 ③ 54

④ 55 ⑤ 60

12 다항식 $\dfrac{1}{3}(9x-6)+\dfrac{1}{2}(-2x+10)$을 계산하였을 때, x의 계수와 상수항의 합은?

① -6 ② -5 ③ -3

④ 1 ⑤ 5

쌍둥이 07

13 다항식 $\dfrac{x}{3}+\dfrac{x+2}{6}$ 를 계산하면?

① $2x+3$ ② $3x+2$ ③ $3x+6$

④ $\dfrac{1}{2}x+\dfrac{1}{3}$ ⑤ $\dfrac{1}{2}x+3$

14 다음 다항식을 계산하시오.

$$\dfrac{x+3}{4}-\dfrac{2x-1}{6}$$

쌍둥이 08

15 $A=2x+1$, $B=-x+2$일 때, $A-3B$를 계산하시오.

16 $A=-3x+5$, $B=x-4$일 때, $B+2(A-B)$를 계산하면?

① $-7x+6$ ② $-7x+14$ ③ $-2x+1$

④ $-x+1$ ⑤ $-x+6$

쌍둥이 09

17 어떤 다항식에서 $6x-3$을 빼야 할 것을 잘못하여 더했더니 $3x-5$가 되었다. 다음 물음에 답하시오.

【서술형】

(1) 어떤 다항식을 구하시오.

(2) 바르게 계산한 식을 구하시오.

풀이 과정

(1)

(2)

18 어떤 다항식에 $4x-6$을 더해야 할 것을 잘못하여 뺐더니 $-7x-1$이 되었다. 이때 바르게 계산한 식은?

① $-11x-5$ ② $-11x+3$ ③ $-3x-7$

④ $x-13$ ⑤ $x+13$

답 (1)   (2)

마무리

1 다음 중 기호 $\times$, $\div$를 생략하여 나타낸 식으로 옳은 것은?

① $0.1 \times x = 0.x$

② $3 \times \frac{1}{2} \times x = 3\frac{1}{2}x$

③ $3 \div a + b = \frac{3}{a+b}$

④ $(-1) \times (x+y) = -x+y$

⑤ $x \div (y \div 4) = \frac{4x}{y}$

🔗 곱셈 기호와 나눗셈 기호의 생략

2 한 개에 750원인 라면 x개를 사고 10000원을 냈을 때의 거스름돈을 x를 사용한 식으로 나타내면?

① $\left(10000 - \frac{750}{x}\right)$원

② $\left(10000 - \frac{x}{750}\right)$원

③ $(10000x - 750)$원

④ $(10000 - 750x)$원

⑤ $(750x - 10000)$원

🔗 문자를 사용한 식으로 나타내기

3 $x = -\frac{1}{3}$, $y = 2$일 때, 다음 중 식의 값이 가장 작은 것은?

① $-6x + y$

② $3x - 4y$

③ $9x^2 - y$

④ $\frac{5}{x} + 5y$

⑤ $4xy - \frac{y^2}{3}$

🔗 식의 값 구하기

4 귀뚜라미가 우는 횟수는 기온에 따라 달라지는데 기온이 $x\,^{\circ}\mathrm{C}$일 때, 귀뚜라미가 1분 동안 $\left(\frac{36}{5}x - 32\right)$회 운다고 한다. 기온이 $25\,^{\circ}\mathrm{C}$일 때, 귀뚜라미는 1분 동안 몇 회를 우는지 구하시오.

🔗 식의 값의 활용

5 다항식 $-6x^2 + x - 3$에서 다항식의 차수를 a, x의 계수를 b, 상수항을 c라 할 때, $a+b-c$의 값은?

① -4

② -2

③ 0

④ 4

⑤ 6

🔗 다항식

6 다음 중 x에 대한 일차식을 고르면?

① $0.1x+3$　　　　② $\dfrac{1}{x}-2$　　　　③ $x-x^2$

④ $0\times x+7$　　　　⑤ x^3

🔗 일차식

7 다음 중 옳은 것은?

① $2(1-3x)=2-3x$　　　　② $\dfrac{1}{5}(5x-3)=x-3$

③ $-\dfrac{1}{4}(8x-24)=-2x-6$　　　　④ $(4x-6)\div\dfrac{2}{3}=6x-9$

⑤ $(5x-10)\div\left(-\dfrac{1}{5}\right)=-x+2$

🔗 일차식과 수의 곱셈, 나눗셈

8 다음 중 동류항끼리 짝 지어지지 <u>않은</u> 것은?

① $2x,\ -7x$　　　　② $-x,\ 2x^2$　　　　③ $-x^2,\ 3x^2$

④ $3y,\ -2y$　　　　⑤ $-\dfrac{3}{2},\ 5$

🔗 동류항

9 $\dfrac{x-3}{7}-\dfrac{2x-1}{3}$ 을 계산하면 $ax+b$이다. 이때 상수 a, b에 대하여 $a-b$의 값을 구하시오.

🔗 일차식의 덧셈과 뺄셈

서술형

10 어떤 다항식에 $2x+7$을 더해야 할 것을 잘못하여 뺐더니 $-5x-8$이 되었다. 이때 바르게 계산한 식을 구하시오.

풀이 과정

🔗 바르게 계산한 식 구하기

답

Ⅱ 문자와 식

4 일차방정식

O1 방정식과 그 해

● 정답과 해설 48쪽

유형 1 등식 / 방정식과 항등식

개념편 84~85쪽

(1) **등식**: 등호(=)를 사용하여 나타낸 식

예 $\overset{\text{양변}}{\overbrace{2x+1=5}}$
  좌변 우변

참고 등호를 사용하지 않거나 등호 대신 부등호를 사용한 식은 등식이 아니다.

(2) **방정식**: 미지수의 값에 따라 참이 되기도 하고, 거짓이 되기도 하는 등식
  └→ 방정식에 있는 문자

예 $2x+1=3x$ ➡ $x=1$일 때만 참
    ➡ $x=1$은 방정식 $2x+1=3x$의 해(근)

(3) **항등식**: 미지수에 어떠한 값을 대입하여도 항상 참이 되는 등식

예 $2x+x=3x$ ➡ x에 어떠한 값을 대입해도 참

[1~2] 다음을 등식으로 나타내시오.

1 (1) x에서 10을 빼면 6과 같다.

　　　　　　＿＿＿＿＿＿＿＿

(2) x에 1을 더한 것의 2배는 14와 같다.

　　　　　　＿＿＿＿＿＿＿＿

(3) 6에 x의 3배를 더한 것은 x에서 2를 뺀 것과 같다.

　　　　　　＿＿＿＿＿＿＿＿

2 (1) 박물관의 학생 1명당 입장료가 a원일 때, 학생 5명의 입장료는 6000원이다.

　　　　　　＿＿＿＿＿＿＿＿

(2) 귤 35개를 x명의 학생에게 2개씩 나누어 주었더니 7개가 남았다.

　　　　　　＿＿＿＿＿＿＿＿

3 x의 값이 0, 1, 2, 3일 때, 방정식 $2x-5=1$에 대하여 다음 표를 완성하고, 그 해를 구하시오.

x의 값	좌변	우변	참/거짓
0	$2\times0-5=-5$	1	거짓
1		1	
2		1	
3		1	

해: ＿＿＿＿＿＿

4 다음 [ ] 안의 수가 주어진 방정식의 해이면 ○표, 해가 아니면 ×표를 ( ) 안에 쓰시오.

(1) $x+4=3$　　[-1]　　　　　(　)

(2) $4x-10=-8$ [2]　　　　　(　)

(3) $2(x+1)=0$　[0]　　　　　(　)

(4) $1-\dfrac{1}{2}x=-2$ [6]　　　　　(　)

5 다음 보기의 방정식 중 해가 $x=2$인 것을 모두 고르시오.

보기
ㄱ. $4x-x=6$　　　　ㄴ. $2+x=0$
ㄷ. $3=x-1$　　　　ㄹ. $0.6x+1.8=2$
ㅁ. $-5x+7=-3$　　ㅂ. $\dfrac{x}{4}+1=\dfrac{3}{2}$

> 항등식을 찾을 때는 좌변과 우변을 각각 간단히 하여
> (좌변)＝(우변)인지 확인하자!

6 다음 보기 중 항등식을 모두 고르시오.

보기
ㄱ. $3x-1=2$　　　　ㄴ. $2x-x=x$
ㄷ. $x+2>7$　　　　ㄹ. $3(x+1)-6=3(x-1)$
ㅁ. $x=-4$　　　　ㅂ. $-(x-1)=1-x$

유형 **2** 등식의 성질

개념편 86쪽

① 등식의 양변에 같은 수를 더하여도 등식은 성립한다.
② 등식의 양변에서 같은 수를 빼어도 등식은 성립한다.
③ 등식의 양변에 같은 수를 곱하여도 등식은 성립한다.
④ 등식의 양변을 0이 아닌 같은 수로 나누어도 등식은 성립한다.

① $a=b$이면 $a+c=b+c$
② $a=b$이면 $a-c=b-c$
③ $a=b$이면 $ac=bc$
④ $a=b$이면 $\dfrac{a}{c}=\dfrac{b}{c}$ (단, $c\neq0$)

1 다음 중 옳은 것은 ○표, 옳지 <u>않은</u> 것은 ×표를 ( ) 안에 쓰시오.

(1) $a=b$이면 $a+1=b+1$ (   )

(2) $a=b$이면 $a-3=3-b$ (   )

(3) $a=b$이면 $-4a=-4b$ (   )

(4) $a=b$이면 $\dfrac{a}{2}=\dfrac{b}{2}$ (   )

(5) $a+3=b-3$이면 $a=b$ (   )

(6) $2a+5=2b+5$이면 $a=b$ (   )

(7) $\dfrac{a}{3}=\dfrac{b}{2}$이면 $3a=2b$ (   )

(8) $20a=12b$이면 $5a=3b$ (   )

2 다음은 등식의 성질을 이용하여 방정식을 푸는 과정이다. ㈎, ㈏에 이용된 등식의 성질을 보기에서 찾아 차례로 쓰시오.

보기
$a=b$이고, c가 자연수일 때
ㄱ. $a+c=b+c$ ㄴ. $a-c=b-c$
ㄷ. $ac=bc$ ㄹ. $\dfrac{a}{c}=\dfrac{b}{c}$

(1) $3x-2=10 \xrightarrow{\text{㈎}} 3x=12 \xrightarrow{\text{㈏}} x=4$

—————

(2) $\dfrac{1}{3}x+7=4 \xrightarrow{\text{㈎}} \dfrac{1}{3}x=-3 \xrightarrow{\text{㈏}} x=-9$

—————

3 다음은 등식의 성질을 이용하여 방정식을 푸는 과정이다. ☐ 안에 알맞은 수를 쓰시오.

(1)
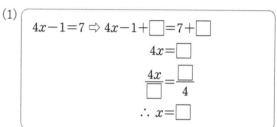

(2)
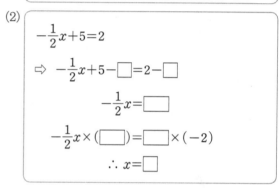

4 등식의 성질을 이용하여 다음 방정식을 푸시오.

(1) $2x+9=-7$ —————

(2) $5x-2=8$ —————

(3) $\dfrac{1}{4}x-3=2$ —————

(4) $\dfrac{2}{3}x+1=-1$ —————

쌍둥이 01

1 다음 중 등식이 <u>아닌</u> 것을 모두 고르면? (정답 2개)

① $2x+1$　　② $x-3=6$

③ $0>-1$　　④ $4-5=-1$

⑤ $3(x-1)=3x-3$

2 다음 보기 중 등식을 모두 고르시오.

〔보기〕

ㄱ. $3x-2=10$　　ㄴ. $9-2y=y$

ㄷ. $2\times40\geq50$　　ㄹ. $2x^2+2$

ㅁ. $y+42=10$　　ㅂ. $2(x-3)=2x-6$

쌍둥이 02

3 다음 문장을 등식으로 바르게 나타낸 것은?

> 어떤 수 x의 3배에서 5를 뺀 것은 어떤 수 x에 1을 더한 것과 같다.

① $3x+5=x-1$　　② $3(x-5)=x+1$

③ $3x-5=x+1$　　④ $x^2-5=x+1$

⑤ $3x-5=x-1$

4 다음 문장을 등식으로 나타내시오.

> 7000원을 내고 한 자루에 900원인 볼펜 x자루를 샀더니 거스름돈이 700원이었다.

쌍둥이 03

5 다음 방정식 중 해가 $x=7$인 것은?

① $x+4=7$　　② $2x-9=3$

③ $5x-25=x+1$　　④ $3(x-1)=x+1$

⑤ $\dfrac{1}{5}(x+3)=2$

6 다음 중 [　] 안의 수가 주어진 방정식의 해인 것은?

① $x-2=10$ [3]　　② $\dfrac{1}{3}x-2=-1$ [-3]

③ $-5x=x+6$ [1]　　④ $2(1-x)=-2$ [2]

⑤ $5x+10=10x$ $\left[-\dfrac{1}{5}\right]$

쌍둥이 04

7 다음 중 항등식인 것은?

① $5x=5$　　② $x+1=2x$

③ $2x+3x=6x$　　④ $3x=4x-x$

⑤ $8(x+2)=x+6$

8 다음 중 x의 값에 관계없이 항상 참이 되는 등식을 모두 고르면? (정답 2개)

① $x-3=1$　　② $3x+1=-2$

③ $x+1=2x+1-x$　　④ $5x-5=3(x-1)$

⑤ $4x-6=2(2x-3)$

9 등식 $ax+4=-2x+b$가 x에 대한 항등식일 때, 상수 a, b의 값을 각각 구하시오.

10 등식 $3(x-a)=bx+12$가 x의 값에 관계없이 항상 성립할 때, 상수 a, b에 대하여 $b-a$의 값을 구하시오.

11 다음 중 옳지 <u>않은</u> 것은?

① $a=b$이면 $a+c=b+c$이다.
② $a=b$이면 $a-5=b-5$이다.
③ $a+7=b+7$이면 $a=b$이다.
④ $ac=bc$이면 $a=b$이다.
⑤ $\dfrac{a}{5}=\dfrac{b}{2}$이면 $2a=5b$이다.

12 다음 보기 중 옳은 것을 모두 고르시오.

보기
ㄱ. $a=b$이면 $-5a=-5b$이다.
ㄴ. $-9a=-9b$이면 $a=b$이다.
ㄷ. $\dfrac{a}{8}=\dfrac{b}{6}$이면 $2a=3b$이다.
ㄹ. $a=b$이면 $\dfrac{a}{2}-1=\dfrac{b}{2}-1$이다.

13 오른쪽은 등식의 성질을 이용하여 방정식 $4x+13=25$를 푸는 과정이다. (가)에 이용된 등식의 성질은?

(단, c는 자연수)

$$4x+13=25$$
$$4x=12 \quad \text{(가)}$$
$$\therefore x=3$$

① $a=b$이면 $a+c=b+c$이다.
② $a=b$이면 $a-c=b-c$이다.
③ $a=b$이면 $ac=bc$이다.
④ $a=b$이면 $\dfrac{a}{c}=\dfrac{b}{c}$이다.
⑤ $a=b$이면 $b=a$이다.

14 오른쪽은 등식의 성질을 이용하여 방정식 $\dfrac{1}{2}x-3=-1$을 푸는 과정이다. (가), (나)에 이용된 등식의 성질을 다음 보기에서 찾아 차례로 쓰시오.

$$\frac{1}{2}x-3=-1$$
$$\frac{1}{2}x=2 \quad \text{(가)}$$
$$\therefore x=4 \quad \text{(나)}$$

보기
$a=b$이고, c가 자연수일 때
ㄱ. $a+c=b+c$ ㄴ. $a-c=b-c$
ㄷ. $ac=bc$ ㄹ. $\dfrac{a}{c}=\dfrac{b}{c}$

02 일차방정식의 풀이

● 정답과 해설 51쪽

유형 3 이항 / 일차방정식 / 일차방정식의 풀이
개념편 88~89쪽

(1) **이항**: 항의 부호를 바꾸어 다른 변으로 옮기는 것

예 $x-2=7 \Rightarrow x=7+2$
이항

(2) **일차방정식**: 등식의 모든 항을 좌변으로 이항하여 정리한 식이 (일차식)=0 꼴로 나타나는 방정식

예 $x=1-2x \xrightarrow{\text{모든 항을 좌변으로 이항}} 3x-1=0 \Rightarrow$ 일차방정식 (일차식)=0 꼴

(3) **일차방정식의 풀이**

$$4(x+3)=x-6$$ ← 분배법칙을 이용하여 괄호 풀기
$$4x+12=x-6$$ ← 일차항은 좌변으로, 상수항은 우변으로 이항하기
$$4x-x=-6-12$$ ← 동류항끼리 정리하기
$$3x=-18$$ ← 양변을 x의 계수로 나누어 $x=($수$)$ 꼴로 나타내기
$$\therefore x=-6$$

---

1 다음 방정식에서 밑줄 친 항을 이항하시오.

(1) $x\underline{+8}=5$

(2) $3x=\underline{x}+4$

(3) $2x\underline{-4}=6$

(4) $x=\underline{-2x}-3$

2 다음 보기 중 일차방정식을 모두 고르시오.

(보기)

ㄱ. $x=2$

ㄴ. $-(x-1)=x-1$

ㄷ. $4x-x=4$

ㄹ. $x+3=x^2+1$

ㅁ. $5x-2>0$

ㅂ. $2x+5=x+(x+5)$

ㅅ. $3x-x^2=4-x^2$

ㅇ. $4x-8$

3 다음은 일차방정식 $8x-7=6x-1$을 푸는 과정이다. □ 안에 알맞은 것을 쓰시오.

$$8x-7=6x-1$$
$$8x-\boxed{}=-1+\boxed{}$$ ← -7, $\boxed{}$을(를) 각각 이항하면
$$\boxed{}x=\boxed{}$$
$$\therefore x=\boxed{}$$

4 다음 일차방정식을 푸시오.

(1) $5-2x=-5$ _____

(2) $5x+\dfrac{1}{2}=\dfrac{11}{2}$ _____

(3) $-3x=-x+8$ _____

(4) $x+1=-2x+7$ _____

(5) $10-4x=x-5$ _____

괄호가 있으면 분배법칙을 이용하자!

5 다음 일차방정식을 푸시오.

(1) $x+10=3(x+2)$ _____

(2) $8x-5(x-1)=-4$ _____

(3) $x+4(x+1)=-3-2x$ _____

(4) $6\left(x-\dfrac{1}{2}\right)=2-4x$ _____

(5) $8\left(\dfrac{x}{2}+\dfrac{1}{4}\right)-3=-9\left(x-\dfrac{1}{3}\right)$ _____

유형 4 여러 가지 일차방정식의 풀이

개념편 90쪽

(1) 계수가 소수인 경우 → 10의 거듭제곱
양변에 $\underline{10, 100, 1000, \ldots}$ 중 적당한 수를 곱하여
계수를 정수로 고쳐서 푼다.

예 $0.2x - 1.5 = 0.3 \xrightarrow{\text{(양변)}\times 10} 2x - 15 = 3$

(2) 계수가 분수인 경우
양변에 분모의 최소공배수를 곱하여
계수를 정수로 고쳐서 푼다.

예 $\dfrac{x-2}{3} = \dfrac{x}{4} \xrightarrow{\text{(양변)}\times 12} 4(x-2) = 3x$

계수가 소수인 경우는 양변에 $10, 100, 1000, \ldots$을 곱해 보자!

1 다음 ☐ 안에 알맞은 것을 쓰시오.

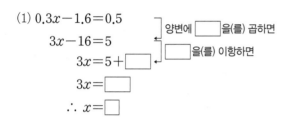

(1) $0.3x - 1.6 = 0.5$

$3x - 16 = 5$ ⎤ 양변에 ☐을(를) 곱하면

$3x = 5 + ☐$ ⎦ ☐을(를) 이항하면

$3x = ☐$

$\therefore x = ☐$

(2) $0.02x + 0.33 = -0.01x$

$2x + 33 = ☐$ ⎤ 양변에 ☐을(를) 곱하면

$2x + ☐ = ☐$ ⎦ $33, ☐$을(를) 각각 이항하면

$☐x = ☐$

$\therefore x = ☐$

[2~3] 다음 일차방정식을 푸시오.

2 (1) $1.4x - 2.8 = 0.5x + 2.6$ _____

(2) $0.88x - 0.24 = 0.36 - 0.12x$ _____

(3) $0.18x + 0.4 = 0.2x - 0.32$ _____

3 (1) $1.6x + 5 = 0.4(x + 2)$ _____

(2) $0.15(x - 1) = 0.2x - 0.9$ _____

(3) $0.3(2x - 1) = 0.46(x + 3)$ _____

계수가 분수인 경우는 양변에 분모의 최소공배수를 곱해 보자!

4 다음 ☐ 안에 알맞은 것을 쓰시오.

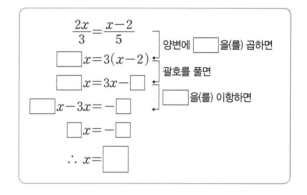

$\dfrac{2x}{3} = \dfrac{x-2}{5}$

$☐x = 3(x - 2)$ ⎤ 양변에 ☐을(를) 곱하면

$☐x = 3x - ☐$ ⎦ 괄호를 풀면

$☐x - 3x = -☐$ ⎦ ☐을(를) 이항하면

$☐x = -☐$

$\therefore x = ☐$

5 다음 일차방정식을 푸시오.

(1) $\dfrac{2}{3}x - 5 = \dfrac{1}{3}x - 1$ _____

(2) $\dfrac{1}{4}x - \dfrac{3}{2} = x + 3$ _____

(3) $\dfrac{1}{3}x - \dfrac{3}{4} = -\dfrac{1}{4}x - \dfrac{2}{3}$ _____

(4) $\dfrac{4}{9}x + \dfrac{4}{3} = \dfrac{1}{6}x + \dfrac{2}{9}$ _____

(5) $\dfrac{5}{2}x + \dfrac{1}{6} = \dfrac{2}{3}x + 2$ _____

(6) $-\dfrac{3}{4}x + \dfrac{7}{10} = \dfrac{2}{5}x + 3$ _____

[6~7] 다음 일차방정식을 푸시오.

6 (1) $\dfrac{x-3}{4}=\dfrac{x+3}{2}$ _____

(2) $\dfrac{3(x+2)}{5}-\dfrac{x+1}{2}=1$ _____

(3) $\dfrac{2x}{3}-\dfrac{2-x}{5}=x-1$ _____

(4) $\dfrac{1+3x}{2}-\dfrac{x-1}{6}=\dfrac{1}{3}+x$ _____

계수에 소수와 분수가 모두 있으면
먼저 소수를 분수로 고쳐 보자!

7 (1) $\dfrac{4x+1}{5}=0.6(x-3)$ _____

(2) $\dfrac{3x-5}{2}-3=0.4x$ _____

(3) $0.2x-3=\dfrac{1}{2}(x-1)+0.8$ _____

(4) $\dfrac{2x+1}{3}-0.25(3x-7)=\dfrac{5}{6}$ _____

8 다음은 x에 대한 일차방정식 $4x+a=6x+7$의 해가 $x=-2$일 때, 상수 a의 값을 구하는 과정이다. □ 안에 알맞은 수를 쓰시오.

$4x+a=6x+7$에 $x=-2$를 대입하면
$4\times(\boxed{})+a=6\times(\boxed{})+7$
$\therefore\ a=\boxed{}$

9 x에 대한 일차방정식 $3(x+4)=x-a$의 해가 $x=-3$일 때, 상수 a의 값을 구하시오.

_____

해를 구할 수 있는 일차방정식을 먼저 풀자!

10 다음 x에 대한 두 일차방정식의 해가 서로 같을 때, 상수 a의 값을 구하려고 한다. 물음에 답하시오.

$2x-1=-x+8,\qquad 2x+a=1$

(1) 일차방정식 $2x-1=-x+8$의 해를 구하시오.

_____

(2) (1)에서 구한 해를 이용하여 상수 a의 값을 구하시오. _____

11 다음 x에 대한 두 일차방정식의 해가 서로 같을 때, 상수 a의 값을 구하시오. _____

$7-5x=-x+15,\qquad 5x+a=-3$

03 일차방정식의 활용

유형 5 일차방정식의 활용 (1) - 수, 개수, 나이

• 어떤 수의 3배에 2를 더한 수는 / 어떤 수의 7배보다 6만큼 작을 때, / 어떤 수 구하기

❶ 미지수 정하기	어떤 수를 x라 하자.
❷ 방정식 세우기	어떤 수의 3배에 2를 더한 수는 $3x+2$ 어떤 수의 7배보다 6만큼 작은 수는 $7x-6$ 방정식을 세우면 $3x+2=7x-6$
❸ 방정식 풀기	$3x+2=7x-6$에서 $-4x=-8$ ∴ $x=2$ 따라서 어떤 수는 2이다.
❹ 확인하기	어떤 수가 2이면 $2\times3+2=2\times7-6$이므로 문제의 뜻에 맞는다.

[1~3] 다음 ☐ 안에 알맞은 것을 쓰시오.

▶**수에 대한 문제**
• 연속하는 두 자연수
 ⇨ x, $x+1$
• 연속하는 두 짝수(홀수)
 ⇨ x, $x+2$

1 연속하는 두 짝수의 합이 38일 때, 두 짝수를 구하시오.

❶ 연속하는 두 짝수를 x, $x+2$라 하자.
❷ 방정식을 세우면 $x+($ ☐ $)=38$
❸ 방정식을 풀면 $x=$ ☐
 따라서 연속하는 두 짝수는 ☐, ☐이다.
확인 구한 연속하는 두 짝수를 합하면 ☐이므로 문제의 뜻에 맞는다.

▶**개수에 대한 문제**
A, B의 개수의 합이 a
⇨ A의 개수를 x라 하면
 B의 개수는 $a-x$

2 1개에 300원 하는 사탕과 1개에 1500원 하는 과자를 합하여 10개를 사고 7800원을 지불하였다. 이때 사탕과 과자는 각각 몇 개씩 샀는지 구하시오.

❶ 사탕을 x개 샀다고 하면 과자는 (☐)개를 샀다.
❷ 방정식을 세우면 $300x+1500($ ☐ $)=7800$
❸ 방정식을 풀면 $x=$ ☐
 따라서 사탕은 ☐개, 과자는 ☐개를 샀다.
확인 $300\times$ ☐ $+1500\times$ ☐ $=7800$(원)이므로 문제의 뜻에 맞는다.

▶**나이에 대한 문제**
현재 어머니의 나이가 a세,
딸의 나이가 b세이면
⇨ x년 후에
• 어머니의 나이: $(a+x)$세
• 딸의 나이: $(b+x)$세

3 현재 어머니의 나이는 45세, 딸의 나이는 13세이다. 어머니의 나이가 딸의 나이의 2배가 되는 것은 몇 년 후인지 구하시오.

❶ x년 후에 어머니의 나이가 딸의 나이의 2배가 된다고 하자.
 x년 후의 어머니의 나이는 (☐)세, 딸의 나이는 (☐)세이다.
❷ 방정식을 세우면 ☐ $=2($ ☐ $)$
❸ 방정식을 풀면 $x=$ ☐
 따라서 ☐년 후에 어머니의 나이는 딸의 나이의 2배가 된다.
확인 ☐년 후의 어머니의 나이는 ☐세, 딸의 나이는 ☐세이므로 문제의 뜻에 맞는다.

유형 6 일차방정식의 활용 (2) - 거리, 속력, 시간

• (거리)＝(속력)×(시간)   • (속력)＝$\dfrac{(거리)}{(시간)}$ • (시간)＝$\dfrac{(거리)}{(속력)}$

주의 주어진 단위가 다를 경우, 방정식을 세우기 전에 먼저 단위를 통일한다.

예 집과 학교 사이를 왕복하는데 갈 때는 시속 3 km로 걸어가고,
〔상황 A〕
올 때는 같은 길을 시속 6 km로 걸어왔더니 / 총 2시간이 걸
〔상황 B〕
렸다. 이때 집과 학교 사이의 거리를 구하시오.

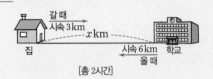
갈 때
시속 3 km
x km
시속 6 km 학교
올 때
집
[총 2시간]

풀이 ❶ **미지수 정하기**: 집과 학교 사이의 거리를 x km라 하면

	갈 때(상황 A)	올 때(상황 B)
속력	시속 3 km	시속 6 km
거리	x km	x km
시간	$\dfrac{x}{3}$시간	$\dfrac{x}{6}$시간

❷ **방정식 세우기**: (갈 때 걸린 시간)＋(올 때 걸린 시간)＝2 (시간)

➡ $\dfrac{x}{3}+\dfrac{x}{6}=2$

❸ **방정식 풀기**: $x=4$이므로 집과 학교 사이의 거리는 4 km이다.

▶ **전체 걸린 시간이 주어진 경우**
$\begin{pmatrix} 갈\ 때 \\ 걸린 \\ 시간 \end{pmatrix}+\begin{pmatrix} 올\ 때 \\ 걸린 \\ 시간 \end{pmatrix}=\begin{pmatrix} 전체 \\ 걸린 \\ 시간 \end{pmatrix}$

1 두 지점 A, B 사이를 왕복하는데 갈 때는 시속 6 km로 걸어가고, 올 때는 같은 길을 시속 4 km로 걸어왔더니 / 총 2시간 30분이 걸렸다. 이때 두 지점 A, B 사이의 거리를 구하시오.

❶ **미지수 정하기**: 두 지점 A, B 사이의 거리를 x km라 하면

	갈 때	올 때
속력	시속 6 km	시속 4 km
거리		
시간		

❷ **방정식 세우기**: (갈 때 걸린 시간)＋(올 때 걸린 시간)＝ ☐ (시간)

⇨ _____

❸ **방정식 풀기**: $x=$☐이므로 두 지점 A, B 사이의 거리는 ☐km이다.

▶ **시간 차를 두고 출발하는 경우**
A가 출발하고 몇 분 후 B가 따라갈 때, A, B 두 사람이 만나려면
$\begin{pmatrix} A가 \\ 이동한 \\ 거리 \end{pmatrix}=\begin{pmatrix} B가 \\ 이동한 \\ 거리 \end{pmatrix}$

2 동생이 집을 출발한 지 5분 후에 형이 동생을 따라나섰다. 동생은 분속 60 m로 걷고, 형은 분속 80 m로 따라갈 때, 형이 출발한 지 몇 분 후에 동생을 만나는지 구하시오.

❶ **미지수 정하기**: 형이 출발한 지 x분 후에 동생을 만난다고 하면

	동생	형
속력	분속 60 m	분속 80 m
시간		
거리		

❷ **방정식 세우기**: (동생이 이동한 거리)＝(형이 이동한 거리)이므로

⇨ _____

❸ **방정식 풀기**: $x=$☐이므로 형이 출발한 지 ☐분 후에 동생을 만난다.

한 걸음 더 연습 유형 5~6

[1~4] 다음 ☐ 안에 알맞은 것을 쓰시오.

1 십의 자리의 숫자가 3인 두 자리의 자연수가 있다. 이 자연수의 십의 자리의 숫자와 일의 자리의 숫자를 바꾼 수는 처음 수의 2배보다 7만큼 크다고 할 때, 처음 자연수를 구하시오.

> ❶ 처음 자연수의 일의 자리의 숫자를 x라 하자.
> ❷ 십의 자리의 숫자는 3이므로
> 처음 자연수는 ☐
> 십의 자리의 숫자와 일의 자리의 숫자를
> 바꾼 수는 ☐
> 바꾼 수는 처음 수의 2배보다 7만큼 크므로
> 방정식을 세우면
> ☐$=2\times($☐$)+7$
> ❸ 방정식을 풀면 $x=$☐
> 따라서 처음 자연수는 ☐이다.

2 어떤 정사각형의 가로의 길이를 4 cm만큼 줄이고, 세로의 길이를 3배로 늘여서 직사각형을 만들었더니 둘레의 길이가 처음 정사각형의 둘레의 길이보다 12 cm만큼 더 길어졌다. 이때 처음 정사각형의 한 변의 길이를 구하시오.

> ❶ 처음 정사각형의 한 변의 길이를 x cm라 하자.
> ❷ 가로의 길이는 4 cm만큼 줄였으므로
> $($☐$)$ cm
> 세로의 길이는 3배로 늘였으므로
> ☐ cm
> 새로 만든 직사각형의 둘레의 길이가
> 처음 정사각형의 둘레의 길이보다 12 cm만큼
> 더 길어졌으므로 방정식을 세우면
> $2\times\{($☐$)+$☐$\}=4x+12$
> ❸ 방정식을 풀면 $x=$☐
> 따라서 처음 정사각형의 한 변의 길이는
> ☐ cm이다.

3 학생들에게 사탕을 나누어 주는데 한 학생에게 5개씩 나누어 주면 4개가 남고, 8개씩 나누어 주면 14개가 부족하다고 한다. 이때 학생 수를 구하시오.

> ❶ 학생 수를 x라 하자.
> ❷ 한 학생에게 사탕을 5개씩 나누어 주면 4개가
> 남으므로
> (사탕의 개수)$=$☐
> 한 학생에게 사탕을 8개씩 나누어 주면 14개가
> 부족하므로
> (사탕의 개수)$=$☐
> 사탕의 개수는 일정하므로 방정식을 세우면
> ☐
> ❸ 방정식을 풀면 $x=$☐
> 따라서 학생 수는 ☐이다.

> 먼저 시간과 거리의 단위를 각각 통일하자!

4 민희와 할머니는 3 km 떨어진 거리에 있는 상대방의 집을 향하여 각자의 집에서 동시에 출발했다. 민희는 분속 250 m로 뛰어가고, 할머니는 분속 50 m로 걸어간다고 할 때, 두 사람은 출발한 지 몇 분 후에 만나는지 구하시오.

> ❶ 두 사람이 출발한 지 x분 후에 만난다고 하자.
> ❷ 3 km$=$☐ m이므로
> $\left(\begin{array}{c}민희가\\이동한 거리\end{array}\right)+\left(\begin{array}{c}할머니가\\이동한 거리\end{array}\right)=$☐ (m)
> 방정식을 세우면 ☐
> ❸ 방정식을 풀면 $x=$☐
> 따라서 두 사람은 출발한 지 ☐분 후에 만난다.

쌍둥이 01

1 다음 중 일차방정식인 것은?

① $3x+4$ ② $x^2-5x=x^2+1$

③ $7x+14=7(2+x)$ ④ $2x+3-x=x+3$

⑤ $x^2-x=x+2$

2 다음 중 일차방정식이 <u>아닌</u> 것은?

① $2x+3=x-5$ ② $6-x=3x+5$

③ $x^2+2=x^2-x+3$ ④ $3x=2$

⑤ $4(x+5)-x=3x+20$

쌍둥이 02

3 일차방정식 $x+5=-2x-4$의 해는?

① $x=-4$ ② $x=-3$ ③ $x=0$

④ $x=3$ ⑤ $x=4$

4 다음 중 일차방정식의 해가 나머지 넷과 <u>다른</u> 하나는?

① $x+2=3$

② $2x+5=7$

③ $-x+4=3x$

④ $3x+7=-2(x-1)$

⑤ $6\left(\dfrac{x}{3}-\dfrac{1}{2}\right)=4\left(x-\dfrac{5}{4}\right)$

쌍둥이 03

5 일차방정식 $0.2x-3=0.5x$를 풀면?

① $x=-10$ ② $x=-1$ ③ $x=0$

④ $x=1$ ⑤ $x=10$

6 다음 일차방정식을 푸시오.

$$0.7x=0.05(x-4)+0.85$$

쌍둥이 04

7 일차방정식 $\dfrac{1}{2}x+\dfrac{1}{4}=\dfrac{2}{3}x$를 풀면?

① $x=-\dfrac{3}{2}$ ② $x=-\dfrac{1}{2}$ ③ $x=\dfrac{1}{2}$

④ $x=\dfrac{3}{2}$ ⑤ $x=\dfrac{5}{2}$

8 일차방정식 $\dfrac{x}{3}-\dfrac{5x+6}{7}=1-x$를 풀면?

① $x=-3$ ② $x=-1$ ③ $x=1$

④ $x=3$ ⑤ $x=5$

9 x에 대한 일차방정식 $x+6=3x+a$의 해가 $x=5$일 때, 상수 a의 값은?

① -4　　　② -3　　　③ -2

④ 2　　　⑤ 3

10 x에 대한 일차방정식 $\frac{1}{5}(x-6)=2ax+4$의 해가 $x=-4$일 때, 상수 a의 값을 구하시오.

11 x에 대한 두 일차방정식 $2x+3=5x+9$와 $ax-6=4x$의 해가 서로 같을 때, 상수 a의 값은?

① -2　　　② -1　　　③ 1

④ 2　　　⑤ 3

12 다음 x에 대한 두 일차방정식의 해가 서로 같을 때, 상수 a의 값은?

$$3x-2=2x+3, \qquad ax+3=x-7$$

① -3　　　② -1　　　③ 2

④ 3　　　⑤ 5

13 연속하는 세 자연수의 합이 99일 때, 세 자연수 중 가장 작은 수는?

① 30　　　② 31　　　③ 32

④ 33　　　⑤ 34

14 연속하는 세 자연수의 합이 126일 때, 세 자연수 중 가장 큰 수는?

① 40　　　② 41　　　③ 42

④ 43　　　⑤ 44

15 나이 차가 7세인 형과 동생의 나이의 합이 37세일 때, 동생의 나이를 구하시오.

16 현재 어머니의 나이는 아들의 나이보다 25세가 많고, 9년 후에 어머니의 나이가 아들의 나이의 2배가 된다고 한다. 현재 아들의 나이는?

① 12세　　　② 13세　　　③ 14세

④ 15세　　　⑤ 16세

쌍둥이 09

17 가로의 길이가 세로의 길이보다 4 cm 더 긴 직사각형의 둘레의 길이가 28 cm일 때, 이 직사각형의 세로의 길이를 구하시오.

18 아랫변의 길이가 윗변의 길이의 2배이고 높이가 12 cm인 사다리꼴의 넓이가 162 cm²일 때, 이 사다리꼴의 윗변의 길이를 구하시오.

쌍둥이 10

19 학생들에게 연필을 나누어 주는데 한 학생에게 4자루씩 나누어 주면 1자루가 남고, 5자루씩 나누어 주면 6자루가 부족하다고 한다. 이때 학생 수는?

① 7 ② 8 ③ 9
④ 10 ⑤ 11

20 서술형 학생들에게 공책을 나누어 주는데 한 학생에게 5권씩 나누어 주면 7권이 부족하고, 4권씩 나누어 주면 6권이 남는다고 할 때, 다음을 구하시오.

(1) 학생 수
(2) 공책의 수

풀이 과정

(1)

(2)

답 (1)　　　　　(2)

쌍둥이 11

21 보경이가 등산을 하는데 올라갈 때는 시속 3 km로 걷고, 내려올 때는 같은 등산로를 시속 4 km로 걸어서 총 3시간 30분이 걸렸다고 한다. 이 등산로의 길이를 구하시오.

22 등산을 하는데 올라갈 때는 시속 4 km로 걷고, 내려올 때는 올라갈 때보다 2 km가 더 먼 다른 등산로를 시속 3 km로 걸었더니 총 3시간이 걸렸다고 한다. 이때 올라간 거리는?

① 3 km ② 4 km ③ 5 km
④ 6 km ⑤ 7 km

쌍둥이 기출문제 중에서 연습이 더 필요한 문제들로 구성하였습니다.

1 다음 중 문장을 등식으로 나타낸 것으로 옳지 <u>않은</u> 것은?

🔗 문장을 등식으로 나타내기

① x를 3배 한 수보다 2만큼 큰 수는 x의 4배와 같다. ⇨ $3x+2=4x$

② 한 변의 길이가 x cm인 정삼각형의 둘레의 길이는 27 cm이다. ⇨ $3x=27$

③ 700원짜리 아이스크림 3개와 1000원짜리 과자 x봉지의 가격은 4100원이다.
⇨ $2100+1000x=4100$

④ 한 상자에 x kg인 바나나 다섯 상자의 무게는 65 kg이다. ⇨ $5x=65$

⑤ 사탕 15개를 x명의 학생에게 2개씩 나누어 주었더니 1개가 남았다. ⇨ $2x-15=1$

2 등식 $ax+12=3b-6x$가 모든 x에 대하여 항상 참일 때, 상수 a, b에 대하여 $a+b$의 값을 구하시오.

🔗 항등식

3 다음 중 옳지 <u>않은</u> 것은?

🔗 등식의 성질

① $a=-b$이면 $a+3=3-b$
② $a=2b$이면 $ac=2bc$
③ $\dfrac{a}{8}=\dfrac{b}{4}$이면 $a=2b$
④ $a=3b$이면 $a-3=3(b-3)$
⑤ $a=b$이면 $ac-d=bc-d$

4 오른쪽은 등식의 성질을 이용하여 방정식 $\dfrac{3x-1}{4}=5$를 푸는 과정이다. ㈎, ㈏, ㈐에 이용된 등식의 성질을 다음 보기에서 찾아 차례로 나열한 것은?

🔗 등식의 성질을 이용한 방정식의 풀이

$$\dfrac{3x-1}{4}=5$$
$$3x-1=20 \quad \text{㈎}$$
$$3x=21 \quad \text{㈏}$$
$$\therefore x=7 \quad \text{㈐}$$

━ 보기 ━

$a=b$이고, c는 자연수일 때

ㄱ. $a+c=b+c$ ㄴ. $a-c=b-c$

ㄷ. $ac=bc$ ㄹ. $\dfrac{a}{c}=\dfrac{b}{c}$

① ㄱ, ㄴ, ㄷ
② ㄴ, ㄱ, ㄹ
③ ㄷ, ㄱ, ㄴ
④ ㄷ, ㄱ, ㄹ
⑤ ㄹ, ㄱ, ㄴ

5 다음 보기 중 일차방정식을 모두 고른 것은?

🔗 일차방정식

> 보기
>
> ㄱ. $2x-3=x+7$　　　　　　ㄴ. $x^2+2x=x^2-3x+7$
>
> ㄷ. $x^2-1=x+1$　　　　　　ㄹ. $6x+4=3\left(2x+\dfrac{4}{3}\right)$

① ㄱ　　　　　② ㄱ, ㄴ　　　　　③ ㄱ, ㄴ, ㄹ

④ ㄴ, ㄷ　　　　⑤ ㄴ, ㄷ, ㄹ

6 일차방정식 $\dfrac{7x-3}{8}-\dfrac{3(x-1)}{4}=\dfrac{5}{12}$ 를 푸시오.

🔗 여러 가지 일차방정식의 풀이

7 x에 대한 일차방정식 $3-2x=2(ax+2)-5$의 해가 $x=-2$일 때, 상수 a의 값은?

🔗 일차방정식의 해가 주어질 때, 상수의 값 구하기

① -2　　　　　② $-\dfrac{1}{2}$　　　　　③ 0

④ $\dfrac{1}{2}$　　　　　⑤ 2

서술형

8 다음 x에 대한 두 일차방정식의 해가 서로 같을 때, 상수 a의 값을 구하시오.

🔗 두 일차방정식의 해가 서로 같을 때, 상수의 값 구하기

> $0.4x-0.7=0.3(x-4),$　　　$ax+4=3x+9$

풀이 과정

답

9 연속하는 세 짝수의 합이 144일 때, 세 짝수 중 가장 작은 수를 구하시오.

일차방정식의 활용
– 수

10 재민이가 문구점에서 1개에 300원 하는 샤프심과 1자루에 1100원 하는 샤프를 합하여 9개를 사고 7500원을 지불하였다. 이때 구매한 샤프의 개수는?

① 3   ② 4   ③ 5

④ 6   ⑤ 7

일차방정식의 활용
– 개수

11 밑변의 길이가 $12\,cm$, 높이가 $8\,cm$인 삼각형이 있다. 이 삼각형의 밑변의 길이를 $x\,cm$만큼 줄이고, 높이를 $4\,cm$만큼 늘였더니 넓이가 처음 삼각형의 넓이보다 $6\,cm^2$만큼 늘어났다. 이때 x의 값을 구하시오.

일차방정식의 활용
- 도형

서술형

12 세호가 학교를 출발한 지 8분 후에 재석이가 세호를 따라나섰다. 세호는 분속 $70\,m$로 걷고, 재석이는 분속 $110\,m$로 따라갈 때, 재석이가 출발한 지 몇 분 후에 세호를 만나는지 구하시오.

풀이 과정

일차방정식의 활용
– 거리, 속력, 시간

5 좌표와 그래프

01 순서쌍과 좌표

• 정답과 해설 59쪽

유형 1 수직선 위의 점의 좌표 / 좌표평면 위의 점의 좌표
개념편 110~111쪽

(1) 수직선 위의 점의 좌표

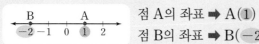

점 A의 좌표 ➡ A(1)
점 B의 좌표 ➡ B(−2)

(2) 좌표평면 위의 점의 좌표

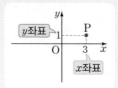

점 P의 좌표 ➡ P(3, 1)

---

1 다음 수직선 위의 다섯 개의 점 A, B, C, D, E의 좌표를 각각 기호로 나타내시오.

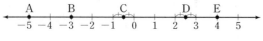

⇨ _____

2 다음 점들을 수직선 위에 각각 나타내시오.

$$A(-4), B(3.5), C(1), D\left(-\frac{3}{2}\right), E(5)$$

-5 -4 -3 -2 -1 0 1 2 3 4 5

3 다음 좌표평면 위의 여섯 개의 점 A, B, C, D, E, F의 좌표를 각각 기호로 나타내시오.

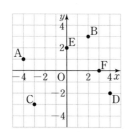

⇨ _____

4 다음 점들을 오른쪽 좌표평면 위에 나타내시오.

$A(4, 3), B(3, -1),$
$C(-3, 4),$
$D(-1, -3),$
$E(-2, 0), F(0, 3)$

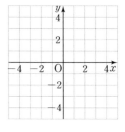

> x축 위의 점은 y좌표가 ()이고 y축 위의 점은 x좌표가 ()이야.

5 다음 좌표평면 위의 점의 좌표를 기호로 나타내시오.

(1) 원점 O _____

(2) x축 위에 있고, x좌표가 -4인 점 P

_____

(3) y축 위에 있고, y좌표가 5인 점 Q

_____

6 네 점 $A(-2, 2), B(-2, -3), C(2, -3),$ $D(2, 2)$에 대하여 다음 물음에 답하시오.

(1) 오른쪽 좌표평면 위에 네 점 A, B, C, D를 각각 나타내고, 사각형 ABCD를 그리시오.

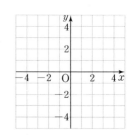

(2) 사각형 ABCD의 넓이를 구하시오.

_____

유형 2 사분면

• 사분면 위의 점의 x좌표와 y좌표의 부호

	x좌표의 부호	y좌표의 부호
제1사분면	+	+
제2사분면	−	+
제3사분면	−	−
제4사분면	+	−

주의 좌표축 위의 점은 어느 사분면에도 속하지 않는다.
└→ 원점, x축 위의 점, y축 위의 점

1 다음 점을 오른쪽 좌표평면 위에 나타내고, 제몇 사분면 위의 점인지 구하시오.

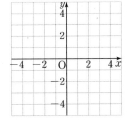

(1) A$(4, 2)$

_____

(2) B$(-3, -4)$ _____

(3) C$(-2, 3)$ _____

(4) D$(1, -2)$ _____

(5) E$(0, 0)$ _____

(6) F$(-3, 0)$ _____

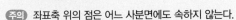

2 다음 점은 제몇 사분면 위의 점인지 구하시오.

(1) A$(-5, 2)$ _____

(2) B$(7, -4)$ _____

(3) C$(3, 6)$ _____

(4) D$(-1, -8)$ _____

(5) E$(0, 9)$ _____

3 $a>0$, $b<0$일 때, 다음 ☐ 안에 부호 +, − 중 알맞은 것을 쓰고, 주어진 점은 제몇 사분면 위의 점인지 구하시오.

(1) (a, b) ⇨ $(+, -)$ _____

(2) (b, a) ⇨ $(☐, ☐)$ _____

(3) $(a, -b)$ ⇨ $(☐, ☐)$ _____

(4) $(-a, b)$ ⇨ $(☐, ☐)$ _____

(5) $(-a, -b)$ ⇨ $(☐, ☐)$ _____

4 좌표평면 위의 점 (a, b)가 제2사분면 위의 점일 때, 다음 ☐ 안에 부호 +, − 중 알맞은 것을 쓰고, 주어진 점은 제몇 사분면 위의 점인지 구하시오.

(1) (a, b) ⇨ $(☐, ☐)$

(2) (b, a) ⇨ $(☐, ☐)$ _____

(3) $(a, -b)$ ⇨ $(☐, ☐)$ _____

(4) $(-a, b)$ ⇨ $(☐, ☐)$ _____

(5) $(-b, -a)$ ⇨ $(☐, ☐)$ _____

쌍둥이 01

1 두 순서쌍 $(a, -2)$, $(-5, b+3)$이 서로 같을 때, $a+b$의 값은?

① -10 ② -8 ③ -4
④ -2 ⑤ 0

2 두 순서쌍 $\left(\frac{1}{3}a, 1\right)$, $(-4, 2b-3)$이 서로 같을 때, a, b의 값을 각각 구하시오.

쌍둥이 02

3 다음 중 오른쪽 좌표평면 위의 점 A, B, C, D, E의 좌표를 나타낸 것으로 옳은 것은?

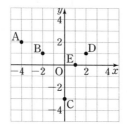

① $A(2, -4)$
② $B(2, 1)$
③ $C(0, -3)$
④ $D(2, -1)$
⑤ $E(0, 1)$

4 오른쪽 좌표평면에서 '재미있는 수학'이라는 문구가 되도록 점의 좌표를 찾아 순서대로 나열하시오.

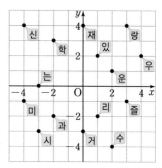

쌍둥이 03

5 다음 중 x축 위에 있고, x좌표가 3인 점의 좌표는?

① $(-3, 0)$ ② $(0, -3)$ ③ $(0, 3)$
④ $(3, 0)$ ⑤ $(3, -3)$

6 다음 중 y축 위에 있고, y좌표가 -2인 점의 좌표는?

① $(-2, 0)$ ② $(0, -2)$ ③ $(0, 2)$
④ $(2, 0)$ ⑤ $(2, -2)$

쌍둥이 04

7 점 $A(-2a, 3a+3)$은 x축 위의 점이고, 점 $B(2b-4, 5b-7)$은 y축 위의 점일 때, $a+b$의 값을 구하시오.

8 점 $P\left(a-3, \frac{1}{3}a-5\right)$는 x축 위의 점이고, 점 $Q(10-5b, b+6)$은 y축 위의 점일 때, $a-b$의 값을 구하시오.

쌍둥이 **05**

9 세 점 A$(-3, 4)$, B$(-3, 1)$, C$(1, 1)$을 꼭짓점으로 하는 삼각형 ABC의 넓이를 구하려고 한다. 다음 물음에 답하시오.

_{서술형}

(1) 오른쪽 좌표평면 위에 세 점 A, B, C를 각각 나타내고, 삼각형 ABC 를 그리시오.

(2) 삼각형 ABC의 넓이를 구하시오.

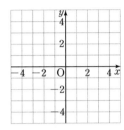

풀이 과정

(1)

(2)

답 (1)   (2)

10 다음 좌표평면 위에 네 점 A$(-1, 1)$, B$(0, -2)$, C$(3, -2)$, D$(2, 1)$을 각각 나타내고, 네 점 A, B, C, D를 꼭짓점으로 하는 사각형 ABCD의 넓이를 구하시오.

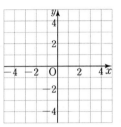

쌍둥이 **06**

11 다음 중 제2사분면 위의 점은?

① A$(2, 4)$ ② B$(-2, 5)$ ③ C$(0, 7)$
④ D$(5, -2)$ ⑤ E$(-3, -9)$

12 다음 중 옳은 것은?

① 점 $(0, -5)$는 x축 위의 점이다.
② 점 $(2, 0)$은 제1사분면 위의 점이다.
③ 점 $(-2, 3)$은 제3사분면 위의 점이다.
④ 점 $(1, -1)$은 제4사분면 위의 점이다.
⑤ 점 $(2, 4)$와 점 $(4, 2)$는 서로 같은 점이다.

쌍둥이 **07**

13 점 (a, b)가 제4사분면 위의 점일 때, 점 $(-a, -b)$는 제몇 사분면 위의 점인지 구하시오.

14 점 P$(a, -b)$가 제3사분면 위의 점일 때, 점 Q$(b, -a)$는 제몇 사분면 위의 점인지 구하시오.

O2 그래프와 그 해석

• 정답과 해설 61쪽

유형 3 그래프 / 그래프의 이해

개념편 114~116쪽

(1) **그래프**: 두 변수 x, y의 순서쌍 (x, y)를 좌표로 하는 점 전체를 좌표평면 위에 나타낸 것

(2) **그래프의 이해**

例 • 드론의 높이를 시간에 따라 나타낸 그래프의 해석

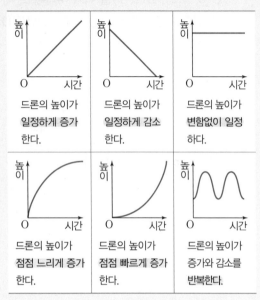

드론의 높이가 **일정하게 증가**한다. / 드론의 높이가 **일정하게 감소**한다. / 드론의 높이가 **변함없이 일정**하다.

드론의 높이가 **점점 느리게 증가**한다. / 드론의 높이가 **점점 빠르게 증가**한다. / 드론의 높이가 **증가와 감소를 반복한다.**

• 용기에 일정한 속력으로 물을 채울 때, 물의 높이를 시간에 따라 나타낸 그래프

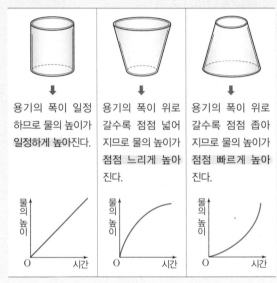

용기의 폭이 일정하므로 물의 높이가 일정하게 높아진다. / 용기의 폭이 위로 갈수록 점점 넓어지므로 물의 높이가 **점점 느리게 높아**진다. / 용기의 폭이 위로 갈수록 점점 좁아지므로 물의 높이가 **점점 빠르게 높아**진다.

---

1 다음 상황에 가장 알맞은 그래프를 보기에서 고르시오.

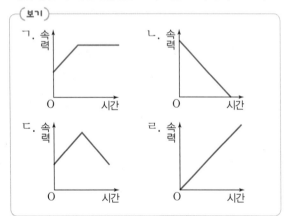

(보기)
ㄱ. 속력 / ㄴ. 속력 / ㄷ. 속력 / ㄹ. 속력

(1) 민지는 일정하게 속력을 줄이며 걷다가 멈추었다. _____

(2) 성민이는 일정하게 속력을 올리며 뛰다가 속력을 유지하며 뛰고 있다. _____

(3) 지수는 일정하게 속력을 올리며 뛰다가 다시 일정하게 속력을 줄이며 걷고 있다. _____

2 오른쪽 그래프는 진수가 학교에서 집으로 걸어갈 때, 집에서 떨어진 거리를 시간에 따라 나타낸 것이다. 다음 보기 중 이 그래프로 알 수 있는 상황으로 가장 알맞은 것을 고르시오.

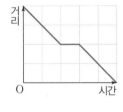

(단, 집에서 학교까지 길은 직선이다.)

(보기)
ㄱ. 진수는 일정한 속력으로 걸어서 집에 갔다.

ㄴ. 진수는 집으로 가던 중 잠시 멈춰서 친구와 이야기를 나눈 후 다시 걸어서 집에 갔다.

ㄷ. 진수는 집으로 가던 중 교실에 두고 온 것이 생각나서 학교로 돌아갔다가 다시 집에 갔다.

3 다음 그래프는 수연, 영재, 현지, 민서가 각자의 양초에 불을 붙였을 때, 남아 있는 양초의 길이를 시간에 따라 각각 나타낸 것이다. 물음에 답하시오.

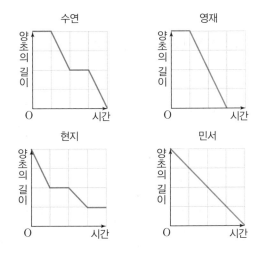

(1) 양초를 다 태운 학생을 모두 구하시오.

_____

(2) 양초를 태우는 도중에 불을 끈 적이 있는 학생을 모두 구하시오.

_____

4 다음 그래프는 어느 자동차가 주행하는 동안 자동차의 속력을 시간에 따라 나타낸 것이다. 물음에 답하시오.

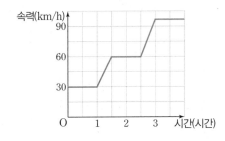

(1) 처음 1시간 동안 자동차의 속력은 시속 몇 km인지 구하시오.

_____

(2) 자동차가 시속 60 km로 달린 것은 몇 분 동안인지 구하시오.

_____

(3) 자동차의 속력이 일정하다가 증가로 바뀌는 것은 모두 몇 번인지 구하시오.

_____

5 다음 그래프는 재승이가 대관람차에 탑승한 지 x분 후의 지면으로부터 탑승한 칸의 높이를 y m라 할 때, x와 y 사이의 관계를 나타낸 것이다. 물음에 답하시오.

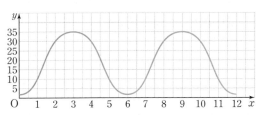

(1) 재승이가 탑승한 칸이 지면으로부터 가장 높은 곳에 있을 때의 높이를 구하시오. _____

(2) 지면으로부터 재승이가 탑승한 칸의 높이가 처음으로 30 m가 되는 때는 탑승한 지 몇 분 후인지 구하시오. _____

(3) 재승이가 탑승한 칸이 한 바퀴 돌아 처음 위치에 돌아오는 때는 탑승한 지 몇 분 후인지 구하시오. _____

6 다음 그래프는 경호가 집에서 4 km 떨어진 도서관까지 자전거로 갈 때와 걸어서 갈 때의 이동 거리를 시간에 따라 각각 나타낸 것이다. 물음에 답하시오. (단, 집에서 도서관까지의 길은 하나이고, 직선이다.)

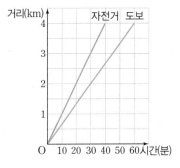

(1) 집에서 도서관까지 자전거로 갈 때와 걸어서 갈 때 걸리는 시간은 각각 몇 분인지 구하시오.

자전거로 갈 때: _____

걸어서 갈 때: _____

(2) 집에서 도서관까지 걸어서 갈 때는 자전거로 갈 때보다 몇 분 더 걸리는지 구하시오.

_____

쌍둥이 01

1 다음 상황에 가장 알맞은 그래프를 보기에서 고르 시오.

> 냄비에 물을 넣고 물을 끓이면서 온도를 측정하 였더니 물의 온도가 서서히 높아지다가 어느 순 간부터는 변화가 없었다.

(보기)

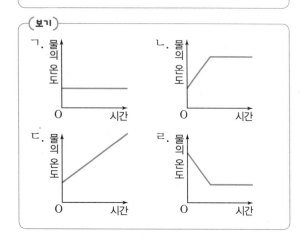

2 다음 상황에 가장 알맞은 그래프는?

> 잉크통이 빌 때까지 잉크젯 프린터를 계속 사용 하다가 잉크통이 비면 다시 채워 사용한다.

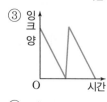
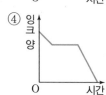

쌍둥이 02

3 오른쪽 그림과 같은 종이컵에 일정 한 속력으로 물을 채울 때, 물의 높 이를 시간에 따라 나타낸 그래프로 가장 알맞은 것을 다음 보기에서 찾 으시오.

(보기)

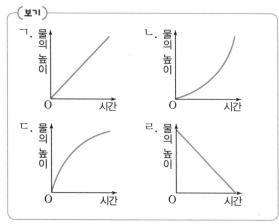

4 오른쪽 그림과 같은 컵에 일정한 속 력으로 물을 채울 때, 다음 중 물의 높이를 시간에 따라 나타낸 그래프 로 가장 알맞은 것은?

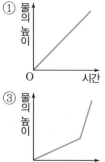
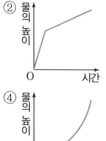
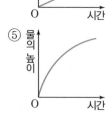
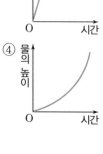

쌍둥이 03

5 다음 그래프는 소율이가 달린 거리를 시간에 따라 나타낸 것이다. 이 그래프에 대한 설명으로 옳지 <u>않은</u> 것은?

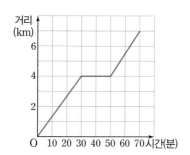

① 달린 거리는 총 7 km이다.
② 달린 시간은 총 70분이다.
③ 출발 후 30분 동안 달린 거리는 4 km이다.
④ 소율이는 20분 동안 멈춰 있었다.
⑤ 소율이가 멈추었다가 다시 출발한 시간은 처음 달리기를 시작한 지 50분 후이다.

6 윤재는 자동차를 타고 집에서 출발하여 캠핑장에 가서 점심을 먹고 돌아왔다. 캠핑장에 가는 길에 휴게소에 들러 잠시 머물렀을 때, 다음 그래프는 윤재가 집에서 떨어진 거리를 시각에 따라 나타낸 것이다. 이 그래프에 대한 설명으로 옳은 것을 보기에서 모두 고르시오.
(단, 집에서 캠핑장까지의 길은 직선이다.)

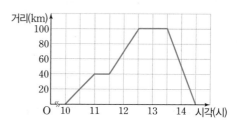

보기

ㄱ. 휴게소에 도착한 시각은 11시이다.
ㄴ. 휴게소에 머문 시간은 1시간이다.
ㄷ. 휴게소에서 캠핑장까지의 거리는 40 km이다.
ㄹ. 캠핑장은 집에서 100 km 떨어져 있다.

쌍둥이 04

7 수빈이와 유나는 영화관에서 3 km 떨어진 학교에 다닌다. 오른쪽 그래프는 수빈이와 유나가 학교에서 동시에 출발하여 영화관까지 이동한 거리를 시간에 따라 각각 나타낸 것이다. 다음 물음에 답하시오.

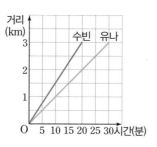

(단, 두 사람은 같은 길을 직선으로 이동한다.)

(1) 수빈이와 유나가 출발 후 10분 동안 이동한 거리를 각각 구하시오.

(2) 수빈이가 영화관에 도착한 지 몇 분 후에 유나가 도착하였는지 구하시오.

8 오른쪽 그래프는 성진이와 민재가 공원에서 동시에 출발하여 각각 자전거와 인라인스케이트를 타고 같은 길을 갈 때, 이동한 거리를 시간에 따라 각각 나타낸 것이다. 다음 물음에 답하시오. (단, 두 사람은 직선으로 이동한다.)

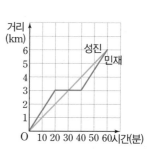

(1) 성진이와 민재는 출발한 지 몇 분 후에 처음으로 다시 만났는지 구하시오.

(2) 출발한 지 40분 후에 성진이와 민재 사이의 거리를 구하시오.

쌍둥이 기출문제 중에서 연습이 더 필요한 문제들로 구성하였습니다.

1 다음 중 오른쪽 좌표평면 위의 점 A, B, C, D, E의 좌표를 나타낸 것으로 옳지 <u>않은</u> 것은?

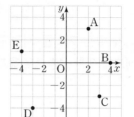

① A$(2, 3)$ ② B$(0, 4)$

③ C$(3, -3)$ ④ D$(-3, -4)$

⑤ E$(-4, 1)$

🔗 좌표평면 위의 점의 좌표

2 점 $\left(-3a+5, \dfrac{a}{2}-3\right)$은 x축 위의 점이고, 점 $(2b+3, 1-4b)$는 y축 위의 점일 때, ab의 값을 구하시오.

🔗 x축 또는 y축 위의 점의 좌표

3 다음 중 옳지 <u>않은</u> 것을 모두 고르면? (정답 2개)

① 좌표평면에서 원점의 좌표는 $(0, 0)$이다.

② x좌표가 -1, y좌표가 3인 점의 좌표는 $(-1, 3)$이다.

③ 점 $(0, -2)$는 y축 위의 점이다.

④ 점 $(-5, 1)$은 제4사분면 위의 점이다.

⑤ 점 $(-3, 0)$은 제3사분면 위의 점이다.

🔗 사분면

(서술형)

4 점 A$(-a, b)$가 제2사분면 위의 점일 때, 점 B$(a, -b)$는 제몇 사분면 위의 점인지 구하시오.

(풀이 과정)

🔗 사분면 - 점이 속한 사분면이 주어진 경우

(답)

5 동배는 집에서 출발하여 공연장에 가서 공연을 보고, 집으로 돌아왔다. 동배가 집에서 떨어진 거리를 시간에 따라 나타낸 그래프로 가장 알맞은 것을 다음 보기에서 고르시오.

🔗 상황에 알맞은 그래프 찾기

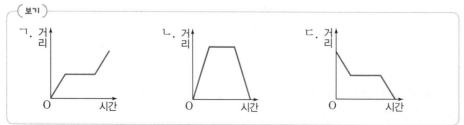

6 오른쪽 그림과 같이 부피가 서로 같은 원기둥 모양의 세 용기 ㈎, ㈏, ㈐가 있다. 이 세 용기에 일정한 속력으로 물을 채울 때, 각 용기의 물의 높이를 시간에 따라 나타낸 그래프로 가장 알맞은 것을 보기에서 찾아 짝 지으시오.

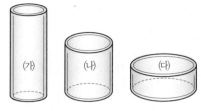

용기에 알맞은 그래프 찾기

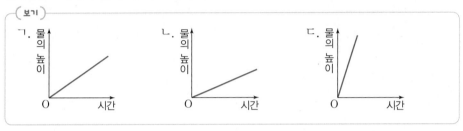

7 다음 그래프는 어느 로봇이 이동할 때, 로봇의 속력을 시간에 따라 나타낸 것이다. 물음에 답하시오.

그래프 이해하기

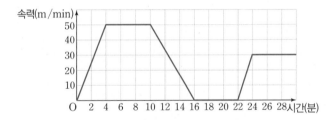

(1) 로봇이 몇 분 동안 정지하였는지 구하시오.

(2) 로봇의 속력이 감소하기 시작한 때는 출발한 지 몇 분 후인지 구하시오.

(3) 로봇이 가장 빨리 이동할 때의 속력은 분속 몇 m인지 구하시오.

8 오른쪽 그래프는 A, B 두 선수가 $200\,\mathrm{m}$ 직선 코스 달리기 경기에서 동시에 출발하였을 때, 출발선에서 떨어진 거리를 시간에 따라 각각 나타낸 것이다. 다음 중 이 그래프에 대한 설명으로 옳지 <u>않은</u> 것을 모두 고르면? (정답 2개)

두 그래프 비교하기

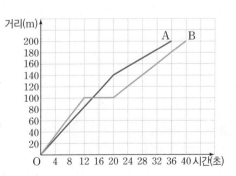

① 도착 지점에 A 선수가 먼저 도착하였다.

② 두 선수 모두 도중에 달리기를 멈추었다가 다시 달렸다.

③ B 선수는 8초 동안 달리기를 멈추었다.

④ A 선수가 도착하고 4초 후에 B 선수가 도착하였다.

⑤ 출발선에서 $140\,\mathrm{m}$ 떨어진 지점 이후부터 A 선수가 B 선수를 앞서기 시작하였다.

6 정비례와 반비례

01 정비례

● 정답과 해설 63쪽

유형 1 정비례 관계   개념편 128~129쪽

(1) 정비례

x	1	2	3	4	...
y	2	4	6	8	...

(2배, 3배, 4배 / 2배, 3배, 4배)

➡ y는 x에 정비례한다.

(2) 정비례 관계식

$$y = ax(a \neq 0) \Rightarrow \frac{y}{x} = a(일정)$$

예 $y = 2x$, $y = -\frac{1}{3}x$

---

1 다음 표의 빈칸을 알맞게 채우고, x와 y 사이의 관계식을 구하시오.

(1) 한 개에 800원인 아이스크림 x개의 가격은 y원이다.

x	1	2	3	4	5	...
y						...

관계식: _____

(2) 1g에 4kcal의 열량을 얻을 수 있는 탄수화물을 xg 섭취했을 때, 얻을 수 있는 열량은 $y$kcal이다.

x	1	2	3	4	5	...
y						...

관계식: _____

(3) 두께가 1.5cm인 책 x권을 쌓아 올렸을 때의 전체 높이는 $y$cm이다.

x	1	2	3	4	5	...
y						...

관계식: _____

(4) 가로의 길이가 5cm, 세로의 길이가 $x$cm인 직사각형의 넓이는 $y$cm²이다.

x	1	2	3	4	5	...
y						...

관계식: _____

2 x와 y 사이의 관계식을 구하고, y가 x에 정비례하는 것에는 ○표, 정비례하지 않는 것에는 ×표를 하시오.

	관계식	정비례
(1) 한 개에 xg인 물건 10개의 무게 yg		
(2) x세인 동생보다 3세 많은 형의 나이 y세		
(3) 사탕 100개를 5개씩 x명에게 나누어 주고 남은 사탕 y개		
(4) 자동차가 시속 50km로 x시간 동안 달린 거리 $y$km		

[3~4] 다음을 구하시오.

3 y가 x에 정비례하고, $x = 4$일 때 $y = 2$이다.

(1) x와 y 사이의 관계식 _____

(2) $x = -8$일 때, y의 값 _____

4 y가 x에 정비례하고, $x = -2$일 때 $y = 60$이다.

(1) x와 y 사이의 관계식 _____

(2) $x = -1$일 때, y의 값 _____

유형 2 정비례 관계의 활용 개념편 128~129쪽

• 비누가 한 상자에 6개씩 들어 있다. x개의 상자에 들어 있는 비누가 y개라 할 때, 상자 15개에 들어 있는 비누는 모두 몇 개인지 구하기

❶ 관계식 구하기	한 상자에 비누가 6개씩 들어 있으므로 x개의 상자에는 비누가 $6x$개 들어 있다. 즉, y는 x에 정비례한다. ⇨ x와 y 사이의 관계식은 $y=6x$
❷ 필요한 값 구하기	$y=6x$에 $x=15$를 대입하면 $y=6\times15=90$
❸ 답 구하기	따라서 상자 15개에 들어 있는 비누는 90개이다.

1 $1\,\text{L}$의 휘발유로 $14\,\text{km}$를 갈 수 있는 자동차가 있다. 이 자동차가 $x\,\text{L}$의 휘발유로 달릴 수 있는 거리를 $y\,\text{km}$라 할 때, 다음 물음에 답하시오.

(1) x와 y 사이의 관계식을 구하시오. _____

(2) 이 자동차가 휘발유 $20\,\text{L}$로 달릴 수 있는 거리를 구하시오. _____

2 1분에 15장씩 인쇄할 수 있는 프린터가 있다. 이 프린터로 x분 동안 인쇄할 수 있는 종이의 수를 y라 할 때, 다음 물음에 답하시오.

(1) x와 y 사이의 관계식을 구하시오. _____

(2) 이 프린터로 종이 360장을 인쇄하려면 몇 분이 걸리는지 구하시오.

_____

▶두 톱니바퀴 A, B가 서로 맞물려 돌아갈 때
(A의 톱니의 수)×(A의 회전수)
=(B의 톱니의 수)×(B의 회전수)

3 톱니가 각각 30개, 15개인 두 톱니바퀴 A, B가 서로 맞물려 돌아가고 있다. 톱니바퀴 A가 x번 회전하면 톱니바퀴 B는 y번 회전한다고 할 때, 다음 물음에 답하시오.

(1) x와 y 사이의 관계식을 구하시오. _____

(2) 톱니바퀴 A가 3번 회전하면 톱니바퀴 B는 몇 번 회전하는지 구하시오.

_____

유형 ③ 정비례 관계 $y=ax(a \neq 0)$의 그래프

개념편 130~131쪽

x의 값의 범위가 수 전체일 때, 정비례 관계 $y=ax(a \neq 0)$의 그래프는 원점을 지나는 직선이다.

	$a>0$일 때	$a<0$일 때
$y=ax$의 그래프		
지나는 사분면	제1사분면, 제3사분면	제2사분면, 제4사분면
그래프의 모양	오른쪽 위로 향하는 직선	오른쪽 아래로 향하는 직선
증가·감소 상태	x의 값이 증가하면 y의 값도 증가한다.	x의 값이 증가하면 y의 값은 감소한다.

참고 정비례 관계 $y=ax(a \neq 0)$의 그래프는 a의 절댓값이 클수록 y축에 가깝다.

> 두 점만 찾으면 그래프를 쉽게 그릴 수 있어. 이왕이면 계산이 쉬운 점을 찾자!

1 x의 값의 범위가 수 전체일 때, 다음 정비례 관계의 그래프를 좌표평면 위에 그리시오.

(1) $y=-3x$
⇨ 두 점 $(0, \square)$, $(1, \square)$을(를) 지나는 직선

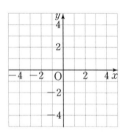

(2) $y=\dfrac{1}{4}x$
⇨ 두 점 $(0, \square)$, $(4, \square)$을(를) 지나는 직선

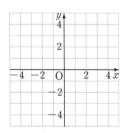

2 그래프가 다음 조건을 만족시키는 것을 보기에서 모두 고르시오.

보기
ㄱ. $y=4x$ ㄴ. $y=\dfrac{3}{4}x$ ㄷ. $y=-6x$

ㄹ. $y=-\dfrac{1}{5}x$ ㅁ. $y=-\dfrac{1}{3}x$ ㅂ. $y=7x$
---

(1) 오른쪽 아래로 향하는 직선이다.

(2) 제1사분면과 제3사분면을 지난다.

(3) 제2사분면과 제4사분면을 지난다.

(4) x의 값이 증가하면 y의 값도 증가한다.

3 다음 점이 정비례 관계 $y=6x$의 그래프 위에 있으면 ○표, 그래프 위에 있지 않으면 ×표를 (　) 안에 쓰시오.

(1) $(2, 4)$ 　　　　　　　　　　　　　（　　）

(2) $(-1, -6)$ 　　　　　　　　　　　（　　）

(3) $\left(-\dfrac{1}{3}, 2\right)$ 　　　　　　　　　　（　　）

(4) $\left(\dfrac{1}{9}, \dfrac{2}{3}\right)$ 　　　　　　　　　　（　　）

4 정비례 관계 $y=-\dfrac{2}{3}x$의 그래프가 다음 점을 지날 때, a의 값을 구하시오.

(1) $(9,\ a)$ → $y=-\dfrac{2}{3}x$에 $x=9,\ y=a$를 대입하면 등식이 성립한다. _____

(2) $(-12,\ a)$ _____

(3) $(a,\ -1)$ _____

(4) $(a,\ 10)$ _____

(5) $(3a,\ a+1)$ _____

5 정비례 관계 $y=ax$의 그래프가 다음 점을 지날 때, 상수 a의 값을 구하시오.

(1) $(4,\ 6)$ → $y=ax$에 $x=4,\ y=6$을 대입하면 등식이 성립한다. _____

(2) $(-4,\ 2)$ _____

(3) $(5,\ -3)$ _____

(4) $(-2,\ 16)$ _____

(5) $(-6,\ -14)$ _____

그래프가 원점을 지나는 직선이면 정비례 관계의 그래프!
⇨ $y=ax$로 놓고, 그래프가 지나는 점의 좌표를 대입하자.

6 다음 그래프가 나타내는 x와 y 사이의 관계식을 구하시오.

(1)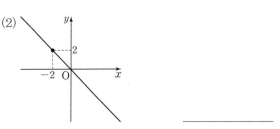

_____

(2)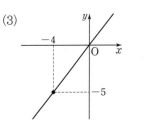

_____

(3)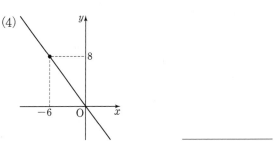

_____

(4)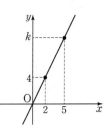

_____

7 오른쪽 그림과 같이 점 $(2,\ 4)$를 지나는 그래프가 점 $(5,\ k)$를 지난다고 한다. 다음 물음에 답하시오.

(1) 그래프가 나타내는 x와 y 사이의 관계식을 구하시오.

(2) k의 값을 구하시오.

쌍둥이 01

1 다음 중 y가 x에 정비례하는 것은?

① $y=2x-1$ ② $xy=3$ ③ $y=3x+6$

④ $y=\dfrac{4}{x}$ ⑤ $y=-\dfrac{1}{3}x$

2 다음 보기 중 y가 x에 정비례하는 것을 모두 고른 것은?

（보기）

ㄱ. $y=2x$ ㄴ. $y=4x+1$

ㄷ. $\dfrac{y}{x}=10$ ㄹ. $y=\dfrac{3}{x}$

① ㄱ ② ㄷ ③ ㄱ, ㄷ

④ ㄱ, ㄹ ⑤ ㄱ, ㄴ, ㄷ

쌍둥이 02

3 주유소에서 승용차에 휘발유 1 L를 넣는 데 3초가 걸린다고 한다. 휘발유 x L를 넣는 데 걸리는 시간을 y초라 할 때, ☐ 안에 알맞은 것을 쓰시오.

x와 y 사이의 관계식은 ☐ 이고,
y는 x에 ☐ 한다.

4 다음 중 y가 x에 정비례하지 <u>않는</u> 것을 모두 고르면? (정답 2개)

① 한 자루에 1000원인 펜 x자루의 값 y원

② 한 변의 길이가 x cm인 정사각형의 둘레의 길이 y cm

③ 넓이가 8 cm²인 직각삼각형의 밑변의 길이 x cm와 높이 y cm

④ 자동차가 시속 40 km로 x시간 동안 이동한 거리 y km

⑤ 길이가 15 cm인 양초가 1분에 0.2 cm씩 탈 때, x분 동안 타고 남은 길이 y cm

쌍둥이 03

5 y가 x에 정비례하고, $x=3$일 때 $y=15$이다. $x=-2$일 때, y의 값을 구하시오.

（서술형）

풀이 과정

6 다음 표에서 y가 x에 정비례할 때, $A-B$의 값은?

x	-3	-2	B	2	…
y	A	8	-4	-8	…

① -7 ② 7 ③ 9

④ 11 ⑤ 13

쌍둥이 04

7 어떤 빵 1개를 만드는 데 밀가루 $60\,\text{g}$이 필요하다고 한다. 이 빵 x개를 만드는 데 필요한 밀가루의 양을 $y\,\text{g}$이라 할 때, 다음 물음에 답하시오. (단, 빵 1개를 만드는 데 필요한 밀가루의 양은 일정하다.)

(1) x와 y 사이의 관계식을 구하시오.

(2) 빵 12개를 만드는 데 필요한 밀가루의 양을 구하시오.

8 깊이가 $60\,\text{cm}$인 원기둥 모양의 빈 물통에 물을 넣을 때, 물의 높이는 매분 $4\,\text{cm}$씩 일정하게 높아진다. 물을 넣기 시작한 지 x분 후의 물의 높이를 $y\,\text{cm}$라 할 때, x와 y 사이의 관계식을 구하고, 물을 넣기 시작한 지 몇 분 후에 물의 높이가 $52\,\text{cm}$가 되는지 구하시오.

쌍둥이 05

9 x의 값이 -2, -1, 0, 1, 2일 때, 정비례 관계 $y=-2x$의 그래프는?

①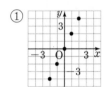
②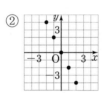
③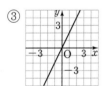
④
⑤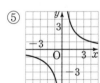

10 다음 좌표평면 위의 그래프 중 정비례 관계 $y=\dfrac{1}{3}x$의 그래프는?

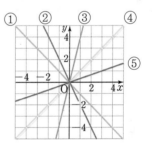

쌍둥이 06

11 다음 중 정비례 관계 $y=\dfrac{1}{2}x$의 그래프에 대한 설명으로 옳은 것은?

① 제1사분면과 제3사분면을 지난다.
② 오른쪽 아래로 향하는 직선이다.
③ x의 값이 증가하면 y의 값은 감소한다.
④ 점 $(-2, 1)$을 지난다.
⑤ 원점을 지나지 않는다.

12 다음 중 정비례 관계 $y=ax\,(a\neq0)$의 그래프에 대한 설명으로 옳지 <u>않은</u> 것은?

① $a<0$일 때, 제2사분면과 제4사분면을 지난다.
② $a>0$일 때, 오른쪽 위로 향하는 직선이다.
③ $a<0$일 때, x의 값이 증가하면 y의 값은 감소한다.
④ 원점과 점 $(1, a)$를 지난다.
⑤ a의 절댓값이 클수록 x축에 가깝다.

쌍둥이 07

13 다음 중 정비례 관계 $y=\dfrac{5}{2}x$의 그래프 위의 점을 모두 고르면? (정답 2개)

① $(-4, 10)$　　② $(0, 0)$　　③ $\left(\dfrac{1}{5}, 2\right)$

④ $\left(1, -\dfrac{5}{2}\right)$　　⑤ $(2, 5)$

14 다음 중 정비례 관계 $y=-5x$의 그래프 위의 점이 아닌 것은?

① $(2, -10)$　　② $(1, -5)$　　③ $\left(\dfrac{1}{5}, -1\right)$

④ $(-3, 15)$　　⑤ $(-5, 1)$

쌍둥이 08

15 정비례 관계 $y=ax$의 그래프가 두 점 $(6, -5)$, $\left(k, \dfrac{5}{2}\right)$를 지날 때, k의 값은? (단, a는 상수)

① -3　　　② -2　　　③ -1
④ 1　　　⑤ 2

16 정비례 관계 $y=ax$의 그래프가 두 점 $(8, 6)$, $(b, -9)$를 지날 때, $4a+b$의 값을 구하시오.

(단, a는 상수)

서술형

풀이 과정

답

쌍둥이 09

17 오른쪽 그래프가 나타내는 x와 y 사이의 관계식을 구하시오.

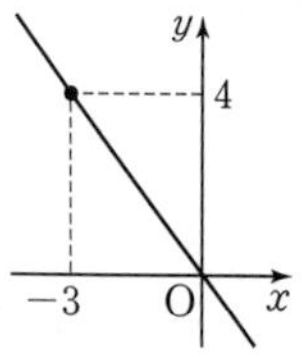

18 오른쪽 그림과 같이 점 $(3, 2)$를 지나는 그래프가 점 $(5, k)$를 지날 때, k의 값을 구하시오.

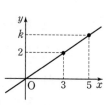

(1) 반비례

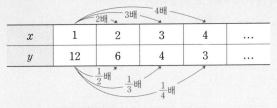

x	1	2	3	4	...
y	12	6	4	3	...

➡ y는 x에 반비례한다.

(2) 반비례 관계식

$$y = \frac{a}{x}(a \neq 0) \ \blacktriangleright \ xy = a(일정)$$

예 $y = \dfrac{2}{x}$, $y = -\dfrac{3}{x}$

---

1 다음 표의 빈칸을 알맞게 채우고, x와 y 사이의 관계식을 구하시오.

(1) 길이가 60 cm인 종이테이프를 x cm씩 자르면 y조각이 생긴다.

x	1	2	3	4	...	60
y					...	

관계식: _____

(2) 900 mL의 우유를 x명이 똑같이 나누어 마실 때, 한 사람이 마실 수 있는 우유의 양은 y mL이다.

x	1	2	3	4	5	...
y						...

관계식: _____

(3) 전체 쪽수가 120쪽인 소설책을 매일 x쪽씩 읽으면 다 읽는 데 y일이 걸린다.

x	1	2	3	4	...	120
y					...	

관계식: _____

(4) 넓이가 84 cm²인 직사각형의 가로의 길이가 x cm일 때, 세로의 길이는 y cm이다.

x	1	2	3	4	5	...
y						...

관계식: _____

---

2 x와 y 사이의 관계식을 구하고, y가 x에 반비례하는 것에는 ○표, 반비례하지 않는 것에는 ×표를 하시오.

	관계식	반비례
(1) x개에 3000원인 토마토 1개의 값 y원		
(2) 1대에 5명씩 탈 수 있는 자동차 x대에 탈 수 있는 사람 수 y		
(3) 12 km의 거리를 시속 x km로 갈 때, 걸리는 시간 y시간		
(4) 1시간에 장난감 x개를 만드는 기계로 장난감 20개를 만드는 데 걸리는 시간 y시간		

[3~4] 다음을 구하시오.

3 y가 x에 반비례하고, $x = 4$일 때 $y = 2$이다.

(1) x와 y 사이의 관계식   _____

(2) $x = 8$일 때, y의 값   _____

4 y가 x에 반비례하고, $x = 6$일 때 $y = -5$이다.

(1) x와 y 사이의 관계식   _____

(2) $x = -2$일 때, y의 값   _____

유형 5 반비례 관계의 활용

• 복숭아 900개를 x개의 상자에 똑같이 나누어 담을 때, 한 상자에 담기는 복숭아의 개수를 y라 하자. 복숭아를 25개의 상자에 똑같이 나누어 담을 때, 한 상자에 담기는 복숭아는 몇 개인지 구하기

❶ 관계식 구하기	(상자의 개수)×(한 상자에 담기는 복숭아의 개수)=900으로 일정하다. → $xy=900$ 즉, y는 x에 반비례한다. ⇨ x와 y 사이의 관계식은 $y=\dfrac{900}{x}$
❷ 필요한 값 구하기	$y=\dfrac{900}{x}$에 $x=25$를 대입하면 $y=\dfrac{900}{25}=36$
❸ 답 구하기	따라서 복숭아를 25개의 상자에 똑같이 나누어 담을 때, 한 상자에 담기는 복숭아는 36개이다.

▶ y가 x에 반비례한다.
⇨ $y=\dfrac{a}{x}$로 놓는다.

1 일정한 속력에서 음파의 파장 y m는 진동수 x Hz에 반비례한다. 속력이 일정한 어떤 음파의 파장이 20 m일 때, 진동수는 17 Hz이다. 다음 물음에 답하시오.

(1) x와 y 사이의 관계식을 구하시오.

(2) 같은 속력에서 진동수가 40 Hz일 때, 이 음파의 파장은 몇 m인지 구하시오.

2 용량이 150 L인 빈 물통에 매분 x L씩 일정하게 물을 넣을 때, 물이 가득 찰 때까지 걸리는 시간은 y분이다. 다음 물음에 답하시오.

(1) x와 y 사이의 관계식을 구하시오.

(2) 50분 만에 이 물통에 물을 가득 채우려면 매분 몇 L씩 물을 넣어야 하는지 구하시오.

▶ 똑같은 기계 ●대로 ▲시간 동안 하는 일의 양
⇨ ●×▲

3 어느 공장에서 똑같은 기계 30대로 14시간을 작업해야 끝나는 일이 있다. 이 일을 똑같은 기계 x대로 작업하면 끝내는 데 y시간이 걸린다고 할 때, 다음 물음에 답하시오.

(1) x와 y 사이의 관계식을 구하시오.

(2) 6시간 만에 이 일을 끝내려면 몇 대의 기계로 작업해야 하는지 구하시오.

유형 ⑥ 반비례 관계 $y=\dfrac{a}{x}(a\neq0)$의 그래프

개념편 136~137쪽

x의 값의 범위가 0이 아닌 수 전체일 때, 반비례 관계 $y=\dfrac{a}{x}(a\neq0)$의 그래프는 좌표축에 가까워지면서 한없이 뻗어 나가는 한 쌍의 매끄러운 곡선이다.

	$a>0$일 때	$a<0$일 때
$y=\dfrac{a}{x}$의 그래프		
지나는 사분면	제1사분면, 제3사분면	제2사분면, 제4사분면
증가·감소 상태	$x>0$ 또는 $x<0$일 때, x의 값이 증가하면 y의 값은 감소한다.	$x>0$ 또는 $x<0$일 때, x의 값이 증가하면 y의 값도 증가한다.

참고 반비례 관계 $y=\dfrac{a}{x}(a\neq0)$의 그래프는 a의 절댓값이 클수록 원점에서 멀다.

---

x좌표, y좌표가 모두 정수인 점을 찾으면 그래프를 쉽게 그릴 수 있어.

1 x의 값의 범위가 0이 아닌 수 전체일 때, 다음 반비례 관계의 그래프를 좌표평면 위에 그리시오.

(1) $y=\dfrac{6}{x}$

⇨ 네 점 $(-3,\ \boxed{})$, $(-2,\ \boxed{})$, $(2,\ \boxed{})$, $(3,\ \boxed{})$을(를) 지나는 한 쌍의 매끄러운 곡선

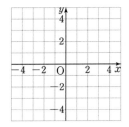

(2) $y=-\dfrac{2}{x}$

⇨ 네 점 $(-2,\ \boxed{})$, $(-1,\ \boxed{})$, $(1,\ \boxed{})$, $(2,\ \boxed{})$을(를) 지나는 한 쌍의 매끄러운 곡선

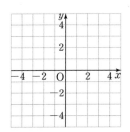

2 그래프가 다음 조건을 만족시키는 것을 보기에서 모두 고르시오.

┌─ 보기 ─────────────────────────┐
ㄱ. $y=\dfrac{3}{x}$ ㄴ. $y=-\dfrac{5}{x}$ ㄷ. $y=\dfrac{11}{x}$

ㄹ. $y=-\dfrac{10}{x}$ ㅁ. $y=-\dfrac{4}{x}$ ㅂ. $y=\dfrac{12}{x}$
└──────────────────────────────┘

(1) 제1사분면과 제3사분면을 지난다.

(2) 제2사분면과 제4사분면을 지난다.

(3) $x>0$일 때, x의 값이 증가하면 y의 값도 증가한다.

3 다음 점이 반비례 관계 $y=\dfrac{8}{x}$의 그래프 위에 있으면 ○표, 그래프 위에 있지 않으면 ×표를 (　) 안에 쓰시오.

(1) $(-2,\ 4)$　　　　　　　　　　(　　)

(2) $\left(-1,\ -\dfrac{1}{8}\right)$　　　　　　　(　　)

(3) $(8,\ 1)$　　　　　　　　　　(　　)

(4) $(4,\ 2)$　　　　　　　　　　(　　)

4 반비례 관계 $y=-\dfrac{24}{x}$의 그래프가 다음 점을 지날 때, a의 값을 구하시오.

(1) $(4,\ a)$ → $y=-\dfrac{24}{x}$에 $x=4,\ y=a$를 대입하면 등식이 성립한다.

_____

(2) $(-12,\ a)$

_____

(3) $(48,\ a)$

_____

(4) $(a,\ 8)$

_____

(5) $(a,\ -2)$

_____

5 반비례 관계 $y=\dfrac{a}{x}$의 그래프가 다음 점을 지날 때, 상수 a의 값을 구하시오.

(1) $(5,\ 2)$ → $y=\dfrac{a}{x}$에 $x=5,\ y=2$를 대입하면 등식이 성립한다.

_____

(2) $(-2,\ 7)$

_____

(3) $(3,\ -5)$

_____

(4) $(-6,\ -8)$

_____

(5) $\left(-9,\ \dfrac{2}{3}\right)$

_____

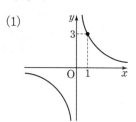
그래프가 한 쌍의 매끄러운 곡선이면 반비례 관계의 그래프!
⇨ $y=\dfrac{a}{x}$로 놓고, 그래프가 지나는 점의 좌표를 대입하자.

6 다음 그래프가 나타내는 x와 y 사이의 관계식을 구하시오.

(1)

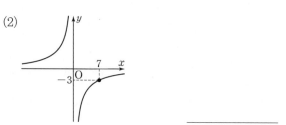

_____

(2)

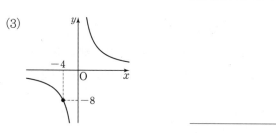

_____

(3)

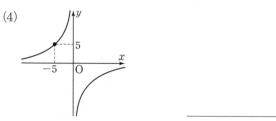

_____

(4)

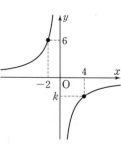

_____

7 오른쪽 그림과 같이 점 $(-2,\ 6)$을 지나는 그래프가 점 $(4,\ k)$를 지난다고 한다. 다음 물음에 답하시오.

(1) 그래프가 나타내는 x와 y 사이의 관계식을 구하시오.

(2) k의 값을 구하시오.

쌍둥이 01

1 다음 중 y가 x에 반비례하는 것을 모두 고른 것은?

(정답 2개)

① $y=-\dfrac{6}{x}$ ② $y=\dfrac{1}{x}+3$ ③ $xy=5$

④ $y=3x$ ⑤ $\dfrac{y}{x}=\dfrac{1}{6}$

2 다음 중 x의 값이 2배, 3배, 4배, ...로 변함에 따라 y의 값은 $\dfrac{1}{2}$배, $\dfrac{1}{3}$배, $\dfrac{1}{4}$배, ...로 변하는 관계가 있는 것은?

① $y=2x$ ② $y=\dfrac{x}{2}$ ③ $y=-\dfrac{1}{4}x$

④ $xy=2$ ⑤ $x+y=3$

쌍둥이 02

3 넓이가 $21\,cm^2$인 마름모의 두 대각선의 길이가 각각 $x\,cm$, $y\,cm$일 때, ☐ 안에 알맞은 것을 쓰시오.

x와 y 사이의 관계식은 ☐ 이고,

y는 x에 ☐ 한다.

4 다음 중 y가 x에 반비례하는 것은?

① 한 병에 1500원인 음료수 x병의 값 y원

② 길이 $1\,m$당 가격이 500원인 파이프 $x\,m$의 가격 y원

③ 둘레의 길이가 $18\,cm$인 직사각형의 가로의 길이 $x\,cm$와 세로의 길이 $y\,cm$

④ 주스 $2\,L$를 x명이 똑같이 나누어 마실 때, 한 명이 마실 수 있는 주스의 양 $y\,L$

⑤ 시속 $x\,km$로 3시간 동안 이동한 거리 $y\,km$

쌍둥이 03

5 y가 x에 반비례하고, $x=-2$일 때 $y=8$이다. $x=4$일 때, y의 값을 구하시오.

(서술형)

풀이 과정

6 다음 표에서 y가 x에 반비례할 때, $A+B$의 값은?

x	2	3	6	B
y	18	12	A	4

① 14 ② 15 ③ 16

④ 17 ⑤ 18

쌍둥이 04

7 전체 쪽수가 225쪽인 책을 하루에 x쪽씩 읽어서 y일 동안 모두 읽으려고 한다. 이때 x와 y 사이의 관계식을 구하고, 이 책을 9일 만에 모두 읽으려면 하루에 몇 쪽씩 읽어야 하는지 구하시오.

8 서로 맞물려 돌아가는 두 톱니바퀴 A, B가 있다. 톱니가 20개인 톱니바퀴 A가 1분 동안 9번 회전할 때, 톱니가 x개인 톱니바퀴 B는 1분 동안 y번 회전한다고 한다. 톱니바퀴 B의 톱니가 12개일 때, 톱니바퀴 B는 1분 동안 몇 번 회전하는지 구하시오.

쌍둥이 05

9 다음 중 반비례 관계 $y = -\dfrac{7}{x}$의 그래프로 알맞은 것은?

①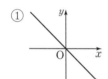

②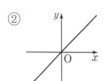

③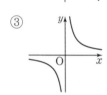

④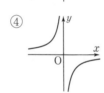

⑤

10 다음 중 그래프가 제1사분면과 제3사분면을 지나는 한 쌍의 매끄러운 곡선인 것은?

① $y = -5x$ ② $y = -\dfrac{2}{x}$ ③ $y = \dfrac{9}{x}$

④ $y = 7x$ ⑤ $y = \dfrac{1}{8}x$

쌍둥이 06

11 다음 중 반비례 관계 $y = \dfrac{4}{x}$의 그래프에 대한 설명으로 옳은 것을 모두 고르면? (정답 2개)

① 제1사분면과 제3사분면을 지나는 한 쌍의 곡선이다.
② 좌표축과 만나는 한 쌍의 곡선이다.
③ 원점을 지난다.
④ 점 $(-2, 2)$를 지난다.
⑤ $x > 0$일 때, x의 값이 증가하면 y의 값은 감소한다.

12 다음 중 반비례 관계 $y = \dfrac{a}{x} (a \neq 0)$의 그래프에 대한 설명으로 옳지 <u>않은</u> 것은?

① $a > 0$일 때, 제1사분면과 제3사분면을 지난다.
② $a < 0$일 때, 제2사분면과 제4사분면을 지난다.
③ 원점을 지나지 않는 한 쌍의 곡선이다.
④ 점 $(1, a)$를 지난다.
⑤ $a > 0$, $x < 0$일 때, x의 값이 증가하면 y의 값도 증가한다.

쌍둥이 07

13 다음 중 반비례 관계 $y = \dfrac{18}{x}$ 의 그래프가 지나는 점이 <u>아닌</u> 것은?

① $(-18, -1)$ ② $(-9, -2)$

③ $(-3, 6)$ ④ $(1, 18)$

⑤ $(6, 3)$

14 다음 중 반비례 관계 $y = -\dfrac{10}{x}$ 의 그래프 위의 점을 모두 고르면? (정답 2개)

① $(-10, -1)$ ② $\left(-4, -\dfrac{5}{2}\right)$

③ $(-2, 5)$ ④ $(5, -2)$

⑤ $\left(6, \dfrac{5}{3}\right)$

쌍둥이 08

15 반비례 관계 $y = \dfrac{a}{x}$ 의 그래프가 두 점 $(9, 6)$, $(b, -3)$을 지날 때, b의 값을 구하시오.

(단, a는 상수)

16 반비례 관계 $y = \dfrac{a}{x}$ 의 그래프가 두 점 $(-4, 5)$, $(2, b)$를 지날 때, $a-b$의 값은? (단, a는 상수)

① -10 ② -5 ③ 0

④ 5 ⑤ 10

쌍둥이 09

17 오른쪽 그래프가 나타내는 x와 y 사이의 관계식을 구하시오.

풀이 과정

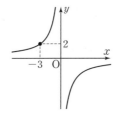

18 오른쪽 그림과 같이 점 $(5, 9)$를 지나는 그래프가 점 $(-3, k)$를 지날 때, k의 값을 구하시오.

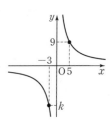

쌍둥이 기출문제 중에서 연습이 더 필요한 문제들로 구성하였습니다.

1 다음 중 x의 값이 2배, 3배, 4배, …로 변함에 따라 y의 값도 2배, 3배, 4배, …로 변하는 관계가 있는 것을 모두 고르면? (정답 2개)

  ① $xy=10$ ② $y=x+2$ ③ $y=\dfrac{1}{4}x$

  ④ $y=\dfrac{3}{x}$ ⑤ $\dfrac{y}{x}=5$

∅ 정비례 관계

2 y가 x에 정비례하고, $x=3$일 때 $y=-7$이다. $x=-6$일 때, y의 값은?

  ① -14 ② -6 ③ 2

  ④ 7 ⑤ 14

(서술형)

3 어떤 텔레비전을 2시간 동안 시청하였을 때 소모되는 전력량이 $300\,\mathrm{Wh}$라 한다. 이 텔레비전을 시청할 때 소모되는 전력량 $y\,\mathrm{Wh}$는 시청 시간 x시간에 정비례한다고 할 때, 다음 물음에 답하시오.

(1) x와 y 사이의 관계식을 구하시오.
(2) 이 텔레비전을 5시간 동안 시청하였을 때, 소모되는 전력량을 구하시오.

풀이 과정

(1)

(2)

답 (1)   (2)

∅ 정비례 관계의 활용

4 다음 보기 중 정비례 관계 $y=-6x$의 그래프에 대한 설명으로 옳은 것을 모두 고르시오.

⬦ 정비례 관계
$y=ax(a\neq0)$의
그래프의 성질

보기
ㄱ. 점 $(-2, -12)$를 지난다.

ㄴ. 원점을 지난다.

ㄷ. 제2사분면과 제4사분면을 지난다.

ㄹ. x의 값이 증가하면 y의 값도 증가한다.

ㅁ. 정비례 관계 $y=-5x$의 그래프보다 y축에서 더 멀다.

5 다음 중 오른쪽 그래프 위에 있는 점은?

⬦ 정비례 관계
$y=ax(a\neq0)$의
그래프가 지나는 점

① $(9, -6)$ ② $(6, 9)$ ③ $\left(\dfrac{1}{2}, -\dfrac{3}{2}\right)$

④ $(-4, 6)$ ⑤ $(-8, -12)$

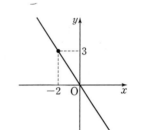

6 다음 중 y가 x에 반비례하는 것을 모두 고르면? (정답 2개)

⬦ 반비례 관계

① $y=\dfrac{x}{3}$

② $xy=-2$

③ 자연수 x의 3배보다 1만큼 작은 수 y

④ 100개의 귤을 x명이 똑같이 나누어 가질 때, 한 사람이 갖게 되는 귤의 개수 y

⑤ 한 변의 길이가 x cm인 정오각형의 둘레의 길이 y cm

7 매분 20 L씩 물을 넣으면 50분 만에 가득 차는 물탱크가 있다. 이 물탱크에 매분 x L씩 물을 넣으면 y분 만에 가득 찬다고 할 때, 다음 물음에 답하시오.

⬦ 반비례 관계의 활용

(1) x와 y 사이의 관계식을 구하시오.

(2) 빈 물탱크를 40분 만에 가득 채우려면 매분 몇 L씩 물을 넣어야 하는지 구하시오.

8 다음 중 반비례 관계 $y=\dfrac{15}{x}$의 그래프로 알맞은 것은?

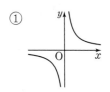

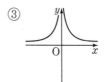

🔗 반비례 관계
$y=\dfrac{a}{x}(a\neq0)$의 그래프

(서술형)

9 반비례 관계 $y=-\dfrac{56}{x}$의 그래프가 두 점 $(a,\ 8)$, $(-4,\ b)$를 지날 때, $a+b$의 값을 구하시오.

(풀이 과정)

🔗 반비례 관계
$y=\dfrac{a}{x}(a\neq0)$의
그래프가 지나는 점

(답)

---

10 다음 조건을 모두 만족시키는 x와 y 사이의 관계식을 구하시오.

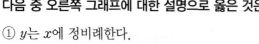

(조건)

㈎ y가 x에 반비례한다.

㈏ 그래프는 점 $(-4,\ 8)$을 지난다.

🔗 반비례 관계식 구하기

---

11 다음 중 오른쪽 그래프에 대한 설명으로 옳은 것은?

① y는 x에 정비례한다.

② $y=-\dfrac{35}{x}$의 그래프이다.

③ 점 $(-5,\ -7)$을 지난다.

④ $x>0$일 때, x의 값이 증가하면 y의 값도 증가한다.

⑤ $\dfrac{y}{x}$의 값이 일정하다.

🔗 반비례 관계
$y=\dfrac{a}{x}(a\neq0)$의
그래프의 성질

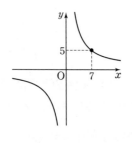

개념╋유형

기초탄탄 LITE
정답과 해설

개념과 유형이 하나로

중학 수학
1·1

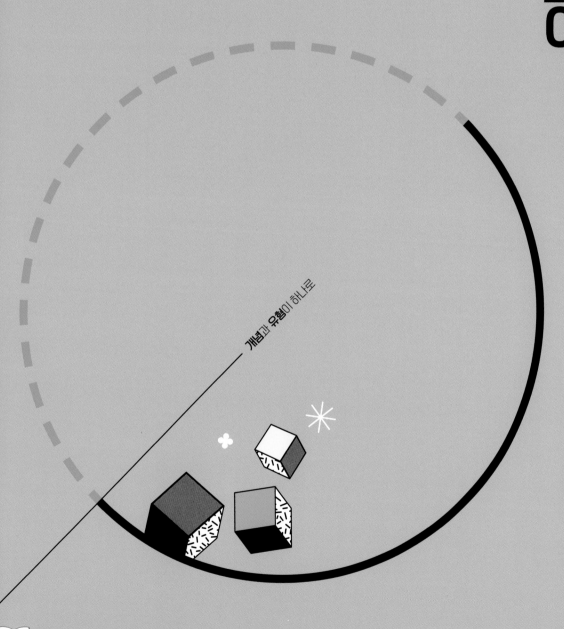

책 속의 가접 별책 (특허 제 0557442호)
'정답과 해설'은 본책에서 쉽게 분리할 수 있도록 제작되었으므로
유통 과정에서 분리될 수 있으나 파본이 아닌 정상 제품입니다.

visang

1. 소인수분해

01 소인수분해

P. 8

개념 확인 2, 3, 5, 7, 11, 13, 17, 19, 23, 29, 31, 37, 41, 43, 47

필수 문제 ①

	약수	약수의 개수	소수 / 합성수
(1)	1, 5	2	소수
(2)	1, 2, 4, 8	4	합성수
(3)	1, 17	2	소수
(4)	1, 13, 169	3	합성수

1-1 소수: 19, 37
합성수: 21, 45, 78, 100, 133

1-2 (1) × (2) × (3) ○ (4) ×

P. 9

개념 확인 (1) 2, 밑: 3, 지수: 2 (2) 3, 밑: 3, 지수: 3
(3) 3, 밑: 3, 지수: 4 (4) 3, 5, 밑: 3, 지수: 5

필수 문제 ② (1) 5^3 (2) 7^4
(3) $3^3 \times 5^2$ (4) $2^3 \times 5^2 \times 7$
(5) $\left(\dfrac{1}{2}\right)^3$ (6) $\dfrac{1}{3^2 \times 7^2}$

2-1 ③

2-2 7

P. 10

개념 확인
방법 ① $50 < \begin{matrix} \boxed{2} \\ 25 \end{matrix} < \begin{matrix} \boxed{5} \\ \boxed{5} \end{matrix}$

방법 ② $\boxed{2}) 50$
$\boxed{5}) 25$
$\boxed{5}$, 2×5^2

필수 문제 ③ (1) $2^2 \times 3^2$ (2) 2×3^3
(3) $2^2 \times 3 \times 7$ (4) $3 \times 5^2 \times 7$

3-1 5

필수 문제 ④ (1) 2 (2) 2, 11 (3) 2, 3, 5 (4) 5, 7

4-1 14

P. 11

필수 문제 ⑤ (1)

×	1	3
1	1	3
2	2	6
2^2	4	12

⇨ 약수: 1, 2, 3, 4, 6, 12

(2) $225 = 3^2 \times 5^2$

×	1	5	5^2
1	1	5	25
3	3	15	75
3^2	9	45	225

⇨ 약수: 1, 3, 5, 9, 15, 25, 45, 75, 225

5-1 ㄱ, ㄴ, ㄹ, ㅁ

필수 문제 ⑥ (1) 6 (2) 24 (3) 3 (4) 18

6-1 (1) 5 (2) 12 (3) 9 (4) 18

STEP 1 쏙쏙 개념 익히기

P. 12~13

1 5 **2** ③, ④ **3** ③ **4** ⑤
5 12 **6** ④ **7** ④ **8** ②
9 (1) $3^2 \times 5$ (2) 5 **10** 6

02 최대공약수와 최소공배수

P. 14

개념 확인 1, 2, 5, 10, 10

필수 문제 ① 1, 2, 3, 6

1-1 8개

1-2 ③

필수 문제 ② (1) 3×5^2 (2) $2 \times 3 \times 5$

2-1 (1) $2^2 \times 7$ (2) $3 \times 5^2 \times 7$
(3) $2^2 \times 5$ (4) $2^2 \times 3^2$

필수 문제 ③ (1) 2^3(또는 8) (2) $2^3 \times 3$(또는 24)

3-1 (1) 2^2(또는 4) (2) 3^3(또는 27)
(3) 2×3^2(또는 18) (4) $2^2 \times 5$(또는 20)

필수 문제 ④ (1) ○ (2) × (3) × (4) ○

개념 확인 30, 60, 90, 120, 30

필수 문제 ⑤ 28, 56, 84

5-1 6개

5-2 ④

필수 문제 ⑥ (1) $3^2 \times 5 \times 7^2$ (2) $2^2 \times 3^2 \times 5^2 \times 7$

6-1 (1) $2 \times 3^2 \times 5$ (2) $2^2 \times 3 \times 5 \times 7$
(3) $2^2 \times 3^2 \times 5^2$ (4) $2 \times 3^2 \times 5^2 \times 7$

필수 문제 ⑦ (1) 5^3(또는 125)
(2) $2^3 \times 3 \times 5$(또는 120)

7-1 (1) $2 \times 3^2 \times 7$(또는 126)
(2) $2^3 \times 3 \times 7$(또는 168)
(3) $2^3 \times 3^2$(또는 72)
(4) $2^3 \times 3^2 \times 5$(또는 360)

필수 문제 ⑧ 2, 2

8-1 6

필수 문제 ⑨ 5

9-1 64

1 2×3^2 **2** ① **3** ①, ④ **4** 105
5 ④ **6** ① **7** ③ **8** 90

1 ③ **2** ④ **3** 32 **4** ② **5** ④, ⑤
6 15 **7** 6 **8** ⑤ **9** ④ **10** 3
11 ③ **12** ② **13** ③ **14** 2개 **15** 7개
16 ②, ③ **17** ③, ⑤ **18** 16 **19** 31 **20** ①

〈과정은 풀이 참조〉

따라 해보자 유제 1 $2^2 \times 5 \times 7$, 소인수: 2, 5, 7
유제 2 7

연습해 보자 **1** (1) $2^2 \times 7^2$
(2) 표는 풀이 참조,
약수: 1, 2, 4, 7, 14, 28, 49, 98, 196

2 2 **3** 56

4 최대공약수: 2×3^2, 최소공배수: $2^3 \times 3^4 \times 7^2$

개념 Review P. 26

① 소수 ② 합성수 ③ 거듭제곱
④ 소인수분해 ⑤ b^n ⑥ $m+1$ ⑦ 약수
⑧ 서로소 ⑨ 배수

2. 정수와 유리수

01 정수와 유리수

P. 30

필수 문제 ❶ (1) -4 (2) $+5$ (3) -1500

1-1 (1) $+60\,\mathrm{m}$ (2) $-5\,\mathrm{kg}$ (3) $+8$점 (4) $-10\,\%$

필수 문제 ❷ (1) $+4$, 양수 (2) $-\dfrac{1}{2}$, 음수

2-1 (1) -9, 음수 (2) $+0.31$, 양수

P. 31~32

개념 확인

수	0.5	-7	$+\dfrac{4}{3}$	-1.2	$-\dfrac{6}{3}$	0	4
양수	○	×	○	×	×	×	○
음수	×	○	×	○	○	×	×
자연수	×	×	×	×	×	×	○
정수	×	○	×	×	○	○	○
유리수	○	○	○	○	○	○	○

필수 문제 ❸ (1) 3, $+2$, 12, $+7$ (2) -5, -9

3-1 0

필수 문제 ❹ (1) $\dfrac{12}{3}$, $+2$, 0, $-\dfrac{10}{2}$, -8

(2) $\dfrac{12}{3}$, $+2$, $-\dfrac{2}{5}$, 0, 3.14, $-\dfrac{10}{2}$,
12.34, -8

(3) $-\dfrac{2}{5}$, 3.14, 12.34

4-1 ㅋ

필수 문제 ❺ (1) ○ (2) × (3) × (4) × (5) ○

5-1 ㄱ, ㄴ

STEP 1 쏙쏙 개념 익히기
P. 33

1 ③ **2** ④ **3** ②, ④

4 성화, 준모, 진솔

P. 34

필수 문제 ❻ A: -4, B: $-\dfrac{1}{2}$, C: $+\dfrac{4}{3}$, D: $+3$

6-1 A: $-\dfrac{7}{2}$, B: 0, C: $+\dfrac{11}{4}$, D: $+\dfrac{10}{3}$

필수 문제 ❼ (1)

(2) -3, 4

7-1 -2, 3

P. 35~36

개념 확인 (1) 8 (2) $\dfrac{4}{5}$ (3) 6 (4) 2.7

필수 문제 ❽ (1) $+4$, -4 (2) $+2.5$, -2.5

(3) $+9$ (4) $-\dfrac{3}{4}$

8-1 $a=+10$, $b=-\dfrac{1}{2}$, $c=0$

8-2 ④

필수 문제 ❾ $+4$, -4

9-1 $+5$, -5

필수 문제 ❿ -4, 2.6, $-\dfrac{7}{4}$, $\dfrac{3}{2}$, 1

10-1 -1.3, $\dfrac{14}{5}$, 6, -7, 8.4

P. 37

개념 확인 $\dfrac{3}{5}$, $\dfrac{2}{5}$, $>$, $<$

필수 문제 ⓫ (1) $>$ (2) $<$ (3) $>$ (4) $<$

11-1 (1) $-3<0$ (2) $-\dfrac{2}{3}<-0.5$

필수 문제 ⓬ (1) $\geq$ (2) $\leq$, $<$ (3) $<$, $\leq$

STEP 1 쏙쏙 개념 익히기
P. 38~39

1 ④ **2** ① **3** $+\dfrac{5}{7}$, $-\dfrac{5}{7}$

4 $+7$, -7 **5** ⑤ **6** ⑤ **7** ④

8 (1)

(2) 4개

9 ③

02 정수와 유리수의 덧셈과 뺄셈

P. 40~41

개념 확인
(1) $+$, 3, 5, $+$, 8 (2) $-$, 3, 5, $-$, 8
(3) $-$, 5, 3, $-$, 2 (4) $+$, 5, 3, $+$, 2

필수 문제 1
(1) $(+3)+(+4)=+7$
(2) $(-3)+(-4)=-7$
(3) $(+2)+(-7)=-5$
(4) $(-2)+(+6)=+4$

필수 문제 2
(1) $+11$ (2) $+6$ (3) $-\dfrac{4}{5}$ (4) $-\dfrac{1}{6}$
(5) -0.5 (6) -2.3

2-1
(1) $+16$ (2) $+5$ (3) -2 (4) $+\dfrac{11}{9}$
(5) $+\dfrac{1}{10}$ (6) $-\dfrac{7}{12}$ (7) $+\dfrac{10}{3}$ (8) $-\dfrac{5}{7}$
(9) $+1.3$ (10) -4

P. 42

필수 문제 3
(1) (가) 덧셈의 교환법칙, (나) 덧셈의 결합법칙
(2) (가) 덧셈의 교환법칙, (나) 덧셈의 결합법칙

3-1 (가) 교환, (나) 결합, (다) -4, (라) -2

필수 문제 4
(1) $+4$ (2) $+5$ (3) $-\dfrac{2}{5}$ (4) -2

4-1 (1) $+23$ (2) $+19$ (3) -2 (4) $+8$

P. 43

개념 확인
(1) $-$, $-$, 3, 1, $-$, 2
(2) $+$, $+$, 2, $+$, $+$, 2, $+$, 5

필수 문제 5
(1) $+4$ (2) -4 (3) $+1$ (4) $-\dfrac{1}{21}$
(5) -7 (6) $+1.8$

5-1 (1) -6 (2) -14 (3) $+\dfrac{4}{11}$ (4) $-\dfrac{7}{10}$
(5) $+\dfrac{3}{4}$ (6) $-\dfrac{17}{24}$ (7) -7.7 (8) $+0.7$

P. 44

필수 문제 6 (1) $+13$ (2) $-\dfrac{7}{9}$

6-1 (1) -14 (2) $+1$ (3) 0 (4) $+3$

필수 문제 7 (1) 7 (2) -8 (3) $\dfrac{1}{6}$ (4) -1

7-1 (1) 1 (2) -1 (3) $\dfrac{3}{4}$ (4) $-\dfrac{3}{2}$

STEP 1 쏙쏙 개념 익히기

P. 45~46

1 ②
2 ④
3 (1) $17.7\,℃$ (2) $8.1\,℃$ (3) $6.5\,℃$
4 5
5 (1) -4 (2) 21 (3) $-\dfrac{7}{12}$ (4) 1
6 (1) $a=7$, $b=\dfrac{11}{8}$ (2) $\dfrac{45}{8}$
7 (1) $\dfrac{12}{7}$ (2) $\dfrac{10}{7}$
8 ㉠ $=1$, ㉡ $=\dfrac{1}{6}$

03 정수와 유리수의 곱셈과 나눗셈

P. 47

개념 확인
(1) $+$, 3, $+6$ (2) $+$, 5, $+30$
(3) $-$, 5, -15 (4) $-$, 4, -28

필수 문제 1
(1) $+18$ (2) -32 (3) $+75$
(4) $+\dfrac{15}{28}$ (5) $-\dfrac{1}{6}$ (6) $-\dfrac{1}{2}$

1-1 (1) $+77$ (2) 0 (3) $+16$
(4) $-\dfrac{5}{12}$ (5) $+3.9$ (6) $-\dfrac{3}{10}$

P. 48

필수 문제 2 (가) 곱셈의 교환법칙, (나) 곱셈의 결합법칙

필수 문제 3 (1) -60 (2) $+420$ (3) $-\dfrac{4}{3}$ (4) $+\dfrac{5}{3}$

3-1 (1) $+42$ (2) -72 (3) $+\dfrac{5}{4}$ (4) -4

P. 49

필수 문제 ④ (1) $+32$ (2) -125 (3) $+1$ (4) $-\dfrac{4}{9}$

4-1 (1) 8 (2) $-\dfrac{3}{4}$

필수 문제 ⑤ (1) 48, 48, 28, 22 (2) 32, 32, 96

5-1 (1) 2 (2) -110

5-2 14

P. 50

개념 확인 (1) $\dfrac{3}{2}$ (2) $-\dfrac{1}{3}$ (3) $\dfrac{2}{7}$ (4) 5

필수 문제 ⑥ (1) $+4$ (2) -6 (3) $+2$ (4) -0.9

6-1 (1) -19 (2) $+1.4$

필수 문제 ⑦ (1) -4 (2) $+\dfrac{5}{12}$

7-1 (1) $-\dfrac{2}{3}$ (2) $-\dfrac{3}{4}$

P. 51

개념 확인 $-\dfrac{15}{2}$, -6, $\dfrac{15}{2}$, 15, 3

필수 문제 ⑧ (1) -4 (2) -3

6-1 (1) $\dfrac{15}{8}$ (2) $-\dfrac{12}{5}$

필수 문제 ⑨ 2

9-1 24

한번 더 연습

P. 52

1 (1) $\dfrac{7}{3}$ (2) $-\dfrac{4}{9}$ (3) $-\dfrac{1}{2}$ (4) $-\dfrac{2}{45}$

2 (1) $\dfrac{1}{3}$ (2) $-\dfrac{19}{6}$ (3) 0 (4) -4

3 (1) ㄴ, ㄷ, ㄱ, ㄹ, ㅁ (2) ㄹ, ㄷ, ㄴ, ㅁ, ㄱ

4 (1) -32 (2) $\dfrac{5}{24}$ (3) $-\dfrac{5}{3}$ (4) $-\dfrac{51}{10}$

STEP 1 쓱쓱 개념 익히기

P. 53~54

1 ⑤ **2** (1) $\dfrac{5}{6}$ (2) $-\dfrac{1}{8}$ **3** ①

4 ① **5** $\dfrac{1}{2}$

6 계산 순서: ㄷ, ㄹ, ㄴ, ㄱ, ㅁ, 계산 결과: $\dfrac{25}{3}$

7 ② **8** ③ **9** ①

STEP 2 탄탄 단원 다지기

P. 55~57

1 ② **2** ③ **3** ① **4** $a=-4$, $b=4$

5 ①, ③ **6** ⑤ **7** ③ **8** ⑤ **9** ③

10 ③ **11** $\dfrac{9}{5}$ **12** ⑤ **13** ① **14** 0

15 1562 **16** (1) 2 (2) -9 **17** $-\dfrac{8}{3}$ **18** ④

19 계산 순서: ㄷ, ㄹ, ㅁ, ㅂ, ㄴ, ㄱ, 계산 결과: -2

20 A: 270점, B: 90점

STEP 3 쓱쓱 서술형 완성하기

P. 58~59

〈과정은 풀이 참조〉

따라 해보자 유제1 최솟값: -10, 최댓값: 10

유제2 $\dfrac{9}{5}$

연습해 보자 **1** 4 **2** -2 **3** $-\dfrac{17}{2}$

4 (1) ㄹ, ㅁ, ㄷ, ㄴ, ㅂ, ㄱ (2) 45

개념 Review

P. 60

① 자연수 ② 0 ③ 0 ④ 음수 ⑤ 양수

⑥ 0 ⑦ $+$ ⑧ $-$ ⑨ 큰 ⑩ 양수

⑪ 음수 ⑫ 양수 ⑬ 양수 ⑭ 음수

3. 문자의 사용과 식

01 문자의 사용

P. 64

개념 확인 $x+2$, $x-1$, $2 \times x$

필수 문제 ① (1) $(3 \times a)$ g (2) $(50 \times t)$ km
(3) $(4 \times x)$ cm (4) $\{(a+b) \div 2\}$점

1-1 (1) $(a \div 3)$ m
(2) $(10000 - 1200 \times x)$원
(3) $10 \times x + 1 \times y$ (4) $\left(\dfrac{9}{100} \times x\right)$ g

P. 65

필수 문제 ② (1) $-x$ (2) abc (3) ax^3
(4) $\dfrac{y}{5}\left(\text{또는 } \dfrac{1}{5}y\right)$ (5) $-\dfrac{a}{b}$ (6) $\dfrac{x-y}{4}$

2-1 (1) $0.1ab$ (2) $ac(x+y)$ (3) $-3a^2b^2$
(4) $\dfrac{3a}{2b}$ (5) $\dfrac{x}{y+z}$ (6) $\dfrac{a+2b}{x}$

2-2 (1) $\dfrac{xy}{2}$ (2) $\dfrac{x(2-z)}{y}$
(3) $\dfrac{x}{y} + \dfrac{8b}{9a}$ (4) $\dfrac{(a+b)h}{2}$

STEP 1 쏙쏙 개념 익히기

P. 66

1 (1) $-a^2b$ (2) $6(c+1)-4$ (3) $\dfrac{2a}{b}$
(4) $\dfrac{7+x}{7-x}$ (5) $a - \dfrac{2b}{a}$ (6) $\dfrac{3x^2}{y} + 3$

2 ④

3 (1) $3a-6$ (2) $\dfrac{ah}{2}$ cm² (3) $(1000-10x)$원
(4) $(60x+80y)$ km (5) $3x$ g

4 $3a+5b$, $3a+5b+8$, $500x$, $\dfrac{y}{10}\left(\text{또는 } \dfrac{1}{10}y\right)$

02 식의 값

P. 67

개념 확인 (1) 2 (2) 3, 12 (3) -1, -8
(4) -4, -23

필수 문제 ① (1) 8 (2) 2 (3) 5 (4) 3

1-1 (1) 3 (2) -16 (3) 12 (4) -11

1-2 (1) -5 (2) 27 (3) 11 (4) 1

STEP 1 쏙쏙 개념 익히기

P. 68

1 (1) -1 (2) 10 (3) 36 (4) -1

2 (1) 10 (2) 1 (3) $\dfrac{5}{6}$ (4) 3 (5) 19 (6) -15

3 ④ **4** (1) $-\dfrac{10}{9}$ (2) 21 **5** ②

03 일차식과 그 계산

P. 69

필수 문제 ①

다항식	항	상수항	계수
(1) $2x+3$	$2x$, 3	3	x의 계수: 2
(2) $3y^2 - \dfrac{y}{4} - 1$	$3y^2$, $-\dfrac{y}{4}$, -1	-1	y^2의 계수: 3 y의 계수: $-\dfrac{1}{4}$
(3) $-6a^3$	$-6a^3$	0	a^3의 계수: -6

1-1 $\dfrac{5}{2}$

필수 문제 ② (1) 1, 일차식이다.
(2) 1, 일차식이다.
(3) 2, 일차식이 아니다.
(4) 3, 일차식이 아니다.

2-1 ㄱ, ㄷ, ㄹ

필수 문제 ③ (1) $32a$ (2) $-14b$ (3) $3x$ (4) $-24y$

③-1 (1) $9a$ (2) $20b$ (3) $-6x$ (4) $\frac{1}{4}y$

필수 문제 ④ (1) $8x+12$ (2) $-x+4$
(3) $2x-3$ (4) $-6+3x$

④-1 (1) $-21x-28$ (2) $-10a+5$
(3) $-7b+14$ (4) $-4y-12$

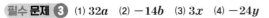

STEP 1 쏙쏙 개념 익히기 P. 71

1 0 **2** ④ **3** ③, ④

4 (1) $-24x$ (2) $33a$ (3) $-40x$
(4) $-4y$ (5) $-16x$ (6) $-\frac{7}{6}a$

5 (1) $7a-14$ (2) $2x+3$ (3) $6x+15$
(4) $-6a+\frac{3}{2}$ (5) $3x-2$ (6) $\frac{7}{2}x-2$
(7) $2y+1$ (8) $-2x+18$

P. 72

개념 확인 (1) 6, 2, 8 (2) 6, 2, 4

필수 문제 ⑤ ②

⑤-1 $-2x$와 $5x$, y와 $-2y$

필수 문제 ⑥ (1) $6a$ (2) $5x$ (3) $\frac{1}{2}y$ (4) $2b+7$

⑥-1 (1) $-8b$ (2) $0.7a$ (3) $-4a+1$
(4) $x+9$ (5) $2y-2$ (6) $\frac{13}{2}b+1$

P. 73

필수 문제 ⑦ (1) $5x-3$ (2) $-a-8$
(3) $-13x+5$ (4) $7a-14$

⑦-1 (1) $-2x-3$ (2) $2a+5$
(3) $2x+15$ (4) $-4a-8$

⑦-2 (1) $-3x+y$ (2) $-6a-3b$

필수 문제 ⑧ (1) $\frac{9}{10}x+\frac{1}{5}$ (2) $\frac{7}{12}x-\frac{3}{4}$

⑧-1 (1) $\frac{5}{6}a+\frac{3}{2}$ (2) $-\frac{11}{20}a-\frac{2}{5}$

STEP 1 쏙쏙 개념 익히기 P. 74

1 ㄱ, ㅁ, ㅂ
2 (1) $x+4$ (2) $2a+8$ (3) $6x-1$
(4) $2x-\frac{25}{6}$ (5) $\frac{3}{4}x-\frac{1}{3}$ (6) $-4a-7$

3 $12a+21$ **4** $-4x-14$
5 (1) $x-2$ (2) $3x-11$

STEP 2 탄탄 단원 다지기 P. 75~77

1 ①, ③ **2** ① **3** ⑤ **4** ⑤ **5** -16
6 ⑤ **7** $\frac{xy}{2}$ cm², 15 cm² **8** (1) $4n$개 (2) 52개
9 ⑤ **10** 3개 **11** ① **12** ④ **13** 2개
14 ⑤ **15** 1 **16** ④ **17** ③ **18** ②
19 $37x-12$ **20** $x+1$

STEP 3 쑥쑥 서술형 완성하기 P. 78~79

⟨과정은 풀이 참조⟩
따라 해보자 유제 1 $(2ab+2bc+2ac)$ cm², 94 cm²

유제 2 $\frac{11}{9}$

연습해 보자 **1** $(200-50t)$ km **2** -5
3 $x+1$ **4** $5x$

개념 Review P. 80

① $0.1a$ ② xy^2z ③ $-a$ ④ $\frac{a}{bc}$ ⑤ 괄호
⑥ 나눗셈 ⑦ 상수항 ⑧ 큰 ⑨ 1 ⑩ $-6x+3$
⑪ $2x-14$ ⑫ 차수 ⑬ ○ ⑭ 그대로 ⑮ 반대로

4. 일차방정식

O1 방정식과 그 해

개념 확인 ㄴ, ㄹ, ㅇ

필수 문제 1 (1) $5x-6=12$ (2) $4x=20$
(3) $700x+4000=7500$ (4) $3x=3000$

1-1 (1) $2(x+3)=\dfrac{x}{3}$ (2) $\dfrac{5}{2}x=20$
(3) $26-4x=2$ (4) $2000-500x=500$

개념 확인

(1)

x의 값	$2x+3$의 값	$5x$의 값	참/거짓
0	$0+3=3$	0	거짓
1	$2+3=5$	5	참
2	$4+3=7$	10	거짓
3	$6+3=9$	15	거짓

$x=1$

(2)

x의 값	$3x-4$의 값	x의 값	참/거짓
0	$0-4=-4$	0	거짓
1	$3-4=-1$	1	거짓
2	$6-4=2$	2	참
3	$9-4=5$	3	거짓

$x=2$

필수 문제 2 ④

2-1 ④

필수 문제 3 ㄱ, ㄴ, ㅂ, ㅇ, ㅈ

3-1 ③, ⑤

필수 문제 4 ②, ④

4-1 ㄴ, ㄷ

필수 문제 5 $7,\ -9,\ 3,\ -3$

5-1 (1) $x=7$ (2) $x=-6$ (3) $x=3$

---

1 ②, ④   **2** ⑤   **3** ④   **4** ⑤
5 ④

O2 일차방정식의 풀이

필수 문제 1 (1) $5x=6-1$ (2) $2x+8+10=0$
(3) $x+3x=7$ (4) $3x-2x=3+5$

1-1 ④

필수 문제 2 ㄴ, ㄷ

2-1 ④

개념 확인 (1) $22,\ 11$ (2) $3,\ -\dfrac{7}{3}$

필수 문제 3 (1) $x=-3$ (2) $x=\dfrac{1}{3}$ (3) $x=8$ (4) $x=\dfrac{9}{5}$

3-1 (1) $x=3$ (2) $x=-1$
(3) $x=-2$ (4) $x=8$

3-2 (1) $x=2$ (2) $x=-2$ (3) $x=-\dfrac{1}{2}$
(4) $x=-3$ (5) $x=1$ (6) $x=-\dfrac{7}{2}$

필수 문제 4 (1) $x=2$ (2) $x=6$

4-1 (1) $x=3$ (2) $x=-4$
(3) $x=10$ (4) $x=-2$

필수 문제 5 (1) $x=6$ (2) $x=1$

5-1 (1) $x=-5$ (2) $x=\dfrac{35}{3}$
(3) $x=\dfrac{1}{2}$ (4) $x=10$

5-2 $x=-9$

한번 **더** 연습　　　　　　　　　　　　P. 91

1 (1) $x=1$　(2) $x=\dfrac{1}{2}$　(3) $x=4$　(4) $x=-\dfrac{2}{3}$

2 (1) $x=-1$　(2) $x=4$　(3) $x=\dfrac{8}{7}$　(4) $x=-16$

3 (1) $x=-7$　(2) $x=-2$　(3) $x=8$　(4) $x=-7$

4 (1) $x=9$　(2) $x=14$　(3) $x=-2$　(4) $x=-3$

5 (1) $x=\dfrac{9}{2}$　(2) $x=2$

STEP 1 쓱쓱 개념 익히기　　　　　　　　　　P. 92

1 ③　　**2** ③　　**3** ④　　**4** 10
5 -5　**6** -2

03 일차방정식의 활용

P. 93~95

개념 확인　$2x+9$, $2x+9$ / 12, 4, 4 / 4, 4, 4

필수 문제 ① 12
　1-1 12, 13, 14
필수 문제 ② 29
　2-1 85
필수 문제 ③ 초콜릿: 5개, 사탕: 15개
　3-1 13개　　　　**3-2** 6년 후
필수 문제 ④ 4 cm
　4-1 96 cm²
필수 문제 ⑤ (1) $5x+2$, $6x-3$　(2) 5
　5-1 (1) 9　(2) 41
필수 문제 ⑥ (1)

	여학생 수	남학생 수	전체 학생 수
작년	x	$700-x$	700
올해 변화량	$+\dfrac{7}{100}x$	$-\dfrac{3}{100}(700-x)$	$+9$

(2) $\dfrac{7}{100}x-\dfrac{3}{100}(700-x)=9$　(3) 300

　6-1 475

STEP 1 쓱쓱 개념 익히기　　　　　　　　　P.96

1 9　　**2** 14세　　**3** 6　　**4** 22일 후
5 19

P. 97~98

개념 확인　(1) $2a$ km　(2) $\dfrac{x}{5}$시간　(3) 시속 $\dfrac{x}{3}$ km

필수 문제 ⑦ (1)

	갈 때	올 때
속력	시속 80 km	시속 40 km
거리	x km	x km
시간	$\dfrac{x}{80}$시간	$\dfrac{x}{40}$시간

(2) $\dfrac{x}{80}+\dfrac{x}{40}=6$　(3) 160 km

　7-1 5 km

필수 문제 ⑧ (1)

	동생	형
속력	분속 40 m	분속 60 m
시간	$(x+10)$분	x분
거리	$40(x+10)$ m	$60x$ m

(2) $40(x+10)=60x$　(3) 20분 후

　8-1 5분 후

필수 문제 ⑨ (1)

	예지	현우
속력	분속 40 m	분속 50 m
시간	x분	x분
거리	$40x$ m	$50x$ m

(2) $40x+50x=1800$　(3) 20분 후

　9-1 15분 후

P. 99

필수 문제 ⑩ (1) 아버지: $\dfrac{1}{10}$, 형: $\dfrac{1}{15}$　(2) 6일
　10-1 2시간
필수 문제 ⑪ (1) $\dfrac{6}{5}x$원　(2) $\left(\dfrac{6}{5}x-500\right)$원　(3) 4000원
　11-1 10000원

STEP 1 쏙쏙 개념 익히기 P.100

1 6 km **2** (1) $\dfrac{x}{4}-\dfrac{x}{12}=\dfrac{1}{2}$ (2) 3 km
3 15분 후 **4** 25분 후 **5** 9일

STEP 2 탄탄 단원 다지기 P.101~103

1 ④ **2** ④ **3** ① **4** ⑤ **5** ③
6 15 **7** ③, ⑤ **8** ③ **9** ④
10 $x=-7$ **11** ⑤ **12** 24 **13** ②
14 79 **15** ② **16** ② **17** 28명 **18** 32 cm
19 500 **20** ② **21** 9시간

STEP 3 쑥쑥 서술형 완성하기 P.104~105

〈과정은 풀이 참조〉

따라 해보자 유제1 2 유제2 7, 53

연습해 보자 **1** -10 **2** $x=\dfrac{3}{2}$
3 $x=-3$ **4** 36 km

개념 Review P.106

① 방정식 ② 항등식 ③ 5 ④ -2 ⑤ 이항
⑥ 일차방정식 ⑦ 6 ⑧ 6 ⑨ 7
⑩ -1 ⑪ 거듭제곱 ⑫ 최소공배수
⑬ $x+2$ ⑭ $x+4$ ⑮ $10a+b$ ⑯ 거리 ⑰ 속력
⑱ 속력(또는 시간) ⑲ 시간(또는 속력)

---

5. 좌표와 그래프

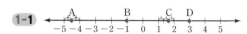

01 순서쌍과 좌표

P. 110~111

필수 문제 ❶ O(0), P(−3), Q$\left(-\dfrac{4}{3}\right)$, R$\left(\dfrac{7}{2}\right)$

1-1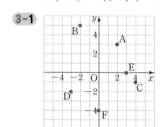

필수 문제 ❷ $a=-2$, $b=3$

2-1 18

필수 문제 ❸ O(0, 0), P(4, 2), Q(−1, 1),
R(−2, −3), S(3, −4)

3-1

필수 문제 ❹ (1) $(2, 0)$ (2) $(0, -1)$

4-1 x축 위의 점: ㄴ, ㅂ, y축의 위의 점: ㄹ

P. 112

개념 확인

	제1사분면	제2사분면	제3사분면	제4사분면
x좌표의 부호	+	−	−	+
y좌표의 부호	+	+	−	−

필수 문제 ❺ (1) 제1사분면 (2) 제4사분면
(3) 제3사분면 (4) 제2사분면

5-1 (1) ㄷ, ㅁ (2) ㅂ, ㅇ **5-2** ㄴ, ㄷ

STEP 1 쏙쏙 개념 익히기 P.113

1 ① **2** A(6, 0), B(0, 8)
3 좌표평면은 풀이 참조, 15 **4** ①, ④
5 (1) 제3사분면 (2) 제1사분면
(3) 제2사분면 (4) 제4사분면
6 제4사분면

02 그래프와 그 해석

P. 114~116

필수 문제 **1** ㄴ

1-1 ②

필수 문제 **2** A−ㄱ, B−ㄷ

2-1 ②

필수 문제 **3** (1) 150분 후 (2) 30분

3-1 (1) ② (2) 14시, 20 L

3-2 ㄱ, ㄴ, ㄹ

STEP 1 쏙쏙 개념 익히기

P. 117~118

1 ③ **2** ③ **3** ② **4** ㄱ, ㄹ
5 ⑤ **6** (1) 4분 후 (2) 4분 후 (3) 6분 후

STEP 2 탄탄 단원 다지기

P. 119~121

1 −2 **2** ② **3** ④ **4** 36 **5** ④
6 ⑤ **7** ⑤ **8** ① **9** ㄹ **10** ②
11 ② **12** ③ **13** ③ **14** ④, ⑤ **15** ③
16 ② **17** 15분

STEP 3 쓱쓱 서술형 완성하기

P. 122~123

〈과정은 풀이 참조〉

따라 해보자 유제 1 −2   유제 2 제4사분면

연습해 보자 **1** $(-3, -5), (-3, 5), (3, -5), (3, 5)$

2 좌표평면은 풀이 참조, $\dfrac{15}{2}$

3 (1) 7 km (2) 20분   **4** 8

개념 Review

P. 124

① a ② a ③ b ④ 다르다 ⑤ 0
⑥ 0 ⑦ 0 ⑧ 0 ⑨ − ⑩ +
⑪ − ⑫ − ⑬ + ⑭ − ⑮ 그래프
⑯ 증가 감소

6. 정비례와 반비례

01 정비례

P. 128~129

개념 확인 (1)

x	1	2	3	4	…
y	70	140	210	280	…

(2) 정비례한다. (3) $y=70x$

필수 문제 **1** ③, ④

1-1 ⑤

1-2 ③

필수 문제 **2** $y=7x$

2-1 −12

필수 문제 **3** (1)

x	1	2	3	4	5	…	16
y	5	10	15	20	25	…	80

(2) $y=5x$ (3) 60 L

3-1 (1) $y=0.4x$ (2) 12 mm

3-2 (1) $y=15x$ (2) 200 mL

P. 130~131

필수 문제 **4** (1) 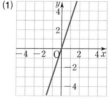 ① 3
② 위
③ 1, 3(또는 3, 1)
④ 증가

(2) ① −1
② 아래
③ 2, 4(또는 4, 2)
④ 감소

필수 문제 **5** −2

5-1 −9   **5-2** 0

필수 문제 **6** 1, 4, 1, 4, 4x

6-1 (1) $y=\dfrac{1}{2}x$ (2) $y=-3x$

STEP 1 쏙쏙 개념 익히기 P. 132~133

1 ②, ⑤ **2** 5 **3** 350 g **4** ③
5 ① **6** ② **7** -8 **8** 4
9 (1) A$(6, 4)$ (2) 12 **10** 24

02 반비례

P. 134~135

개념 확인

(1)
x	1	2	3	4	…	30
y	30	15	10	$\frac{15}{2}$	…	1

(2) 반비례한다. (3) $y = \frac{30}{x}$

필수 문제 ① ②

1-1 ②, ④ **1-2** ㄴ, ㄹ

필수 문제 ② $y = \frac{15}{x}$

2-1 ②

필수 문제 ③ (1) $y = \frac{16}{x}$ (2) $\frac{1}{2}$ cm³

3-1 (1) $y = \frac{1500}{x}$ (2) 125 mL

3-2 (1) $y = \frac{100}{x}$ (2) 5개

P. 136~137

필수 문제 ④ (1)
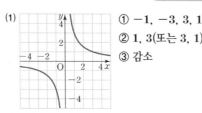
① $-1, -3, 3, 1$
② 1, 3(또는 3, 1)
③ 감소

(2)
① 1, 4, $-4, -1$
② 2, 4(또는 4, 2)
③ 증가

필수 문제 ⑤ $-\frac{3}{2}$

5-1 -24 **5-2** -1

필수 문제 ⑥ $-2, 3, -2, -6, -\frac{6}{x}$

6-1 (1) $y = \frac{8}{x}$ (2) $y = -\frac{9}{x}$

STEP 1 쏙쏙 개념 익히기 P. 138~139

1 ②, ③ **2** -6 **3** 시속 7 km
4 ②, ⑤ **5** ④ **6** -16
7 (1) $y = \frac{6}{x}$ (2) $-\frac{3}{2}$ **8** $a = 27, b = 9$
9 $a = -4, b = -8$

STEP 2 탄탄 단원 다지기 P. 141~143

1 ①, ④ **2** ⑤ **3** (1) $y = \frac{1}{6}x$ (2) 13 kg
4 ④ **5** ② **6** ④ **7** ③ **8** ①
9 ⑤ **10** ⑤ **11** ㄴ, ㅁ
12 (1) $y = \frac{120}{x}$ (2) 12 L **13** ③ **14** ①, ②
15 $-\frac{9}{2}$ **16** 8개 **17** 3
18 (1) D$(3, -5)$ (2) 60 **19** ④

STEP 3 쓱쓱 서술형 완성하기 P. 144~145

〈과정은 풀이 참조〉

따라 해보자 유제1 76 유제2 15

연습해 보자 **1**
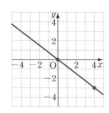

2 0 **3** (1) $y = \frac{14}{x}$ (2) 7 **4** 8

개념 Review P. 146

① $y = ax$ ② $\frac{y}{x}$ ③ 원점 ④ $y = \frac{a}{x}$ ⑤ xy
⑥ 곡선 ⑦ 1(또는 3) ⑧ 3(또는 1) ⑨ 위
⑩ y축 ⑪ 2(또는 4) ⑫ 4(또는 2) ⑬ 증가
⑭ 원점

01 소인수분해

P. 8

개념 확인 2, 3, 5, 7, 11, 13, 17, 19, 23, 29, 31, 37, 41, 43, 47

필수 문제 ①

	약수	약수의 개수	소수 / 합성수
(1)	1, 5	2	소수
(2)	1, 2, 4, 8	4	합성수
(3)	1, 17	2	소수
(4)	1, 13, 169	3	합성수

1-1 소수: 19, 37

합성수: 21, 45, 78, 100, 133

1은 소수도 아니고 합성수도 아니다.

19의 약수는 1, 19뿐이므로 소수이다.

21의 약수는 1, 3, 7, 21이므로 합성수이다.

37의 약수는 1, 37뿐이므로 소수이다.

45의 약수는 1, 3, 5, 9, 15, 45이므로 합성수이다.

78의 약수는 1, 2, 3, 6, 13, 26, 39, 78이므로 합성수이다.

100의 약수는 1, 2, 4, 5, 10, 20, 25, 50, 100이므로 합성수이다.

133의 약수는 1, 7, 19, 133이므로 합성수이다.

1-2 (1) × (2) × (3) ○ (4) ×

(1) 2는 소수이면서 짝수이다.

(2) 가장 작은 소수는 2이다.

(3) 10 이하의 소수는 2, 3, 5, 7의 4개이다.

(4) 자연수는 1과 소수와 합성수로 이루어져 있다.

P. 9

개념 확인 (1) 2, 밑: 3, 지수: 2 (2) 3, 밑: 3, 지수: 3

(3) 3, 밑: 3, 지수: 4 (4) 3, 5, 밑: 3, 지수: 5

필수 문제 ② (1) 5^3 (2) 7^4

(3) $3^3 \times 5^2$ (4) $2^3 \times 5^2 \times 7$

(5) $\left(\dfrac{1}{2}\right)^3$ (6) $\dfrac{1}{3^2 \times 7^2}$

2-1 ③

① $2 \times 2 \times 2 = 2^3$ ② $\dfrac{1}{3} \times \dfrac{1}{3} = \left(\dfrac{1}{3}\right)^2$

④ $5 + 5 + 5 + 5 = 5 \times 4$ ⑤ $3 \times 3 \times 3 \times 7 \times 7 = 3^3 \times 7^2$

따라서 옳은 것은 ③이다.

2-2 7

$2 \times 5 \times 5 \times 3 \times 5 \times 3 \times 5 = 2 \times 3^2 \times 5^4$이므로

$2 \times 3^2 \times 5^4 = 2^a \times 3^b \times 5^c$에서 $a=1$, $b=2$, $c=4$

$\therefore a+b+c = 1+2+4 = 7$

P. 10

개념 확인

따라서 50을 소인수분해 하면

$50 = 2 \times 5 \times 5 = \boxed{2 \times 5^2}$이다.

필수 문제 ③ (1) $2^2 \times 3^2$ (2) 2×3^3

(3) $2^2 \times 3 \times 7$ (4) $3 \times 5^2 \times 7$

(1)
$$\Rightarrow 36 = 2 \times 2 \times 3 \times 3 = 2^2 \times 3^2$$

(2)
$$\Rightarrow 54 = 2 \times 3 \times 3 \times 3 = 2 \times 3^3$$

(3)
$$\Rightarrow 84 = 2 \times 2 \times 3 \times 7 = 2^2 \times 3 \times 7$$

(4)
$$\Rightarrow 525 = 3 \times 5 \times 5 \times 7 = 3 \times 5^2 \times 7$$

3-1 5

따라서 200을 소인수분해 하면 $200 = 2^3 \times 5^2$이므로

$2^3 \times 5^2 = 2^a \times 5^b$에서 $a=3$, $b=2$

$\therefore a+b = 3+2 = 5$

필수 문제 ④ (1) 2 (2) 2, 11 (3) 2, 3, 5 (4) 5, 7

(1) $16=2^4$이므로 16의 소인수는 2이다.
(2) $44=2^2\times11$이므로 44의 소인수는 2, 11이다.
(3) $60=2^2\times3\times5$이므로 60의 소인수는 2, 3, 5이다.
(4) $245=5\times7^2$이므로 245의 소인수는 5, 7이다.

4-1 14

$560=2^4\times5\times7$이므로 560의 소인수는 2, 5, 7이다.
따라서 모든 소인수의 합은 $2+5+7=14$

필수 문제 ⑤ (1)

×	1	3
1	1	3
2	2	6
2^2	4	12

⇨ 약수: **1, 2, 3, 4, 6, 12**

(2) $225=3^2\times5^2$

×	1	5	5^2
1	1	5	25
3	3	15	75
3^2	9	45	225

⇨ 약수: **1, 3, 5, 9, 15, 25, 45, 75, 225**

5-1 ㄱ, ㄴ, ㄹ, ㅁ

$189=3^3\times7$이므로
189의 약수는 (3^3의 약수)$\times$(7의 약수) 꼴이다.
ㄷ. 3×7^2 ⎤
ㅂ. $3^2\times\underline{7^2}$ ⎬ 7^2은 7의 약수가 아니다.
ㅇ. $3^3\times\underline{7^2}$ ⎦
ㅅ. $\underline{3^4}\times7$ ─ 3^4은 3^3의 약수가 아니다.
따라서 189의 약수는 ㄱ, ㄴ, ㄹ, ㅁ이다.

필수 문제 ⑥ (1) 6 (2) 24 (3) 3 (4) 18

(1) $3^2\times7$의 약수의 개수는
$(2+1)\times(1+1)=6$
(2) $2^2\times3\times5^3$의 약수의 개수는
$(2+1)\times(1+1)\times(3+1)=24$
(3) $121=11^2$이므로 약수의 개수는
$2+1=3$
(4) $180=2^2\times3^2\times5$이므로 약수의 개수는
$(2+1)\times(2+1)\times(1+1)=18$

6-1 (1) 5 (2) 12 (3) 9 (4) 18

(1) 2^4의 약수의 개수는 $4+1=5$
(2) $2\times3^2\times7$의 약수의 개수는
$(1+1)\times(2+1)\times(1+1)=12$
(3) $100=2^2\times5^2$이므로 약수의 개수는
$(2+1)\times(2+1)=9$
(4) $450=2\times3^2\times5^2$이므로 약수의 개수는
$(1+1)\times(2+1)\times(2+1)=18$

STEP 1 쏙쏙 개념 익히기 P. 12~13

1 5 **2** ③, ④ **3** ③ **4** ⑤
5 12 **6** ④ **7** ④ **8** ②
9 (1) $3^2\times5$ (2) 5 **10** 6

1 소수가 적힌 칸을 모두 색칠하면 오른
쪽과 같다.
이때 나타나는 숫자는 5이다.

5	2	11
67	26	49
37	23	31
21	105	19
53	17	47

2 ③ 9는 합성수이지만 홀수이다.
④ 소수가 아닌 자연수는 1 또는 합성수이다.

3 ㄴ. $1^{10}=1$
ㄹ. $\dfrac{1}{7}\times\dfrac{1}{7}\times\dfrac{1}{7}=\left(\dfrac{1}{7}\right)^3$
ㅂ. $1000000=10^6$
따라서 옳은 것은 ㄱ, ㄷ, ㅁ이다.

5 $504=2^3\times3^2\times7$이므로
$2^3\times3^2\times7=2^a\times3^b\times c$에서 $a=3$, $b=2$, $c=7$
∴ $a+b+c=3+2+7=12$

6 $90=2\times3^2\times5$이므로 90의 소인수는 2, 3, 5이다.
① $20=2^2\times5$이므로 20의 소인수는 2, 5이다.
② $26=2\times13$이므로 26의 소인수는 2, 13이다.
③ $42=2\times3\times7$이므로 42의 소인수는 2, 3, 7이다.
④ $120=2^3\times3\times5$이므로 120의 소인수는 2, 3, 5이다.
⑤ $242=2\times11^2$이므로 242의 소인수는 2, 11이다.
따라서 90과 소인수가 같은 것은 ④이다.

7 $350=2\times5^2\times7$이므로 350의 약수는
(2의 약수)$\times$(5^2의 약수)$\times$(7의 약수) 꼴이다.
④ $2^2\times5^2$에서 2^2은 2의 약수가 아니므로 350의 약수가 아니다.

14 | 정답과 해설 _ 개념편

8 ① $2^3 \times 3^2$의 약수의 개수는 $(3+1) \times (2+1) = 12$

② $7^2 \times 11^4$의 약수의 개수는 $(2+1) \times (4+1) = 15$

③ $2 \times 3 \times 5$의 약수의 개수는

$(1+1) \times (1+1) \times (1+1) = 8$

④ $81 = 3^4$이므로 약수의 개수는 $4+1 = 5$

⑤ $175 = 5^2 \times 7$이므로 약수의 개수는 $(2+1) \times (1+1) = 6$

따라서 약수의 개수가 가장 많은 것은 ②이다.

9 (1) $45 = 3^2 \times 5$

(2) $45 = 3^2 \times 5$에서 모든 소인수의 지수가 짝수가 되려면 5의 지수가 짝수가 되어야 하므로 곱해야 하는 가장 작은 자연수는 5이다.

10 216을 소인수분해 하면 $2^3 \times 3^3$

$2^3 \times 3^3$에 가능한 한 작은 자연수를 곱하여 어떤 자연수의 제곱이 되게 하려면, 2, 3의 지수가 모두 짝수가 되어야 한다.

따라서 곱해야 하는 가장 작은 자연수는 $2 \times 3 = 6$

최대공약수와 최소공배수

P. 14

개념 확인 1, 2, 5, 10, 10

필수 문제 ① 1, 2, 3, 6

두 자연수 A, B의 공약수는 두 수의 최대공약수인 6의 약수이므로 1, 2, 3, 6이다.

1-1 8개

두 자연수의 공약수는 두 수의 최대공약수인 30의 약수이므로 공약수는 1, 2, 3, 5, 6, 10, 15, 30의 8개이다.

다른 풀이

두 자연수의 공약수의 개수는 두 수의 최대공약수인 30의 약수의 개수와 같다.

이때 $30 = 2 \times 3 \times 5$이므로 공약수의 개수는

$(1+1) \times (1+1) \times (1+1) = 8$

1-2 ③

두 자연수의 공약수는 두 수의 최대공약수인 $2^2 \times 3 \times 7$의 약수이다.

③ 2×3^2은 $2^2 \times 3 \times 7$의 약수가 아니므로 공약수가 아니다.

필수 문제 ② (1) 3×5^2　　　(2) $2 \times 3 \times 5$

(1)
$$\begin{array}{r} 3 \times 5^2 \\ 3^2 \times 5^3 \\ \hline (\text{최대공약수}) = 3 \times 5^2 \end{array}$$

(2)
$$\begin{array}{r} 2^3 \times 3 \times 5 \\ 2 \times 3^2 \times 5 \times 7 \\ 2^2 \times 3 \times 5^2 \times 7 \\ \hline (\text{최대공약수}) = 2 \times 3 \times 5 \end{array}$$

2-1 (1) $2^2 \times 7$　　　(2) $3 \times 5^2 \times 7$

(3) $2^2 \times 5$　　　(4) $2^2 \times 3^2$

(1)
$$\begin{array}{r} 2^2 \quad\quad \times 7^2 \\ 2^2 \times 3 \times 7 \\ \hline (\text{최대공약수}) = 2^2 \quad\quad \times 7 \end{array}$$

(2)
$$\begin{array}{r} 3^3 \times 5^2 \times 7 \\ 3 \times 5^2 \times 7^2 \\ \hline (\text{최대공약수}) = 3 \times 5^2 \times 7 \end{array}$$

(3)
$$\begin{array}{r} 2^4 \times 5 \\ 2^2 \times 5 \times 7 \\ 2^3 \times 5^2 \\ \hline (\text{최대공약수}) = 2^2 \times 5 \end{array}$$

(4)
$$\begin{array}{r} 2^2 \times 3^2 \times 5^3 \\ 2^3 \times 3^3 \times 5 \\ 2^2 \times 3^2 \quad\quad \times 11 \\ \hline (\text{최대공약수}) = 2^2 \times 3^2 \end{array}$$

필수 문제 ③ (1) 2^3(또는 8)

(2) $2^3 \times 3$(또는 24)

(1)
$$\begin{array}{r} 32 = 2^5 \\ 40 = 2^3 \times 5 \\ \hline 2^3 \quad = 8 \end{array}$$

(2)
$$\begin{array}{r} 48 = 2^4 \times 3 \\ 72 = 2^3 \times 3^2 \\ 96 = 2^5 \times 3 \\ \hline 2^3 \times 3 = 24 \end{array}$$

참고 나눗셈을 이용하여 최대공약수 구하기

(1) $\begin{array}{r} 2\,)\,\underline{32\quad 40} \\ 2\,)\,\underline{16\quad 20} \\ 2\,)\,\underline{8\quad 10} \\ 4\quad5 \end{array}$　∴ $2 \times 2 \times 2 = 8$

(2) $\begin{array}{r} 2\,)\,\underline{48\quad 72\quad 96} \\ 2\,)\,\underline{24\quad 36\quad 48} \\ 2\,)\,\underline{12\quad 18\quad 24} \\ 3\,)\,\underline{6\quad9\quad 12} \\ 2\quad3\quad4 \end{array}$　∴ $2 \times 2 \times 2 \times 3 = 24$

3-1 (1) 2^2(또는 4)

(2) 3^3(또는 27)

(3) 2×3^2(또는 18)

(4) $2^2 \times 5$(또는 20)

(1)
$$\begin{aligned} 16 &= 2^4 \\ 20 &= 2^2 \times 5 \\ \hline (\text{최대공약수}) &= 2^2 \qquad = 4 \end{aligned}$$

(2)
$$\begin{aligned} 108 &= 2^2 \times 3^3 \\ 135 &= \quad\ 3^3 \times 5 \\ \hline (\text{최대공약수}) &= \quad\ 3^3 \quad\ = 27 \end{aligned}$$

(3)
$$\begin{aligned} 36 &= 2^2 \times 3^2 \\ 54 &= 2 \times 3^3 \\ 72 &= 2^3 \times 3^2 \\ \hline (\text{최대공약수}) &= 2 \times 3^2 = 18 \end{aligned}$$

(4)
$$\begin{aligned} 40 &= 2^3 \quad\ \times 5 \\ 60 &= 2^2 \times 3 \times 5 \\ 80 &= 2^4 \quad\ \times 5 \\ \hline (\text{최대공약수}) &= 2^2 \quad\ \times 5 = 20 \end{aligned}$$

참고 나눗셈을 이용하여 최대공약수 구하기

(1)
$$\begin{array}{r|ll} 2 & 16 & 20 \\ 2 & 8 & 10 \\ \hline & 4 & 5 \end{array} \qquad \therefore 2 \times 2 = 4$$

(2)
$$\begin{array}{r|ll} 3 & 108 & 135 \\ 3 & 36 & 45 \\ 3 & 12 & 15 \\ \hline & 4 & 5 \end{array} \qquad \therefore 3 \times 3 \times 3 = 27$$

(3)
$$\begin{array}{r|lll} 2 & 36 & 54 & 72 \\ 3 & 18 & 27 & 36 \\ 3 & 6 & 9 & 12 \\ \hline & 2 & 3 & 4 \end{array} \qquad \therefore 2 \times 3 \times 3 = 18$$

(4)
$$\begin{array}{r|lll} 2 & 40 & 60 & 80 \\ 2 & 20 & 30 & 40 \\ 5 & 10 & 15 & 20 \\ \hline & 2 & 3 & 4 \end{array} \qquad \therefore 2 \times 2 \times 5 = 20$$

필수 문제 4 (1) ○ (2) × (3) × (4) ○

(1) 4의 약수는 1, 2, 4이고, 7의 약수는 1, 7이다.

따라서 4와 7의 최대공약수는 1이므로 서로소이다.

(2) 9의 약수는 1, 3, 9이고, 21의 약수는 1, 3, 7, 21이다.

따라서 9와 21의 최대공약수는 3이므로 서로소가 아니다.

(3) 16의 약수는 1, 2, 4, 8, 16이고, 24의 약수는 1, 2, 3, 4, 6, 8, 12, 24이다.

따라서 16과 24의 최대공약수는 8이므로 서로소가 아니다.

(4) 28의 약수는 1, 2, 4, 7, 14, 28이고, 45의 약수는 1, 3, 5, 9, 15, 45이다.

따라서 28과 45의 최대공약수는 1이므로 서로소이다.

개념 확인 30, 60, 90, 120, 30

필수 문제 5 28, 56, 84

두 자연수의 공배수는 두 수의 최소공배수인 28의 배수이므로 주어진 수 중 두 수의 공배수는 28, 56, 84이다.

5-1 6개

두 자연수 A, B의 공배수는 두 수의 최소공배수인 16의 배수이다.

따라서 A, B의 공배수 중 두 자리의 자연수는 16의 배수 중 두 자리의 자연수인 16, 32, 48, 64, 80, 96의 6개이다.

5-2 ④

두 자연수 A, B의 공배수는 두 수의 최소공배수인 3×5^2의 배수이다.

④ $2 \times 3 \times 5 \times 7$은 3×5^2의 배수가 아니므로 공배수가 아니다.

필수 문제 6 (1) $3^2 \times 5 \times 7^2$ (2) $2^2 \times 3^2 \times 5^2 \times 7$

(1)
$$\begin{aligned} & 3^2 \quad\ \times 7 \\ & 3 \times 5 \times 7^2 \\ \hline (\text{최소공배수}) = & 3^2 \times 5 \times 7^2 \end{aligned}$$

(2)
$$\begin{aligned} & 2 \times 3 \times 5^2 \\ & 2^2 \times 3^2 \times 5 \\ & \quad\ 3 \times 5 \times 7 \\ \hline (\text{최소공배수}) = & 2^2 \times 3^2 \times 5^2 \times 7 \end{aligned}$$

6-1 (1) $2 \times 3^2 \times 5$ (2) $2^2 \times 3 \times 5 \times 7$

(3) $2^2 \times 3^2 \times 5^2$ (4) $2 \times 3^2 \times 5^2 \times 7$

(1)
$$\begin{aligned} & 3^2 \times 5 \\ & 2 \times 3 \times 5 \\ \hline (\text{최소공배수}) = & 2 \times 3^2 \times 5 \end{aligned}$$

(2)
$$\begin{aligned} & 2 \times 3 \quad\ \times 7 \\ & 2^2 \times 3 \times 5 \\ \hline (\text{최소공배수}) = & 2^2 \times 3 \times 5 \times 7 \end{aligned}$$

(3)
$$\begin{aligned} & 2 \times 3^2 \\ & 2^2 \times 3 \times 5 \\ & 2 \times 3 \times 5^2 \\ \hline (\text{최소공배수}) = & 2^2 \times 3^2 \times 5^2 \end{aligned}$$

(4)
$$\begin{aligned} & 2 \times 3^2 \times 5 \\ & 2 \times 3 \quad\ \times 7 \\ & \quad\ 3 \times 5^2 \times 7 \\ \hline (\text{최소공배수}) = & 2 \times 3^2 \times 5^2 \times 7 \end{aligned}$$

필수 문제 7 (1) 5^3(또는 125)
(2) $2^3 \times 3 \times 5$(또는 120)

(1)
$$25 = 5^2$$
$$125 = 5^3$$
$$5^3 = 125$$

(2)
$$12 = 2^2 \times 3$$
$$40 = 2^3 \quad\quad \times 5$$
$$60 = 2^2 \times 3 \times 5$$
$$2^3 \times 3 \times 5 = 120$$

참고 나눗셈을 이용하여 최소공배수 구하기

(1)
```
5 ) 25   125
5 )  5    25
      1    5
```
$\therefore 5 \times 5 \times 1 \times 5 = 125$

(2)
```
2 ) 12  40  60
2 )  6  20  30
3 )  3  10  15
5 )  1  10   5
     1   2   1
```
$\therefore 2 \times 2 \times 3 \times 5 \times 1 \times 2 \times 1 = 120$

7-1 (1) $2 \times 3^2 \times 7$(또는 126) (2) $2^3 \times 3 \times 7$(또는 168)
(3) $2^3 \times 3^2$(또는 72) (4) $2^3 \times 3^2 \times 5$(또는 360)

(1)
$$14 = 2 \quad\quad \times 7$$
$$18 = 2 \times 3^2$$
$$(최소공배수) = 2 \times 3^2 \times 7 = 126$$

(2)
$$42 = 2 \times 3 \times 7$$
$$56 = 2^3 \quad\quad \times 7$$
$$(최소공배수) = 2^3 \times 3 \times 7 = 168$$

(3)
$$9 = \quad\quad 3^2$$
$$24 = 2^3 \times 3$$
$$36 = 2^2 \times 3^2$$
$$(최소공배수) = 2^3 \times 3^2 = 72$$

(4)
$$20 = 2^2 \quad\quad \times 5$$
$$60 = 2^2 \times 3 \times 5$$
$$72 = 2^3 \times 3^2$$
$$(최소공배수) = 2^3 \times 3^2 \times 5 = 360$$

참고 나눗셈을 이용하여 최소공배수 구하기

(1)
```
2 ) 14  18
     7   9
```
$\therefore 2 \times 7 \times 9 = 126$

(2)
```
2 ) 42  56
7 ) 21  27
     3   4
```
$\therefore 2 \times 7 \times 3 \times 4 = 168$

(3)
```
3 ) 9  24  36
2 ) 3   8  12
2 ) 3   4   6
3 ) 3   2   3
     1   2   1
```
$\therefore 3 \times 2 \times 2 \times 3 \times 1 \times 2 \times 1 = 72$

(4)
```
2 ) 20  60  72
2 ) 10  30  36
3 )  5  15  18
5 )  5   5   6
     1   1   6
```
$\therefore 2 \times 2 \times 3 \times 5 \times 1 \times 1 \times 6 = 360$

필수 문제 8 2, 2

$$2^a \times 3^3$$
$$2 \times 3^b \times 7$$
$$(최대공약수) = 2 \times 3^2$$
$$(최소공배수) = 2^2 \times 3^3 \times 7$$
$\Rightarrow a = \boxed{2}, b = \boxed{2}$

8-1 6

$$2^a \times 3 \times 5$$
$$2^5 \times 3^b$$
$$(최대공약수) = 2^4 \times 3$$
$$(최소공배수) = 2^5 \times 3^2 \times 5$$
따라서 $a = 4, b = 2$이므로 $a + b = 4 + 2 = 6$

P. 18

필수 문제 9 5

(두 수의 곱) = (최대공약수) × (최소공배수)이므로
$750 = (최대공약수) \times 150$ $\therefore (최대공약수) = 5$

9-1 64

(두 수의 곱) = (최대공약수) × (최소공배수)이므로
$48 \times N = 16 \times 192,\ 48 \times N = 3072$
$\therefore N = 64$

다른 풀이
두 자연수 48, N의 최대공약수가 16이므로
$48 = 16 \times 3$이고 $N = 16 \times n$(n은 자연수)
이라 하면 3과 n은 서로소이다.
이때 두 수의 최소공배수가 192이므로
$16 \times 3 \times n = 192$에서 $n = 4$
$\therefore N = 16 \times n = 16 \times 4 = 64$

```
16 ) 48   N
      3    n
```

STEP 1 쏙쏙 개념 익히기 P. 19~20

| 1 | 2×3^2 | 2 | ① | 3 | ①, ④ | 4 | 105 |
| 5 | ④ | 6 | ① | 7 | ③ | 8 | 90 |

1

$$2 \times 3^3$$
$$2^2 \times 3^2 \times 5$$
$$252 = 2^2 \times 3^2 \quad\quad \times 7$$
$$(최대공약수) = 2 \times 3^2$$

2 두 수 $2^2 \times 3^2 \times 5^2$, $2^2 \times 3 \times 5$의 최대공약수는 $2^2 \times 3 \times 5$이므로 두 수의 공약수는 $2^2 \times 3 \times 5$의 약수이다.

ㄴ. $12 = 2^2 \times 3$이므로 $2^2 \times 3 \times 5$의 약수이다.

즉, 공약수이다.

ㄷ. $25 = 5^2$이므로 $2^2 \times 3 \times 5$의 약수가 아니다.

즉, 공약수가 아니다.

ㅁ. $60 = 2^2 \times 3 \times 5$이므로 $2^2 \times 3 \times 5$의 약수이다.

즉, 공약수이다.

ㄹ, ㅂ. $2^2 \times 3^2$과 $2^2 \times 3 \times 5^2$은 $2^2 \times 3 \times 5$의 약수가 아니므로 공약수가 아니다.

따라서 공약수는 ㄱ, ㄴ, ㅁ이다.

3 두 자연수의 최대공약수를 각각 구하면 다음과 같다.

① 1 　② 13 　③ 3 　④ 1 　⑤ 30

따라서 서로소인 두 자연수로 짝 지어진 것은 ①, ④이다.

4 두 자연수의 공배수는 두 수의 최소공배수인 21의 배수이므로 21, 42, 63, 84, 105, ...이다.

따라서 두 자연수의 공배수 중 100에 가장 가까운 수는 105이다.

5
$$
\begin{array}{rl}
9 = & 3^2 \\
30 = 2 \times & 3 \times 5 \\
75 = & 3 \times 5^2 \\
\hline
(\text{최소공배수}) = 2 \times & 3^2 \times 5^2
\end{array}
$$

6 $18 = 2 \times 3^2$이므로

두 수 2×3^2, $2^2 \times 3 \times 5$의 최소공배수는 $2^2 \times 3^2 \times 5$

따라서 두 수의 공배수는 $2^2 \times 3^2 \times 5$의 배수이다.

① $2^2 \times 3^3$은 $2^2 \times 3^2 \times 5$의 배수가 아니므로 공배수가 아니다.

7
$$
\begin{array}{rl}
2^a & \times 7^2 \\
2^2 \times b & \times 7^2 \\
\hline
(\text{최대공약수}) = 2^2 & \times 7 \\
(\text{최소공배수}) = 2^2 \times 5 & \times 7^2
\end{array}
$$

따라서 $a=2$, $b=5$, $c=1$이므로

$a+b+c = 2+5+1 = 8$

8 (두 수의 곱)=(최대공약수)×(최소공배수)이므로

$54 \times A = 18 \times 270$

$54 \times A = 4860$ 　∴ $A = 90$

(다른 풀이)

두 자연수 54, A의 최대공약수가 18이므로

$54 = 18 \times 3$이고 $A = 18 \times a$ (a는 자연수)라 하면 3과 a는 서로소이다.

$$
\begin{array}{r|cc}
18 & 54 & A \\
\hline
& 3 & a
\end{array}
$$

이때 두 수의 최소공배수가 270이므로

$18 \times 3 \times a = 270$에서 $a = 5$

∴ $A = 18 \times a = 18 \times 5 = 90$

---

2 탄탄 **단원 다지기** P. 21~23

1 ③	**2** ④	**3** 32	**4** ②	**5** ④, ⑤
6 15	**7** 6	**8** ⑤	**9** ④	**10** 3
11 ③	**12** ②	**13** ③	**14** 2개	**15** 7개
16 ②, ③	**17** ③, ⑤	**18** 16	**19** 31	**20** ①

1 주어진 수 중 소수는 2, 17, 59, 223의 4개이다.

2 ① $2^3 = 2 \times 2 \times 2 = 8$

② $3 \times 3 = 3^2$

③ $5 + 5 + 5 = 5 \times 3$

⑤ $2 \times 2 \times 2 \times 5 \times 5 = 2^3 \times 5^2$

따라서 옳은 것은 ④이다.

3 $32 = 2^5 = 2^a$에서 $a = 5$

$\dfrac{1}{3^3} = \dfrac{1}{27} = \dfrac{1}{b}$에서 $b = 27$

∴ $a + b = 5 + 27 = 32$

4 ① $45 = 3^2 \times 5$　③ $80 = 2^4 \times 5$

④ $128 = 2^7$　⑤ $192 = 2^6 \times 3$

따라서 소인수분해를 바르게 한 것은 ②이다.

5 $540 = 2^2 \times 3^3 \times 5$이므로 540의 소인수는 2, 3, 5이다.

따라서 540의 소인수가 아닌 것은 ④, ⑤이다.

6 $1 \times 2 \times 3 \times 4 \times 5 \times 6 \times 7 \times 8 \times 9 \times 10$

$= 1 \times 2 \times 3 \times 2^2 \times 5 \times (2 \times 3) \times 7 \times 2^3 \times 3^2 \times (2 \times 5)$

$= 2^8 \times 3^4 \times 5^2 \times 7$

따라서 $a=8$, $b=4$, $c=2$, $d=1$이므로

$a + b + c + d = 8 + 4 + 2 + 1 = 15$

7 $24 = 2^3 \times 3$이므로 $2^3 \times 3 \times \square$가 어떤 자연수의 제곱이 되려면 모든 소인수의 지수가 짝수가 되어야 한다.

따라서 2, 3의 지수가 모두 짝수가 되어야 하므로

$\square$ 안에 알맞은 가장 작은 자연수는 $2 \times 3 = 6$

8 ⑤ $108 = 2^2 \times 3^3$이므로 108의 약수는

$(2+1) \times (3+1) = 12$(개)

9 ① 2^5의 약수의 개수는

$5 + 1 = 6$

② $28 = 2^2 \times 7$이므로 약수의 개수는

$(2+1) \times (1+1) = 6$

③ $75 = 3 \times 5^2$이므로 약수의 개수는

$(1+1) \times (2+1) = 6$

18｜정답과 해설 _ 개념편

④ $130=2\times5\times13$이므로 약수의 개수는
　　$(1+1)\times(1+1)\times(1+1)=8$
⑤ 3×7^2의 약수의 개수는
　　$(1+1)\times(2+1)=6$
따라서 약수의 개수가 다른 하나는 ④이다.

10 $3^2\times5^\square$의 약수가 12개이므로
$(2+1)\times(\square+1)=12$에서
$3\times(\square+1)=3\times4,\ \square+1=4$　$\therefore \square=3$

11 두 자연수 A, B의 공약수는 두 수의 최대공약수인
$42=2\times3\times7$의 약수이다.
③ 3^2은 $2\times3\times7$의 약수가 아니므로 공약수가 아니다.

12　　　　$30=2\times3\ \times5$
　　　　　　　　2×3^2
　　　────────────────
　　(최대공약수)$=2\times3$
　　(최소공배수)$=2\times3^2\times5$

13　　　　$2^2\times3^2$
　　　　　　$2^2\times3^3\times5$
　　　　　　$2^3\times3^2\times5^2$
　　　────────────────
　　(최대공약수)$=2^2\times3^2$
세 수의 공약수의 개수는 세 수의 최대공약수인 $2^2\times3^2$의 약수의 개수와 같으므로 공약수의 개수는
$(2+1)\times(2+1)=9$

14 ㄱ. 6과 15의 최대공약수는 3이므로 서로소가 아니다.
ㄴ. 8과 21의 최대공약수는 1이므로 서로소이다.
ㄷ. 30과 45의 최대공약수는 15이므로 서로소가 아니다.
ㄹ. 11과 121의 최대공약수는 11이므로 서로소가 아니다.
ㅁ. 28과 35의 최대공약수는 7이므로 서로소가 아니다.
ㅂ. 51과 82의 최대공약수는 1이므로 서로소이다.
따라서 서로소인 두 자연수는 ㄴ, ㅂ의 2개이다.

15 $18=2\times3^2$이므로 18과 서로소인 수는 2의 배수도 아니고 3의 배수도 아니다.
즉, 10보다 크고 30보다 작은 자연수 중 2의 배수와 3의 배수를 지우고 남은 수가 18과 서로소인 수이다.
　　11 ̶1̶2̶ 13 ̶1̶4̶ ̶1̶5̶ ̶1̶6̶ 17 ̶1̶8̶ 19 ̶2̶0̶
　　̶2̶1̶ ̶2̶2̶ 23 ̶2̶4̶ 25 ̶2̶6̶ ̶2̶7̶ ̶2̶8̶ 29
따라서 18과 서로소인 수는 11, 13, 17, 19, 23, 25, 29의 7개이다.

16 ② 합성수는 약수가 3개 이상이다.
③ 모든 자연수는 1과 소수와 합성수로 이루어져 있다.

17 두 수의 최소공배수는 $3^2\times5^2\times7^3$이므로 두 수의 공배수는 $3^2\times5^2\times7^3$의 배수인 ③, ⑤이다.

18 $36=2^2\times3^2$이므로

$\overline{}$
(최대공약수)$=2^2\times3^2$
(최소공배수)$=2^3\times3^2\times5\times11$
따라서 $a=2$, $b=2$, $c=1$, $d=11$이므로
$a+b+c+d=2+2+1+11=16$

19 $144=2^4\times3^2$, 즉 $2^4\times3^2$과 $\square\times3^3\times5^3$의 최소공배수가 $2^4\times3^3\times5^3$이므로 $\square$ 안에 들어갈 수 있는 수는 2^4의 약수인 1, 2, 2^2, 2^3, 2^4이다.
따라서 구하는 합은
$1+2+2^2+2^3+2^4=1+2+4+8+16=31$

20 (두 수의 곱)$=$(최대공약수)$\times$(최소공배수)이므로
$28\times N=14\times84$
$28\times N=1176$　$\therefore N=42$

(다른 풀이)
두 자연수 28, N의 최대공약수가 14이므로
$28=14\times2$이고 $N=14\times n$(n은 자연수)이
라 하면 2와 n은 서로소이다.
이때 두 수의 최소공배수가 84이므로
$14\times2\times n=84$에서 $n=3$
$\therefore N=14\times3=42$

$14\ \underline{)\ 28\quad N}$
　　　　$2\quad n$

STEP 3 쓱쓱 서술형 완성하기　　　　P. 24~25

〈과정은 풀이 참조〉

따라 해보자　유제 1 $2^2\times5\times7$, 소인수: 2, 5, 7
유제 2 7

연습해 보자　**1** (1) $2^2\times7^2$
　　　　　　　(2) 표는 풀이 참조,
　　　　　　　　약수: 1, 2, 4, 7, 14, 28, 49, 98, 196
　　　　　2 2　　　　**3** 56
　　　　　4 최대공약수: 2×3^2, 최소공배수: $2^3\times3^4\times7^2$

따라 해보자

유제 1 1단계　$2\ )\ 140$
　　　　　　　$2\ )\ \ 70$
　　　　　　　$5\ )\ \ 35$
　　　　　　　　　7　$\therefore 140=2^2\times5\times7$
2단계　따라서 140의 소인수는 2, 5, 7이다.

채점 기준		
1단계	140을 소인수분해 하기	… 60%
2단계	소인수 모두 구하기	… 40%

유제 2 (1단계) 세 자연수 42, 70, 84를 각각 소인수분해 하면
$$42=2\times3\times7, 70=2\times5\times7, 84=2^2\times3\times7$$
이므로 이 세 자연수의 최대공약수는 $2\times7=14$
(2단계) 세 자연수의 공약수는 최대공약수인 14의 약수이
므로 1, 2, 7, 14이다.
따라서 공약수 중 두 번째로 큰 수는 7이다.

채점 기준		
1단계	소인수분해를 이용하여 세 자연수의 최대공약수 구하기	… 40 %
2단계	최대공약수의 성질을 이용하여 공약수 중 두 번째로 큰 수 구하기	… 60 %

연습해 보자

1 (1) (1단계)
```
2)196
2) 98
7) 49
    7     ∴ 196=2²×7²
```
(2) (2단계) 표를 완성하면 다음과 같다.

×	1	7	7^2
1	1	7	49
2	2	14	98
2^2	4	28	196

따라서 196의 약수는
1, 2, 4, 7, 14, 28, 49, 98, 196이다.

채점 기준		
1단계	196을 소인수분해 하기	… 40 %
2단계	표를 완성하여 196의 약수 구하기	… 60 %

2 (1단계) $32=2^5$이므로 약수의 개수는 $5+1=6$
(2단계) 2×5^x의 약수의 개수는 32의 약수의 개수와 같으므로
$(1+1)\times(x+1)=6, 2\times(x+1)=6$
(3단계) $x+1=3$ ∴ $x=2$

채점 기준		
1단계	32의 약수의 개수 구하기	… 30 %
2단계	2×5^x의 약수의 개수에 대한 식 세우기	… 40 %
3단계	x의 값 구하기	… 30 %

3 (1단계) $126=2\times3^2\times7$이므로
(2단계) $126\times a=2\times3^2\times7\times a=b^2$이 되려면
모든 소인수의 지수가 짝수가 되어야 하므로
가장 작은 자연수 a의 값은 $a=2\times7=14$
(3단계) $126\times a=2\times3^2\times7\times14$
$=2\times3^2\times7\times(2\times7)$
$=(2\times3\times7)\times(2\times3\times7)$
$=(2\times3\times7)^2=42^2$
이므로 $b=42$
(4단계) ∴ $a+b=14+42=56$

채점 기준		
1단계	126을 소인수분해 하기	… 10 %
2단계	a의 값 구하기	… 40 %
3단계	b의 값 구하기	… 40 %
4단계	$a+b$의 값 구하기	… 10 %

4 (1단계) $504=2^3\times3^2\times7$
(2단계) 주어진 세 수의 최대공약수는 2×3^2
(3단계) 주어진 세 수의 최소공배수는 $2^3\times3^4\times7^2$

채점 기준		
1단계	504를 소인수분해 하기	… 20 %
2단계	세 수의 최대공약수 구하기	… 40 %
3단계	세 수의 최소공배수 구하기	… 40 %

01 정수와 유리수

P. 30

필수 문제 ① (1) -4 (2) $+5$ (3) -1500

1-1 (1) $+60\,\text{m}$ (2) $-5\,\text{kg}$ (3) $+8$점 (4) $-10\,\%$
   (1) 지상 60 m ⇨ $+60\,\text{m}$
   (2) 5 kg 감소 ⇨ $-5\,\text{kg}$
   (3) 8점 얻은 ⇨ $+8$점
   (4) 10 % 인하 ⇨ $-10\,\%$

필수 문제 ② (1) $+4$, 양수 (2) $-\dfrac{1}{2}$, 음수

2-1 (1) -9, 음수 (2) $+0.31$, 양수

P. 31~32

개념 확인

수	0.5	-7	$+\dfrac{4}{3}$	-1.2	$-\dfrac{6}{3}$	0	4
양수	○	×	○	×	×	×	○
음수	×	○	×	○	○	×	×
자연수	×	×	×	×	×	×	○
정수	×	○	×	×	○	○	○
유리수	○	○	○	○	○	○	○

필수 문제 ③ (1) 3, $+2$, 12, $+7$ (2) -5, -9

3-1 **0**
   양의 정수는 10, 7의 2개이므로 $a=2$
   음의 정수는 -2, -4의 2개이므로 $b=2$
   ∴ $a-b=2-2=0$

필수 문제 ④ (1) $\dfrac{12}{3}$, $+2$, 0, $-\dfrac{10}{2}$, -8

   (2) $\dfrac{12}{3}$, $+2$, $-\dfrac{2}{5}$, 0, 3.14, $-\dfrac{10}{2}$, 12.34, -8

   (3) $-\dfrac{2}{5}$, 3.14, 12.34

   (1) $\dfrac{12}{3}=4$, $-\dfrac{10}{2}=-5$이므로
      정수는 $\dfrac{12}{3}$, $+2$, 0, $-\dfrac{10}{2}$, -8이다.

4-1 **ㅋ**

정수	$+5.5$	-6	$+4$	0	$\dfrac{14}{2}$	$-\dfrac{3}{4}$
양의 유리수	$-\dfrac{5}{2}$	$-\dfrac{4}{7}$	-3.2	-11	4.2	0
음의 유리수	$\dfrac{9}{3}$	$-\dfrac{6}{5}$	$-\dfrac{18}{9}$	-5.6	-1.5	10
정수가 아닌 유리수	0	$+\dfrac{10}{2}$	-6	$-\dfrac{12}{4}$	$+\dfrac{7}{3}$	$-\dfrac{20}{5}$

따라서 나타나는 자음은 'ㅋ'이다.

필수 문제 ⑤ (1) ○ (2) × (3) × (4) × (5) ○
   (2) 0은 정수이다.
   (3) 모든 정수는 유리수이다.
   (4) 양수는 양의 부호 +를 생략할 수 있지만 음수는 음의
      부호 −를 생략할 수 없다.

5-1 ㄱ, ㄴ
   ㄷ. 가장 작은 정수는 알 수 없다.
   ㄹ. 유리수는 양의 유리수, 0, 음의 유리수로 이루어져 있다.
   따라서 옳은 것은 ㄱ, ㄴ이다.

STEP 1 쓱쓱 개념 익히기

P. 33

1 ③   **2** ④   **3** ②, ④
4 성화, 준모, 진솔

1 ① 해발 500 m: $+500\,\text{m}$
   ② 300원 손해: -300원
   ④ 5 % 적립: $+5\,\%$
   ⑤ 1점 실점: -1점
   따라서 옳은 것은 ③이다.

2 주어진 수 중 정수는 -4, 0, $+5$, $\dfrac{14}{2}(=7)$의 4개이다.

3 ① 자연수는 $+1$의 1개이다.
   ② 정수는 $+1$, 0, $-\dfrac{8}{4}(=-2)$의 3개이다.
   ③ 유리수는 $\dfrac{1}{7}$, $+1$, 0, $-\dfrac{8}{4}$, -1.5의 5개이다.
   ④ 양수는 $\dfrac{1}{7}$, $+1$의 2개이다.
   ⑤ 정수가 아닌 유리수는 $\dfrac{1}{7}$, -1.5의 2개이다.
   따라서 옳지 않은 것은 ②, ④이다.

4 재은: 가장 작은 양의 유리수는 알 수 없다.
규형: 0과 1 사이에는 정수가 존재하지 않는다.
따라서 바르게 말한 학생은 성화, 준모, 진솔이다.

P. 34

필수 문제 ⑥ A: -4, B: $-\dfrac{1}{2}$, C: $+\dfrac{4}{3}$, D: $+3$

6-1 A: $-\dfrac{7}{2}$, B: 0, C: $+\dfrac{11}{4}$, D: $+\dfrac{10}{3}$

필수 문제 ⑦ (1)

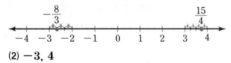

(2) -3, 4

7-1 -2, 3

$-\dfrac{9}{4}\left(=-2\dfrac{1}{4}\right)$와 $\dfrac{14}{5}\left(=2\dfrac{4}{5}\right)$에 대응하는 점을 각각 수직선 위에 나타내면 다음 그림과 같다.

따라서 $-\dfrac{9}{4}$에 가장 가까운 정수는 -2이고, $\dfrac{14}{5}$에 가장 가까운 정수는 3이다.

P. 35~36

개념 확인 (1) 8 (2) $\dfrac{4}{5}$ (3) 6 (4) 2.7

필수 문제 ⑧ (1) $+4$, -4 (2) $+2.5$, -2.5
(3) $+9$ (4) $-\dfrac{3}{4}$

8-1 $a=+10$, $b=-\dfrac{1}{2}$, $c=0$

절댓값이 10인 양수는 $+10$

절댓값이 $\dfrac{1}{2}$인 음수는 $-\dfrac{1}{2}$

절댓값이 0인 수는 0

$\therefore a=+10$, $b=-\dfrac{1}{2}$, $c=0$

8-2 ④

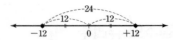

절댓값이 12인 두 수는 $+12$와 -12이므로 두 수에 대응하는 두 점 사이의 거리는 24이다.

필수 문제 ⑨ $+4$, -4

두 수는 절댓값이 같고 부호가 반대이므로 두 수에 대응하는 두 점은 원점으로부터의 거리가 같다.
이때 두 점 사이의 거리가 8이므로
두 점은 원점으로부터 거리가 각각
$\dfrac{8}{2}=4$만큼 떨어져 있다.
따라서 구하는 두 수는 $+4$, -4이다.

> **참고** 절댓값이 같고 부호가 반대인 두 수에 대응하는 두 점 사이의 거리가 a이다.
> ⇨ 두 점은 원점으로부터 서로 반대 방향으로 $\dfrac{a}{2}$만큼 떨어져 있다.
> ⇨ 두 수는 $+\dfrac{a}{2}$, $-\dfrac{a}{2}$이다.

9-1 $+5$, -5

두 수는 절댓값이 같고 부호가 반대이므로 두 수에 대응하는 두 점은 원점으로부터의 거리가 같다.
이때 두 점 사이의 거리가 10이므로 두 점은 원점으로부터의 거리가 각각 $\dfrac{10}{2}=5$만큼 떨어져 있다.
따라서 구하는 두 수는 $+5$, -5이다.

필수 문제 ⑩ -4, 2.6, $-\dfrac{7}{4}$, $\dfrac{3}{2}$, 1

$|-4|=4$, $\left|\dfrac{3}{2}\right|=\dfrac{3}{2}$, $|1|=1$, $\left|-\dfrac{7}{4}\right|=\dfrac{7}{4}$, $|2.6|=2.6$

이므로 주어진 수의 절댓값의 대소를 비교하면

$|-4|>|2.6|>\left|-\dfrac{7}{4}\right|>\left|\dfrac{3}{2}\right|>1$

따라서 절댓값이 큰 수부터 차례로 나열하면

-4, 2.6, $-\dfrac{7}{4}$, $\dfrac{3}{2}$, 1

10-1 -1.3, $\dfrac{14}{5}$, 6, -7, 8.4

원점으로부터 거리가 가장 가까운 점에 대응하는 수는 절댓값이 가장 작은 수이다.

$|-7|=7$, $\left|\dfrac{14}{5}\right|=\dfrac{14}{5}$, $|-1.3|=1.3$, $|6|=6$, $|8.4|=8.4$

이므로 주어진 수의 절댓값의 대소를 비교하면

$|-1.3|<\left|\dfrac{14}{5}\right|<|6|<|-7|<|8.4|$

따라서 원점으로부터 거리가 가장 가까운 점에 대응하는 수부터 차례로 나열하면 -1.3, $\dfrac{14}{5}$, 6, -7, 8.4이다.

개념 확인 $\dfrac{3}{5}$, $\dfrac{2}{5}$, $>$, $<$

필수 문제 ⑪   (1) $>$ (2) $<$ (3) $>$ (4) $<$

(1) (음수)<(양수)이므로 $+4>-3$

(2) $0<$(양수)이므로 $0<+\dfrac{2}{3}$

(3) 음수끼리는 절댓값이 큰 수가 작다.

$\left|-\dfrac{1}{2}\right|=\dfrac{1}{2}$, $|-1|=1$이므로 $\left|-\dfrac{1}{2}\right|<|-1|$

$\therefore -\dfrac{1}{2}>-1$

(4) $\dfrac{8}{3}=\dfrac{32}{12}$, $\dfrac{11}{4}=\dfrac{33}{12}$이므로

$\dfrac{32}{12}<\dfrac{33}{12}$ $\therefore \dfrac{8}{3}<\dfrac{11}{4}$

11-1   (1) $-3<0$ (2) $-\dfrac{2}{3}<-0.5$

(1) (음수)<0이므로 $-3<0$

(2) $\left|-\dfrac{2}{3}\right|=\dfrac{2}{3}=\dfrac{4}{6}$, $|-0.5|=0.5=\dfrac{1}{2}=\dfrac{3}{6}$이므로

$\left|-\dfrac{2}{3}\right|>|-0.5|$ $\therefore -\dfrac{2}{3}<-0.5$

필수 문제 ⑫   (1) $\geq$ (2) $\leq$, $<$ (3) $<$, $\leq$

(1) x는 3보다 크거나 같다.
    ⇨ $x\geq3$

(2) (x는) -2 이상이고 / 5 미만이다.
    ⇨ $-2\leq x<5$

(3) (x는) 4보다 크고 / 7보다 크지 않다.
    ⇨ $4<x\leq7$

STEP 1 **쏙쏙 개념 익히기**   P. 38~39

1 ④   **2** ①   **3** $+\dfrac{5}{7}$, $-\dfrac{5}{7}$

4 $+7$, -7 **5** ⑤   **6** ⑤   **7** ④

8 (1)
(2) 4개

9 ③

1   ④ 점 D는 1과 2 사이를 4등분했을 때, 왼쪽에서 첫 번째에 있는 점이므로 점 D에 대응하는 수는 $1\dfrac{1}{4}=\dfrac{5}{4}$이다.

---

2 $-\dfrac{18}{5}\left(=-3\dfrac{3}{5}\right)$과 $\dfrac{7}{3}\left(=2\dfrac{1}{3}\right)$에 대응하는 점을 각각 수직선 위에 나타내면 다음 그림과 같다.

따라서 $-\dfrac{18}{5}$에 가장 가까운 정수는 -4이므로 $a=-4$,

$\dfrac{7}{3}$에 가장 가까운 정수는 2이므로 $b=2$이다.

3   수직선에서 원점으로부터 어떤 수에 대응하는 점까지의 거리는 그 수의 절댓값과 같으므로 절댓값이 $\dfrac{5}{7}$인 수는

$+\dfrac{5}{7}$, $-\dfrac{5}{7}$이다.

4   두 수는 절댓값이 같고 부호가 반대이므로 두 수에 대응하는 두 점은 원점으로부터의 거리가 같다.

이때 두 점 사이의 거리가 14이므로 두 점은 원점으로부터의 거리가 각각

$\dfrac{14}{2}=7$만큼 떨어져 있다.

따라서 구하는 두 수는 $+7$, -7이다.

5   ① $|-2|=2$ ② $\left|-\dfrac{1}{2}\right|=\dfrac{1}{2}$ ③ $\left|\dfrac{1}{3}\right|=\dfrac{1}{3}$

④ $|1.5|=1.5$ ⑤ $\left|+1\dfrac{2}{3}\right|=1\dfrac{2}{3}$

이때 주어진 수의 절댓값의 대소를 비교하면

$|-2|>\left|+1\dfrac{2}{3}\right|>|1.5|>\left|-\dfrac{1}{2}\right|>\left|\dfrac{1}{3}\right|$

이므로 절댓값이 큰 수부터 차례로 나열하면

-2, $+1\dfrac{2}{3}$, 1.5, $-\dfrac{1}{2}$, $\dfrac{1}{3}$

따라서 두 번째에 오는 수는 ⑤이다.

6   ① (음수)<(양수)이므로 $-7<3$

② $\dfrac{4}{5}=\dfrac{28}{35}$, $\dfrac{5}{7}=\dfrac{25}{35}$이고 $\dfrac{28}{35}>\dfrac{25}{35}$이므로 $\dfrac{4}{5}>\dfrac{5}{7}$

③ $\left|-\dfrac{5}{6}\right|=\dfrac{5}{6}$, $\left|-\dfrac{1}{3}\right|=\dfrac{1}{3}=\dfrac{2}{6}$이므로 $\left|-\dfrac{5}{6}\right|>\left|-\dfrac{1}{3}\right|$

$\therefore -\dfrac{5}{6}<-\dfrac{1}{3}$

④ $|-9|=9$이고 (음수)<(양수)이므로 $-9<|-9|$

⑤ $\left|-\dfrac{1}{2}\right|=\dfrac{1}{2}=\dfrac{3}{6}$, $\left|+\dfrac{1}{3}\right|=\dfrac{1}{3}=\dfrac{2}{6}$이므로

$\left|-\dfrac{1}{2}\right|>\left|+\dfrac{1}{3}\right|$

따라서 옳은 것은 ⑤이다.

7   ④ x는 1보다 작지 않고 3 미만이다.
    ⇨ $1\leq x<3$

8 (1), (2) $-\dfrac{3}{2}\left(=-1\dfrac{1}{2}\right)$과 2에 대응하는 점을 각각 수직선 위에 나타내면 다음 그림과 같다.

$$-\dfrac{3}{2}\left(=-1\dfrac{1}{2}\right)$$

따라서 $-\dfrac{3}{2}$보다 크고 2보다 작거나 같은 정수는

$-1, 0, 1, 2$의 4개이다.

9 $-\dfrac{11}{4}\left(=-2\dfrac{3}{4}\right)$과 4에 대응하는 점을 각각 수직선 위에 나타내면 다음 그림과 같다.

$$-\dfrac{11}{4}$$

따라서 $-\dfrac{11}{4}$과 4 사이에 있는 정수는

$-2, -1, 0, 1, 2, 3$의 6개이다.

02 정수와 유리수의 덧셈과 뺄셈

P. 40~41

개념 확인 (1) $+, 3, 5, +, 8$ (2) $-, 3, 5, -, 8$
(3) $-, 5, 3, -, 2$ (4) $+, 5, 3, +, 2$

필수 문제 ❶ (1) $(+3)+(+4)=+7$
(2) $(-3)+(-4)=-7$
(3) $(+2)+(-7)=-5$
(4) $(-2)+(+6)=+4$

필수 문제 ❷ (1) $+11$ (2) $+6$ (3) $-\dfrac{4}{5}$ (4) $-\dfrac{1}{6}$
(5) -0.5 (6) -2.3

(1) $(+4)+(+7)=+(4+7)=+11$
(2) $(-3)+(+9)=+(9-3)=+6$
(3) $\left(-\dfrac{1}{5}\right)+\left(-\dfrac{3}{5}\right)=-\left(\dfrac{1}{5}+\dfrac{3}{5}\right)=-\dfrac{4}{5}$
(4) $\left(+\dfrac{1}{2}\right)+\left(-\dfrac{2}{3}\right)=\left(+\dfrac{3}{6}\right)+\left(-\dfrac{4}{6}\right)$
$$=-\left(\dfrac{4}{6}-\dfrac{3}{6}\right)=-\dfrac{1}{6}$$
(5) $(+2.6)+(-3.1)=-(3.1-2.6)$
$$=-0.5$$
(6) $(-0.7)+(-1.6)=-(0.7+1.6)$
$$=-2.3$$

2-1 (1) $+16$ (2) $+5$ (3) -2 (4) $+\dfrac{11}{9}$ (5) $+\dfrac{1}{10}$
(6) $-\dfrac{7}{12}$ (7) $+\dfrac{10}{3}$ (8) $-\dfrac{5}{7}$ (9) $+1.3$ (10) -4

(1) $(+5)+(+11)=+(5+11)=+16$
(2) $(-7)+(+12)=+(12-7)=+5$
(3) $\left(-\dfrac{1}{4}\right)+\left(-\dfrac{7}{4}\right)=-\left(\dfrac{1}{4}+\dfrac{7}{4}\right)=-\dfrac{8}{4}=-2$
(4) $\left(+\dfrac{4}{9}\right)+\left(+\dfrac{7}{9}\right)=+\left(\dfrac{4}{9}+\dfrac{7}{9}\right)=+\dfrac{11}{9}$
(5) $\left(-\dfrac{4}{5}\right)+\left(+\dfrac{9}{10}\right)=\left(-\dfrac{8}{10}\right)+\left(+\dfrac{9}{10}\right)$
$$=+\left(\dfrac{9}{10}-\dfrac{8}{10}\right)=+\dfrac{1}{10}$$
(6) $\left(+\dfrac{3}{4}\right)+\left(-\dfrac{4}{3}\right)=\left(+\dfrac{9}{12}\right)+\left(-\dfrac{16}{12}\right)$
$$=-\left(\dfrac{16}{12}-\dfrac{9}{12}\right)=-\dfrac{7}{12}$$
(7) $(+4)+\left(-\dfrac{2}{3}\right)=+\left(4-\dfrac{2}{3}\right)=+\left(\dfrac{12}{3}-\dfrac{2}{3}\right)=+\dfrac{10}{3}$
(8) $(-1)+\left(+\dfrac{2}{7}\right)=-\left(1-\dfrac{2}{7}\right)=-\dfrac{5}{7}$
(9) $(+3.4)+(-2.1)=+(3.4-2.1)=+1.3$
(10) $(-1.2)+(-2.8)=-(1.2+2.8)=-4$

P. 42

필수 문제 ❸ (1) ㈎ 덧셈의 교환법칙, ㈏ 덧셈의 결합법칙
(2) ㈎ 덧셈의 교환법칙, ㈏ 덧셈의 결합법칙

3-1 ㈎ 교환, ㈏ 결합, ㈐ -4, ㈑ -2
$$\left(+\dfrac{2}{3}\right)+\left(-\dfrac{3}{2}\right)+\left(+\dfrac{4}{3}\right)+\left(-\dfrac{5}{2}\right)$$
$$=\left(+\dfrac{2}{3}\right)+\left(+\dfrac{4}{3}\right)+\left(-\dfrac{3}{2}\right)+\left(-\dfrac{5}{2}\right) \quad\text{덧셈의 교환법칙}$$
$$=\left\{\left(+\dfrac{2}{3}\right)+\left(+\dfrac{4}{3}\right)\right\}+\left\{\left(-\dfrac{3}{2}\right)+\left(-\dfrac{5}{2}\right)\right\} \quad\text{덧셈의 결합법칙}$$
$$=(+2)+(\boxed{-4})$$
$$=\boxed{-2}$$

필수 문제 ❹ (1) $+4$ (2) $+5$ (3) $-\dfrac{2}{5}$ (4) -2

(1) $(+6)+(-5)+(+3)=(+6)+(+3)+(-5)$
$$=\{(+6)+(+3)\}+(-5)$$
$$=(+9)+(-5)=+4$$
(2) $\left(-\dfrac{2}{3}\right)+(+7)+\left(-\dfrac{4}{3}\right)$
$$=\left(-\dfrac{2}{3}\right)+\left(-\dfrac{4}{3}\right)+(+7)$$
$$=\left\{\left(-\dfrac{2}{3}\right)+\left(-\dfrac{4}{3}\right)\right\}+(+7)$$
$$=(-2)+(+7)=+5$$

$(3)\ \left(-\dfrac{2}{7}\right)+\left(+\dfrac{3}{5}\right)+\left(-\dfrac{5}{7}\right)$

$\qquad =\left(-\dfrac{2}{7}\right)+\left(-\dfrac{5}{7}\right)+\left(+\dfrac{3}{5}\right)$

$\qquad =\left\{\left(-\dfrac{2}{7}\right)+\left(-\dfrac{5}{7}\right)\right\}+\left(+\dfrac{3}{5}\right)$

$\qquad =(-1)+\left(+\dfrac{3}{5}\right)=-\dfrac{2}{5}$

$(4)\ (-2.7)+(+4)+(-3.3)$

$\qquad =(-2.7)+(-3.3)+(+4)$

$\qquad =\{(-2.7)+(-3.3)\}+(+4)$

$\qquad =(-6)+(+4)=-2$

4-1 (1) $+23$ (2) $+19$ (3) -2 (4) $+8$

$(1)\ (-15)+(+23)+(+15)$

$\qquad =(-15)+(+15)+(+23)$

$\qquad =\{(-15)+(+15)\}+(+23)$

$\qquad =0+(+23)=+23$

$(2)\ \left(+\dfrac{1}{4}\right)+(+21)+\left(-\dfrac{9}{4}\right)$

$\qquad =\left(+\dfrac{1}{4}\right)+\left(-\dfrac{9}{4}\right)+(+21)$

$\qquad =\left\{\left(+\dfrac{1}{4}\right)+\left(-\dfrac{9}{4}\right)\right\}+(+21)$

$\qquad =(-2)+(+21)=+19$

$(3)\ \left(+\dfrac{4}{3}\right)+\left(-\dfrac{3}{2}\right)+\left(+\dfrac{5}{3}\right)+\left(-\dfrac{7}{2}\right)$

$\qquad =\left(+\dfrac{4}{3}\right)+\left(+\dfrac{5}{3}\right)+\left(-\dfrac{3}{2}\right)+\left(-\dfrac{7}{2}\right)$

$\qquad =\left\{\left(+\dfrac{4}{3}\right)+\left(+\dfrac{5}{3}\right)\right\}+\left\{\left(-\dfrac{3}{2}\right)+\left(-\dfrac{7}{2}\right)\right\}$

$\qquad =(+3)+(-5)=-2$

$(4)\ (-1.4)+(+1.3)+(-1.6)+(+9.7)$

$\qquad =(-1.4)+(-1.6)+(+1.3)+(+9.7)$

$\qquad =\{(-1.4)+(-1.6)\}+\{(+1.3)+(+9.7)\}$

$\qquad =(-3)+(+11)=+8$

개념 확인   (1) $-,\ -,\ 3,\ 1,\ -,\ 2$

              (2) $+,\ +,\ 2,\ +,\ +,\ 2,\ +,\ 5$

필수 문제 5   (1) $+4$ (2) -4 (3) $+1$ (4) $-\dfrac{1}{21}$

                 (5) -7 (6) $+1.8$

$(1)\ (+6)-(+2)=(+6)+(-2)=+(6-2)=+4$

$(2)\ (-8)-(-4)=(-8)+(+4)=-(8-4)=-4$

$(3)\ \left(+\dfrac{3}{4}\right)-\left(-\dfrac{1}{4}\right)=\left(+\dfrac{3}{4}\right)+\left(+\dfrac{1}{4}\right)=+\left(\dfrac{3}{4}+\dfrac{1}{4}\right)$

$\qquad\qquad\qquad\qquad\qquad =+\dfrac{4}{4}=+1$

$(4)\ \left(-\dfrac{1}{3}\right)-\left(-\dfrac{2}{7}\right)=\left(-\dfrac{7}{21}\right)+\left(+\dfrac{6}{21}\right)$

$\qquad\qquad\qquad\qquad =-\left(\dfrac{7}{21}-\dfrac{6}{21}\right)=-\dfrac{1}{21}$

$(5)\ (-5.4)-(+1.6)=(-5.4)+(-1.6)$

$\qquad\qquad\qquad\qquad =-(5.4+1.6)=-7$

$(6)\ (+6.3)-(+4.5)=(+6.3)+(-4.5)$

$\qquad\qquad\qquad\qquad =+(6.3-4.5)=+1.8$

5-1 (1) -6 (2) -14 (3) $+\dfrac{4}{11}$ (4) $-\dfrac{7}{10}$

      (5) $+\dfrac{3}{4}$ (6) $-\dfrac{17}{24}$ (7) -7.7 (8) $+0.7$

$(1)\ (+7)-(+13)=(+7)+(-13)$

$\qquad\qquad\qquad\qquad =-(13-7)=-6$

$(2)\ (-9)-(+5)=(-9)+(-5)=-(9+5)=-14$

$(3)\ \left(-\dfrac{4}{11}\right)-\left(-\dfrac{8}{11}\right)=\left(-\dfrac{4}{11}\right)+\left(+\dfrac{8}{11}\right)$

$\qquad\qquad\qquad\qquad =+\left(\dfrac{8}{11}-\dfrac{4}{11}\right)=+\dfrac{4}{11}$

$(4)\ \left(+\dfrac{13}{10}\right)-(+2)=\left(+\dfrac{13}{10}\right)+(-2)$

$\qquad\qquad\qquad\qquad =-\left(2-\dfrac{13}{10}\right)=-\dfrac{7}{10}$

$(5)\ \left(+\dfrac{2}{5}\right)-\left(-\dfrac{7}{20}\right)=\left(+\dfrac{8}{20}\right)+\left(+\dfrac{7}{20}\right)$

$\qquad\qquad\qquad\qquad =+\left(\dfrac{8}{20}+\dfrac{7}{20}\right)=+\dfrac{15}{20}=+\dfrac{3}{4}$

$(6)\ \left(-\dfrac{5}{6}\right)-\left(-\dfrac{1}{8}\right)=\left(-\dfrac{20}{24}\right)+\left(+\dfrac{3}{24}\right)$

$\qquad\qquad\qquad\qquad =-\left(\dfrac{20}{24}-\dfrac{3}{24}\right)=-\dfrac{17}{24}$

$(7)\ (-3.2)-(+4.5)=(-3.2)+(-4.5)$

$\qquad\qquad\qquad\qquad =-(3.2+4.5)=-7.7$

$(8)\ (+3.5)-(+2.8)=(+3.5)+(-2.8)$

$\qquad\qquad\qquad\qquad =+(3.5-2.8)=+0.7$

필수 문제 6   (1) $+13$ (2) $-\dfrac{7}{9}$

$(1)\ (-7)+(+12)-(-8)$

$\qquad =(-7)+(+12)+(+8)$

$\qquad =(-7)+\{(+12)+(+8)\}$

$\qquad =(-7)+(+20)=+13$

$(2)\ \left(+\dfrac{2}{9}\right)-\left(-\dfrac{1}{5}\right)+\left(-\dfrac{6}{5}\right)$

$\qquad =\left(+\dfrac{2}{9}\right)+\left(+\dfrac{1}{5}\right)+\left(-\dfrac{6}{5}\right)$

$\qquad =\left(+\dfrac{2}{9}\right)+\left\{\left(+\dfrac{1}{5}\right)+\left(-\dfrac{6}{5}\right)\right\}$

$\qquad =\left(+\dfrac{2}{9}\right)+(-1)=-\dfrac{7}{9}$

6-1 (1) -14 (2) $+1$ (3) 0 (4) $+3$

(1) $(-11)+(+3)-(+6)$
$=(-11)+(+3)+(-6)$
$=\{(-11)+(-6)\}+(+3)$
$=(-17)+(+3)=-14$

(2) $(+7)+(-5)-(-3)-(+4)$
$=(+7)+(-5)+(+3)+(-4)$
$=\{(+7)+(+3)\}+\{(-5)+(-4)\}$
$=(+10)+(-9)=+1$

(3) $\left(-\dfrac{1}{2}\right)-\left(+\dfrac{1}{3}\right)+\left(-\dfrac{2}{3}\right)-\left(-\dfrac{3}{2}\right)$
$=\left(-\dfrac{1}{2}\right)+\left(-\dfrac{1}{3}\right)+\left(-\dfrac{2}{3}\right)+\left(+\dfrac{3}{2}\right)$
$=\left\{\left(-\dfrac{1}{2}\right)+\left(+\dfrac{3}{2}\right)\right\}+\left\{\left(-\dfrac{1}{3}\right)+\left(-\dfrac{2}{3}\right)\right\}$
$=(+1)+(-1)=0$

(4) $(+2.7)+\left(-\dfrac{7}{2}\right)-(-3.8)$
$=(+2.7)+(-3.5)+(+3.8)$
$=\{(+2.7)+(+3.8)\}+(-3.5)$
$=(+6.5)+(-3.5)=+3$

필수 문제 7 (1) 7 (2) -8 (3) $\dfrac{1}{6}$ (4) -1

(1) $5+16-14$
$=(+5)+(+16)-(+14)$
$=(+5)+(+16)+(-14)$
$=\{(+5)+(+16)\}+(-14)$
$=(+21)+(-14)=7$

(2) $-15+2+13-8$
$=(-15)+(+2)+(+13)-(+8)$
$=(-15)+(+2)+(+13)+(-8)$
$=\{(-15)+(-8)\}+\{(+2)+(+13)\}$
$=(-23)+(+15)=-8$

(3) $-\dfrac{7}{6}-\dfrac{2}{3}+2$
$=\left(-\dfrac{7}{6}\right)-\left(+\dfrac{2}{3}\right)+(+2)$
$=\left(-\dfrac{7}{6}\right)+\left(-\dfrac{2}{3}\right)+(+2)$
$=\left(-\dfrac{7}{6}\right)+\left(-\dfrac{4}{6}\right)+(+2)$
$=\left\{\left(-\dfrac{7}{6}\right)+\left(-\dfrac{4}{6}\right)\right\}+(+2)$
$=\left(-\dfrac{11}{6}\right)+(+2)=\dfrac{1}{6}$

(4) $7-2.4+5.8-11.4$
$=(+7)-(+2.4)+(+5.8)-(+11.4)$
$=(+7)+(-2.4)+(+5.8)+(-11.4)$
$=\{(+7)+(+5.8)\}+\{(-2.4)+(-11.4)\}$
$=(+12.8)+(-13.8)=-1$

다른 풀이
다음과 같이 양의 부호 $+$가 생략된 것으로 생각하여 풀 수도 있다.
(1) $5+16-14=21-14=7$
(2) $-15+2+13-8=-15-8+2+13$
$\qquad\qquad\qquad\quad=-23+15=-8$
(3) $-\dfrac{7}{6}-\dfrac{2}{3}+2=-\dfrac{7}{6}-\dfrac{4}{6}+2=-\dfrac{11}{6}+2=\dfrac{1}{6}$
(4) $7-2.4+5.8-11.4=7+5.8-2.4-11.4$
$\qquad\qquad\qquad\quad=12.8-13.8=-1$

7-1 (1) 1 (2) -1 (3) $\dfrac{3}{4}$ (4) $-\dfrac{3}{2}$

(1) $9-11+3=(+9)-(+11)+(+3)$
$=(+9)+(-11)+(+3)$
$=\{(+9)+(+3)\}+(-11)$
$=(+12)+(-11)=1$

(2) $-2+3+5-7$
$=(-2)+(+3)+(+5)-(+7)$
$=(-2)+(+3)+(+5)+(-7)$
$=\{(-2)+(-7)\}+\{(+3)+(+5)\}$
$=(-9)+(+8)=-1$

(3) $\dfrac{2}{3}+\dfrac{1}{2}-\dfrac{5}{12}=\left(+\dfrac{2}{3}\right)+\left(+\dfrac{1}{2}\right)-\left(+\dfrac{5}{12}\right)$
$=\left(+\dfrac{2}{3}\right)+\left(+\dfrac{1}{2}\right)+\left(-\dfrac{5}{12}\right)$
$=\left(+\dfrac{8}{12}\right)+\left(+\dfrac{6}{12}\right)+\left(-\dfrac{5}{12}\right)$
$=\left\{\left(+\dfrac{8}{12}\right)+\left(+\dfrac{6}{12}\right)\right\}+\left(-\dfrac{5}{12}\right)$
$=\left(+\dfrac{14}{12}\right)+\left(-\dfrac{5}{12}\right)$
$=\dfrac{9}{12}=\dfrac{3}{4}$

(4) $-\dfrac{5}{2}+1.2+\dfrac{2}{5}-0.6$
$=\left(-\dfrac{5}{2}\right)+(+1.2)+\left(+\dfrac{2}{5}\right)-(+0.6)$
$=\left(-\dfrac{5}{2}\right)+(+1.2)+\left(+\dfrac{2}{5}\right)+(-0.6)$
$=\left(-\dfrac{25}{10}\right)+\left(+\dfrac{12}{10}\right)+\left(+\dfrac{4}{10}\right)+\left(-\dfrac{6}{10}\right)$
$=\left\{\left(-\dfrac{25}{10}\right)+\left(-\dfrac{6}{10}\right)\right\}+\left\{\left(+\dfrac{12}{10}\right)+\left(+\dfrac{4}{10}\right)\right\}$
$=\left(-\dfrac{31}{10}\right)+\left(+\dfrac{16}{10}\right)$
$=-\dfrac{15}{10}=-\dfrac{3}{2}$

다른 풀이
(1) $9-11+3=9+3-11=12-11=1$
(2) $-2+3+5-7=-2-7+3+5=-9+8=-1$
(3) $\dfrac{2}{3}+\dfrac{1}{2}-\dfrac{5}{12}=\dfrac{8}{12}+\dfrac{6}{12}-\dfrac{5}{12}$
$\qquad\qquad\qquad=\dfrac{14}{12}-\dfrac{5}{12}=\dfrac{9}{12}=\dfrac{3}{4}$

(4) $-\dfrac{5}{2}+1.2+\dfrac{2}{5}-0.6=-\dfrac{25}{10}+\dfrac{12}{10}+\dfrac{4}{10}-\dfrac{6}{10}$

$\qquad\qquad\qquad\qquad\quad =-\dfrac{25}{10}-\dfrac{6}{10}+\dfrac{12}{10}+\dfrac{4}{10}$

$\qquad\qquad\qquad\qquad\quad =-\dfrac{31}{10}+\dfrac{16}{10}$

$\qquad\qquad\qquad\qquad\quad =-\dfrac{15}{10}=-\dfrac{3}{2}$

따라서 $a=+\dfrac{9}{2}$, $b=-0.5$이므로

$a-b=\left(+\dfrac{9}{2}\right)-(-0.5)=\left(+\dfrac{9}{2}\right)+\left(+\dfrac{1}{2}\right)$

$\qquad\quad =\dfrac{10}{2}=5$

STEP 1 쏙쏙 개념 익히기   P. 45~46

1 ②　　　　　　　　　　　**2** ④

3 (1) 17.7℃　(2) 8.1℃　(3) 6.5℃　　**4** 5

5 (1) -4　(2) 21　(3) $-\dfrac{7}{12}$　(4) 1

6 (1) $a=7$, $b=\dfrac{11}{8}$　(2) $\dfrac{45}{8}$

7 (1) $\dfrac{12}{7}$　(2) $\dfrac{10}{7}$　　　　**8** ㉠$=1$, ㉡$=\dfrac{1}{6}$

---

2 ① $(-6)+(-5)=-(6+5)=-11$

　② $(+4)+(-4)=+(4-4)=0$

　③ $(+5)-(-3)=(+5)+(+3)=+(5+3)=+8$

　④ $(+0.7)+(-0.9)=-(0.9-0.7)=-0.2$

　⑤ $\left(-\dfrac{2}{5}\right)-(+0.2)=\left(-\dfrac{2}{5}\right)+\left(-\dfrac{1}{5}\right)$

　$\qquad\qquad\qquad\qquad\quad =-\left(\dfrac{2}{5}+\dfrac{1}{5}\right)=-\dfrac{3}{5}$

　따라서 계산 결과가 옳은 것은 ④이다.

3 (1) 최고 기온은 14시일 때 $+10.3$℃,

　최저 기온은 2시일 때 -7.4℃이므로

　$(+10.3)-(-7.4)=(+10.3)+(+7.4)=17.7$(℃)

　따라서 최고 기온과 최저 기온의 차는 17.7℃이다.

　(2) 10시의 기온은 $+3$℃,

　6시의 기온은 -5.1℃이므로

　$(+3)-(-5.1)=(+3)+(+5.1)=8.1$(℃)

　따라서 기온은 8.1℃만큼 높아졌다.

　(3) 22시의 기온은 -3.9℃,

　18시의 기온은 $+2.6$℃이므로

　$(-3.9)-(+2.6)=(-3.9)+(-2.6)=-6.5$(℃)

　따라서 기온은 6.5℃만큼 낮아졌다.

　주의 기온이 -6.5℃만큼 낮아졌다고 답하지 않는다.

4 $|-2.5|=2.5$, $|+3|=3$, $\left|-\dfrac{15}{4}\right|=\dfrac{15}{4}$, $|-0.5|=0.5$,

　$\left|+\dfrac{9}{2}\right|=\dfrac{9}{2}$이므로 절댓값이 가장 큰 수는 $+\dfrac{9}{2}$, 절댓값이 가장 작은 수는 -0.5이다.

---

5 (1) $(+7)-(+2)+(-9)$

　$=(+7)+(-2)+(-9)$

　$=(+7)+\{(-2)+(-9)\}$

　$=(+7)+(-11)=-4$

　(2) $(+18)+(-3)-(-6)$

　$=(+18)+(-3)+(+6)$

　$=(-3)+\{(+18)+(+6)\}$

　$=(-3)+(+24)=21$

　(3) $-\dfrac{2}{3}-\dfrac{1}{2}+\dfrac{3}{4}-\dfrac{1}{6}$

　$=\left(-\dfrac{2}{3}\right)-\left(+\dfrac{1}{2}\right)+\left(+\dfrac{3}{4}\right)-\left(+\dfrac{1}{6}\right)$

　$=\left(-\dfrac{2}{3}\right)+\left(-\dfrac{1}{2}\right)+\left(+\dfrac{3}{4}\right)+\left(-\dfrac{1}{6}\right)$

　$=\left(-\dfrac{8}{12}\right)+\left(-\dfrac{6}{12}\right)+\left(+\dfrac{9}{12}\right)+\left(-\dfrac{2}{12}\right)$

　$=\left\{\left(-\dfrac{8}{12}\right)+\left(-\dfrac{6}{12}\right)\right\}+\left(+\dfrac{9}{12}\right)+\left(-\dfrac{2}{12}\right)$

　$=\left(-\dfrac{14}{12}\right)+\left(+\dfrac{9}{12}\right)+\left(-\dfrac{2}{12}\right)$

　$=\left\{\left(-\dfrac{14}{12}\right)+\left(-\dfrac{2}{12}\right)\right\}+\left(+\dfrac{9}{12}\right)$

　$=\left(-\dfrac{16}{12}\right)+\left(+\dfrac{9}{12}\right)=-\dfrac{7}{12}$

　(4) $-0.4+3.2-4.5+2.7$

　$=(-0.4)+(+3.2)-(+4.5)+(+2.7)$

　$=(-0.4)+(+3.2)+(-4.5)+(+2.7)$

　$=\{(-0.4)+(-4.5)\}+\{(+3.2)+(+2.7)\}$

　$=(-4.9)+(+5.9)=1$

6 (1) $a=4-(-3)=4+3=7$

　$b=2+\left(-\dfrac{5}{8}\right)=\dfrac{11}{8}$

　(2) $a-b=7-\dfrac{11}{8}=\dfrac{45}{8}$

7 (1) 어떤 수를 $\square$라 하면

　$\square-\left(-\dfrac{2}{7}\right)=2$　　　$\therefore \square=2+\left(-\dfrac{2}{7}\right)=\dfrac{12}{7}$

　따라서 어떤 수는 $\dfrac{12}{7}$이다.

　(2) 어떤 수가 $\dfrac{12}{7}$이므로 바르게 계산하면

　$\dfrac{12}{7}+\left(-\dfrac{2}{7}\right)=\dfrac{10}{7}$

8 삼각형의 밑변에서

$$-\frac{4}{3}+2.5+\frac{1}{3}=\left(-\frac{4}{3}\right)+\frac{5}{2}+\frac{1}{3}$$

$$=\left\{\left(-\frac{4}{3}\right)+\frac{1}{3}\right\}+\frac{5}{2}$$

$$=-1+\frac{5}{2}=\frac{3}{2}$$

이므로

$\bigcirc+\dfrac{11}{6}+\left(-\dfrac{4}{3}\right)=\dfrac{3}{2}$에서 $\bigcirc+\dfrac{11}{6}+\left(-\dfrac{8}{6}\right)=\dfrac{3}{2}$

$\bigcirc+\dfrac{1}{2}=\dfrac{3}{2}$　　$\therefore \bigcirc=\dfrac{3}{2}-\dfrac{1}{2}=1$

$\bigcirc+\bigcirc+\dfrac{1}{3}=\dfrac{3}{2}$에서 $1+\bigcirc+\dfrac{1}{3}=\dfrac{3}{2}$

$\bigcirc+\dfrac{4}{3}=\dfrac{3}{2}$　　$\therefore \bigcirc=\dfrac{3}{2}-\dfrac{4}{3}=\dfrac{9}{6}-\dfrac{8}{6}=\dfrac{1}{6}$

o3 정수와 유리수의 곱셈과 나눗셈

개념 확인　(1) $+$, 3, $+6$　　(2) $+$, 5, $+30$
　　　　　　(3) $-$, 5, -15　　(4) $-$, 4, -28

필수 문제 ❶ (1) $+18$　(2) -32　(3) $+75$
　　　　　　(4) $+\dfrac{15}{28}$　(5) $-\dfrac{1}{6}$　(6) $-\dfrac{1}{2}$

(1) $(+6)\times(+3)=+(6\times3)=+18$

(2) $(+4)\times(-8)=-(4\times8)=-32$

(3) $(-10)\times\left(-\dfrac{15}{2}\right)=+\left(10\times\dfrac{15}{2}\right)=+75$

(4) $\left(+\dfrac{5}{7}\right)\times\left(+\dfrac{3}{4}\right)=+\left(\dfrac{5}{7}\times\dfrac{3}{4}\right)=+\dfrac{15}{28}$

(5) $\left(-\dfrac{7}{9}\right)\times\left(+\dfrac{3}{14}\right)=-\left(\dfrac{7}{9}\times\dfrac{3}{14}\right)=-\dfrac{1}{6}$

(6) $(+0.6)\times\left(-\dfrac{5}{6}\right)=-\left(\dfrac{6}{10}\times\dfrac{5}{6}\right)=-\dfrac{1}{2}$

1-1 (1) $+77$　(2) 0　　(3) $+16$
　　　(4) $-\dfrac{5}{12}$　(5) $+3.9$　(6) $-\dfrac{3}{10}$

(1) $(-7)\times(-11)=+(7\times11)=+77$

(2) $(-8)\times0=0$

(3) $\left(+\dfrac{4}{3}\right)\times(+12)=+\left(\dfrac{4}{3}\times12\right)=+16$

(4) $\left(-\dfrac{7}{4}\right)\times\left(+\dfrac{5}{21}\right)=-\left(\dfrac{7}{4}\times\dfrac{5}{21}\right)=-\dfrac{5}{12}$

(5) $(-1.3)\times(-3)=+(1.3\times3)=+3.9$

(6) $\left(+\dfrac{3}{2}\right)\times(-0.2)=-\left(\dfrac{3}{2}\times\dfrac{2}{10}\right)=-\dfrac{3}{10}$

필수 문제 ❷ (가) 곱셈의 교환법칙, (나) 곱셈의 결합법칙

필수 문제 ❸ (1) -60　(2) $+420$　(3) $-\dfrac{4}{3}$　(4) $+\dfrac{5}{3}$

(1) $(+3)\times(+5)\times(-4)$
　$=-(3\times5\times4)=-60$

(2) $(-4)\times(-7)\times(+15)$
　$=+(4\times7\times15)=+420$

(3) $8\times\left(-\dfrac{3}{4}\right)\times\dfrac{2}{9}=-\left(8\times\dfrac{3}{4}\times\dfrac{2}{9}\right)=-\dfrac{4}{3}$

(4) $\dfrac{7}{2}\times20\times\left(-\dfrac{5}{21}\right)\times\left(-\dfrac{1}{10}\right)$
　$=+\left(\dfrac{7}{2}\times20\times\dfrac{5}{21}\times\dfrac{1}{10}\right)=+\dfrac{5}{3}$

3-1 (1) $+42$　(2) -72　(3) $+\dfrac{5}{4}$　(4) -4

(1) $(-2)\times(-7)\times(+3)$
　$=+(2\times7\times3)=+42$

(2) $(+6)\times(-3)\times(+4)$
　$=-(6\times3\times4)=-72$

(3) $\left(-\dfrac{3}{8}\right)\times\dfrac{5}{6}\times(-4)=+\left(\dfrac{3}{8}\times\dfrac{5}{6}\times4\right)=+\dfrac{5}{4}$

(4) $\left(-\dfrac{3}{11}\right)\times\left(-\dfrac{4}{9}\right)\times22\times\left(-\dfrac{3}{2}\right)$
　$=-\left(\dfrac{3}{11}\times\dfrac{4}{9}\times22\times\dfrac{3}{2}\right)=-4$

필수 문제 ❹ (1) $+32$　(2) -125　(3) $+1$　(4) $-\dfrac{4}{9}$

(1) $(+2)^5=(+2)\times(+2)\times(+2)\times(+2)\times(+2)$
　$=+(2\times2\times2\times2\times2)=+32$

(2) $(-5)^3=(-5)\times(-5)\times(-5)$
　$=-(5\times5\times5)=-125$

(3) $(-1)^8=\underbrace{(-1)\times(-1)\times\cdots\times(-1)}_{-1\text{이 }8\text{개(짝수 개)}}=+1$

참고　• $(-1)^{(\text{홀수})}=-1$, $(-1)^{(\text{짝수})}=1$
　　　　• $-1^{(\text{홀수})}=-1$, $-1^{(\text{짝수})}=-1$

(4) $-\left(-\dfrac{2}{3}\right)^2=-\left\{\left(-\dfrac{2}{3}\right)\times\left(-\dfrac{2}{3}\right)\right\}=-\dfrac{4}{9}$

4-1 (1) 8　　　　　　　　(2) $-\dfrac{3}{4}$

(1) $(-1)^5\times(-2)^3=-1\times(-8)=8$

(2) $(-4)\times\left(-\dfrac{1}{4}\right)^2\times3=(-4)\times\dfrac{1}{16}\times3$
　　　　　$=-\left(4\times\dfrac{1}{16}\times3\right)=-\dfrac{3}{4}$

28 | 정답과 해설 _ 개념편

필수 문제 ⑤ (1) **48, 48, 28, 22** (2) **32, 32, 96**

(1) $\left\{\left(-\dfrac{1}{8}\right)+\left(+\dfrac{7}{12}\right)\right\}\times 48$

$\quad =\left(-\dfrac{1}{8}\right)\times\boxed{48}+\left(+\dfrac{7}{12}\right)\times\boxed{48}\;\leftarrow$ 괄호 풀기

$\quad =-6+\boxed{28}=\boxed{22}$

(2) $32\times\dfrac{115}{49}+32\times\dfrac{32}{49}$

$\quad =\boxed{32}\times\left(\dfrac{115}{49}+\dfrac{32}{49}\right)\;\leftarrow$ 괄호 묶기

$\quad =\boxed{32}\times 3=\boxed{96}$

5-1 (1) **2** (2) **−110**

(1) $45\times\left\{\dfrac{4}{15}+\left(-\dfrac{2}{9}\right)\right\}$

$\quad =45\times\dfrac{4}{15}+45\times\left(-\dfrac{2}{9}\right)$

$\quad =12+(-10)=2$

(2) $(-11)\times 5.3+(-11)\times 4.7$

$\quad =(-11)\times(5.3+4.7)$

$\quad =(-11)\times 10=-110$

5-2 **14**

$a\times(b+c)=a\times b+a\times c$

$\qquad\qquad\quad =-6+20=14$

P. 50

개념 확인 (1) $\dfrac{3}{2}$ (2) $-\dfrac{1}{3}$ (3) $\dfrac{2}{7}$ (4) **5**

필수 문제 ⑥ (1) **+4** (2) **−6** (3) **+2** (4) **−0.9**

(1) $(+12)\div(+3)=+(12\div 3)=+4$

(2) $(+30)\div(-5)=-(30\div 5)=-6$

(3) $(-16)\div(-8)=+(16\div 8)=+2$

(4) $(-5.4)\div(+6)=-(5.4\div 6)=-0.9$

6-1 (1) **−19** (2) **+1.4**

(1) $(+38)\div(-2)=-(38\div 2)=-19$

(2) $(-4.2)\div(-3)=+(4.2\div 3)=+1.4$

필수 문제 ⑦ (1) **−4** (2) $+\dfrac{5}{12}$

(1) $(-6)\div\left(+\dfrac{3}{2}\right)=(-6)\times\left(+\dfrac{2}{3}\right)$

$\qquad\qquad\qquad\quad =-\left(6\times\dfrac{2}{3}\right)=-4$

(2) $\left(-\dfrac{2}{3}\right)\div\left(-\dfrac{8}{5}\right)=\left(-\dfrac{2}{3}\right)\times\left(-\dfrac{5}{8}\right)$

$\qquad\qquad\qquad\quad =+\left(\dfrac{2}{3}\times\dfrac{5}{8}\right)=+\dfrac{5}{12}$

7-1 (1) $-\dfrac{2}{3}$ (2) $-\dfrac{3}{4}$

(1) $\dfrac{8}{9}\div\left(-\dfrac{4}{3}\right)=\dfrac{8}{9}\times\left(-\dfrac{3}{4}\right)=-\left(\dfrac{8}{9}\times\dfrac{3}{4}\right)=-\dfrac{2}{3}$

(2) $\left(-\dfrac{7}{10}\right)\div\left(+\dfrac{14}{15}\right)=\left(-\dfrac{7}{10}\right)\times\left(+\dfrac{15}{14}\right)$

$\qquad\qquad\qquad\qquad\quad =-\left(\dfrac{7}{10}\times\dfrac{15}{14}\right)=-\dfrac{3}{4}$

P. 51

개념 확인 $-\dfrac{15}{2},\ -6,\ \dfrac{15}{2},\ 15,\ 3$

필수 문제 ⑧ (1) **−4** (2) **−3**

(1) $-2\times\left(-\dfrac{5}{3}\right)\div\left(-\dfrac{5}{6}\right)=-2\times\left(-\dfrac{5}{3}\right)\times\left(-\dfrac{6}{5}\right)$

$\qquad\qquad\qquad\qquad\qquad =-\left(2\times\dfrac{5}{3}\times\dfrac{6}{5}\right)=-4$

(2) $2\div\left(-\dfrac{2}{3}\right)\times(-1)^2=2\times\left(-\dfrac{3}{2}\right)\times 1=-3$

8-1 (1) $\dfrac{15}{8}$ (2) $-\dfrac{12}{5}$

(1) $-\dfrac{5}{4}\times\dfrac{2}{5}\div\left(-\dfrac{4}{15}\right)=-\dfrac{5}{4}\times\dfrac{2}{5}\times\left(-\dfrac{15}{4}\right)$

$\qquad\qquad\qquad\qquad\qquad =+\left(\dfrac{5}{4}\times\dfrac{2}{5}\times\dfrac{15}{4}\right)=\dfrac{15}{8}$

(2) $\dfrac{4}{5}\div\left(\dfrac{1}{2}\right)^2\times\left(-\dfrac{3}{4}\right)=\dfrac{4}{5}\div\dfrac{1}{4}\times\left(-\dfrac{3}{4}\right)$

$\qquad\qquad\qquad\qquad\qquad =\dfrac{4}{5}\times 4\times\left(-\dfrac{3}{4}\right)$

$\qquad\qquad\qquad\qquad\qquad =-\left(\dfrac{4}{5}\times 4\times\dfrac{3}{4}\right)=-\dfrac{12}{5}$

필수 문제 ⑨ **2**

$\dfrac{7}{3}-\left\{(-2)\times\left(-\dfrac{1}{3}\right)^2+\dfrac{5}{9}\right\}$

$=\dfrac{7}{3}-\left\{(-2)\times\dfrac{1}{9}+\dfrac{5}{9}\right\}$

$=\dfrac{7}{3}-\left(-\dfrac{2}{9}+\dfrac{5}{9}\right)$

$=\dfrac{7}{3}-\dfrac{1}{3}=\dfrac{6}{3}=2$

9-1 **24**

$-4+4\times\left\{(-2)^3+10\div\dfrac{2}{3}\right\}$

$=-4+4\times\left(-8+10\times\dfrac{3}{2}\right)$

$=-4+4\times(-8+15)$

$=-4+4\times 7$

$=-4+28=24$

한번 더 연습

P. 52

1 (1) $\dfrac{7}{3}$　(2) $-\dfrac{4}{9}$　(3) $-\dfrac{1}{2}$　(4) $-\dfrac{2}{45}$

2 (1) $\dfrac{1}{3}$　(2) $-\dfrac{19}{6}$　(3) 0　(4) -4

3 (1) ㉃, ㉣, ㉠, ㉤, ㉥　(2) ㉤, ㉣, ㉃, ㉥, ㉠

4 (1) -32　(2) $\dfrac{5}{24}$　(3) $-\dfrac{5}{3}$　(4) $-\dfrac{51}{10}$

1

(1) $\left(-\dfrac{7}{2}\right)\times\dfrac{3}{2}\div\left(-\dfrac{9}{4}\right)=\left(-\dfrac{7}{2}\right)\times\dfrac{3}{2}\times\left(-\dfrac{4}{9}\right)$

$\qquad =+\left(\dfrac{7}{2}\times\dfrac{3}{2}\times\dfrac{4}{9}\right)=\dfrac{7}{3}$

(2) $\dfrac{9}{7}\div\left(-\dfrac{27}{8}\right)\times\dfrac{7}{6}=\dfrac{9}{7}\times\left(-\dfrac{8}{27}\right)\times\dfrac{7}{6}$

$\qquad =-\left(\dfrac{9}{7}\times\dfrac{8}{27}\times\dfrac{7}{6}\right)=-\dfrac{4}{9}$

(3) $\left(-\dfrac{3}{10}\right)\times\left(-\dfrac{1}{3}\right)\div\left(-\dfrac{1}{5}\right)$

$\qquad =\left(-\dfrac{3}{10}\right)\times\left(-\dfrac{1}{3}\right)\times(-5)$

$\qquad =-\left(\dfrac{3}{10}\times\dfrac{1}{3}\times5\right)=-\dfrac{1}{2}$

(4) $\left(-\dfrac{2}{3}\right)^3\div(-8)\times\left(-\dfrac{6}{5}\right)$

$\qquad =\left(-\dfrac{8}{27}\right)\times\left(-\dfrac{1}{8}\right)\times\left(-\dfrac{6}{5}\right)$

$\qquad =-\left(\dfrac{8}{27}\times\dfrac{1}{8}\times\dfrac{6}{5}\right)=-\dfrac{2}{45}$

2

(1) $\dfrac{2}{5}+\dfrac{1}{10}\times\left(-\dfrac{2}{3}\right)=\dfrac{2}{5}+\left(-\dfrac{1}{15}\right)$

$\qquad =\dfrac{6}{15}+\left(-\dfrac{1}{15}\right)$

$\qquad =\dfrac{5}{15}=\dfrac{1}{3}$

(2) $-\dfrac{2}{3}-\dfrac{4}{3}\times\dfrac{15}{8}=-\dfrac{2}{3}-\dfrac{5}{2}$

$\qquad =-\dfrac{4}{6}-\dfrac{15}{6}=-\dfrac{19}{6}$

(3) $\dfrac{27}{16}+\left(-\dfrac{9}{8}\right)\div\dfrac{2}{3}=\dfrac{27}{16}+\left(-\dfrac{9}{8}\right)\times\dfrac{3}{2}$

$\qquad =\dfrac{27}{16}+\left(-\dfrac{27}{16}\right)=0$

(4) $-\dfrac{4}{3}\times6+\dfrac{1}{3}\div\dfrac{1}{12}=-\dfrac{4}{3}\times6+\dfrac{1}{3}\times12$

$\qquad =-8+4=-4$

4

(1) $\left\{6-2\div\left(-\dfrac{1}{3}\right)\right\}\times\left(-\dfrac{8}{3}\right)$

$\qquad =\{6-2\times(-3)\}\times\left(-\dfrac{8}{3}\right)$

$\qquad =(6+6)\times\left(-\dfrac{8}{3}\right)$

$\qquad =12\times\left(-\dfrac{8}{3}\right)=-32$

(2) $\left\{4+(-2)^3\times\dfrac{3}{8}\right\}\div\dfrac{24}{5}$

$\qquad =\left\{4+(-8)\times\dfrac{3}{8}\right\}\div\dfrac{24}{5}$

$\qquad =(4-3)\times\dfrac{5}{24}=\dfrac{5}{24}$

(3) $-\dfrac{1}{2}+\left\{2-4\div\left(-\dfrac{2}{3}\right)^2\right\}\times\dfrac{1}{6}$

$\qquad =-\dfrac{1}{2}+\left(2-4\div\dfrac{4}{9}\right)\times\dfrac{1}{6}$

$\qquad =-\dfrac{1}{2}+\left(2-4\times\dfrac{9}{4}\right)\times\dfrac{1}{6}$

$\qquad =-\dfrac{1}{2}+(2-9)\times\dfrac{1}{6}$

$\qquad =-\dfrac{1}{2}+(-7)\times\dfrac{1}{6}$

$\qquad =-\dfrac{1}{2}-\dfrac{7}{6}=-\dfrac{3}{6}-\dfrac{7}{6}$

$\qquad =-\dfrac{10}{6}=-\dfrac{5}{3}$

(4) $-5-\left\{-1+\dfrac{5}{2}\times\left(-\dfrac{3}{5}\right)^2\right\}\times(-1)^3$

$\qquad =-5-\left(-1+\dfrac{5}{2}\times\dfrac{9}{25}\right)\times(-1)$

$\qquad =-5-\left(-1+\dfrac{9}{10}\right)\times(-1)$

$\qquad =-5-\left(-\dfrac{1}{10}\right)\times(-1)$

$\qquad =-5-\left(+\dfrac{1}{10}\right)=-\dfrac{51}{10}$

STEP 1 쏙쏙 개념 익히기

P. 53~54

1 ⑤　　**2** (1) $\dfrac{5}{6}$　(2) $-\dfrac{1}{8}$　　**3** ①

4 ①　　**5** $\dfrac{1}{2}$

6 계산 순서: ㉢, ㉣, ㉡, ㉠, ㉤, 계산 결과: $\dfrac{25}{3}$

7 ②　　**8** ③　　**9** ①

---

1 ① $\left(-\dfrac{3}{5}\right)\times\dfrac{1}{2}=-\left(\dfrac{3}{5}\times\dfrac{1}{2}\right)=-\dfrac{3}{10}$

② $\left(-\dfrac{1}{2}\right)\times\dfrac{2}{9}=-\left(\dfrac{1}{2}\times\dfrac{2}{9}\right)=-\dfrac{1}{9}$

③ $\left(-\dfrac{2}{3}\right)\div\left(-\dfrac{3}{2}\right)=\left(-\dfrac{2}{3}\right)\times\left(-\dfrac{2}{3}\right)=+\left(\dfrac{2}{3}\times\dfrac{2}{3}\right)=\dfrac{4}{9}$

④ 어떤 수와 0의 곱은 항상 0이다.

⑤ $\left(-\dfrac{1}{2}\right)\div2=\left(-\dfrac{1}{2}\right)\times\dfrac{1}{2}=-\left(\dfrac{1}{2}\times\dfrac{1}{2}\right)=-\dfrac{1}{4}$

따라서 계산 결과가 옳지 않은 것은 ⑤이다.

2 (1) $\dfrac{4}{9} \times \left(-\dfrac{9}{8}\right) \times \left(-\dfrac{5}{3}\right) = +\left(\dfrac{4}{9} \times \dfrac{9}{8} \times \dfrac{5}{3}\right) = \dfrac{5}{6}$

(2) $\dfrac{1}{6} \div (-3) \div \dfrac{4}{9} = \dfrac{1}{6} \times \left(-\dfrac{1}{3}\right) \times \dfrac{9}{4}$

$\qquad\qquad\qquad\qquad = -\left(\dfrac{1}{6} \times \dfrac{1}{3} \times \dfrac{9}{4}\right) = -\dfrac{1}{8}$

3 ① $-(-1)^3 = -(-1) = 1$

② $-(-1)^2 = -(+1) = -1$

③ $-1^2 = -1$ ④ $(-1)^3 = -1$ ⑤ $-1^3 = -1$

따라서 계산 결과가 나머지 넷과 다른 하나는 ①이다.

4 $a \times c = 10$이고, $a \times (b+c) = a \times b + a \times c$이므로

$a \times b + 10 = -34$에서

$a \times b = -34 - 10 = -44$

5 $-6\left(= -\dfrac{6}{1}\right)$의 역수는 $-\dfrac{1}{6}$이므로 $a = -\dfrac{1}{6}$

$1.5\left(= \dfrac{3}{2}\right)$의 역수는 $\dfrac{2}{3}$이므로 $b = \dfrac{2}{3}$

$\therefore a+b = -\dfrac{1}{6} + \dfrac{2}{3} = -\dfrac{1}{6} + \dfrac{4}{6} = \dfrac{3}{6} = \dfrac{1}{2}$

주의 역수를 구할 때 부호는 바뀌지 않는다.

6 계산 순서는 ㉢, ㉣, ㉡, ㉠, ㉤이다.

$\dfrac{1}{4} \times \left\{3 - \left(-\dfrac{5}{2}\right)^2 \div \dfrac{15}{4}\right\} + 8$

$= \dfrac{1}{4} \times \left\{3 - \left(+\dfrac{25}{4}\right) \div \dfrac{15}{4}\right\} + 8$

$= \dfrac{1}{4} \times \left\{3 - \left(+\dfrac{25}{4}\right) \times \dfrac{4}{15}\right\} + 8$

$= \dfrac{1}{4} \times \left(3 - \dfrac{5}{3}\right) + 8$

$= \dfrac{1}{4} \times \dfrac{4}{3} + 8$

$= \dfrac{1}{3} + 8 = \dfrac{25}{3}$

7 ㄱ. $|-24| \times \dfrac{5}{8} \div 5 = 24 \times \dfrac{5}{8} \times \dfrac{1}{5} = 3$

ㄴ. $-2^3 \times (-3)^2 \div 2 = -8 \times 9 \times \dfrac{1}{2} = -36$

ㄷ. $(-1)^{101} + (-1)^{2024} - (-1)^9$

$\quad = (-1) + (+1) - (-1)$

$\quad = 0 + (+1) = 1$

ㄹ. $-5 + \left\{1 - \left(-\dfrac{1}{2}\right) \times \dfrac{1}{3}\right\} \div \dfrac{1}{6}$

$\quad = -5 + \left\{1 - \left(-\dfrac{1}{6}\right)\right\} \div \dfrac{1}{6}$

$\quad = -5 + \dfrac{7}{6} \times 6$

$\quad = -5 + 7 = 2$

따라서 계산 결과가 작은 것부터 차례로 나열하면

ㄴ, ㄷ, ㄹ, ㄱ이다.

8 $a > 0$, $b < 0$일 때

① $a \times b$는 (양수)×(음수)이므로 음수이다.

② $a+b$는 (양수)+(음수)이므로 $|a| > |b|$인 경우에만 양수이다. 즉, $a+b$의 부호는 알 수 없다.

③ $a-b$는 (양수)−(음수)=(양수)+(양수)이므로 양수이다.

④ $b-a$는 (음수)−(양수)=(음수)+(음수)이므로 음수이다.

⑤ $a \div b$는 (양수)÷(음수)이므로 음수이다.

따라서 항상 양수인 것은 ③이다.

참고 $a > 0$, $b < 0$일 때, $a+b$의 값은

① $|a| > |b|$이면 양수이다.

② $|a| = |b|$이면 0이다.

③ $|a| < |b|$이면 음수이다.

9 $a < 0$, $b < 0$일 때

① $a+b$는 (음수)+(음수)이므로 음수이다.

② $a-b$는 (음수)−(음수)=(음수)+(양수)이므로 $|a| > |b|$인 경우에만 음수이다. 즉, $a-b$의 부호는 알 수 없다.

③ $b-a$는 (음수)−(음수)=(음수)+(양수)이므로 $|a| < |b|$인 경우에만 음수이다. 즉, $b-a$의 부호는 알 수 없다.

④ $a \times b$는 (음수)×(음수)이므로 양수이다.

⑤ $a \div b$는 (음수)÷(음수)이므로 양수이다.

따라서 항상 음수인 것은 ①이다.

STEP **2** 탄탄 **단원 다지기** P. 55~57

1 ②	**2** ③	**3** ①	**4** $a=-4$, $b=4$	
5 ①, ③	**6** ⑤	**7** ③	**8** ⑤	**9** ③
10 ③	**11** $\dfrac{9}{5}$	**12** ⑤	**13** ①	**14** 0
15 1562	**16** (1) 2 (2) −9		**17** $-\dfrac{8}{3}$	**18** ④

19 계산 순서: ㉢, ㉣, ㉤, ㉥, ㉡, ㉠, 계산 결과: −2

20 A: 270점, B: 90점

1 ① $-5\,^{\circ}\mathrm{C}$ ③ $+9$시간 ④ $-3\,\mathrm{kg}$ ⑤ $+10\,\%$

따라서 바르게 나타낸 것은 ②이다.

2 ① 정수는 7, $+\dfrac{12}{3}(=+4)$, 0, -2의 4개이다.

② 음수는 -6.5, $-\dfrac{5}{6}$, -2의 3개이다.

③ 양수는 7, $+\dfrac{12}{3}$의 2개이다.

④ 자연수가 아닌 정수는 0, -2의 2개이다.

⑤ 정수가 아닌 유리수는 -6.5, $-\dfrac{5}{6}$의 2개이다.

따라서 옳지 않은 것은 ③이다.

2. 정수와 유리수 | **31**

3 주어진 수에 대응하는 점을 각각 수직선 위에 나타내면 다음 그림과 같다.

따라서 왼쪽에서 두 번째에 있는 점에 대응하는 수는 ①이다.

다른 풀이

$-5 < -\dfrac{3}{4} < 0 < +1.5 < +\dfrac{7}{3}$이므로 수직선 위에 나타내었

을 때, 왼쪽에서 두 번째에 있는 점에 대응하는 수는 ①이다.

4 두 수 a, b는 부호가 반대이고, $a<b$이므로 $a<0$, $b>0$
이때 a가 b보다 8만큼 작으므로 두 수에 대응하는 두 점 사이의 거리가 8이고 a, b는 절댓값이 같으므로 두 수는 원점으로부터의 거리가 $\dfrac{8}{2}=4$인 점에 대응하는 수이다.

즉, $|a|=|b|=4$ $\therefore a=-4$, $b=4$

5 ① 0의 절댓값은 0이므로 절댓값은 항상 0보다 크거나 같다.
③ 절댓값이 1 이하인 정수는 -1, 0, 1의 3개이다.

6 절댓값이 $\dfrac{11}{2}$인 수는 $-\dfrac{11}{2}$과 $\dfrac{11}{2}$이므로 수직선 위에 나타내면 다음과 같다.

따라서 절댓값이 $\dfrac{11}{2}$ 이하인 정수는 -5, -4, -3, -2, -1, 0, 1, 2, 3, 4, 5의 11개이다.

7 ① $\dfrac{1}{2}=\dfrac{3}{6}$, $\dfrac{1}{3}=\dfrac{2}{6}$이므로 $\dfrac{1}{2}>\dfrac{1}{3}$
② $|-4|<|-5|$이므로 $-4>-5$
③ $\left|-\dfrac{2}{3}\right|=\dfrac{2}{3}=\dfrac{20}{30}$, $|-0.7|=\dfrac{7}{10}=\dfrac{21}{30}$이므로
$\left|-\dfrac{2}{3}\right|<|-0.7|$ $\therefore -\dfrac{2}{3}>-0.7$
④ (음수)<0이므로 $-7<0$
⑤ $\left|-\dfrac{1}{3}\right|=\dfrac{1}{3}$이고 (음수)<(양수)이므로 $\left|-\dfrac{1}{3}\right|>-\dfrac{1}{3}$
따라서 옳은 것은 ③이다.

8 $-\dfrac{11}{3}\left(=-3\dfrac{2}{3}\right)$과 $\dfrac{13}{4}\left(=3\dfrac{1}{4}\right)$에 대응하는 점을 각각 수직선 위에 나타내면 다음 그림과 같다.

따라서 $-\dfrac{11}{3}$과 $\dfrac{13}{4}$ 사이에 있는 정수는 -3, -2, -1, 0, 1, 2, 3의 7개이다.

9 ① $(+5)+(-3)=+(5-3)=+2$
② $(-7)+(+2)=-(7-2)=-5$
③ $(-3.5)-(+2.9)=(-3.5)+(-2.9)$
$\qquad\qquad\qquad = -(3.5+2.9)=-6.4$
④ $\left(+\dfrac{2}{7}\right)-\left(-\dfrac{3}{14}\right)=\left(+\dfrac{4}{14}\right)+\left(+\dfrac{3}{14}\right)$
$\qquad\qquad\qquad = +\dfrac{7}{14}=+\dfrac{1}{2}$
⑤ $\left(+\dfrac{1}{2}\right)+\left(+\dfrac{4}{5}\right)=\left(+\dfrac{5}{10}\right)+\left(+\dfrac{8}{10}\right)$
$\qquad\qquad\qquad = +\dfrac{13}{10}$
따라서 계산 결과가 가장 작은 것은 ③이다.

10 $\dfrac{1}{4}-\dfrac{1}{3}-\dfrac{9}{4}+\dfrac{5}{6}$
$=\left(+\dfrac{1}{4}\right)-\left(+\dfrac{1}{3}\right)-\left(+\dfrac{9}{4}\right)+\left(+\dfrac{5}{6}\right)$
$=\left(+\dfrac{1}{4}\right)+\left(-\dfrac{1}{3}\right)+\left(-\dfrac{9}{4}\right)+\left(+\dfrac{5}{6}\right)$
$=\left(+\dfrac{1}{4}\right)+\left(-\dfrac{9}{4}\right)+\left(-\dfrac{1}{3}\right)+\left(+\dfrac{5}{6}\right)$
$=\left\{\left(+\dfrac{1}{4}\right)+\left(-\dfrac{9}{4}\right)\right\}+\left\{\left(-\dfrac{2}{6}\right)+\left(+\dfrac{5}{6}\right)\right\}$
$=(-2)+\left(+\dfrac{1}{2}\right)$
$=-\dfrac{3}{2}$

11 어떤 수를 $\square$라 하면 $\square+\left(-\dfrac{2}{3}\right)=\dfrac{7}{15}$
$\therefore \square=\dfrac{7}{15}-\left(-\dfrac{2}{3}\right)=\dfrac{7}{15}+\left(+\dfrac{10}{15}\right)=\dfrac{17}{15}$
따라서 어떤 수는 $\dfrac{17}{15}$이므로 바르게 계산하면
$\dfrac{17}{15}-\left(-\dfrac{2}{3}\right)=\dfrac{17}{15}+\left(+\dfrac{10}{15}\right)=\dfrac{27}{15}=\dfrac{9}{5}$

12 ㄱ. 음수와 음수의 합은 항상 음수이다.
ㄴ. 뺄셈에서는 교환법칙이 성립하지 않는다.
ㄷ. 부호가 같은 두 수를 곱한 값의 부호는 +이다.
ㅁ. $-\left(-\dfrac{1}{3}\right)^{2}=-\dfrac{1}{9}$, $-\left(\dfrac{1}{3}\right)^{2}=-\dfrac{1}{9}$이므로
$-\left(-\dfrac{1}{3}\right)^{2}=-\left(\dfrac{1}{3}\right)^{2}$
따라서 옳은 것은 ㄹ, ㅁ이다.

13 $\left(+\dfrac{25}{4}\right)\times(-0.39)\times(-16)$ ——곱셈의 [교환]법칙
$=\left(+\dfrac{25}{4}\right)\times(-16)\times(-0.39)$
$=\left\{\left(+\dfrac{25}{4}\right)\times(-16)\right\}\times(-0.39)$ ——곱셈의 [결합]법칙
$=(\boxed{-100})\times(-0.39)=\boxed{+39}$

14 $(-1)^{(홀수)}=-1$, $(-1)^{(짝수)}=1$이므로

$(-1)+(-1)^2+(-1)^3+(-1)^4+\cdots+(-1)^{100}$

$=\underbrace{(-1)+(+1)}_{=0}+\underbrace{(-1)+(+1)}_{=0}+\cdots+\underbrace{(-1)+(+1)}_{=0}$

$=\underbrace{0+0+\cdots+0}_{0이\ 50개}=0$

15 $15\times102=15\times(100+2)$
$=15\times100+15\times2$
$=1500+30$
$=1530$

따라서 $a=2$, $b=30$, $c=1530$이므로
$a+b+c=2+30+1530=1562$

16 (1) 서로 다른 세 수를 뽑아 곱한 값이 가장 크려면 그 결과가 양수가 되어야 하므로 음수 2개, 양수 1개를 뽑아야 한다.

(i) $(-3)\times(-2)\times\dfrac{1}{3}=+\left(3\times2\times\dfrac{1}{3}\right)=2$

(ii) $(-3)\times\left(-\dfrac{3}{2}\right)\times\dfrac{1}{3}=+\left(3\times\dfrac{3}{2}\times\dfrac{1}{3}\right)=\dfrac{3}{2}$

(iii) $(-2)\times\left(-\dfrac{3}{2}\right)\times\dfrac{1}{3}=+\left(2\times\dfrac{3}{2}\times\dfrac{1}{3}\right)=1$

따라서 (i)~(iii)에 의해 구하는 값 중 가장 큰 수는 2이다.

(2) 서로 다른 세 수를 뽑아 곱한 값이 가장 작으려면 그 결과가 음수가 되어야 하므로 음수 3개를 뽑아야 한다.

$(-3)\times(-2)\times\left(-\dfrac{3}{2}\right)=-\left(3\times2\times\dfrac{3}{2}\right)=-9$

따라서 구하는 값 중 가장 작은 수는 -9이다.

17 서로 마주 보는 두 면에 적힌 두 수의 곱이 1이므로 두 수는 서로 역수이다.

따라서 $a=-1$, $b=\dfrac{4}{3}$, $c=-3$이므로

$a+b+c=-1+\dfrac{4}{3}-3=-\dfrac{8}{3}$

18 ① $(-8)\times\dfrac{3}{4}=-\left(8\times\dfrac{3}{4}\right)=-6$

② $\dfrac{6}{5}\div(-3)=\dfrac{6}{5}\times\left(-\dfrac{1}{3}\right)=-\left(\dfrac{6}{5}\times\dfrac{1}{3}\right)=-\dfrac{2}{5}$

③ $\dfrac{2}{5}\times\left(-\dfrac{1}{2}\right)^2\times(-5)=\dfrac{2}{5}\times\dfrac{1}{4}\times(-5)$

$=-\left(\dfrac{2}{5}\times\dfrac{1}{4}\times5\right)=-\dfrac{1}{2}$

④ $\left(-\dfrac{2}{5}\right)^2\div(-4^2)=\dfrac{4}{25}\div(-16)=\dfrac{4}{25}\times\left(-\dfrac{1}{16}\right)$

$=-\left(\dfrac{4}{25}\times\dfrac{1}{16}\right)=-\dfrac{1}{100}$

⑤ $(-42)\times\left\{\dfrac{1}{7}+\left(-\dfrac{1}{6}\right)\right\}$

$=(-42)\times\dfrac{1}{7}+(-42)\times\left(-\dfrac{1}{6}\right)$

$=-6+7=1$

따라서 계산 결과가 옳지 않은 것은 ④이다.

19 계산 순서는 ⓒ, ②, ⑩, ⑭, ⓛ, ⊙이다.

$\dfrac{4}{11}\times\left[\dfrac{1}{2}-\left\{\left(-\dfrac{3}{2}\right)^2\div\dfrac{9}{8}+6\right\}\times\dfrac{3}{4}\right]$

$=\dfrac{4}{11}\times\left\{\dfrac{1}{2}-\left(\dfrac{9}{4}\times\dfrac{8}{9}+6\right)\times\dfrac{3}{4}\right\}$

$=\dfrac{4}{11}\times\left\{\dfrac{1}{2}-(2+6)\times\dfrac{3}{4}\right\}$

$=\dfrac{4}{11}\times\left(\dfrac{1}{2}-8\times\dfrac{3}{4}\right)=\dfrac{4}{11}\times\left(\dfrac{1}{2}-6\right)$

$=\dfrac{4}{11}\times\left(-\dfrac{11}{2}\right)=-2$

20 A는 5문제를 맞히고 2문제를 틀렸으므로
(A의 최종 점수)$=100+50\times5+(-40)\times2$
$=270$(점)
B는 3문제를 맞히고 4문제를 틀렸으므로
(B의 최종 점수)$=100+50\times3+(-40)\times4$
$=90$(점)

STEP 3 쓱쓱 **극극 서술형 완성하기** P. 58~59

〈과정은 풀이 참조〉

따라 해보자 유제 1 최솟값: -10, 최댓값: 10

유제 2 $\dfrac{9}{5}$

연습해 보자 **1** 4 **2** -2 **3** $-\dfrac{17}{2}$

4 (1) ②, ⑩, ⓒ, ⓛ, ⑭, ⊙ (2) 45

따라 해보자

유제 1 **1단계** $|x|=3$이므로 $x=-3$ 또는 $x=3$

2단계 $|y|=7$이므로 $y=-7$ 또는 $y=7$

3단계 (i) $x=-3$, $y=-7$일 때,
$x-y=-3-(-7)=-3+7=4$

(ii) $x=-3$, $y=7$일 때,
$x-y=-3-7=-10$

(iii) $x=3$, $y=-7$일 때,
$x-y=3-(-7)=3+7=10$

(iv) $x=3$, $y=7$일 때,
$x-y=3-7=-4$

따라서 (i)~(iv)에 의해
$x-y$의 최솟값은 -10, 최댓값은 10이다.

채점 기준	
1단계	x의 값 구하기	$\cdots$ 20 %
2단계	y의 값 구하기	$\cdots$ 20 %
3단계	$x-y$의 최솟값, 최댓값 구하기	$\cdots$ 60 %

유제 2 1단계 어떤 수를 □라 하면

$$\square \div \frac{3}{2} = \frac{4}{5}$$

$$\therefore \square = \frac{4}{5} \times \frac{3}{2} = \frac{6}{5}$$

2단계 따라서 어떤 수가 $\frac{6}{5}$이므로 바르게 계산하면

$$\frac{6}{5} \times \frac{3}{2} = \frac{9}{5}$$

채점 기준		
1단계	어떤 수 구하기	⋯ 60 %
2단계	바르게 계산한 답 구하기	⋯ 40 %

연습해 보자

1 1단계 음의 정수는 $-\frac{14}{7}(=-2)$, -4의 2개이므로

$$a=2$$

2단계 정수가 아닌 유리수는 -3.1, $+\frac{2}{3}$, $+\frac{5}{8}$의 3개이므로

$$b=3$$

3단계 양의 정수는 $+\frac{26}{2}(=+13)$의 1개이므로

$$c=1$$

4단계 $\therefore a+b-c=2+3-1=4$

채점 기준		
1단계	a의 값 구하기	⋯ 30 %
2단계	b의 값 구하기	⋯ 30 %
3단계	c의 값 구하기	⋯ 30 %
4단계	$a+b-c$의 값 구하기	⋯ 10 %

2 1단계 $-\frac{13}{3}\left(=-4\frac{1}{3}\right)$과 $\frac{9}{4}\left(=2\frac{1}{4}\right)$에 대응하는 점을 각각 수직선 위에 나타내면 다음 그림과 같다.

2단계 따라서 $-\frac{13}{3}$에 가장 가까운 정수는 -4,

$\frac{9}{4}$에 가장 가까운 정수는 2이므로

$$a=-4, \ b=2$$

3단계 $\therefore a+b=-4+2=-2$

채점 기준		
1단계	$-\frac{13}{3}$과 $\frac{9}{4}$에 대응하는 점을 수직선 위에 나타내기	⋯ 40 %
2단계	a, b의 값 구하기	⋯ 40 %
3단계	$a+b$의 값 구하기	⋯ 20 %

3 1단계 a는 -3보다 -1만큼 크므로

$$a=-3+(-1)=-4$$

2단계 b는 4보다 $-\frac{1}{2}$만큼 작으므로

$$b=4-\left(-\frac{1}{2}\right)=4+\frac{1}{2}=\frac{9}{2}$$

3단계 $\therefore a-b=-4-\frac{9}{2}=-\frac{17}{2}$

채점 기준		
1단계	a의 값 구하기	⋯ 40 %
2단계	b의 값 구하기	⋯ 40 %
3단계	$a-b$의 값 구하기	⋯ 20 %

4 (1) 1단계 계산 순서를 차례로 나열하면 ㉣, ㉤, ㉢, ㉡, ㉥, ㉠이다.

(2) 2단계 $10-\left[\frac{5}{6}-\left\{\frac{1}{2}+(-2)^2 \div \frac{3}{2}\right\}\right] \times 15$

$$=10-\left\{\frac{5}{6}-\left(\frac{1}{2}+4 \times \frac{2}{3}\right)\right\} \times 15$$

$$=10-\left\{\frac{5}{6}-\left(\frac{1}{2}+\frac{8}{3}\right)\right\} \times 15$$

$$=10-\left(\frac{5}{6}-\frac{19}{6}\right) \times 15$$

$$=10-\left(-\frac{7}{3}\right) \times 15$$

$$=10-(-35)$$

$$=10+35=45$$

채점 기준		
1단계	계산 순서를 차례로 나열하기	⋯ 40 %
2단계	계산 결과 구하기	⋯ 60 %

01 문자의 사용

P. 64

개념 확인 $x+2,\ x-1,\ 2\times x$

필수 문제 ① (1) $(3\times a)\,\mathrm{g}$ (2) $(50\times t)\,\mathrm{km}$

(3) $(4\times x)\,\mathrm{cm}$ (4) $\{(a+b)\div 2\}$점

(2) (거리)=(속력)×(시간)

$\qquad =50\times t\,(\mathrm{km})$

(3) (정사각형의 둘레의 길이)=4×(한 변의 길이)

$\qquad\qquad\qquad\qquad =4\times x\,(\mathrm{cm})$

(4) (평균 점수)=(점수의 총합)÷(과목 수)

$\qquad\qquad =(a+b)\div 2$(점)

1-1 (1) $(a\div 3)\,\mathrm{m}$ (2) $(10000-1200\times x)$원

(3) $10\times x+1\times y$ (4) $\left(\dfrac{9}{100}\times x\right)\mathrm{g}$

(4) (소금의 양)=$\dfrac{(\text{소금물의 농도})}{100}$×(소금물의 양)

$\qquad\qquad =\dfrac{9}{100}\times x\,(\mathrm{g})$

P. 65

필수 문제 ② (1) $-x$ (2) abc (3) ax^3

(4) $\dfrac{y}{5}\left(\text{또는 }\dfrac{1}{5}y\right)$ (5) $-\dfrac{a}{b}$ (6) $\dfrac{x-y}{4}$

(1) 1은 생략한다.

(4) $y\div 5=\dfrac{y}{5}\left(\text{또는 }y\div 5=y\times\dfrac{1}{5}=\dfrac{1}{5}y\right)$

(5) 분수 꼴에서 부호는 분수 앞에 써주는 것이 일반적이다.

2-1 (1) $0.1ab$ (2) $ac(x+y)$ (3) $-3a^2b^2$

(4) $\dfrac{3a}{2b}$ (5) $\dfrac{x}{y+z}$ (6) $\dfrac{a+2b}{x}$

(4) $a\div\dfrac{2}{3}b=a\div\dfrac{2b}{3}=a\times\dfrac{3}{2b}=\dfrac{3a}{2b}$

참고 (1) $0.1ab=\dfrac{ab}{10}\neq 0.ab$

2-2 (1) $\dfrac{xy}{2}$ (2) $\dfrac{x(2-z)}{y}$

(3) $\dfrac{x}{y}+\dfrac{8b}{9a}$ (4) $\dfrac{(a+b)h}{2}$

(1) $x\times y\div 2=xy\times\dfrac{1}{2}=\dfrac{xy}{2}$

(2) $x\div y\times(2-z)=x\times\dfrac{1}{y}\times(2-z)=\dfrac{x(2-z)}{y}$

(3) $x\div y+b\div\dfrac{9}{8}a=x\times\dfrac{1}{y}+b\times\dfrac{8}{9a}=\dfrac{x}{y}+\dfrac{8b}{9a}$

(4) $(a+b)\times h\div 2=(a+b)h\times\dfrac{1}{2}=\dfrac{(a+b)h}{2}$

STEP 1 쏙쏙 개념 익히기

P. 66

1 (1) $-a^2b$ (2) $6(c+1)-4$ (3) $\dfrac{2a}{b}$

(4) $\dfrac{7+x}{7-x}$ (5) $a-\dfrac{2b}{a}$ (6) $\dfrac{3x^2}{y}+3$

2 ④

3 (1) $3a-6$ (2) $\dfrac{ah}{2}\,\mathrm{cm}^2$

(3) $(1000-10x)$원   (4) $(60x+80y)\,\mathrm{km}$

(5) $3x\,\mathrm{g}$

4 $3a+5b,\ 3a+5b+8,\ 500x,\ \dfrac{y}{10}\left(\text{또는 }\dfrac{1}{10}y\right)$

1 (3) $2\times a\div b=2a\times\dfrac{1}{b}=\dfrac{2a}{b}$

(5) $a-b\div a\times 2=a-b\times\dfrac{1}{a}\times 2$

$\qquad\qquad\qquad =a-\dfrac{2b}{a}$

(6) $x\div\dfrac{y}{3}\times x+3=x\times\dfrac{3}{y}\times x+3$

$\qquad\qquad\qquad\quad =\dfrac{3x^2}{y}+3$

2 ① $a\div(b\times c)=a\div bc=a\times\dfrac{1}{bc}=\dfrac{a}{bc}$

② $a\times\left(\dfrac{1}{b}\times\dfrac{1}{c}\right)=a\times\dfrac{1}{bc}=\dfrac{a}{bc}$

③ $a\div\left(b\div\dfrac{1}{c}\right)=a\div(b\times c)$

$\qquad\qquad\qquad =a\times\dfrac{1}{bc}=\dfrac{a}{bc}$

④ $a\times(b\div c)=a\times\left(b\times\dfrac{1}{c}\right)$

$\qquad\qquad\qquad =a\times\dfrac{b}{c}=\dfrac{ab}{c}$

⑤ $a\div b\div c=a\times\dfrac{1}{b}\times\dfrac{1}{c}=\dfrac{a}{bc}$

따라서 나머지 넷과 다른 하나는 ④이다.

3 (2) (삼각형의 넓이)

$$=\frac{1}{2}\times(\text{밑변의 길이})\times(\text{높이})$$

$$=\frac{1}{2}\times a\times h$$

$$=\frac{ah}{2}(\text{cm}^2)$$

(3) 1000원의 $x\,\%$는 $1000\times\dfrac{x}{100}=10x(\text{원})$이므로

(지불한 금액)=(정가)−(할인 금액)

$$=1000-10x(\text{원})$$

(4) (거리)=(속력)×(시간)이므로 전체 달린 거리는

$$60\times x+80\times y=60x+80y(\text{km})$$

(5) (소금의 양)$=\dfrac{(\text{소금물의 농도})}{100}\times(\text{소금물의 양})$이므로

소금의 양은 $\dfrac{x}{100}\times300=3x(\text{g})$

02 식의 값

P. 67

개념 확인   (1) 2   (2) 3, 12   (3) −1, −8   (4) −4, −23

필수 문제 ①   (1) 8   (2) 2   (3) 5   (4) 3

(1) $7-x=7-(-1)=7+1=8$

(2) $\dfrac{10}{x+6}=\dfrac{10}{-1+6}=\dfrac{10}{5}=2$

(3) $(-x)^2-4x=\{-(-1)\}^2-4\times(-1)$
$$=1+4=5$$

(4) $-x^2-\dfrac{4}{x}=-(-1)^2-\dfrac{4}{-1}$
$$=-1+4=3$$

1-1   (1) 3   (2) −16   (3) 12   (4) −11

(1) $a+\dfrac{1}{2}b=4+\dfrac{1}{2}\times(-2)$
$$=4+(-1)=3$$

(2) $2ab=2\times4\times(-2)=-16$

(3) $a-b^3=4-(-2)^3=4-(-8)$
$$=4+8=12$$

(4) $-3a+\dfrac{b^2}{4}=-3\times4+\dfrac{(-2)^2}{4}$
$$=-12+1=-11$$

1-2   (1) −5   (2) 27   (3) 11   (4) 1

(1) $30ab-27b^2=30\times\dfrac{1}{5}\times\left(-\dfrac{1}{3}\right)-27\times\left(-\dfrac{1}{3}\right)^2$
$$=-2-27\times\dfrac{1}{9}$$
$$=-2-3=-5$$

(2) $\dfrac{6}{a}+9b=6\div a+9\times b$
$$=6\div\dfrac{1}{5}+9\times\left(-\dfrac{1}{3}\right)$$
$$=6\times5+9\times\left(-\dfrac{1}{3}\right)$$
$$=30-3=27$$

(3) $-20a-\dfrac{5}{b}=-20\times a-5\div b$
$$=-20\times\dfrac{1}{5}-5\div\left(-\dfrac{1}{3}\right)$$
$$=-20\times\dfrac{1}{5}-5\times(-3)$$
$$=-4+15=11$$

(4) $\dfrac{2}{a}+\dfrac{3}{b}=2\div a+3\div b$
$$=2\div\dfrac{1}{5}+3\div\left(-\dfrac{1}{3}\right)$$
$$=2\times5+3\times(-3)$$
$$=10-9=1$$

STEP 1 쓱쓱 개념 익히기   P. 68

1   (1) −1   (2) 10   (3) 36   (4) −1

2   (1) 10   (2) 1   (3) $\dfrac{5}{6}$ (4) 3   (5) 19   (6) −15

3 ④   **4** (1) $-\dfrac{10}{9}$ (2) 21   **5** ②

1   (1) $2x+5=2\times(-3)+5=-6+5=-1$

(2) $1-3x=1-3\times(-3)=1+9=10$

(3) $x^2-6x+9=(-3)^2-6\times(-3)+9$
$$=9+18+9=36$$

(4) $-\dfrac{2x^2+5x+6}{x^2}=-\dfrac{2\times(-3)^2+5\times(-3)+6}{(-3)^2}$
$$=-\dfrac{18-15+6}{9}=-\dfrac{9}{9}=-1$$

2   (1) $7a+8b=7\times(-2)+8\times3=-14+24=10$

(2) $\dfrac{3-a}{2+b}=\dfrac{3-(-2)}{2+3}=\dfrac{5}{5}=1$

(3) $\dfrac{a-b}{ab}=\dfrac{-2-3}{(-2)\times3}=\dfrac{-5}{-6}=\dfrac{5}{6}$

(4) $\dfrac{2}{a}+\dfrac{12}{b}=\dfrac{2}{-2}+\dfrac{12}{3}=-1+4=3$

(5) $-2a^2+3b^2=-2\times(-2)^2+3\times3^2$
$=-2\times4+27=-8+27=19$

(6) $a^2b-b^3=(-2)^2\times3-3^3$
$=4\times3-27=12-27=-15$

3 ① $2(a-1)=2\times\left(\dfrac{1}{2}-1\right)=2\times\left(-\dfrac{1}{2}\right)=-1$

② $-a^2=-\left(\dfrac{1}{2}\right)^2=-\dfrac{1}{4}$

③ $(-a)^3=\left(-\dfrac{1}{2}\right)^3=-\dfrac{1}{8}$

④ $-\dfrac{2}{a}=-2\div a=-2\div\dfrac{1}{2}=-2\times2=-4$

⑤ $\dfrac{1}{a^2}=1\div a^2=1\div\left(\dfrac{1}{2}\right)^2=1\div\dfrac{1}{4}=1\times4=4$

따라서 식의 값이 가장 작은 것은 ④이다.

4 (1) $6ab-b^2=6\times\dfrac{1}{6}\times\left(-\dfrac{2}{3}\right)-\left(-\dfrac{2}{3}\right)^2$
$=-\dfrac{2}{3}-\dfrac{4}{9}=-\dfrac{6}{9}-\dfrac{4}{9}=-\dfrac{10}{9}$

(2) $\dfrac{3}{a}-\dfrac{2}{b}=3\div a-2\div b$
$=3\div\dfrac{1}{6}-2\div\left(-\dfrac{2}{3}\right)$
$=3\times6-2\times\left(-\dfrac{3}{2}\right)$
$=18+3=21$

5 $\dfrac{5}{9}(x-32)$에 $x=77$을 대입하면

$\dfrac{5}{9}\times(77-32)=\dfrac{5}{9}\times45=25$

따라서 화씨온도 $77\,°\text{F}$는 섭씨온도 $25\,°\text{C}$이다.

일차식과 그 계산

P. 69

필수 **문제 ①** 표는 풀이 참조

다항식	항	상수항	계수
(1) $2x+3$	$2x,\ 3$	3	x의 계수: 2
(2) $3y^2-\dfrac{y}{4}-1$	$3y^2,\ -\dfrac{y}{4},\ -1$	-1	y^2의 계수: 3 y의 계수: $-\dfrac{1}{4}$
(3) $-6a^3$	$-6a^3$	0	a^3의 계수: -6

1-1 $\dfrac{5}{2}$

다항식 $-\dfrac{3}{2}x+y+4$에서 x의 계수는 $-\dfrac{3}{2}$, 상수항은 4이

므로 구하는 합은 $-\dfrac{3}{2}+4=\dfrac{5}{2}$

필수 **문제 ②** (1) **1**, 일차식이다.
(2) **1**, 일차식이다.
(3) **2**, 일차식이 아니다.
(4) **3**, 일차식이 아니다.

2-1 ㄱ, ㄷ, ㄹ

ㄴ. 차수가 가장 큰 항은 a^2이고, 이 항의 차수가 2이므로 일차식이 아니다.

ㄹ. $\dfrac{x+1}{3}=\dfrac{1}{3}x+\dfrac{1}{3}$에서 차수가 가장 큰 항은 $\dfrac{1}{3}x$이고, 이 항의 차수가 1이므로 일차식이다.

ㅁ. 분모에 문자가 있는 식은 다항식이 아니므로 일차식이 아니다.

ㅂ. 상수항뿐이므로 일차식이 아니다.

따라서 일차식은 ㄱ, ㄷ, ㄹ이다.

P. 70

필수 **문제 ③** (1) $32a$ (2) $-14b$ (3) $3x$ (4) $-24y$

(1) $4a\times8=4\times a\times8=(4\times8)\times a=32a$

(2) $(-2b)\times7=(-2)\times b\times7=\{(-2)\times7\}\times b=-14b$

(3) $12x\div4=12x\times\dfrac{1}{4}=12\times x\times\dfrac{1}{4}$
$=\left(12\times\dfrac{1}{4}\right)\times x=3x$

(4) $32y\div\left(-\dfrac{4}{3}\right)=32y\times\left(-\dfrac{3}{4}\right)=32\times y\times\left(-\dfrac{3}{4}\right)$
$=\left\{32\times\left(-\dfrac{3}{4}\right)\right\}\times y=-24y$

3-1 (1) $9a$ (2) $20b$ (3) $-6x$ (4) $\dfrac{1}{4}y$

(1) $\dfrac{3}{2}a\times6=\dfrac{3}{2}\times a\times6=\left(\dfrac{3}{2}\times6\right)\times a=9a$

(2) $(-5b)\times(-4)=(-5)\times b\times(-4)$
$=\{(-5)\times(-4)\}\times b$
$=20b$

(3) $(-42x)\div7=(-42x)\times\dfrac{1}{7}=(-42)\times x\times\dfrac{1}{7}$
$=\left\{(-42)\times\dfrac{1}{7}\right\}\times x$
$=-6x$

$(4)\ \left(-\dfrac{5}{6}y\right)\div\left(-\dfrac{10}{3}\right)=\left(-\dfrac{5}{6}y\right)\times\left(-\dfrac{3}{10}\right)$

$\qquad\qquad\qquad\qquad=\left(-\dfrac{5}{6}\right)\times y\times\left(-\dfrac{3}{10}\right)$

$\qquad\qquad\qquad\qquad=\left\{\left(-\dfrac{5}{6}\right)\times\left(-\dfrac{3}{10}\right)\right\}\times y=\dfrac{1}{4}y$

필수 문제 ④ (1) $8x+12$ (2) $-x+4$

              (3) $2x-3$ (4) $-6+3x$

$(1)\ 4(2x+3)=4\times2x+4\times3=8x+12$

$(2)\ (4x-16)\times\left(-\dfrac{1}{4}\right)=4x\times\left(-\dfrac{1}{4}\right)-16\times\left(-\dfrac{1}{4}\right)$

$\qquad\qquad\qquad\qquad\quad=-x+4$

$(3)\ (10x-15)\div5=(10x-15)\times\dfrac{1}{5}$

$\qquad\qquad\qquad\quad=10x\times\dfrac{1}{5}-15\times\dfrac{1}{5}$

$\qquad\qquad\qquad\quad=2x-3$

$(4)\ (2-x)\div\left(-\dfrac{1}{3}\right)=(2-x)\times(-3)$

$\qquad\qquad\qquad\quad=2\times(-3)-x\times(-3)$

$\qquad\qquad\qquad\quad=-6+3x$

4-1 (1) $-21x-28$ (2) $-10a+5$

      (3) $-7b+14$ (4) $-4y-12$

$(1)\ -7(3x+4)=(-7)\times3x+(-7)\times4=-21x-28$

$(2)\ (50a-25)\times\left(-\dfrac{1}{5}\right)=50a\times\left(-\dfrac{1}{5}\right)-25\times\left(-\dfrac{1}{5}\right)$

$\qquad\qquad\qquad\qquad\quad=-10a+5$

$(3)\ (14b-28)\div(-2)=(14b-28)\times\left(-\dfrac{1}{2}\right)$

$\qquad\qquad\qquad\qquad=14b\times\left(-\dfrac{1}{2}\right)-28\times\left(-\dfrac{1}{2}\right)$

$\qquad\qquad\qquad\qquad=-7b+14$

$(4)\ (-6y-18)\div\dfrac{3}{2}=(-6y-18)\times\dfrac{2}{3}$

$\qquad\qquad\qquad\qquad=-6y\times\dfrac{2}{3}-18\times\dfrac{2}{3}=-4y-12$

STEP 1 쓱쓱 개념 익히기   P. 71

1 0   **2** ④   **3** ③, ④

4 (1) $-24x$ (2) $33a$ (3) $-40x$

    (4) $-4y$ (5) $-16x$ (6) $-\dfrac{7}{6}a$

5 (1) $7a-14$ (2) $2x+3$ (3) $6x+15$

    (4) $-6a+\dfrac{3}{2}$ (5) $3x-2$ (6) $\dfrac{7}{2}x-2$

    (7) $2y+1$ (8) $-2x+18$

1 x의 계수는 $\dfrac{1}{4}$, y의 계수는 -2, 상수항은 1이므로

$a=\dfrac{1}{4},\ b=-2,\ c=1$

$\therefore\ 4a+b+c=4\times\dfrac{1}{4}+(-2)+1=1+(-2)+1=0$

2 ④ x의 계수는 -2이다.

3 ① $0\times a+3=3$의 상수항뿐이므로 일차식이 아니다.

② 다항식의 차수가 2이므로 일차식이 아니다.

⑤ 분모에 문자가 있는 식은 다항식이 아니므로 일차식이 아니다.

따라서 일차식은 ③, ④이다.

4 $(1)\ (-6)\times4x=\{(-6)\times4\}\times x=-24x$

$(2)\ (-11a)\times(-3)=\{(-11)\times(-3)\}\times a=33a$

$(3)\ 48\times\left(-\dfrac{5}{6}x\right)=\left\{48\times\left(-\dfrac{5}{6}\right)\right\}\times x=-40x$

$(4)\ 44y\div(-11)=44y\times\left(-\dfrac{1}{11}\right)=\left\{44\times\left(-\dfrac{1}{11}\right)\right\}\times y$

$\qquad\qquad\qquad\qquad=-4y$

$(5)\ (-12x)\div\dfrac{3}{4}=(-12x)\times\dfrac{4}{3}=\left\{(-12)\times\dfrac{4}{3}\right\}\times x$

$\qquad\qquad\qquad\qquad=-16x$

$(6)\ \dfrac{2}{3}a\div\left(-\dfrac{4}{7}\right)=\dfrac{2}{3}a\times\left(-\dfrac{7}{4}\right)=\left\{\dfrac{2}{3}\times\left(-\dfrac{7}{4}\right)\right\}\times a$

$\qquad\qquad\qquad\qquad=-\dfrac{7}{6}a$

5 $(1)\ 7(a-2)=7\times a-7\times2=7a-14$

$(2)\ \dfrac{1}{2}(4x+6)=\dfrac{1}{2}\times4x+\dfrac{1}{2}\times6$

$\qquad\qquad\qquad=2x+3$

$(3)\ (2x+5)\times3=2x\times3+5\times3=6x+15$

$(4)\ \left(\dfrac{2}{3}a-\dfrac{1}{6}\right)\times(-9)=\dfrac{2}{3}a\times(-9)-\dfrac{1}{6}\times(-9)$

$\qquad\qquad\qquad\qquad=-6a+\dfrac{3}{2}$

$(5)\ (9x-6)\div3=(9x-6)\times\dfrac{1}{3}=9x\times\dfrac{1}{3}-6\times\dfrac{1}{3}$

$\qquad\qquad\qquad\qquad=3x-2$

다른 풀이

$(9x-6)\div3=\dfrac{9x-6}{3}=\dfrac{9x}{3}-\dfrac{6}{3}=3x-2$

$(6)\ (-7x+4)\div(-2)=(-7x+4)\times\left(-\dfrac{1}{2}\right)$

$\qquad\qquad\qquad\qquad=-7x\times\left(-\dfrac{1}{2}\right)+4\times\left(-\dfrac{1}{2}\right)$

$\qquad\qquad\qquad\qquad=\dfrac{7}{2}x-2$

다른 풀이

$(-7x+4)\div(-2)=\dfrac{-7x+4}{-2}=\dfrac{-7x}{-2}+\dfrac{4}{-2}$

$\qquad\qquad\qquad\qquad=\dfrac{7}{2}x-2$

(7) $\left(\dfrac{2}{3}y+\dfrac{1}{3}\right)\div\dfrac{1}{3}=\left(\dfrac{2}{3}y+\dfrac{1}{3}\right)\times3$

$\qquad\qquad\qquad=\dfrac{2}{3}y\times3+\dfrac{1}{3}\times3$

$\qquad\qquad\qquad=2y+1$

(8) $\left(\dfrac{x}{6}-\dfrac{3}{2}\right)\div\left(-\dfrac{1}{12}\right)=\left(\dfrac{x}{6}-\dfrac{3}{2}\right)\times(-12)$

$\qquad\qquad\qquad\qquad=\dfrac{x}{6}\times(-12)-\dfrac{3}{2}\times(-12)$

$\qquad\qquad\qquad\qquad=-2x+18$

(6) $3+5b-2+\dfrac{3}{2}b=5b+\dfrac{3}{2}b+3-2$

$\qquad\qquad\qquad=\left(5+\dfrac{3}{2}\right)b+1$

$\qquad\qquad\qquad=\dfrac{13}{2}b+1$

필수 문제 ⑦ (1) $5x-3$ (2) $-a-8$
              (3) $-13x+5$ (4) $7a-14$

(1) $(3x+2)+(2x-5)=3x+2+2x-5$

$\qquad\qquad\qquad\qquad=3x+2x+2-5$

$\qquad\qquad\qquad\qquad=5x-3$

(2) $(7a-5)-(8a+3)=7a-5-8a-3$

$\qquad\qquad\qquad\qquad=7a-8a-5-3$

$\qquad\qquad\qquad\qquad=-a-8$

(3) $2(-4x+1)-(5x-3)=-8x+2-5x+3$

$\qquad\qquad\qquad\qquad\qquad=-8x-5x+2+3$

$\qquad\qquad\qquad\qquad\qquad=-13x+5$

(4) $(a+6)+10\left(\dfrac{3}{5}a-2\right)=a+6+6a-20$

$\qquad\qquad\qquad\qquad\qquad=a+6a+6-20$

$\qquad\qquad\qquad\qquad\qquad=7a-14$

참고 분배법칙을 이용하여 괄호를 풀 때, 괄호 앞에 있는 부호와
수는 괄호 안의 모든 항에 곱한다.

예 • $-(5x-3)=-5x+3$ • $2(-4x+1)=-8x+2$

7-1 (1) $-2x-3$ (2) $2a+5$
      (3) $2x+15$ (4) $-4a-8$

(1) $(x+1)+(-3x-4)=x+1-3x-4$

$\qquad\qquad\qquad\qquad=x-3x+1-4$

$\qquad\qquad\qquad\qquad=-2x-3$

(2) $(3a+1)-(a-4)=3a+1-a+4=3a-a+1+4$

$\qquad\qquad\qquad\qquad=2a+5$

(3) $3(2x+1)-4(x-3)=6x+3-4x+12$

$\qquad\qquad\qquad\qquad\qquad=6x-4x+3+12$

$\qquad\qquad\qquad\qquad\qquad=2x+15$

(4) $\dfrac{1}{2}(10a-4)+\dfrac{3}{4}(-12a-8)=5a-2-9a-6$

$\qquad\qquad\qquad\qquad\qquad\qquad=5a-9a-2-6$

$\qquad\qquad\qquad\qquad\qquad\qquad=-4a-8$

7-2 (1) $-3x+y$ (2) $-6a-3b$

(1) $3x-y-\{5x+(x-2y)\}=3x-y-(5x+x-2y)$

$\qquad\qquad\qquad\qquad\qquad\quad=3x-y-(6x-2y)$

$\qquad\qquad\qquad\qquad\qquad\quad=3x-y-6x+2y$

$\qquad\qquad\qquad\qquad\qquad\quad=3x-6x-y+2y$

$\qquad\qquad\qquad\qquad\qquad\quad=-3x+y$

개념 확인 (1) 6, 2, 8   (2) 6, 2, 4

필수 문제 ⑤ ②

① 차수가 다르므로 동류항이 아니다.

③ 각 문자의 차수가 다르므로 동류항이 아니다.

④ 문자가 다르므로 동류항이 아니다.

⑤ 차수가 다르므로 동류항이 아니다.

따라서 동류항끼리 짝 지어진 것은 ②이다.

5-1 $-2x$와 $5x$, y와 $-2y$

필수 문제 ⑥ (1) $6a$ (2) $5x$ (3) $\dfrac{1}{2}y$ (4) $2b+7$

(1) $2a+4a=(2+4)a=6a$

(2) $7x-2x=(7-2)x=5x$

(3) $2y-\dfrac{5}{2}y+y=\left(2-\dfrac{5}{2}+1\right)y=\dfrac{1}{2}y$

(4) $4b-1-2b+8=4b-2b-1+8$

$\qquad\qquad\qquad\quad=(4-2)b+7=2b+7$

6-1 (1) $-8b$ (2) $0.7a$ (3) $-4a+1$
      (4) $x+9$ (5) $2y-2$ (6) $\dfrac{13}{2}b+1$

(1) $-3b-5b=(-3-5)b=-8b$

(2) $0.5a+0.4a-0.2a=(0.5+0.4-0.2)a=0.7a$

(3) $3a-5-7a+6=3a-7a-5+6$

$\qquad\qquad\qquad\quad=(3-7)a+1$

$\qquad\qquad\qquad\quad=-4a+1$

(4) $-2x+5+3x+4=-2x+3x+5+4$

$\qquad\qquad\qquad\qquad=(-2+3)x+9$

$\qquad\qquad\qquad\qquad=x+9$

(5) $5y-\dfrac{1}{2}-3y-\dfrac{3}{2}=5y-3y-\dfrac{1}{2}-\dfrac{3}{2}$

$\qquad\qquad\qquad\qquad=(5-3)y-2$

$\qquad\qquad\qquad\qquad=2y-2$

3. 문자의 사용과 식 | 39

(2) $-5a-[2a+\{6b-(a+3b)\}]$
$=-5a-\{2a+(6b-a-3b)\}$
$=-5a-\{2a+(3b-a)\}$
$=-5a-(2a+3b-a)$
$=-5a-(a+3b)$
$=-5a-a-3b$
$=-6a-3b$

필수 문제 ⑧ (1) $\dfrac{9}{10}x+\dfrac{1}{5}$ (2) $\dfrac{7}{12}x-\dfrac{3}{4}$

(1) $\dfrac{x}{2}+\dfrac{2x+1}{5}=\dfrac{5x}{10}+\dfrac{2(2x+1)}{10}$
$=\dfrac{5x+4x+2}{10}$
$=\dfrac{9x+2}{10}=\dfrac{9}{10}x+\dfrac{1}{5}$

(2) $\dfrac{3x-1}{4}-\dfrac{x+3}{6}=\dfrac{3(3x-1)}{12}-\dfrac{2(x+3)}{12}$
$=\dfrac{9x-3-2x-6}{12}$
$=\dfrac{7x-9}{12}=\dfrac{7}{12}x-\dfrac{3}{4}$

⑧-1 (1) $\dfrac{5}{6}a+\dfrac{3}{2}$ (2) $-\dfrac{11}{20}a-\dfrac{2}{5}$

(1) $\dfrac{2a+7}{3}+\dfrac{a-5}{6}=\dfrac{2(2a+7)}{6}+\dfrac{a-5}{6}$
$=\dfrac{4a+14+a-5}{6}$
$=\dfrac{5a+9}{6}=\dfrac{5}{6}a+\dfrac{3}{2}$

(2) $\dfrac{a-7}{5}-\dfrac{3a-4}{4}=\dfrac{4(a-7)}{20}-\dfrac{5(3a-4)}{20}$
$=\dfrac{4a-28-15a+20}{20}$
$=\dfrac{-11a-8}{20}=-\dfrac{11}{20}a-\dfrac{2}{5}$

STEP 1 쏙쏙 **개념 익히기**   P. 74

1 ㄱ, ㅁ, ㅂ
2 (1) $x+4$ (2) $2a+8$ (3) $6x-1$
    (4) $2x-\dfrac{25}{6}$ (5) $\dfrac{3}{4}x-\dfrac{1}{3}$ (6) $-4a-7$
3 $12a+21$ **4** $-4x-14$
5 (1) $x-2$ (2) $3x-11$

1 ㄱ. 상수항끼리는 동류항이다.
ㄴ. 문자가 다르므로 동류항이 아니다.
ㄷ. 차수가 다르므로 동류항이 아니다.
ㄹ. $\dfrac{3}{x}$은 분모에 문자가 있으므로 다항식이 아니다.
따라서 동류항끼리 짝 지어진 것은 ㄱ, ㅁ, ㅂ이다.

2 (1) $(4x+2)+(-3x+2)=4x+2-3x+2$
$=x+4$
(2) $(8a-2)-2(3a-5)=8a-2-6a+10$
$=2a+8$
(3) $\dfrac{3}{2}(6x-2)-2\left(\dfrac{3}{2}x-1\right)=9x-3-3x+2$
$=6x-1$
(4) $\dfrac{3x-4}{6}+\dfrac{3x-7}{2}=\dfrac{3x-4}{6}+\dfrac{3(3x-7)}{6}$
$=\dfrac{3x-4+9x-21}{6}$
$=\dfrac{12x-25}{6}=2x-\dfrac{25}{6}$
(5) $\dfrac{1}{2}x+\dfrac{1}{6}+0.25x-0.5=\dfrac{1}{2}x+\dfrac{1}{6}+\dfrac{1}{4}x-\dfrac{1}{2}$
$=\left(\dfrac{1}{2}+\dfrac{1}{4}\right)x+\left(\dfrac{1}{6}-\dfrac{1}{2}\right)$
$=\left(\dfrac{2}{4}+\dfrac{1}{4}\right)x+\left(\dfrac{1}{6}-\dfrac{3}{6}\right)$
$=\dfrac{3}{4}x-\dfrac{1}{3}$
(6) $2a+\{5-3(2a+4)\}=2a+(5-6a-12)$
$=2a+(-6a-7)$
$=2a-6a-7$
$=-4a-7$

3 (색칠한 부분의 넓이)
$=$(큰 직사각형의 넓이)$-$(작은 직사각형의 넓이)
$=9(2a+1)-6(a-2)$
$=18a+9-6a+12=12a+21$

4 $2A-3B=2(x-1)-3(2x+4)$
$=2x-2-6x-12$
$=-4x-14$
참고 문자에 일차식을 대입할 때는 괄호를 사용한다.

5 (1) 어떤 다항식을 ☐라 하면
☐$-(2x-9)=-x+7$
∴ ☐$=-x+7+(2x-9)=x-2$
따라서 어떤 다항식은 $x-2$이다.
(2) 바르게 계산하면
$(x-2)+(2x-9)=3x-11$
참고 어떤 다항식을 ☐로 놓고, 다음 관계를 이용하여 식을 세운다.
•☐$-A=B$에서 ⇨ ☐$=B+A$
•☐$+A=B$에서 ⇨ ☐$=B-A$

STEP
2 탄탄 **단원 다지기**

P. 75~77

1 ①, ③	**2** ①	**3** ⑤	**4** ⑤	**5** -16
6 ⑤	**7** $\dfrac{xy}{2}$ cm², 15 cm²		**8** (1) $4n$개 (2) 52개	
9 ⑤	**10** 3개	**11** ①	**12** ④	**13** 2개
14 ⑤	**15** 1	**16** ④	**17** ③	**18** ②
19 $37x-12$		**20** $x+1$		

1 ① $a \times b \times a \times (-0.1) \times c = -0.1a^2bc$

③ $x+y \div 3 = x + \dfrac{y}{3}$

2 ㄴ. $(500x+100y)$원

ㄷ. $6p+1$

ㅁ. (시간)$=\dfrac{(거리)}{(속력)}$이므로 걸린 시간은 $\dfrac{a}{4}$시간이다.

따라서 옳은 것은 ㄱ, ㄹ이다.

3 $b\%$는 $\dfrac{b}{100}$이므로

증가한 학생 수는 $a \times \dfrac{b}{100} = \dfrac{ab}{100}$

$\therefore$ (올해의 학생 수)

$\quad =$(작년의 학생 수)$+$(증가한 학생 수)

$\quad = a + \dfrac{ab}{100}$

4 ① $-a = -(-3) = 3$

② $(-a)^2 = \{-(-3)\}^2 = 3^2 = 9$

③ $-\dfrac{a^2}{3} = -\dfrac{(-3)^2}{3} = -\dfrac{9}{3} = -3$

④ $a^3 = (-3)^3 = -27$

⑤ $(-a)^3 = \{-(-3)\}^3 = 3^3 = 27$

따라서 식의 값이 가장 큰 것은 ⑤이다.

5 $\dfrac{b^2-2b}{a} = (b^2-2b) \div a$이므로

이 식에 $a=-\dfrac{1}{2}$, $b=4$를 대입하면

$(4^2 - 2\times4) \div \left(-\dfrac{1}{2}\right)$

$=(16-8) \div \left(-\dfrac{1}{2}\right)$

$=8 \times (-2) = -16$

6 $0.9(x-100)$에 $x=160$을 대입하면

$0.9 \times (160-100) = 0.9 \times 60 = 54$

따라서 키가 160 cm인 사람의 표준 체중은 54 kg이다.

7 (마름모의 넓이)

$=\dfrac{1}{2} \times$(한 대각선의 길이)$\times$(다른 대각선의 길이)

$=\dfrac{1}{2} \times x \times y = \dfrac{xy}{2}$(cm²)

$\dfrac{xy}{2}$에 $x=6$, $y=5$를 대입하면 $\dfrac{6\times5}{2} = 15$이므로

구하는 마름모의 넓이는 15 cm²이다.

8 (1) 그림에서 첫 번째에 놓인 바둑돌은 4개이고,

두 번째에 놓인 바둑돌은 $4\times2=8$(개)이고,

세 번째에 놓인 바둑돌은 $4\times3=12$(개)이다.

즉 바둑돌의 전체 개수는 4씩 커지는 규칙을 가지고 있다.

따라서 n번째에 놓인 바둑돌은 모두 $4\times n = 4n$(개)이다.

다른 풀이

그림의 바둑돌은 정사각형의 한 변에 놓인 바둑돌이 한 개씩 늘어나면서 커지고 있다.

따라서 n번째 정사각형에서 한 변에 놓인 바둑돌의 개수는 $n+1$이다.

(n번째에 놓인 바둑돌의 전체 개수)

$=4\times$(n번째 정사각형에서 한 변에 놓인 바둑돌의 개수)

$\quad -$(중복되는 바둑돌의 개수)

$=4\times(n+1)-4 = 4n$

(2) $4n$에 $n=13$을 대입하면 $4\times13=52$

따라서 13번째에 놓인 바둑돌은 총 52개이다.

9 ① 항은 $\dfrac{1}{4}y^2$, $-\dfrac{5}{4}y$, -1의 3개이다.

② 차수가 가장 큰 항은 $\dfrac{1}{4}y^2$이므로 다항식의 차수는 2이다.

③ y^2의 계수는 $\dfrac{1}{4}$이다.

④ 상수항은 -1이다.

따라서 옳은 것은 ⑤이다.

10 ㄷ. 다항식의 차수가 2이므로 일차식이 아니다.

ㄹ. 분모에 문자가 있는 식은 다항식이 아니므로 일차식이 아니다.

ㅁ. 상수항뿐이므로 일차식이 아니다.

따라서 일차식은 ㄱ, ㄴ, ㅂ의 3개이다.

참고 상수항의 차수는 0이다.

11 x의 계수가 -3, 상수항이 5인 x에 대한 일차식은

$-3x+5$이다.

$-3x+5$에 $x=2$를 대입하면

$-3\times2+5 = -6+5 = -1$이므로 $a=-1$

$-3x+5$에 $x=-2$를 대입하면

$-3\times(-2)+5 = 6+5 = 11$이므로 $b=11$

$\therefore ab = -1 \times 11 = -11$

12 $-\dfrac{1}{2}(4x+6)=-2x-3$

① $-2(x+3)=-2x-6$

② $(-2x+3)\times(-1)=2x-3$

③ $(4x+3)\div(-2)=(4x+3)\times\left(-\dfrac{1}{2}\right)=-2x-\dfrac{3}{2}$

④ $(18x+27)\div(-9)=(18x+27)\times\left(-\dfrac{1}{9}\right)=-2x-3$

⑤ $-4\left(\dfrac{1}{2}x-\dfrac{1}{4}\right)=-2x+1$

따라서 식을 계산한 결과가 $-\dfrac{1}{2}(4x+6)$과 같은 것은 ④이다.

13 동류항은 문자와 차수가 각각 같아야 하므로 $2x$와 동류항인 것은 $\dfrac{4}{3}x$, $4x$의 2개이다.

14 ① $x-2x+3x=2x$ ⇨ 2

② $\dfrac{5}{12}x-\dfrac{2}{3}x+\dfrac{7}{6}x=\dfrac{5}{12}x-\dfrac{8}{12}x+\dfrac{14}{12}x=\dfrac{11}{12}x$

⇨ $\dfrac{11}{12}$

③ $-3(x+1)+4(x-3)=-3x-3+4x-12=x-15$

⇨ 1

④ $\dfrac{1}{3}(6x-9)-\dfrac{1}{2}(4x+8)=2x-3-2x-4=-7$

⇨ 0

⑤ $1.4x-0.2+\dfrac{8}{5}x+\dfrac{1}{5}=\dfrac{7}{5}x-\dfrac{1}{5}+\dfrac{8}{5}x+\dfrac{1}{5}=3x$

⇨ 3

따라서 식을 계산하였을 때 x의 계수가 가장 큰 것은 ⑤이다.

15 $-2x+[3x-1-\{2+(x-4)\}]$

$=-2x+\{3x-1-(2+x-4)\}$

$=-2x+\{3x-1-(x-2)\}$

$=-2x+(3x-1-x+2)$

$=-2x+(2x+1)$

$=-2x+2x+1=1$

16 $\dfrac{2a+1}{3}-\dfrac{4a+3}{5}+\dfrac{5a+4}{6}$

$=\dfrac{10(2a+1)}{30}-\dfrac{6(4a+3)}{30}+\dfrac{5(5a+4)}{30}$

$=\dfrac{20a+10-24a-18+25a+20}{30}$

$=\dfrac{21a+12}{30}=\dfrac{7}{10}a+\dfrac{2}{5}$

따라서 a의 계수는 $\dfrac{7}{10}$, 상수항은 $\dfrac{2}{5}$이므로 두 수의 합은 $\dfrac{7}{10}+\dfrac{2}{5}=\dfrac{11}{10}$

17 직사각형의 가로의 길이는 $3x+7$, 세로의 길이는 $6+8=14$이므로

(색칠한 부분의 넓이)

$=$(직사각형의 넓이)$-$(색칠하지 않은 삼각형의 넓이의 합)

$=(3x+7)\times14$

$\quad-\left[\dfrac{1}{2}\times3x\times6+\dfrac{1}{2}\times7\times4+\dfrac{1}{2}\times x\times(14-4)\right.$

$\quad\left.+\dfrac{1}{2}\times\{(3x+7)-x\}\times8\right]$

$=42x+98-\{9x+14+5x+4(2x+7)\}$

$=42x+98-(9x+14+5x+8x+28)$

$=42x+98-(22x+42)$

$=42x+98-22x-42$

$=20x+56$

18 구하는 식의 괄호를 풀면

$2B-2(A-B)=2B-2A+2B=-2A+4B$

괄호를 사용하여 문자에 일차식을 대입하면

$-2A+4B=-2(2x-8)+4(x-7)$

$\qquad\qquad\quad=-4x+16+4x-28=-12$

19 ㈎ $A\div4=4x-3$이므로

$A=(4x-3)\times4=16x-12$

㈏ $B-(5x+12)=A$이므로

$B-(5x+12)=16x-12$에서

$B=16x-12+(5x+12)=21x$

∴ $A+B=(16x-12)+21x=37x-12$

20 어떤 다항식을 ☐라 하면

☐$+(2x-4)=5x-7$

∴ ☐$=5x-7-(2x-4)=5x-7-2x+4=3x-3$

따라서 어떤 다항식은 $3x-3$이므로 바르게 계산하면

$(3x-3)-(2x-4)=3x-3-2x+4=x+1$

STEP 3 서술형 완성하기

P. 78~79

〈과정은 풀이 참조〉

따라 해보자 유제 1 $(2ab+2bc+2ac)\,\text{cm}^2$, $94\,\text{cm}^2$

유제 2 $\dfrac{11}{9}$

연습해 보자 1 $(200-50t)\,\text{km}$ 2 -5

3 $x+1$ 4 $5x$

따라 해보자

유제 1 1단계 (직육면체의 겉넓이)
$$=2\times a\times b+2\times b\times c+2\times a\times c$$
$$=2ab+2bc+2ac(\text{cm}^2)$$

2단계 위의 식에 $a=4$, $b=3$, $c=5$를 대입하면
(직육면체의 겉넓이)
$$=2\times4\times3+2\times3\times5+2\times4\times5$$
$$=24+30+40=94(\text{cm}^2)$$

채점 기준		
1단계	a, b, c를 사용하여 직육면체의 겉넓이 나타내기	… 50 %
2단계	a, b, c의 값을 대입하여 직육면체의 겉넓이 구하기	… 50 %

유제 2 1단계 $\dfrac{2x-3}{6}-\dfrac{5x+1}{9}=\dfrac{3(2x-3)}{18}-\dfrac{2(5x+1)}{18}$
$$=\dfrac{6x-9-10x-2}{18}$$
$$=\dfrac{-4x-11}{18}$$
$$=-\dfrac{2}{9}x-\dfrac{11}{18}$$

2단계 즉, $-\dfrac{2}{9}x-\dfrac{11}{18}=ax+b$에서
$$a=-\dfrac{2}{9},\ b=-\dfrac{11}{18}$$

3단계 $\therefore 9ab=9\times\left(-\dfrac{2}{9}\right)\times\left(-\dfrac{11}{18}\right)=\dfrac{11}{9}$

채점 기준		
1단계	분모를 통분하여 동류항끼리 계산하기	… 60 %
2단계	상수 a, b의 값 구하기	… 20 %
3단계	$9ab$의 값 구하기	… 20 %

연습해 보자

1 1단계 (거리)=(속력)×(시간)이므로
시속 $50\,\text{km}$로 t시간 동안 이동한 거리는
$$50\times t=50t(\text{km})$$

2단계 집에서 할머니 댁까지의 거리가 $200\,\text{km}$이므로
(남은 거리)=200−(이동한 거리)
$$=200-50t(\text{km})$$

채점 기준		
1단계	이동한 거리 구하기	… 50 %
2단계	남은 거리 구하기	… 50 %

2 1단계 $\dfrac{2}{5}(10x-15)=\dfrac{2}{5}\times10x-\dfrac{2}{5}\times15$
$$=4x-6$$
$4x-6$에서 x의 계수는 4이므로 $a=4$

2단계 $(4x-6)\div\dfrac{2}{3}=(4x-6)\times\dfrac{3}{2}$
$$=4x\times\dfrac{3}{2}-6\times\dfrac{3}{2}=6x-9$$
$6x-9$에서 상수항은 -9이므로 $b=-9$

3단계 $\therefore a+b=4+(-9)=-5$

채점 기준		
1단계	a의 값 구하기	… 40 %
2단계	b의 값 구하기	… 40 %
3단계	$a+b$의 값 구하기	… 20 %

3 1단계 구하는 식을 분배법칙을 이용하여 괄호를 풀면
$$-A+2B+2(A+B)=-A+2B+2A+2B$$
$$=A+4B$$

2단계 괄호를 사용하여 문자에 일차식을 대입하면
$$A+4B=(-7x+5)+4(2x-1)$$
$$=-7x+5+8x-4$$
$$=(-7+8)x+(5-4)=x+1$$

채점 기준		
1단계	$-A+2B+2(A+B)$를 간단히 정리하기	… 40 %
2단계	문자에 일차식 대입하기	… 60 %

4 1단계 $(5x+8)+A=9x+13$에서
$$A=9x+13-(5x+8)$$
$$=9x+13-5x-8=4x+5$$

2단계 $B+(3x+10)=4x+5$에서
$$B=4x+5-(3x+10)$$
$$=4x+5-3x-10=x-5$$

3단계 $\therefore A+B=(4x+5)+(x-5)=5x$

채점 기준		
1단계	일차식 A 구하기	… 40 %
2단계	일차식 B 구하기	… 40 %
3단계	두 일차식 A, B의 합 구하기	… 20 %

01 방정식과 그 해

P. 84

개념 확인   ㄴ, ㄹ, ㅇ

등호가 있는 식을 찾으면 ㄴ, ㄹ, ㅇ이다.

필수 문제 ① (1) $5x-6=12$ (2) $4x=20$
  (3) $700x+4000=7500$ (4) $3x=3000$

(1) 어떤 수 x의 5배에서 6을 뺀 값은 / 12이다.
  $\underbrace{x \times 5 - 6}$ $\underbrace{=}$ $\underbrace{12}$
  ⇨ $5x-6=12$

(2) 한 변의 길이가 x cm인 정사각형의 둘레의 길이는 /
  $\underbrace{4 \times x}$
  20 cm이다.
  $\underbrace{20}$
  ⇨ $4x=20$

(3) 한 자루에 700원인 연필 x자루와 한 개에 800원인 지
  $\underbrace{700 \times x + 800 \times 5}$
  우개 5개의 가격은 / 7500원이다.
  $\underbrace{=}$ $\underbrace{7500}$
  ⇨ $700x+4000=7500$

(4) 학생 1명의 입장료가 x원인 미술관에서 학생 3명의 입
  $\underbrace{3 \times x}$
  장료는 / 3000원이다.
  $\underbrace{=}$ $\underbrace{3000}$
  ⇨ $3x=3000$

1-1 (1) $2(x+3)=\dfrac{x}{3}$ (2) $\dfrac{5}{2}x=20$
  (3) $26-4x=2$ (4) $2000-500x=500$

(1) 어떤 수 x에 3을 더한 후 2배 하면 / x를 3으로 나눈 것
  $\underbrace{(x+3) \times 2}$ $\underbrace{=}$ $\underbrace{\dfrac{x}{3}}$
  과 같다.
  ⇨ $2(x+3)=\dfrac{x}{3}$

(2) 밑변의 길이가 x cm이고, 높이가 5 cm인 삼각형의 넓
  $\underbrace{\dfrac{1}{2} \times x \times 5}$
  이는 / 20 cm²이다.
  $\underbrace{=}$ $\underbrace{20}$
  ⇨ $\dfrac{5}{2}x=20$

(3) 복숭아 26개를 x명의 학생에게 4개씩 나누어 주었더니
  $\underbrace{26-x \times 4}$
  / 2개가 남았다.
  $\underbrace{=}$ $\underbrace{2}$
  ⇨ $26-4x=2$

(4) 500원짜리 사탕을 x개 사고 2000원을 냈을 때, 거스름
  $\underbrace{2000-500 \times x}$
  돈은 / 500원이었다.
  $\underbrace{=}$ $\underbrace{500}$
  ⇨ $2000-500x=500$

P. 85

개념 확인   (1) 표는 풀이 참조, $x=1$
  (2) 표는 풀이 참조, $x=2$

(1)

x의 값	$2x+3$의 값	$5x$의 값	참/거짓
0	$0+3=3$	0	거짓
1	$2+3=5$	5	참
2	$4+3=7$	10	거짓
3	$6+3=9$	15	거짓

(2)

x의 값	$3x-4$의 값	x의 값	참/거짓
0	$0-4=-4$	0	거짓
1	$3-4=-1$	1	거짓
2	$6-4=2$	2	참
3	$9-4=5$	3	거짓

필수 문제 ② ④

각 방정식에 $x=3$을 대입하면
① $\underset{=-3}{3-6} \neq 3$ ② $\underset{=-12}{-4 \times 3} \neq 12$
③ $\underset{=1}{\dfrac{3}{3}} \neq 9$ ④ $4 \times (3-2)=4$
⑤ $\underset{=3}{2 \times 3 - 3} \neq -3$
따라서 해가 $x=3$인 것은 ④이다.

2-1 ④

각 방정식의 x에 [ ] 안의 수를 대입하면
① $3 \times (-1)+4=1$ ② $\underset{=1}{4 \times \dfrac{1}{2} - 1} = \underset{=1}{2 \times \dfrac{1}{2}}$
③ $\underset{=4}{2 \times 2} = \underset{=4}{5 \times 2 - 6}$ ④ $\underset{=-4}{2 \times (-3+1)} \neq -3$
⑤ $\underset{=49}{5 \times 9 + 4} = \underset{=49}{6 \times 9 - 5}$
따라서 [ ] 안의 수가 주어진 방정식의 해가 아닌 것은
④이다.

필수 문제 ③ ㄱ, ㄴ, ㅂ, ㅇ, ㅈ

ㄱ. (좌변)$=0 \times x=0$ ⇨ (좌변)$=$(우변)이므로 항등식이다.
ㄴ. (좌변)$=x \times 5=5x$
  ⇨ (좌변)$=$(우변)이므로 항등식이다.
ㄷ. $3-x=x-3$
  ⇨ (좌변)$\neq$(우변)이므로 항등식이 아니다.
ㄹ. $2x=4$ ⇨ (좌변)$\neq$(우변)이므로 항등식이 아니다.
ㅁ. $4x=4+x$ ⇨ (좌변)$\neq$(우변)이므로 항등식이 아니다.
ㅂ. (좌변)$=x+2x=3x$
  ⇨ (좌변)$=$(우변)이므로 항등식이다.
ㅅ. $5=x+7$ ⇨ (좌변)$\neq$(우변)이므로 항등식이 아니다.

ㅇ. (좌변)$=2(x+3)=2x+6$
  ⇨ (좌변)=(우변)이므로 항등식이다.
ㅈ. (좌변)$=x+6x-7=7x-7$,
  (우변)$=7(x-1)=7x-7$
  ⇨ (좌변)=(우변)이므로 항등식이다.
따라서 항등식은 ㄱ, ㄴ, ㅂ, ㅇ, ㅈ이다.

3-1 ③, ⑤

x의 값에 관계없이 항상 참이 되는 등식은 항등식이다.
① $2x=0$ ⇨ (좌변)≠(우변)이므로 항등식이 아니다.
② (좌변)$=x+x=2x$
  ⇨ (좌변)≠(우변)이므로 항등식이 아니다.
③ (좌변)$=(3x+6)÷3=x+2$
  ⇨ (좌변)=(우변)이므로 항등식이다.
④ $x+2=4x$ ⇨ (좌변)≠(우변)이므로 항등식이 아니다.
⑤ (좌변)$=3(2x-1)=6x-3$
  ⇨ (좌변)=(우변)이므로 항등식이다.
따라서 x의 값에 관계없이 항상 참이 되는 등식은 ③, ⑤이다.

P. 86

필수 문제 ④ ②, ④

② $a=b$의 양변에 2를 더하면 $2+a=2+b$
④ $a=b$의 양변을 2로 나누면 $\dfrac{a}{2}=\dfrac{b}{2}$

4-1 ㄴ, ㄷ

ㄱ. $a=b$의 양변에서 b를 빼면
  $a-b=b-b$이므로 $a-b=0$
ㄴ. $\dfrac{x}{3}=\dfrac{y}{5}$의 양변에 9를 곱하면
  $\dfrac{x}{3}×9=\dfrac{y}{5}×9$이므로 $3x=\dfrac{9}{5}y$

  (참고) $\dfrac{x}{3}=\dfrac{y}{5}$의 양변에 15를 곱하면
  $\dfrac{x}{3}×15=\dfrac{y}{5}×15$이므로 $5x=3y$

ㄷ. 양변을 0이 아닌 같은 수로 나누어야 등식이 성립하므로 $c=0$일 때는 성립하지 않는다.
ㄹ. $a+3=b+3$의 양변에서 3을 빼면
  $a+3-3=b+3-3$이므로 $a=b$
  이때 $a=b$의 양변에 5를 곱하면 $5a=5b$
따라서 옳지 않은 것은 ㄴ, ㄷ이다.

필수 문제 ⑤ 7, -9, 3, -3

5-1 (1) $x=7$ (2) $x=-6$ (3) $x=3$

(1) $x-3=4$
  $x-3+3=4+3$ 〉양변에 3을 더한다.
  ∴ $x=7$

(2) $\dfrac{x}{3}=-2$
  $\dfrac{x}{3}×3=-2×3$ 〉양변에 3을 곱한다.
  ∴ $x=-6$

(3) $5x+3=18$
  $5x+3-3=18-3$ 〉양변에서 3을 뺀다.
  $5x=15$
  $\dfrac{5x}{5}=\dfrac{15}{5}$ 〉양변을 5로 나눈다.
  ∴ $x=3$

1 ②, ④   **2** ⑤   **3** ④
4 ⑤   **5** ④

2 각 방정식의 x에 [ ] 안의 수를 대입하면

① $\underbrace{3×(-1)+7}_{=4}≠\underbrace{5-(-1)}_{=6}$
② $\underbrace{5+3×0}_{=5}≠\underbrace{-2×0+6}_{=6}$
③ $\underbrace{2×\dfrac{1}{2}-5}_{=-4}≠-2$
④ $\underbrace{2×\left(-\dfrac{1}{3}\right)-11}_{=-\frac{35}{3}}≠\underbrace{-\left(-\dfrac{1}{3}\right)-8}_{=-\frac{23}{3}}$
⑤ $\underbrace{2×(3-1)+3}_{=7}=\underbrace{3×3-2}_{=7}$
따라서 [ ] 안의 수가 주어진 방정식의 해인 것은 ⑤이다.

3 $3x+a=bx-2$가 모든 x의 값에 대하여 항상 참이므로 x에 대한 항등식이다. 즉, (좌변)=(우변)이므로 좌변과 우변의 x의 계수와 상수항이 각각 같아야 한다.
따라서 $b=3$, $a=-2$이므로 $a+b=-2+3=1$

4 ① $a=b$의 양변에서 6을 빼면 $a-6=b-6$
② $a=b$의 양변에 a를 더하면 $2a=a+b$
③ $\dfrac{a}{4}=\dfrac{b}{3}$의 양변에 12를 곱하면 $3a=4b$
④ $3x=-6y$의 양변을 3으로 나누면 $x=-2y$
⑤ $x=3y$의 양변에서 2를 빼면 $x-2=3y-2$
따라서 옳지 않은 것은 ⑤이다.

5 ㈎ 양변에서 2를 뺀다. ⇨ ㄴ
㈏ 양변을 2로 나눈다. ⇨ ㄹ

02 일차방정식의 풀이

P. 88

필수 문제 ① (1) $5x=6-1$ (2) $2x+8+10=0$
(3) $x+3x=7$ (4) $3x-2x=3+5$

1-1 ④
① $x+2=2x$ ⇨ $x-2x=-2$
② $3x=-12$에서 x의 계수 3은 이항할 수 없다.
③ $2x-4=x+1$ ⇨ $2x-x=1+4$
⑤ $2x-9=-3x$ ⇨ $2x+3x=9$
따라서 이항을 바르게 한 것은 ④이다.

필수 문제 ② ㄴ, ㄷ
ㄱ. $2x-1$ ⇨ 등식이 아니므로 일차방정식이 아니다.
ㄴ. $x^2+1=x^2+x$에서 $-x+1=0$ ⇨ 일차방정식
ㄷ. $4x-5=2x+9$에서 $2x-14=0$ ⇨ 일차방정식
ㄹ. $-3+x=x-3$에서 $0=0$ ⇨ 일차방정식이 아니다.
ㅁ. $5x-7=-x^2$에서 $x^2+5x-7=0$
 ⇨ 일차방정식이 아니다.
ㅂ. $-2(x-2)=-2x+4$에서 $-2x+4=4-2x$
 $0=0$ ⇨ 일차방정식이 아니다.
따라서 일차방정식은 ㄴ, ㄷ이다.

2-1 ④
① $x=0$ ⇨ 일차방정식
② $x^2-1=x^2-3x+1$에서 $3x-2=0$ ⇨ 일차방정식
③ $6x-5=2x$에서 $4x-5=0$ ⇨ 일차방정식
④ $-2x+6=2(3-x)$에서 $-2x+6=6-2x$
 $0=0$ ⇨ 일차방정식이 아니다.
⑤ $\dfrac{x}{3}-2=4$에서 $\dfrac{x}{3}-6=0$ ⇨ 일차방정식
따라서 일차방정식이 아닌 것은 ④이다.

P. 89

개념 확인 (1) 22, 11 (2) 3, $-\dfrac{7}{3}$

필수 문제 ③ (1) $x=-3$ (2) $x=\dfrac{1}{3}$ (3) $x=8$ (4) $x=\dfrac{9}{5}$
(1) $2x+9=3$에서 $2x=3-9$
 $2x=-6$ ∴ $x=-3$
(2) $3-4x=5x$에서 $-4x-5x=-3$
 $-9x=-3$ ∴ $x=\dfrac{1}{3}$
(3) $3(x-5)=x+1$에서 괄호를 풀면
 $3x-15=x+1$, $3x-x=1+15$
 $2x=16$ ∴ $x=8$

(4) $-2(x-3)=3(x-1)$에서 괄호를 풀면
 $-2x+6=3x-3$, $-2x-3x=-3-6$
 $-5x=-9$ ∴ $x=\dfrac{9}{5}$

3-1 (1) $x=3$ (2) $x=-1$ (3) $x=-2$ (4) $x=8$
(1) $2x-1=5$에서 $2x=5+1$
 $2x=6$ ∴ $x=3$
(2) $3x=5x+2$에서 $3x-5x=2$
 $-2x=2$ ∴ $x=-1$
(3) $3x+7=-4x-7$에서 $3x+4x=-7-7$
 $7x=-14$ ∴ $x=-2$
(4) $7-3x=2x-33$에서 $-3x-2x=-33-7$
 $-5x=-40$ ∴ $x=8$

3-2 (1) $x=2$ (2) $x=-2$ (3) $x=-\dfrac{1}{2}$

(4) $x=-3$ (5) $x=1$ (6) $x=-\dfrac{7}{2}$
(1) $2(4-6x)=-16$에서 괄호를 풀면
 $8-12x=-16$, $-12x=-16-8$
 $-12x=-24$ ∴ $x=2$
(2) $-2(x-1)=x+8$에서 괄호를 풀면
 $-2x+2=x+8$, $-2x-x=8-2$
 $-3x=6$ ∴ $x=-2$
(3) $7x-(2x+1)=x-3$에서 괄호를 풀면
 $7x-2x-1=x-3$, $5x-1=x-3$
 $5x-x=-3+1$, $4x=-2$
 ∴ $x=-\dfrac{1}{2}$
(4) $1+3(x-4)=4(x-2)$에서 괄호를 풀면
 $1+3x-12=4x-8$, $3x-11=4x-8$
 $3x-4x=-8+11$, $-x=3$
 ∴ $x=-3$
(5) $6\left(\dfrac{x}{3}-\dfrac{1}{2}\right)=-4\left(\dfrac{x}{2}-\dfrac{1}{4}\right)$에서 괄호를 풀면
 $2x-3=-2x+1$, $2x+2x=1+3$
 $4x=4$ ∴ $x=1$
(6) $12\left(\dfrac{x}{4}+\dfrac{1}{6}\right)-4=9\left(\dfrac{x}{9}-1\right)$에서 괄호를 풀면
 $3x+2-4=x-9$, $3x-2=x-9$
 $3x-x=-9+2$, $2x=-7$
 ∴ $x=-\dfrac{7}{2}$

P. 90

필수 문제 ④ (1) $x=2$ (2) $x=6$
(1) 양변에 10을 곱하면
 $2x+3=7$, $2x=7-3$
 $2x=4$ ∴ $x=2$

(2) 양변에 100을 곱하면

$10x-30=2x+18$, $10x-2x=18+30$

$8x=48$ ∴ $x=6$

4-1 (1) $x=3$ (2) $x=-4$ (3) $x=10$ (4) $x=-2$

(1) 양변에 10을 곱하면

$3x-5=4$, $3x=4+5$

$3x=9$ ∴ $x=3$

(2) 양변에 10을 곱하면

$7x+2=4x-10$, $7x-4x=-10-2$

$3x=-12$ ∴ $x=-4$

(3) 양변에 100을 곱하면

$9x-30=5(x+2)$

우변의 괄호를 풀면

$9x-30=5x+10$, $9x-5x=10+30$

$4x=40$ ∴ $x=10$

(4) 양변에 10을 곱하면

$4(2-0.5x)=12$

좌변의 괄호를 풀면

$8-2x=12$, $-2x=12-8$

$-2x=4$ ∴ $x=-2$

필수 문제 5 (1) $x=6$ (2) $x=1$

(1) 양변에 12를 곱하면

$4x-6=3x$, $4x-3x=6$

∴ $x=6$

(2) 양변에 8을 곱하면

$x+3=12x-8$, $x-12x=-8-3$

$-11x=-11$ ∴ $x=1$

5-1 (1) $x=-5$ (2) $x=\dfrac{35}{3}$ (3) $x=\dfrac{1}{2}$ (4) $x=10$

(1) 양변에 15를 곱하면

$5x+15=3x+5$, $5x-3x=5-15$

$2x=-10$ ∴ $x=-5$

(2) 양변에 6을 곱하면

$9(5-x)=10-6x$, $45-9x=10-6x$

$-9x+6x=10-45$

$-3x=-35$ ∴ $x=\dfrac{35}{3}$

(3) 양변에 20을 곱하면

$4(x-3)=5(2x-3)$

$4x-12=10x-15$

$4x-10x=-15+12$

$-6x=-3$ ∴ $x=\dfrac{1}{2}$

(4) 양변에 12를 곱하면

$2x-15=15-x$

$2x+x=15+15$

$3x=30$ ∴ $x=10$

5-2 $x=-9$

소수를 분수로 고치면

$\dfrac{2x+3}{5}=\dfrac{3}{10}(x-1)$

양변에 10을 곱하면

$2(2x+3)=3(x-1)$

$4x+6=3x-3$

$4x-3x=-3-6$

∴ $x=-9$

한번 **더** 연습 **P. 91**

1 (1) $x=1$ (2) $x=\dfrac{1}{2}$ (3) $x=4$ (4) $x=-\dfrac{2}{3}$

2 (1) $x=-1$ (2) $x=4$ (3) $x=\dfrac{8}{7}$ (4) $x=-16$

3 (1) $x=-7$ (2) $x=-2$ (3) $x=8$ (4) $x=-7$

4 (1) $x=9$ (2) $x=14$ (3) $x=-2$ (4) $x=-3$

5 (1) $x=\dfrac{9}{2}$ (2) $x=2$

1 (1) $x-4=-2x-1$에서 $x+2x=-1+4$

$3x=3$ ∴ $x=1$

(2) $5x-2=-3x+2$에서 $5x+3x=2+2$

$8x=4$ ∴ $x=\dfrac{1}{2}$

(3) $2-3x=-x-6$에서 $-3x+x=-6-2$

$-2x=-8$ ∴ $x=4$

(4) $3x+8=-3x+4$에서 $3x+3x=4-8$

$6x=-4$ ∴ $x=-\dfrac{2}{3}$

2 (1) $2(x+5)=-(x-7)$에서 괄호를 풀면

$2x+10=-x+7$, $2x+x=7-10$

$3x=-3$ ∴ $x=-1$

(2) $1-3(2x-1)=-5x$에서 괄호를 풀면

$1-6x+3=-5x$, $-6x+4=-5x$

$-6x+5x=-4$, $-x=-4$ ∴ $x=4$

(3) $-(x-6)=2(3x-1)$에서 괄호를 풀면

$-x+6=6x-2$, $-x-6x=-2-6$

$-7x=-8$ ∴ $x=\dfrac{8}{7}$

(4) $4(x-1)=3(x-7)+1$에서 괄호를 풀면

$4x-4=3x-21+1$, $4x-4=3x-20$

$4x-3x=-20+4$ ∴ $x=-16$

3 (1) 양변에 10을 곱하면

$6x-1=9x+20, \ 6x-9x=20+1$

$-3x=21 \qquad \therefore \ x=-7$

(2) 양변에 100을 곱하면

$10x-20=3x-34, \ 10x-3x=-34+20,$

$7x=-14 \qquad \therefore \ x=-2$

(3) 양변에 10을 곱하면

$5(x-2)=2(x+7), \ 5x-10=2x+14$

$5x-2x=14+10, \ 3x=24 \qquad \therefore \ x=8$

(4) 양변에 100을 곱하면

$15(x-1)=20(x+1), \ 15x-15=20x+20$

$15x-20x=20+15, \ -5x=35 \qquad \therefore \ x=-7$

4 (1) 양변에 9를 곱하면

$6x+9=5x+18, \ 6x-5x=18-9$

$\therefore \ x=9$

(2) 양변에 50을 곱하면

$5(x-4)-10=2(x+6), \ 5x-20-10=2x+12$

$5x-30=2x+12, \ 5x-2x=12+30$

$3x=42 \qquad \therefore \ x=14$

(3) 양변에 10을 곱하면

$2(x+2)-10=5x, \ 2x+4-10=5x$

$2x-6=5x, \ 2x-5x=6$

$-3x=6 \qquad \therefore \ x=-2$

(4) 양변에 12를 곱하면

$3(x-3)+20=2(4x+13)$

$3x-9+20=8x+26, \ 3x+11=8x+26$

$3x-8x=26-11, \ -5x=15 \qquad \therefore \ x=-3$

5 (1) 소수를 분수로 고치면

$\dfrac{6}{5}(x-2)=\dfrac{2x+3}{4}$

양변에 20을 곱하면

$24(x-2)=5(2x+3), \ 24x-48=10x+15$

$24x-10x=15+48, \ 14x=63$

$\therefore \ x=\dfrac{9}{2}$

(2) 소수를 분수로 고치면

$\dfrac{2x-6}{3}+1=\dfrac{1}{5}\left(x-\dfrac{1}{3}\right)$

양변에 15를 곱하면

$5(2x-6)+15=3\left(x-\dfrac{1}{3}\right)$

$10x-30+15=3x-1, \ 10x-15=3x-1$

$10x-3x=-1+15, \ 7x=14 \qquad \therefore \ x=2$

1 ③	**2** ③	**3** ④
4 10	**5** -5	**6** -2

2 x에 대한 일차방정식인지 확인하기 위해서 등식의 모든 항을 좌변으로 이항하여 정리하여야 한다.

그리고 이 식이 (x에 대한 일차식)$=0$ 꼴인지 확인한다.

ㄱ. 등호가 없으므로 등식이 아니다.

ㄴ. $5(x^2+x)=5x^2-3(x+1)$에서 괄호를 풀면

$5x^2+5x=5x^2-3x-3$

우변의 모든 항을 좌변으로 이항하면

$5x^2+5x-5x^2+3x+3=0$에서

$8x+3=0$이므로 일차방정식이다.

ㄷ. $3(x-3)+x=4x-9$에서 괄호를 풀면

$3x-9+x=4x-9$

우변의 모든 항을 좌변으로 이항하면

$3x-9+x-4x+9=0$이므로

$0=0$이 되어 일차방정식이 아니다.

ㄹ. $\dfrac{x}{4}-1=7$에서 우변의 모든 항을 좌변으로 이항하면

$\dfrac{x}{4}-8=0$이므로 일차방정식이다.

ㅁ. $2x=-(x-6)$에서 괄호를 풀면

$2x=-x+6$

우변의 모든 항을 좌변으로 이항하면

$2x+x-6=0, \ 3x-6=0$이므로 일차방정식이다.

ㅂ. $11x-7=x^2+4x+3$에서 우변의 모든 항을 좌변으로 이항하면 $11x-7-x^2-4x-3=0$

$-x^2+7x-10=0$에서 좌변이 x에 대한 일차식이 아니므로 일차방정식이 아니다.

따라서 보기 중 일차방정식은 ㄴ, ㄹ, ㅁ의 3개이다.

3 각 방정식의 해를 구하면

① $5-8x=3x-6$에서 $-8x-3x=-6-5$

$-11x=-11 \qquad \therefore \ x=1$

② $2x-3(x+1)=6$에서 괄호를 풀면

$2x-3x-3=6, \ -x-3=6$

$-x=6+3, \ -x=9 \qquad \therefore \ x=-9$

③ $10-3(4x+2)=-4(x-5)$에서 괄호를 풀면

$10-12x-6=-4x+20, \ -12x+4=-4x+20$

$-12x+4x=20-4, \ -8x=16 \qquad \therefore \ x=-2$

④ 양변에 100을 곱하면

$30x-18=7(4+x), \ 30x-18=28+7x$

$30x-7x=28+18, \ 23x=46 \qquad \therefore \ x=2$

⑤ 양변에 6을 곱하면

$3x+(2-x)=3(x+1), \ 3x+2-x=3x+3$

$2x+2=3x+3, \ 2x-3x=3-2$

$-x=1 \qquad \therefore \ x=-1$

따라서 해가 가장 큰 것은 ④이다.

4 주어진 방정식에 $x=3$을 대입하면
$7\times3-a=4\times3-1$
$21-a=11, -a=-10$　　$\therefore a=10$

5 $4(x-1)=-3+3x$에서 괄호를 풀면
$4x-4=-3+3x$　　$\therefore x=1$
$2x-a=7$에 $x=1$을 대입하면
$2\times1-a=7, -a=5$　　$\therefore a=-5$

6 $\dfrac{5x+11}{12}=\dfrac{1}{6}-\dfrac{1}{3}x$의 양변에 12를 곱하면
$5x+11=2-4x, 9x=-9$　　$\therefore x=-1$
$5-3(x-a)=2$에 $x=-1$을 대입하면
$5-3(-1-a)=2, 5+3+3a=2$
$3a=-6$　　$\therefore a=-2$

일차방정식의 활용

P. 93~95

개념 확인　　$2x+9, 2x+9 / 12, 4, 4 / 4, 4, 4$

필수 문제 ❶ **12**
연속하는 두 짝수 중 작은 수를 x라 하면
두 짝수는 x, $x+2$이다.
두 짝수의 합이 26이므로 $x+(x+2)=26$
$2x+2=26, 2x=24$　　$\therefore x=12$
따라서 두 짝수 중 작은 수는 12이다.

1-1 **12, 13, 14**
연속하는 세 자연수를 $x-1$, x, $x+1$이라 하면
세 자연수의 합이 39이므로 $(x-1)+x+(x+1)=39$
$3x=39$　　$\therefore x=13$
따라서 연속하는 세 자연수는 12, 13, 14이다.

필수 문제 ❷ **29**
처음 자연수의 일의 자리의 숫자를 x라 하면
(처음 자연수)$=10\times2+x=20+x$,
(바꾼 자연수)$=10\times x+2=10x+2$이므로
$10x+2=(20+x)+63$
$10x+2=x+83, 9x=81$　　$\therefore x=9$
따라서 처음 자연수의 십의 자리의 숫자는 2, 일의 자리의
숫자는 9이므로 처음 자연수는 29이다.

2-1 **85**
처음 자연수의 십의 자리의 숫자를 x라 하면
(처음 자연수)$=10\times x+5=10x+5$,

(바꾼 자연수)$=10\times5+x=50+x$이므로
$50+x=(10x+5)-27$
$50+x=10x-22, -9x=-72$　　$\therefore x=8$
따라서 처음 자연수의 십의 자리의 숫자는 8, 일의 자리의
숫자는 5이므로 처음 자연수는 85이다.

필수 문제 ❸ **초콜릿: 5개, 사탕: 15개**
초콜릿을 x개 샀다고 하면 사탕은 $(20-x)$개를 샀다.
초콜릿 x개의 값은 $800x$원이고,
사탕 $(20-x)$개의 값은 $600(20-x)$원이므로
$800x+600(20-x)=13000$
$800x+12000-600x=13000, 200x=1000$　　$\therefore x=5$
따라서 초콜릿은 5개, 사탕은 $20-5=15$(개)를 샀다.

3-1 **13개**
2점짜리 슛을 x개 성공하였다고 하면
3점짜리 슛은 $(19-x)$개 성공하였다.
2점짜리 슛 x개의 점수는 $2x$점이고,
3점짜리 슛 $(19-x)$개의 점수는 $3(19-x)$점이므로
$2x+3(19-x)=44$
$2x+57-3x=44, -x=-13$　　$\therefore x=13$
따라서 2점짜리 슛을 13개 성공하였다.

3-2 **6년 후**
x년 후에 아버지의 나이가 아들의 나이의 3배가 된다고 하면
x년 후의 아버지의 나이는 $(48+x)$세, 아들의 나이는
$(12+x)$세이므로 $48+x=3(12+x)$
$48+x=36+3x, -2x=-12$　　$\therefore x=6$
따라서 아버지의 나이가 아들의 나이의 3배가 되는 것은
6년 후이다.

필수 문제 ❹ **4 cm**
세로의 길이를 x cm라 하면
가로의 길이는 $(x+2)$ cm이므로
$2\{(x+2)+x\}=20$
$2(2x+2)=20, 4x+4=20$
$4x=16$　　$\therefore x=4$
따라서 세로의 길이는 4 cm이다.

4-1 **96 cm²**
가로의 길이를 x cm라 하면
세로의 길이는 $(x-4)$ cm이므로
$2\{x+(x-4)\}=40$
$2(2x-4)=40, 4x-8=40$
$4x=48$　　$\therefore x=12$
따라서 가로의 길이는 12 cm, 세로의 길이는
$12-4=8$(cm)이므로
(직사각형의 넓이)$=12\times8=96$(cm²)

P. 96

필수 문제 ⑤ (1) $5x+2$, $6x-3$ (2) 5

(2) $5x+2=6x-3$, $-x=-5$ ∴ $x=5$
따라서 학생 수는 5이다.

5-1 (1) 9 (2) 41

(1) 미술 동아리 학생이 x명이라 할 때, 한 학생에게 귤을 4개씩 나누어 주면 5개가 남으므로
(귤의 개수)$=4x+5$
5개씩 나누어 주면 4개가 부족하므로
(귤의 개수)$=5x-4$
귤의 개수는 일정하므로
$4x+5=5x-4$
$-x=-9$ ∴ $x=9$
따라서 학생 수는 9이다.

(2) 학생 수가 9이므로 귤의 개수는
$4\times9+5=41$

필수 문제 ⑥ (1) 풀이 참조 (2) $\dfrac{7}{100}x-\dfrac{3}{100}(700-x)=9$
(3) 300

(1)

	여학생 수	남학생 수	전체 학생 수
작년	x	$700-x$	700
올해 변화량	$+\dfrac{7}{100}x$	$-\dfrac{3}{100}(700-x)$	$+9$

(3) $\dfrac{7}{100}x-\dfrac{3}{100}(700-x)=9$의 양변에 100을 곱하면
$7x-3(700-x)=900$
$7x-2100+3x=900$
$10x=3000$ ∴ $x=300$
따라서 작년의 여학생 수는 300이다.

6-1 475

작년의 남학생 수를 x라 하면
작년의 여학생 수는 $900-x$이다.
남학생 수의 변화량은 $+\dfrac{4}{100}x$,
여학생 수의 변화량은 $-\dfrac{8}{100}(900-x)$,
전체 학생 수의 변화량은 -15이므로
$\dfrac{4}{100}x-\dfrac{8}{100}(900-x)=-15$
양변에 100을 곱하면
$4x-8(900-x)=-1500$, $4x-7200+8x=-1500$
$12x=5700$ ∴ $x=475$
따라서 작년의 남학생 수는 475이다.

---

1 9   **2** 14세   **3** 6
4 22일 후   **5** 19

1 연속하는 세 홀수 중 가장 작은 수를 x라 하면
세 홀수는 x, $x+2$, $x+4$이다.
세 홀수의 합이 33이므로
$x+(x+2)+(x+4)=33$
$3x+6=33$, $3x=27$ ∴ $x=9$
따라서 세 홀수 중 가장 작은 수는 9이다.

2 현재 딸의 나이를 x세라 하면 어머니의 나이는 $3x$세이므로
14년 후의 딸의 나이는 $(x+14)$세, 어머니의 나이는
$(3x+14)$세이다.
이때 14년 후에 어머니의 나이는 딸의 나이의 2배가 되므로
$3x+14=2(x+14)$
$3x+14=2x+28$ ∴ $x=14$
따라서 현재 딸의 나이는 14세이다.

3 새로 만든 직사각형의 가로의 길이는 $10+5=15$(cm),
세로의 길이는 $(10-x)$ cm이므로
$15(10-x)=60$
$150-15x=60$, $-15x=-90$ ∴ $x=6$

4 x일 후에 수현이와 동생의 저금통에 들어 있는 금액이 같아진다고 하면 x일 후의
수현이의 저금통에 들어 있는 금액은 $(8000+400x)$원,
동생의 저금통에 들어 있는 금액은 $(3600+600x)$원이므로
$8000+400x=3600+600x$
$-200x=-4400$ ∴ $x=22$
따라서 저금통에 들어 있는 금액이 같아지는 것은 22일 후이다.

5 지난달의 남자 회원 수를 x라 하면
지난달의 여자 회원 수는 $60-x$이다.
남자 회원 수의 변화량은 $-\dfrac{5}{100}x$,
여자 회원 수의 변화량은 $+\dfrac{10}{100}(60-x)$,
전체 회원 수의 변화량은 $+3$이므로
$-\dfrac{5}{100}x+\dfrac{10}{100}(60-x)=3$
양변에 100을 곱하면
$-5x+10(60-x)=300$, $-5x+600-10x=300$
$-15x=-300$ ∴ $x=20$
따라서 지난달의 남자 회원 수는 20이므로
이번 달의 남자 회원 수는 $20-\dfrac{5}{100}\times20=19$

개념 확인   (1) $2a$ km   (2) $\dfrac{x}{5}$시간   (3) 시속 $\dfrac{x}{3}$ km

필수 문제 **7** (1) 풀이 참조 (2) $\dfrac{x}{80}+\dfrac{x}{40}=6$ (3) 160 km

(1)

	갈 때	올 때
속력	시속 80 km	시속 40 km
거리	x km	x km
시간	$\dfrac{x}{80}$시간	$\dfrac{x}{40}$시간

(3) $\dfrac{x}{80}+\dfrac{x}{40}=6$의 양변에 80을 곱하면

$x+2x=480$

$3x=480$ $\therefore x=160$

따라서 두 지점 A, B 사이의 거리는 160 km이다.

7-1 5 km

집과 학교 사이의 거리를 x km라 하면

	갈 때	올 때
속력	시속 10 km	시속 5 km
거리	x km	x km
시간	$\dfrac{x}{10}$시간	$\dfrac{x}{5}$시간

(갈 때 걸린 시간)+(올 때 걸린 시간)$=1\dfrac{30}{60}$(시간)이므로
                             └→ 1시간 30분

$\dfrac{x}{10}+\dfrac{x}{5}=1\dfrac{30}{60}$, 즉 $\dfrac{x}{10}+\dfrac{x}{5}=\dfrac{3}{2}$

양변에 10을 곱하면

$x+2x=15$

$3x=15$ $\therefore x=5$

따라서 집과 학교 사이의 거리는 5 km이다.

필수 문제 **8** (1) 풀이 참조 (2) $40(x+10)=60x$ (3) 20분 후

(1)

	동생	형
속력	분속 40 m	분속 60 m
시간	$(x+10)$분	x분
거리	$40(x+10)$ m	$60x$ m

(3) $40(x+10)=60x$에서 $40x+400=60x$

$-20x=-400$ $\therefore x=20$

따라서 형이 출발한 지 20분 후에 동생을 만난다.

8-1 5분 후

서준이가 출발한 지 x분 후에 유미를 만난다고 하면

	유미	서준
속력	분속 50 m	분속 180 m
시간	$(x+13)$분	x분
거리	$50(x+13)$ m	$180x$ m

(유미가 이동한 거리)=(서준이가 이동한 거리)이므로

$50(x+13)=180x$

괄호를 풀면 $50x+650=180x$

$-130x=-650$ $\therefore x=5$

따라서 서준이가 출발한 지 5분 후에 유미를 만난다.

필수 문제 **9** (1) 풀이 참조 (2) $40x+50x=1800$ (3) 20분 후

(1)

	예지	현우
속력	분속 40 m	분속 50 m
시간	x분	x분
거리	$40x$ m	$50x$ m

(3) $40x+50x=1800$에서

$90x=1800$ $\therefore x=20$

따라서 두 사람은 출발한 지 20분 후에 만난다.

9-1 15분 후

두 사람이 출발한 지 x분 후에 처음으로 다시 만난다고 하면

	선호	슬기
속력	분속 80 m	분속 120 m
시간	x분	x분
거리	$80x$ m	$120x$ m

(선호가 걸은 거리)+(슬기가 걸은 거리)

$=$(호수의 둘레의 길이)

이고, 호수의 둘레의 길이는 3 km, 즉 3000 m이므로

$80x+120x=3000$

$200x=3000$ $\therefore x=15$

따라서 두 사람은 출발한 지 15분 후에 처음으로 다시 만난다.

필수 문제 **10** (1) 아버지: $\dfrac{1}{10}$, 형: $\dfrac{1}{15}$ (2) 6일

(2) 아버지와 형이 함께 x일 동안 일을 하여 완성한다고 하면

$\left(\dfrac{1}{10}+\dfrac{1}{15}\right)x=1$

$\left(\dfrac{3}{30}+\dfrac{2}{30}\right)x=1$, $\dfrac{5}{30}x=1$

$\dfrac{1}{6}x=1$ $\therefore x=6$

따라서 아버지와 형이 함께 한다면 완성하는 데 6일이 걸린다.

10-1 **2시간**

전체 조립하는 양을 1로 놓으면, 은우와 윤서가 1시간 동안 조립하는 양은 각각 $\dfrac{1}{6}$, $\dfrac{1}{3}$이다.

은우와 윤서가 함께 x시간 동안 조립하여 완성한다고 하면

$\left(\dfrac{1}{6}+\dfrac{1}{3}\right)x=1$

$\left(\dfrac{1}{6}+\dfrac{2}{6}\right)x=1$, $\dfrac{3}{6}x=1$

$\dfrac{1}{2}x=1$ ∴ $x=2$

따라서 은우와 윤서가 함께 조립하면 로봇을 완성하는 데 2시간이 걸린다.

필수 문제 ⑪ (1) $\dfrac{6}{5}x$원 (2) $\left(\dfrac{6}{5}x-500\right)$원 (3) 4000원

(1) (정가)=(원가)+(이익)

$=x+\dfrac{20}{100}x=x+\dfrac{1}{5}x=\dfrac{6}{5}x$(원)

(2) (판매 가격)=(정가)$-500=\dfrac{6}{5}x-500$(원)

(3) (실제 이익)=(판매 가격)$-$(원가)이므로

$\left(\dfrac{6}{5}x-500\right)-x=300$

$\dfrac{6}{5}x-x=800$, $\dfrac{1}{5}x=800$ ∴ $x=4000$

따라서 상품의 원가는 4000원이다.

11-1 **10000원**

물건의 원가를 x원이라 하면

(정가)$=x+\dfrac{25}{100}x=\dfrac{5}{4}x$(원)이므로

(판매 가격)=(정가)$-1500=\dfrac{5}{4}x-1500$(원)

이때 (실제 이익)=(판매 가격)$-$(원가)이므로

$\left(\dfrac{5}{4}x-1500\right)-x=1000$

$\dfrac{5}{4}x-x=2500$, $\dfrac{1}{4}x=2500$ ∴ $x=10000$

따라서 물건의 원가는 10000원이다.

STEP
1 쏙쏙 개념 익히기　　　　　　　　P. 100

1	6 km	**2**	(1) $\dfrac{x}{4}-\dfrac{x}{12}=\dfrac{1}{2}$ (2) 3 km
3	15분 후	**4**	25분 후	**5** 9일

---

1 올라간 거리를 x km라 하면

	올라갈 때	내려올 때
속력	시속 3 km	시속 4 km
거리	x km	$(x+2)$ km
시간	$\dfrac{x}{3}$ 시간	$\dfrac{x+2}{4}$ 시간

(올라갈 때 걸린 시간)+(내려올 때 걸린 시간)=4(시간)

이므로 $\dfrac{x}{3}+\dfrac{x+2}{4}=4$

양변에 12를 곱하면 $4x+3(x+2)=48$

$4x+3x+6=48$, $7x=42$ ∴ $x=6$

따라서 올라간 거리는 6 km이다.

2 (1) 집과 도서관 사이의 거리를 x km라 하면

	갈 때	올 때
속력	시속 12 km	시속 4 km
거리	x km	x km
시간	$\dfrac{x}{12}$ 시간	$\dfrac{x}{4}$ 시간

(올 때 걸린 시간)$-$(갈 때 걸린 시간)$=\dfrac{30}{60}$(시간)이므로

$\dfrac{x}{4}-\dfrac{x}{12}=\dfrac{1}{2}$

(2) 양변에 12를 곱하면 $3x-x=6$

$2x=6$ ∴ $x=3$

따라서 집과 도서관 사이의 거리는 3 km이다.

주의 속력이 시속 ▲ km이므로 시간, 거리의 단위가 각각 시, km로 통일되어 있는지 확인한다.

3 은성이가 출발한 지 x분 후에 승우를 만난다고 하면

	승우	은성
속력	분속 50 m	분속 80 m
시간	$(x+9)$분	x분
거리	$50(x+9)$ m	$80x$ m

(승우가 이동한 거리)=(은성이가 이동한 거리)이므로

$50(x+9)=80x$

괄호를 풀면 $50x+450=80x$

$-30x=-450$ ∴ $x=15$

따라서 은성이가 출발한 지 15분 후에 승우를 만난다.

4 두 사람이 출발한 지 x분 후에 처음으로 다시 만난다고 하면

	세호	은지
속력	분속 150 m	분속 90 m
시간	x분	x분
거리	$150x$ m	$90x$ m

(세호가 달린 거리)$-$(은지가 걸은 거리)

=(호수의 둘레의 길이)

이고, 호수의 둘레의 길이는 $1.5\,\text{km}$, 즉 $1500\,\text{m}$이므로
$$150x - 90x = 1500$$
$$60x = 1500 \qquad \therefore x = 25$$
따라서 두 사람은 출발한 지 25분 후에 처음으로 다시 만난다.

참고 호수 둘레를 같은 방향으로 돌다가 만나는 경우
⇨ (두 사람이 이동한 거리의 차)=(호수의 둘레의 길이)

5 전체 일의 양을 1로 놓으면 윤서와 수지가 하루 동안 하는
일의 양은 각각 $\dfrac{1}{12}$, $\dfrac{1}{16}$이다.

수지가 혼자 일한 기간을 x일이라 하면
$$\left(\dfrac{1}{12} + \dfrac{1}{16}\right) \times 3 + \dfrac{1}{16}x = 1$$
$$\dfrac{1}{4} + \dfrac{3}{16} + \dfrac{1}{16}x = 1$$
양변에 16을 곱하면
$$4 + 3 + x = 16 \qquad \therefore x = 9$$
따라서 수지가 혼자 일한 기간은 9일이다.

STEP **2** 탄탄 **단원 다지기**   P. 101~103

1 ④	**2** ④	**3** ①	**4** ⑤	**5** ③
6 15	**7** ③, ⑤	**8** ③	**9** ④	
10 $x=-7$		**11** ⑤	**12** 24	**13** ②
14 79	**15** ②	**16** ②	**17** 28명	**18** 32 cm
19 500	**20** ②	**21** 9시간		

1 ④ $2(5-x) = -4$

2 각 방정식의 x에 [ ] 안의 수를 대입하면

① $\underset{=-8}{5 \times (-1) - 3} \neq 2$

② $0 - 1 \neq 1 - 0$

③ $\underset{=1}{3 \times 1 - 2} \neq \underset{=-2}{2 \times (1-2)}$

④ $\underset{=-2}{-3 \times 2 + 4} = \underset{=-2}{2 \times 2 - 6}$

⑤ $\underset{=-28}{4 \times (-5-2)} \neq \underset{=-18}{3 \times (-5-1)}$

따라서 [ ] 안의 수가 주어진 방정식의 해인 것은 ④이다.

3 $2ax - a + 3 = b - 6x$가 x의 값에 관계없이 항상 성립하므로
x에 대한 항등식이다.
즉, 좌변과 우변의 x의 계수와 상수항이 각각 같아야 하므로
$2a = -6$에서 $a = -3$
$-a + 3 = b$에서 $-(-3) + 3 = b \qquad \therefore b = 6$
$\therefore a - b = -3 - 6 = -9$

4 ① $a = b$의 양변에서 2를 빼면 $a - 2 = b - 2$

② $a - b = b$의 양변에 b를 더하면 $a = 2b$

③ $\dfrac{a}{4} = \dfrac{b}{6}$의 양변에 8을 곱하면 $2a = \dfrac{4}{3}b$

④ $12x = -8y$의 양변을 4로 나누면 $3x = -2y$

⑤ $2(x-1) = y - 2$에서 괄호를 풀면 $2x - 2 = y - 2$
　이 식의 양변에 2를 더하면 $2x = y$
따라서 옳은 것은 ⑤이다.

5 $\dfrac{1}{4}(x-8) = -3$에서

㉠ 분배법칙을 이용하여 괄호를 풀면 $\dfrac{1}{4}x - 2 = -3$

㉡ 양변에 2를 더하면
　$\dfrac{1}{4}x - 2 + 2 = -3 + 2$이므로 $\dfrac{1}{4}x = -1$

㉢ 양변에 4를 곱하면
　$\dfrac{1}{4}x \times 4 = -1 \times 4$이므로 $x = -4$

주어진 그림에서 설명하고 있는 등식의 성질은
'$a = b$이면 $ac = bc$이다.'이므로 이 성질이 이용된 곳은 ㉢이다.

6 $6x - 9 = -x - 1$에서 -9와 $-x$를 각각 이항하면
$6x + x = -1 + 9 \qquad \therefore 7x = 8$
a, b는 10보다 작은 자연수이므로 $a = 7$, $b = 8$
$\therefore a + b = 7 + 8 = 15$

7 ① $7x - 5$ ⇨ 등식이 아니므로 일차방정식이 아니다.

② $4x - 7 > 9$ ⇨ 부등호를 사용한 식이므로 일차방정식이 아
　니다.

③ $5x - 1 = 6$에서 $5x - 7 = 0$ ⇨ 일차방정식

④ $3(x-2) = -6 + 3x$에서 $3x - 6 = -6 + 3x$
　$0 = 0$ ⇨ 일차방정식이 아니다.

⑤ $x^2 - 2x = x^2 + 3x - 2$에서 $-5x + 2 = 0$ ⇨ 일차방정식
따라서 일차방정식은 ③, ⑤이다.

8 우변의 모든 항을 좌변으로 이항하여 정리하면
$$(2-a)x + 3 = 0$$
이 식이 (일차식)=0 꼴이 되려면 $2 - a \neq 0$이어야 하므로
$a \neq 2$

9 ① $-x + 4 = -2$에서 $-x = -6 \qquad \therefore x = 6$

② $3x - 4 = 14$에서 $3x = 18 \qquad \therefore x = 6$

③ $2x - 6 = 5x - 24$에서 $-3x = -18 \qquad \therefore x = 6$

④ $2(5x-7) = 5x + 11$에서 $10x - 14 = 5x + 11$
　$5x = 25 \qquad \therefore x = 5$

⑤ $\dfrac{4x+3}{9} = \dfrac{x+9}{5}$의 양변에 45를 곱하면
　$5(4x+3) = 9(x+9)$
　$20x + 15 = 9x + 81$, $11x = 66 \qquad \therefore x = 6$
따라서 해가 나머지 넷과 다른 하나는 ④이다.

10 $0.5x-\dfrac{x-3}{4}=0.2(x+7)-1$에서 소수를 분수로 고치면

$\dfrac{1}{2}x-\dfrac{x-3}{4}=\dfrac{1}{5}(x+7)-1$

양변에 20을 곱하면

$10x-5(x-3)=4(x+7)-20$

$10x-5x+15=4x+28-20$ $\quad\therefore x=-7$

11 $a:b=c:d$이면 $ad=bc$이므로

$\left(\dfrac{3}{2}x+1\right):3=\left(\dfrac{1}{3}x+4\right):2$에서

$2\left(\dfrac{3}{2}x+1\right)=3\left(\dfrac{1}{3}x+4\right),\ 3x+2=x+12$

$2x=10$ $\quad\therefore x=5$

12 주어진 방정식에 $x=-2$를 대입하면

$5\times(1+2)=3+a\times(-4+7),\ 15=3+3a$ $\quad\therefore a=4$

따라서 $a^2+2a=4^2+2\times4=24$이다.

13 6을 a로 잘못 보았다고 하면 $ax-7=2x+8$

이 방정식에 $x=5$를 대입하면

$a\times5-7=2\times5+8,\ 5a-7=10+8$

$5a=25$ $\quad\therefore a=5$

따라서 6을 5로 잘못 보았다.

14 처음 자연수의 십의 자리의 숫자를 x라 하면

일의 자리의 숫자는 $16-x$이다.

즉, (처음 자연수)$=10x+(16-x)$,

(바꾼 자연수)$=10(16-x)+x$이므로

$10(16-x)+x=10x+(16-x)+18$

$160-9x=9x+34,\ -18x=-126$ $\quad\therefore x=7$

따라서 처음 자연수의 십의 자리의 숫자는 7, 일의 자리의

숫자는 $16-7=9$이므로 처음 자연수는 79이다.

15 쿠키와 마카롱을 합하여 6개 샀으므로

구매한 마카롱의 개수를 x라 하면

구매한 쿠키의 개수는 $6-x$이다.

$2000(6-x)+2500x=13000$

$500x=1000$ $\quad\therefore x=2$

따라서 구매한 마카롱의 개수는 2이다.

16 누나의 나이를 x세라 하면

상현이의 나이는 $(33-x)$세이므로

$x-(33-x)=5,\ 2x=38$ $\quad\therefore x=19$

따라서 누나의 나이는 19세이다.

17 피타고라스의 제자의 수를 x라 하면

$\dfrac{1}{2}x+\dfrac{1}{4}x+\dfrac{1}{7}x+3=x$

양변에 28을 곱하면

$14x+7x+4x+84=28x$

$-3x=-84$ $\quad\therefore x=28$

따라서 피타고라스의 제자는 모두 28명이다.

18 직사각형의 세로의 길이를 $x\,$cm라 하면

가로의 길이는 $2x\,$cm이므로

$2(2x+x)=96,\ 6x=96$ $\quad\therefore x=16$

따라서 직사각형의 세로의 길이가 16 cm이므로

가로의 길이는 $2\times16=32\,$(cm)

19 작년의 남학생 수를 x라 하면

작년의 여학생 수는 $1200-x$이다.

남학생 수의 변화량은 $-\dfrac{5}{100}x$,

여학생 수의 변화량은 $+\dfrac{7}{100}(1200-x)$,

전체 학생 수의 변화량은 $\dfrac{2}{100}\times1200=24$이므로

$-\dfrac{5}{100}x+\dfrac{7}{100}(1200-x)=24$

양변에 100을 곱하면 $-5x+7(1200-x)=2400$

$-5x+8400-7x=2400,\ -12x=-6000$ $\quad\therefore x=500$

따라서 작년의 남학생 수는 500이다.

20 두 사람이 출발한 지 x분 후에 만난다고 하면

	승민	유라
속력	분속 50 m	분속 70 m
시간	x분	x분
거리	$50x\,$m	$70x\,$m

(승민이가 걸은 거리)+(유라가 걸은 거리)

=(승민이의 집과 유라의 집 사이의 거리)

이고, 두 사람의 집 사이의 거리는 1.2 km, 즉 1200 m이므로

$50x+70x=1200,\ 120x=1200$ $\quad\therefore x=10$

따라서 두 사람은 출발한 지 10분 후에 만난다.

21 수영장에 가득 찬 물의 양을 1로 놓으면 호스 A, 호스 B로

한 시간 동안 채우는 물의 양은 각각 $\dfrac{1}{8}$, $\dfrac{1}{12}$이다.

호스 B로 물을 x시간 동안 받는다고 하면

$\dfrac{1}{8}\times2+\dfrac{1}{12}\times x=1$에서 $\dfrac{1}{4}+\dfrac{1}{12}x=1$

양변에 12를 곱하면 $3+x=12$ $\quad\therefore x=9$

따라서 호스 B로 물을 9시간 동안 받아야 한다.

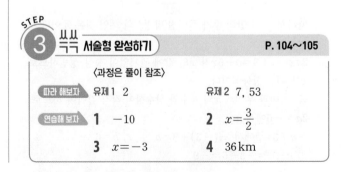

STEP
3 서술형 완성하기 P. 104~105

〈과정은 풀이 참조〉

따라 해보자   유제 1   2   유제 2   7, 53

연습해 보자   **1** -10 **2** $x=\dfrac{3}{2}$

          3 $x=-3$ **4**   36 km

유제 1 (1단계) $\frac{1}{3}(x+1)=0.2x+1$에서 소수를 분수로 고치면

$$\frac{1}{3}(x+1)=\frac{1}{5}x+1$$

양변에 15를 곱하면

$$5(x+1)=3x+15,\ 5x+5=3x+15$$

$$2x=10\qquad\therefore\ x=5$$

(2단계) $\frac{6-x}{5}-\frac{ax-3}{10}=-\frac{1}{2}$에 $x=5$를 대입하면

$$\frac{6-5}{5}-\frac{5a-3}{10}=-\frac{1}{2},\ \frac{1}{5}-\frac{5a-3}{10}=-\frac{1}{2}$$

양변에 10을 곱하면

$$2-(5a-3)=-5,\ 2-5a+3=-5$$

$$-5a=-10\qquad\therefore\ a=2$$

채점 기준		
1단계	$\frac{1}{3}(x+1)=0.2x+1$의 해 구하기	… 50 %
2단계	상수 a의 값 구하기	… 50 %

유제 2 (1단계) 학생 수를 x라 할 때, 한 학생에게 연필을
7자루씩 나누어 주면 4자루가 남으므로
(연필의 수)$=7x+4$
8자루씩 나누어 주면 3자루가 부족하므로
(연필의 수)$=8x-3$
연필의 수는 일정하므로
$$7x+4=8x-3$$

(2단계) $7x+4=8x-3,\ -x=-7$

$$\therefore\ x=7$$

따라서 학생 수는 7이다.

(3단계) 연필의 수는 $7\times7+4=53$이다.

채점 기준		
1단계	학생 수를 x라 하고, 조건에 맞는 일차방정식 세우기 … 40 %		
2단계	학생 수 구하기	… 30 %
3단계	연필의 수 구하기	… 30 %

1 (1단계) $2(x+b)=ax-10$에서 괄호를 풀면

$$2x+2b=ax-10$$

이 식이 x에 대한 항등식이므로 좌변과 우변의 x의
계수와 상수항이 각각 같아야 한다.

$$2=a,\ 2b=-10$$

$$\therefore\ a=2,\ b=-5$$

(2단계) $\therefore\ ab=2\times(-5)=-10$

채점 기준		
1단계	상수 a, b의 값 구하기	… 60 %
2단계	ab의 값 구하기	… 40 %

2 (1단계) $\frac{1}{3}(x+1)=0.5x-\frac{4-3x}{6}$에서
소수를 분수로 고치면

$$\frac{1}{3}(x+1)=\frac{1}{2}x-\frac{4-3x}{6}$$

(2단계) 양변에 6을 곱하면

$$2(x+1)=3x-(4-3x)$$

(3단계) $2x+2=3x-4+3x$

$$2x+2=6x-4,\ 2x-6x=-4-2$$

$$-4x=-6\qquad\therefore\ x=\frac{3}{2}$$

채점 기준		
1단계	소수를 분수로 고치기	… 30 %
2단계	계수를 정수로 고치기	… 30 %
3단계	일차방정식의 해 구하기	… 40 %

3 (1단계) $a(x+2)=4(x-1)$의 해가 $x=2$이므로
일차방정식에 $x=2$를 대입하면

$$a\times(2+2)=4\times(2-1),\ 4a=4\qquad\therefore\ a=1$$

(2단계) $0.7x+a=-1.1$에 $a=1$을 대입하면

$$0.7x+1=-1.1$$

양변에 10을 곱하면

$$7x+10=-11,\ 7x=-21\qquad\therefore\ x=-3$$

채점 기준		
1단계	상수 a의 값 구하기	… 40 %
2단계	$0.7x+a=-1.1$의 해 구하기	… 60 %

4 (1단계) 두 지점 A, B 사이의 거리를 $x\,\mathrm{km}$라 하면

	자동차를 타고 갈 때	자전거를 타고 갈 때
속력	시속 40 km	시속 15 km
거리	$x\,\mathrm{km}$	$x\,\mathrm{km}$
시간	$\frac{x}{40}$시간	$\frac{x}{15}$시간

(자전거를 타고 갈 때 걸리는 시간)
$-$(자동차를 타고 갈 때 걸리는 시간)$=1\frac{30}{60}$(시간)

이므로 $\frac{x}{15}-\frac{x}{40}=\frac{3}{2}$

(2단계) 양변에 120을 곱하면

$$8x-3x=180$$

$$5x=180\qquad\therefore\ x=36$$

(3단계) 따라서 두 지점 A, B 사이의 거리는 $36\,\mathrm{km}$이다.

채점 기준		
1단계	일차방정식 세우기	… 40 %
2단계	일차방정식 풀기	… 40 %
3단계	두 지점 A, B 사이의 거리 구하기	… 20 %

01 순서쌍과 좌표

P. 110~111

필수 문제 ① $O(0)$, $P(-3)$, $Q\left(-\dfrac{4}{3}\right)$, $R\left(\dfrac{7}{2}\right)$

1-1

$$\overset{A}{\longleftarrow}\underset{-5\ -4\ -3\ -2\ -1\ \ 0\ \ 1\ \ 2\ \ 3\ \ 4\ \ 5}{\overset{B}{}\overset{C}{}\overset{D}{}}\longrightarrow$$

필수 문제 ② $a=-2$, $b=3$

두 순서쌍 $(2a,\ 6)$, $(-4,\ 2b)$가 서로 같으므로
$2a=-4$에서 $a=-2$
$6=2b$에서 $b=3$

2-1 18

두 순서쌍 $(9,\ 3b)$, $\left(\dfrac{1}{3}a,\ -27\right)$이 서로 같으므로
$9=\dfrac{1}{3}a$에서 $a=27$
$3b=-27$에서 $b=-9$
$\therefore a+b=27+(-9)=18$

필수 문제 ③ $O(0,\ 0)$, $P(4,\ 2)$, $Q(-1,\ 1)$, $R(-2,\ -3)$, $S(3,\ -4)$

3-1

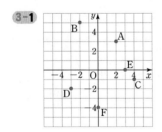

필수 문제 ④ (1) $(2,\ 0)$ (2) $(0,\ -1)$

4-1 x축 위의 점: ㄴ, ㅂ, y축 위의 점: ㄹ

x축 위의 점은 y좌표가 0이어야 하고,
y축 위의 점은 x좌표가 0이어야 한다.
따라서 x축 위의 점은 ㄴ, ㅂ, y축 위의 점은 ㄹ이다.

P. 112

개념 확인

	제1사분면	제2사분면	제3사분면	제4사분면
x좌표의 부호	$+$	$-$	$-$	$+$
y좌표의 부호	$+$	$+$	$-$	$-$

필수 문제 ⑤ (1) 제1사분면 (2) 제4사분면
(3) 제3사분면 (4) 제2사분면

5-1 (1) ㄷ, ㅁ (2) ㅂ, ㅇ
ㄱ. 제4사분면
ㄴ. y축 위의 점이므로 어느 사분면에도 속하지 않는다.
ㄹ. 제1사분면
ㅅ. 제4사분면

5-2 ㄴ, ㄷ
ㄱ. 점 $(3,\ -2)$는 제4사분면 위의 점이다.
ㄹ. 제2사분면 위의 점의 y좌표는 양수이다.
따라서 옳은 것은 ㄴ, ㄷ이다.

STEP 1 쓱쓱 개념 익히기

P. 113

1 ①   **2** $A(6,\ 0)$, $B(0,\ 8)$
3 좌표평면은 풀이 참조, 15   **4** ①, ④
5 (1) 제3사분면 (2) 제1사분면
(3) 제2사분면 (4) 제4사분면
6 제4사분면

1 두 순서쌍 $(a+1,\ 5)$, $(-2,\ 2b-1)$이 서로 같으므로
$a+1=-2$에서 $a=-3$
$5=2b-1$에서 $-2b=-6$ $\therefore b=3$
$\therefore a-b=-3-3=-6$

2 점 $A(a+3,\ a-3)$은 x축 위의 점이므로 y좌표가 0이다.
즉, $a-3=0$에서 $a=3$
점 $B(8-2b,\ b+4)$는 y축 위의 점이므로 x좌표가 0이다.
즉, $8-2b=0$에서 $-2b=-8$ $\therefore b=4$
따라서 $a+3=3+3=6$, $b+4=4+4=8$이므로
$A(6,\ 0)$, $B(0,\ 8)$

3 세 점 A, B, C를 좌표평면 위에 나타내면 다음 그림과 같다.

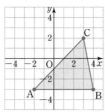

$$\therefore \ (삼각형 \ ABC의 \ 넓이) = \frac{1}{2} \times (밑변의 \ 길이) \times (높이)$$
$$= \frac{1}{2} \times 6 \times 5 = 15$$

참고 삼각형의 넓이를 구할 때, 좌표축에 평행한 변을 밑변으로 잡고 높이를 찾는다.

4 ② y축 위의 점이므로 어느 사분면에도 속하지 않는다.
③ 제2사분면
⑤ 제3사분면
따라서 바르게 짝 지어진 것은 ①, ④이다.

5 점 $P(a, b)$가 제4사분면 위의 점이므로 $a > 0$, $b < 0$
(1) $-a < 0$, $b < 0$이므로
점 $A(-a, b)$ ⇨ 제3사분면
(2) $a > 0$, $-b > 0$이므로
점 $B(a, -b)$ ⇨ 제1사분면
(3) $b < 0$, $a > 0$이므로
점 $C(b, a)$ ⇨ 제2사분면
(4) $a > 0$, $ab < 0$이므로
점 $D(a, ab)$ ⇨ 제4사분면

참고 • 제1사분면 위의 점 ⇨ (x좌표)>0, (y좌표)>0
• 제2사분면 위의 점 ⇨ (x좌표)<0, (y좌표)>0
• 제3사분면 위의 점 ⇨ (x좌표)<0, (y좌표)<0
• 제4사분면 위의 점 ⇨ (x좌표)>0, (y좌표)<0

6 $ab < 0$이므로 a, b의 부호는 서로 다르다.
이때 $a > b$이므로 $a > 0$, $b < 0$
따라서 점 (a, b)는 제4사분면 위의 점이다.

02 그래프와 그 해석

P. 114~116

필수 문제 1 ㄴ
• 음료수를 반쯤 마실 때: 음료수의 양이 반으로 줄어들므로 그래프 모양은 오른쪽 아래로 향하고 처음 시작 위치의 반까지 그려진다.
• 수업을 들을 때: 음료수의 양이 변함없으므로 그래프 모양은 수평이다.
• 남은 음료수를 모두 마실 때: 음료수의 양이 줄어들므로 그래프 모양은 오른쪽 아래로 향하고 음료수의 양이 0인 점까지 그려진다.
따라서 주어진 상황에 알맞은 그래프는 ㄴ이다.

1-1 ②
• 공원에 갈 때: 집에서 떨어진 거리가 증가하므로 그래프 모양은 오른쪽 위로 향한다.
• 휴식을 취할 때: 집에서 떨어진 거리가 변함없으므로 그래프 모양은 수평이다.
• 집으로 돌아올 때: 집에서 떨어진 거리가 감소하므로 그래프 모양은 오른쪽 아래로 향한다.
따라서 주어진 상황에 알맞은 그래프는 ②이다.

필수 문제 2 A-ㄱ, B-ㄷ
용기 A는 폭이 일정하므로 물의 높이가 일정하게 높아진다.
용기 B는 폭이 위로 갈수록 점점 넓어지므로 물의 높이가 점점 느리게 높아진다.
따라서 용기 A에 알맞은 그래프는 ㄱ, 용기 B에 알맞은 그래프는 ㄷ이다.

2-1 ②
꽃병의 폭이 위로 갈수록 점점 좁아지므로 물의 높이가 점점 빠르게 높아진다.
따라서 물의 높이를 시간에 따라 나타낸 그래프로 알맞은 것은 ②이다.

필수 문제 3 (1) 150분 후 (2) 30분
(1) 준서는 10시에 집에서 출발하여 12시 30분에 집에서 20 km 떨어진 미술관에 도착하였다.
따라서 집에서 출발한 지 2시간 30분 후, 즉 150분 후에 미술관에 도착하였다.
(2) 준서가 친구 집에 머무는 동안에는 집에서 떨어진 거리가 변함없다.
따라서 준서는 10시 30분부터 11시까지 친구 집에 머물렀으므로 친구 집에 30분 동안 머물렀다.

3-1 (1) ② (2) 14시, 20 L

(1) 휴게소에서 자동차가 멈춘 동안에는 휘발유의 양이 변함없으므로 구하는 구간은 ②이다.

(2) 주유를 하면 휘발유의 양이 증가하므로 이때의 구간은 ④이다.

따라서 주유소에 도착한 시각은 14시이고, 주유소에서 넣은 휘발유의 양은 $28-8=20$(L)이다.

3-2 ㄱ, ㄴ, ㄹ

ㄷ. 무선 조종 비행기의 높이가 낮아지다가 다시 높아지는 것은 비행을 시작한 지 20분 후이다.

ㅁ. 무선 조종 비행기의 높이가 15 m가 되는 것은 비행을 시작한 지 6분 후, 18분 후, 22분 후의 총 3번이다.

따라서 옳은 것은 ㄱ, ㄴ, ㄹ이다.

STEP 1 쓱쓱 **개념 익히기** P. 117~118

1 ③	**2** ③	**3** ②	**4** ㄱ, ㄹ
5 ⑤	**6** (1) 4분 후 (2) 4분 후 (3) 6분 후		

3 물통의 아랫부분은 폭이 넓으면서 일정하고, 윗부분은 폭이 좁으면서 일정하다.

따라서 물의 높이가 느리고 일정하게 높아지다가 빠르고 일정하게 높아지므로 그래프로 알맞은 것은 ②이다.

4 ㄴ. (내) 구간: 10분 동안 한 곳에 머물렀다.

ㄷ. (대) 구간: 10분 동안 $500-400=100$(m)를 이동하였다.

ㅁ. (매) 구간: 5분 동안 $700-500=200$(m)를 이동하였다.

따라서 옳은 것은 ㄱ, ㄹ이다.

5 ② 집으로 되돌아가는 데 걸린 시간은 $9-5=4$(분)이다.

③ 집으로 되돌아가서 집에 머문 시간은 $11-9=2$(분)이다.

④ 보라가 이동한 거리는 총 $0.3+0.3+1=1.6$(km)이다.

⑤ 다시 집에서 출발하여 1 km 떨어진 학교까지 가는 데 $17-11=6$(분)이 걸렸다.

따라서 옳지 않은 것은 ⑤이다.

6 (2) 형이 집을 출발한 지 4분 후에 집에서 0.4 km 떨어진 지점에서 동생과 만났다.

(3) 동생이 출발한 지 형은 14분 후, 동생은 20후에 공원에 도착하였으므로 형이 도착하고 $20-14=6$(분) 후에 동생이 도착하였다.

STEP 2 탄탄 **단원 다지기** P. 119~121

1 -2	**2** ②	**3** ④	**4** 36	**5** ④
6 ⑤	**7** ⑤	**8** ①	**9** ㄹ	**10** ②
11 ②	**12** ②	**13** ③	**14** ④, ⑤	**15** ③
16 ②	**17** 15분			

1 두 순서쌍 $(2-a, -1)$, $(5, 2b-3)$이 서로 같으므로

$2-a=5$에서 $-a=3$ ∴ $a=-3$

$-1=2b-3$에서 $-2b=-2$ ∴ $b=1$

∴ $a+b=-3+1=-2$

2 ② B(0, 3)

3 x축 위에 있으므로 y좌표가 0이다.

따라서 x좌표가 $-\frac{1}{2}$이고, y좌표가 0인 점의 좌표는

$\left(-\frac{1}{2}, 0\right)$이다.

4 네 점 A, B, C, D를 좌표평면 위에 나타내면 오른쪽 그림과 같다.

이때 사각형 ABCD는 사다리꼴이므로 구하는 넓이는

$\frac{1}{2} \times (5+7) \times 6 = 36$

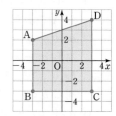

5 ① 제3사분면

② 제2사분면

③ y축 위의 점이므로 어느 사분면에도 속하지 않는다.

⑤ 제1사분면

따라서 제4사분면 위의 점은 ④이다.

6 ① 점 $(2, 3)$과 점 $(3, 2)$는 서로 다른 점이다.

② x축 위의 점은 y좌표가 0이다.

③ 점 $(1, 0)$은 x축 위의 점이므로 어느 사분면에도 속하지 않는다.

④ 점 $(0, 0)$은 원점이므로 어느 사분면에도 속하지 않는다.

따라서 옳은 것은 ⑤이다.

7 점 $P(a, b)$가 제2사분면 위의 점이므로

$a<0$, $b>0$

① $-a>0$, $b>0$이므로 점 $(-a, b)$ ⇨ 제1사분면

② $a<0$, $2b>0$이므로 점 $(a, 2b)$ ⇨ 제2사분면

③ $a-b<0$, $b>0$이므로 점 $(a-b, b)$ ⇨ 제2사분면

④ $b>0$, $a<0$이므로 점 (b, a) ⇨ 제4사분면

⑤ $a<0$, $ab<0$이므로 점 (a, ab) ⇨ 제3사분면

따라서 제3사분면 위의 점은 ⑤이다.

8 $\frac{a}{b}<0$이므로 a, b의 부호는 서로 다르다.

이때 $b-a<0$, 즉 $b<a$이므로 $a>0$, $b<0$

따라서 $a-b>0$, $a>0$이므로 점 $(a-b,\ a)$는 제1사분면 위의 점이다.

10 물의 높이가 시간에 따라 점점 빠르게 높아지므로 그릇의 폭이 위로 갈수록 점점 좁아져야 한다.

따라서 그릇의 모양으로 가장 알맞은 것은 ②이다.

11 ㄴ. 춤 연습을 시작한 후 20분 동안 100 kcal의 열량을 소모하였다.

ㄹ. 열량이 급격하게 소모되기 시작한 것은 춤 연습을 시작한 지 40분 후부터이다.

따라서 옳은 것은 ㄱ, ㄷ이다.

12 자전거가 정지한 동안에는 속력이 0 km/h이다.

따라서 속력이 0 km/h인 시간은 출발한 지 4시간 후부터 5시간 후까지, 7시간 후부터 7시간 30분 후까지이므로 자전거는 모두 1시간 30분, 즉 90분 동안 정지하였다.

13 현정: 자전거가 일정한 속력으로 움직인 시간은
여행을 시작한 지 1시간 후부터 2시간 후,
2시간 30분 부터 3시간 30분 후,
8시간 후부터 8시간 30분 후까지
총 2시간 30분이다.

따라서 옳게 설명한 사람은 원섭, 성윤이다.

14 ④ 로봇이 12분 동안 움직인 거리는 총 $8+8+8=24(\text{m})$이다.

⑤ 지점 A와 로봇 사이의 거리가 처음으로 6 m가 되는 때는 지점 A를 처음 출발한 지 3분 후이다.

16 은성이는 출발한 지 25분 후부터 30분 후까지 5분 동안 멈춰 있었으므로 $a=5$

혜수는 출발한 지 15분 후부터 35분 후까지, 50분 후부터 60분 후까지 총 30분 동안 멈춰 있었으므로 $b=30$

$\therefore a+b=5+30=35$

17 은성이와 혜수는 마라톤 경주를 완주하는 데 각각 55분, 70분이 걸렸으므로 은성이와 혜수가 마라톤 경주를 완주하는 데 걸린 시간의 차는 $70-55=15(\text{분})$이다.

STEP 3 쓱쓱 서술형 완성하기

P. 122~123

〈과정은 풀이 참조〉

따라 해보자   유제 1 -2 유제 2 제4사분면

연습해 보자   **1** $(-3,\ -5),\ (-3,\ 5),\ (3,\ -5),\ (3,\ 5)$

     2   좌표평면은 풀이 참조, $\dfrac{15}{2}$

     3   (1) 7 km   (2) 20분   **4**   8

따라 해보자

유제 1 [1단계] 점 $\text{A}(2a-1,\ 3a+6)$은 x축 위의 점이므로 y좌표가 0이다.

즉, $3a+6=0$에서 $3a=-6$ $\therefore a=-2$

[2단계] 점 $\text{B}\left(1-\dfrac{1}{4}b,\ 2b+3\right)$은 y축 위의 점이므로 x좌표가 0이다.

즉, $1-\dfrac{1}{4}b=0$에서 $-\dfrac{1}{4}b=-1$ $\therefore b=4$

[3단계] $\therefore \dfrac{b}{a}=\dfrac{4}{-2}=-2$

채점 기준		
1단계	a의 값 구하기	⋯ 40 %
2단계	b의 값 구하기	⋯ 40 %
3단계	$\dfrac{b}{a}$의 값 구하기	⋯ 20 %

유제 2 [1단계] 점 $\text{P}(ab,\ a-b)$가 제3사분면 위의 점이므로 $ab<0$, $a-b<0$

[2단계] $ab<0$이므로 a, b의 부호는 서로 다르다.

이때 $a-b<0$, 즉 $a<b$이므로 $a<0$, $b>0$

[3단계] 따라서 $b>0$, $\dfrac{b}{a}<0$이므로 점 $\text{Q}\left(b,\ \dfrac{b}{a}\right)$는 제4사분면 위의 점이다.

채점 기준		
1단계	ab, $a-b$의 부호 구하기	⋯ 20 %
2단계	a, b의 부호 구하기	⋯ 40 %
3단계	점 Q가 제몇 사분면 위의 점인지 구하기	⋯ 40 %

연습해 보자

1 [1단계] $|a|=3$이므로 $a=-3$ 또는 $a=3$

[2단계] $|b|=5$이므로 $b=-5$ 또는 $b=5$

[3단계] 따라서 순서쌍 $(a,\ b)$를 모두 구하면
$(-3,\ -5),\ (-3,\ 5),\ (3,\ -5),\ (3,\ 5)$이다.

채점 기준		
1단계	a의 값 구하기	⋯ 40 %
2단계	b의 값 구하기	⋯ 40 %
3단계	순서쌍 $(a,\ b)$ 모두 구하기	⋯ 20 %

2 【1단계】 세 점 A, B, C를 좌표평면 위에 나타내면 다음 그림 과 같다.

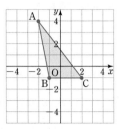

【2단계】 ∴ (삼각형 ABC의 넓이)

$$= \frac{1}{2} \times (밑변의 길이) \times (높이)$$

$$= \frac{1}{2} \times 3 \times 5 = \frac{15}{2}$$

채점 기준		
1단계	세 점 A, B, C를 좌표평면 위에 나타내기	⋯ 50 %
2단계	삼각형 ABC의 넓이 구하기	⋯ 50 %

3 (1) 【1단계】 수진이는 집을 출발한 지 70분 후에 친구 집에 도 착하였고, 이때 자전거를 타고 이동한 거리는 모 두 7 km이다.

(2) 【2단계】 자전거가 정지한 동안에는 이동한 거리가 변함없다. 따라서 이동한 거리가 변함없는 시간은 출발한 지 25분 후부터 35분 후까지, 50분 후부터 60분 후 까지이므로 자전거는 모두 20분 동안 정지하였다.

채점 기준		
1단계	자전거를 타고 이동한 거리 구하기	⋯ 40 %
2단계	자전거가 몇 분 동안 정지하였는지 구하기	⋯ 60 %

4 【1단계】 회전목마가 움직이기 시작한 후 16초 동안 목마가 가 장 높이 올라갔을 때의 높이는 2 m이다.

∴ $a = 2$

【2단계】 높이가 1.5 m인 지점에 도달한 것은 회전목마가 움 직이기 시작한 지 2초 후, 5초 후, 7초 후, 10초 후, 13초 후, 15초 후이므로 총 6번이다.

∴ $b = 6$

【3단계】 ∴ $a + b = 2 + 6 = 8$

채점 기준		
1단계	a의 값 구하기	⋯ 40 %
2단계	b의 값 구하기	⋯ 40 %
3단계	$a+b$의 값 구하기	⋯ 20 %

01 정비례

개념 확인   (1) 풀이 참조   (2) 정비례한다.   (3) $y=70x$

(1)

x	1	2	3	4	…
y	70	140	210	280	…

(2) x의 값이 2배, 3배, 4배, …로 변함에 따라 y의 값도
2배, 3배, 4배, …로 변하는 관계가 있으므로
y는 x에 정비례한다.

(3) y의 값이 x의 값의 70배이므로 x와 y 사이의 관계식은
$y=70x$

필수 문제 ❶   ③, ④

$y=ax(a\neq0)$ 꼴을 찾는다.

1-1   ⑤

③ $\frac{y}{x}=-1$에서 $y=-x$

⑤ $xy=3$에서 $y=\frac{3}{x}$

따라서 y가 x에 정비례하지 않는 것은 ⑤이다.

1-2   ③

① $y=100-x$

② $y=14+x$

③ (정삼각형의 둘레의 길이)$=3\times$(한 변의 길이)
이므로 $y=3x$

④ $y=\frac{60}{x}$

⑤ (시간)$=\frac{(거리)}{(속력)}$이므로 $y=\frac{50}{x}$

따라서 y가 x에 정비례하는 것은 ③이다.

필수 문제 ❷ $y=7x$

y가 x에 정비례하므로 $y=ax$로 놓고,
이 식에 $x=5$, $y=35$를 대입하면
$35=a\times5$ $\therefore a=7$
$\therefore y=7x$

2-1 -12

y가 x에 정비례하므로 $y=ax$로 놓고,
이 식에 $x=-4$, $y=16$을 대입하면
$16=a\times(-4)$ $\therefore a=-4$
따라서 $y=-4x$이므로 이 식에 $x=3$을 대입하면
$y=-4\times3=-12$

필수 문제 ❸   (1) 풀이 참조   (2) $y=5x$ (3) 60 L

(1)

x	1	2	3	4	5	…	16
y	5	10	15	20	25	…	80

(2) x분 후의 물통 안에 있는 물의 양은 $5x$ L이므로
$y=5x$

(3) $y=5x$에 $x=12$를 대입하면 $y=5\times12=60$
따라서 12분 후의 물통 안에 있는 물의 양은 60 L이다.

3-1   (1) $y=0.4x$ (2) 12 mm

(1) x일 동안 자란 머리카락의 길이는 $0.4x$ mm이므로
$y=0.4x$

(2) $y=0.4x$에 $x=30$을 대입하면
$y=0.4\times30=12$
따라서 30일 동안 자란 머리카락의 길이는 12 mm이다.

3-2   (1) $y=15x$ (2) 200 mL

(1) 우유 x mL를 정화하는 데 필요한 물의 양은
$15x$ mL이므로 $y=15x$

(2) $y=15x$에 $y=3000$을 대입하면
$3000=15x$ $\therefore x=200$
따라서 물 3000 mL로 정화할 수 있는 우유의 양은
200 mL이다.

필수 문제 ❹   (1)

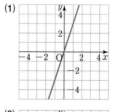

① 3
② 위
③ 1, 3(또는 3, 1)
④ 증가

(2)

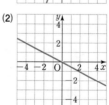

① -1
② 아래
③ 2, 4(또는 4, 2)
④ 감소

(1) 정비례 관계 $y=3x$의 그래프는 원점과 점 $(1, 3)$을 지나는 직선이다.

(2) 정비례 관계 $y=-\frac{1}{2}x$의 그래프는 원점과 점 $(2, -1)$을 지나는 직선이다.

참고   정비례 관계의 그래프를 그릴 때는 원점과 그래프가 지나는 또 다른 점을 찾아 직선으로 연결한다.

필수 문제 5 -2

$y=5x$에 $x=a$, $y=-10$을 대입하면
$-10=5\times a$ $\therefore a=-2$

5-1 -9

$y=ax$에 $x=-2$, $y=18$을 대입하면
$18=a\times(-2)$ $\therefore a=-9$

5-2 0

$y=-\dfrac{3}{2}x$에 $x=a$, $y=9$를 대입하면
$9=-\dfrac{3}{2}\times a$ $\therefore a=9\times\left(-\dfrac{2}{3}\right)=-6$

$y=-\dfrac{3}{2}x$에 $x=4$, $y=b$를 대입하면
$b=-\dfrac{3}{2}\times4=-6$
$\therefore a-b=-6-(-6)=0$

필수 문제 6 1, 4, 1, 4, $4x$

6-1 (1) $y=\dfrac{1}{2}x$ (2) $y=-3x$

(1) 그래프가 원점을 지나는 직선이므로 $y=ax$로 놓는다.
이 그래프가 점 $(2,\ 1)$을 지나므로
$y=ax$에 $x=2$, $y=1$을 대입하면
$1=a\times2$ $\therefore a=\dfrac{1}{2}$
$\therefore y=\dfrac{1}{2}x$

(2) 그래프가 원점을 지나는 직선이므로 $y=ax$로 놓는다.
이 그래프가 점 $(1,\ -3)$을 지나므로
$y=ax$에 $x=1$, $y=-3$을 대입하면
$-3=a\times1$ $\therefore a=-3$
$\therefore y=-3x$

STEP 1 쑥쑥 **개념 익히기**   P. 132~133

1 ②, ⑤	**2** 5	**3** 350 g	**4** ③
5 ①	**6** ②	**7** -8	**8** 4
9 (1) A$(6,\ 4)$ (2) 12	**10** 24		

1 ① $y=50x$
② $y=20-x$
③ (거리)$=$(속력)$\times$(시간)이므로 $y=140x$
④ $y=11x$
⑤ $x+y=24$에서 $y=24-x$
따라서 y가 x에 정비례하지 않는 것은 ②, ⑤이다.

2 y가 x에 정비례하므로 $y=ax$로 놓고,
이 식에 $x=-2$, $y=8$을 대입하면
$8=a\times(-2)$ $\therefore a=-4$
따라서 $y=-4x$이므로 이 식에 $y=-20$을 대입하면
$-20=-4x$ $\therefore x=5$

3 과자 1 g당 열량이 6 kcal이므로
과자 x g의 열량은 $6x$ kcal이다.
즉, x와 y 사이의 관계식을 구하면 $y=6x$
이때 $y=6x$에 $y=2100$을 대입하면
$2100=6x$ $\therefore x=350$
따라서 열량 2100 kcal를 얻기 위해 필요한 과자의 양은
350 g이다.

4 ③ 원점을 지나는 직선이다.

5 정비례 관계 $y=ax\,(a\neq0)$의 그래프는 a의 절댓값이 클수록
y축에 가깝다.
이때 $\left|-\dfrac{1}{5}\right|<\left|\dfrac{1}{3}\right|<|-1|<|5|<|-6|$이므로
그래프가 y축에 가장 가까운 것은 ①이다.

6 $y=-\dfrac{5}{6}x$에 주어진 각 점의 좌표를 대입하면
① $10=-\dfrac{5}{6}\times(-12)$
② $\dfrac{5}{2}\neq-\dfrac{5}{6}\times(-6)$
③ $\dfrac{5}{3}=-\dfrac{5}{6}\times(-2)$
④ $-\dfrac{5}{2}=-\dfrac{5}{6}\times3$
⑤ $-5=-\dfrac{5}{6}\times6$
따라서 $y=-\dfrac{5}{6}x$의 그래프 위의 점이 아닌 것은 ②이다.

7 $y=\dfrac{3}{4}x$에 $x=a$, $y=a+2$를 대입하면
$a+2=\dfrac{3}{4}\times a$, $\dfrac{1}{4}a=-2$ $\therefore a=-8$

8 그래프가 원점을 지나는 직선이므로 $y=ax$로 놓는다.
이 그래프가 점 $(-2,\ 5)$를 지나므로
$y=ax$에 $x=-2$, $y=5$를 대입하면
$5=a\times(-2)$ $\therefore a=-\dfrac{5}{2}$
따라서 $y=-\dfrac{5}{2}x$이므로
이 식에 $x=k$, $y=-10$을 대입하면
$-10=-\dfrac{5}{2}\times k$ $\therefore k=-10\times\left(-\dfrac{2}{5}\right)=4$

9 (1) 점 A에서 x축에 수직인 직선을 그었을 때 x축과 만나는 점이 B이므로 두 점의 x좌표는 같다.

즉, 점 A의 x좌표는 6이다.

이때 점 A는 $y=\dfrac{2}{3}x$의 그래프 위의 점이므로

$y=\dfrac{2}{3}x$에 $x=6$을 대입하면

$y=\dfrac{2}{3}\times6=4$　∴ A(6, 4)

(2) (삼각형 AOB의 넓이)

$=\dfrac{1}{2}\times(밑변의 길이)\times(높이)$

$=\dfrac{1}{2}\times6\times4$

$=12$

10 점 A는 $y=-3x$의 그래프 위의 점이므로

$y=-3x$에 $y=12$를 대입하면

$12=-3\times x$　∴ $x=-4$

따라서 점 A의 좌표는 A(-4, 12)

점 A에서 x축에 수직인 직선을 그었을 때 x축과 만나는 점이 B이므로 두 점의 x좌표는 같다.

즉, 점 B의 x좌표는 -4이다.　∴ B(-4, 0)

(삼각형 ABO의 넓이)

$=\dfrac{1}{2}\times(밑변의 길이)\times(높이)$

$=\dfrac{1}{2}\times4\times12$

$=24$

o2 반비례

개념 확인 (1) 풀이 참조 (2) 반비례한다. (3) $y=\dfrac{30}{x}$

(1)
x	1	2	3	4	...	30
y	30	15	10	$\dfrac{15}{2}$	...	1

(2) x의 값이 2배, 3배, 4배, ...로 변함에 따라 y의 값은 $\dfrac{1}{2}$배, $\dfrac{1}{3}$배, $\dfrac{1}{4}$배, ...로 변하는 관계가 있으므로 y는 x에 반비례한다.

(3) xy의 값이 30으로 일정하므로 x와 y 사이의 관계식은 $y=\dfrac{30}{x}$

필수 문제 ① ②

$y=\dfrac{a}{x}(a\neq0)$ 꼴을 찾는다.

1-1 ②, ④

② $\dfrac{y}{x}=24$에서 $y=24x$

⑤ $xy=-9$에서 $y=-\dfrac{9}{x}$

따라서 y가 x에 반비례하지 않는 것은 ②, ④이다.

1-2 ㄴ, ㄹ

ㄱ. $y=4x$

ㄴ. $xy=200$에서 $y=\dfrac{200}{x}$

ㄷ. $y=30-x$

ㄹ. (시간)$=\dfrac{(거리)}{(속력)}$이므로 $y=\dfrac{12}{x}$

따라서 y가 x에 반비례하는 것은 ㄴ, ㄹ이다.

필수 문제 ② $y=\dfrac{15}{x}$

y가 x에 반비례하므로 $y=\dfrac{a}{x}$로 놓고,

이 식에 $x=5$, $y=3$을 대입하면

$3=\dfrac{a}{5}$　∴ $a=15$

∴ $y=\dfrac{15}{x}$

2-1 ②

y가 x에 반비례하므로 $y=\dfrac{a}{x}$로 놓고,

이 식에 $x=4$, $y=-9$를 대입하면

$-9=\dfrac{a}{4}$　∴ $a=-36$

따라서 $y=-\dfrac{36}{x}$이므로 이 식에 $x=6$을 대입하면

$y=-\dfrac{36}{6}=-6$

필수 문제 ③ (1) $y=\dfrac{16}{x}$ (2) $\dfrac{1}{2}$ cm³

(1) y가 x에 반비례하므로 $y=\dfrac{a}{x}$로 놓는다.

부피가 2 cm³일 때, 압력이 8기압이므로

$y=\dfrac{a}{x}$에 $x=8$, $y=2$를 대입하면

$2=\dfrac{a}{8}$　∴ $a=16$

∴ $y=\dfrac{16}{x}$

(2) $y=\dfrac{16}{x}$에 $x=32$를 대입하면 $y=\dfrac{16}{32}=\dfrac{1}{2}$

따라서 압력이 32기압일 때, 기체의 부피는 $\dfrac{1}{2}$ cm³이다.

3-1 (1) $y=\dfrac{1500}{x}$ (2) $125\,\text{mL}$

(1) (학생 수)×(한 학생이 마시는 주스의 양)$=1500(\text{mL})$

이므로 $xy=1500$ $\therefore y=\dfrac{1500}{x}$

(2) $y=\dfrac{1500}{x}$에 $x=12$를 대입하면

$y=\dfrac{1500}{12}=125$

따라서 주스를 12명에게 똑같이 나누어 줄 때, 한 학생이 마실 수 있는 주스의 양은 $125\,\text{mL}$이다.

3-2 (1) $y=\dfrac{100}{x}$ (2) 5개

(1) 직사각형의 가로에 놓인 타일 x개와 세로에 놓인 타일 y개의 곱이 100개이므로

$xy=100$ $\therefore y=\dfrac{100}{x}$

(2) $y=\dfrac{100}{x}$에 $y=20$을 대입하면

$20=\dfrac{100}{x}$, $20x=100$ $\therefore x=5$

따라서 직사각형의 세로에 놓인 타일이 20개일 때, 가로에 놓인 타일은 5개이다.

P. 136~137

필수 문제 ❹ (1)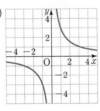

① -1, -3, 3, 1
② 1, 3(또는 3, 1)
③ 감소

(2)

① 1, 4, -4, -1
② 2, 4(또는 4, 2)
③ 증가

(1) 반비례 관계 $y=\dfrac{3}{x}$의 그래프는 점 $(-3, -1)$,

$(-1, -3)$, $(1, 3)$, $(3, 1)$을 지나는 한 쌍의 곡선이다.

(2) 반비례 관계 $y=-\dfrac{4}{x}$의 그래프는 $(-4, 1)$, $(-2, 2)$,

$(-1, 4)$, $(1, -4)$, $(2, -2)$, $(4, -1)$을 지나는 한 쌍의 곡선이다.

참고 반비례 관계의 그래프를 그릴 때는 그래프가 지나는 유한개의 점을 찾아 매끄러운 곡선으로 연결한다.

필수 문제 ❺ $-\dfrac{3}{2}$

$y=\dfrac{6}{x}$에 $x=-a$, $y=4$를 대입하면

$4=\dfrac{6}{-a}$, $-4a=6$ $\therefore a=-\dfrac{3}{2}$

5-1 -24

$y=\dfrac{a}{x}$에 $x=-8$, $y=3$을 대입하면

$3=\dfrac{a}{-8}$ $\therefore a=-24$

5-2 -1

$y=\dfrac{36}{x}$에 $x=-9$, $y=a$를 대입하면

$a=\dfrac{36}{-9}=-4$

$y=\dfrac{36}{x}$에 $x=b$, $y=12$를 대입하면

$12=\dfrac{36}{b}$, $12b=36$ $\therefore b=3$

$\therefore a+b=-4+3=-1$

필수 문제 ❻ -2, 3, -2, -6, $-\dfrac{6}{x}$

6-1 (1) $y=\dfrac{8}{x}$ (2) $y=-\dfrac{9}{x}$

(1) 그래프가 한 쌍의 매끄러운 곡선이므로 $y=\dfrac{a}{x}$로 놓는다.

이 그래프가 점 $(2, 4)$를 지나므로

$y=\dfrac{a}{x}$에 $x=2$, $y=4$를 대입하면

$4=\dfrac{a}{2}$ $\therefore a=8$

$\therefore y=\dfrac{8}{x}$

다른 풀이
반비례 관계는 xy의 값이 일정하므로

$xy=2\times4=8$ $\therefore y=\dfrac{8}{x}$

(2) 그래프가 한 쌍의 매끄러운 곡선이므로 $y=\dfrac{a}{x}$로 놓는다.

이 그래프가 점 $(3, -3)$을 지나므로

$y=\dfrac{a}{x}$에 $x=3$, $y=-3$을 대입하면

$-3=\dfrac{a}{3}$ $\therefore a=-9$

$\therefore y=-\dfrac{9}{x}$

다른 풀이
반비례 관계는 xy의 값이 일정하므로

$xy=3\times(-3)=-9$ $\therefore y=-\dfrac{9}{x}$

STEP
1 쏙쏙 **개념 익히기**   P. 138~139

1	②, ③	**2**	-6	**3**	시속 7 km
4	②, ⑤	**5**	④	**6**	-16
7	(1) $y=\dfrac{6}{x}$ (2) $-\dfrac{3}{2}$			**8**	$a=27, b=9$
9	$a=-4, b=-8$				

1 ① (직사각형의 둘레의 길이)
$$=2\times\{(\text{가로의 길이})+(\text{세로의 길이})\}$$
이므로
$y=2(x+5)$에서 $y=2x+10$
② (직사각형의 넓이)=(가로의 길이)×(세로의 길이)
이므로
$xy=30$에서 $y=\dfrac{30}{x}$
③ $xy=400$에서 $y=\dfrac{400}{x}$
④ $y=3x$
⑤ $y=12-x$
따라서 y가 x에 반비례하는 것은 ②, ③이다.

2 y가 x에 반비례하므로 $y=\dfrac{a}{x}$로 놓고,
이 식에 $x=2$, $y=12$를 대입하면
$12=\dfrac{a}{2}$　　∴ $a=24$
따라서 $y=\dfrac{24}{x}$이므로 이 식에 $x=-4$를 대입하면
$y=\dfrac{24}{-4}=-6$

3 $(\text{시간})=\dfrac{(\text{거리})}{(\text{속력})}$이므로 $y=\dfrac{14}{x}$
이 식에 $y=2$를 대입하면
$2=\dfrac{14}{x}$, $2x=14$　　∴ $x=7$
따라서 혜은이가 할머니 댁에 2시간 만에 도착하려면
시속 7 km로 가야 한다.

4 ① 원점을 지나지 않는다.
③ a의 절댓값이 클수록 원점에서 멀다.
④ x의 값이 2배, 3배, 4배, ...로 변하면 y의 값은 $\dfrac{1}{2}$배, $\dfrac{1}{3}$
배, $\dfrac{1}{4}$배, ...로 변한다.
따라서 옳은 것은 ②, ⑤이다.

5 $y=-\dfrac{9}{x}$에 주어진 각 점의 좌표를 대입하면
① $\dfrac{3}{2}=-\dfrac{9}{-6}$

② $3=-\dfrac{9}{-3}$
③ $9=-\dfrac{9}{-1}$
④ $-\dfrac{2}{3}\neq-\dfrac{9}{6}$
⑤ $-1=-\dfrac{9}{9}$
따라서 $y=-\dfrac{9}{x}$의 그래프 위의 점이 아닌 것은 ④이다.

6 $y=\dfrac{a}{x}$에 $x=-2$, $y=6$을 대입하면
$6=\dfrac{a}{-2}$　　∴ $a=-12$
$y=-\dfrac{12}{x}$에 $x=3$, $y=b$를 대입하면
$b=-\dfrac{12}{3}=-4$
∴ $a+b=-12+(-4)=-16$

7 (1) 주어진 그래프가 한 쌍의 매끄러운 곡선이므로
$y=\dfrac{a}{x}$로 놓는다.
$y=\dfrac{a}{x}$에 $x=2$, $y=3$을 대입하면
$3=\dfrac{a}{2}$　　∴ $a=6$
따라서 그래프가 나타내는 x와 y 사이의 관계식은 $y=\dfrac{6}{x}$
이다.
(2) $y=\dfrac{6}{x}$에 $x=-4$, $y=k$를 대입하면
$k=\dfrac{6}{-4}=-\dfrac{3}{2}$

8 $y=3x$의 그래프가 점 A$(3, b)$를 지나므로
$y=3x$에 $x=3$, $y=b$를 대입하면 $b=3\times3=9$
따라서 $y=\dfrac{a}{x}$의 그래프가 점 A$(3, 9)$를 지나므로
$y=\dfrac{a}{x}$에 $x=3$, $y=9$를 대입하면
$9=\dfrac{a}{3}$　　∴ $a=27$
참고 상수 a, b 중 먼저 구할 수 있는 값을 확인하여 두 그래프가 만나는 점의 좌표를 대입한다.

9 $y=-\dfrac{16}{x}$의 그래프가 점 A$(2, b)$을 지나므로
$y=-\dfrac{16}{x}$에 $x=2$, $y=b$를 대입하면
$b=-\dfrac{16}{2}=-8$
따라서 $y=ax$의 그래프가 점 A$(2, -8)$을 지나므로
$y=ax$에 $x=2$, $y=-8$을 대입하면
$-8=2\times a$　　∴ $a=-4$

1 ①, ④	**2** ⑤	**3** (1) $y=\frac{1}{6}x$ (2) 13 kg			
4 ④	**5** ②	**6** ④	**7** ③	**8** ①	
9 ⑤	**10** ⑤	**11** ㄴ, ㅁ			
12 (1) $y=\frac{120}{x}$ (2) 12 L		**13** ③	**14** ①, ②		
15 $-\frac{9}{2}$	**16** 8개	**17** 3			
18 (1) D$(3, -5)$ (2) 60		**19** ④			

1 y가 x에 정비례하면 $y=ax(a\neq0)$ 꼴이다.
따라서 y가 x에 정비례하는 것은 ①, ④이다.

2 ㄱ. y가 x에 정비례하므로 x의 값이 2배가 되면 y의 값도
   2배가 된다.
   ㄴ, ㄷ, ㄹ. $y=ax$로 놓고, 이 식에 $x=-6$, $y=3$을 대입하면
   $3=a\times(-6)$ ∴ $a=-\frac{1}{2}$ ∴ $y=-\frac{1}{2}x$
   $y=-\frac{1}{2}x$에 $x=12$를 대입하면 $y=-\frac{1}{2}\times12=-6$
   $y=-\frac{1}{2}x$에 $y=-5$를 대입하면
   $-5=-\frac{1}{2}x$ ∴ $x=10$
   따라서 옳은 것은 ㄷ, ㄹ이다.

3 (1) 어떤 물체의 달에서의 무게는 지구에서의 무게의 $\frac{1}{6}$이므로
   $y=\frac{1}{6}x$
   (2) $y=\frac{1}{6}x$에 $x=78$을 대입하면 $y=\frac{1}{6}\times78=13$
   따라서 지구에서의 몸무게가 78 kg인 우주 비행사가 달에
   착륙했을 때의 몸무게는 13 kg이다.

4 (i) 훌라후프를 할 때의 정비례 관계식을 $y=ax$로 놓고,
   이 식에 $x=2$, $y=8$을 대입하면
   $8=a\times2$ ∴ $a=4$
   $y=4x$이므로 이 식에 $x=30$을 대입하면
   $y=4\times30=120$
   즉, 훌라후프를 30분 동안 하면 120 kcal가 소모된다.
   (ii) 줄넘기를 할 때의 정비례 관계식을 $y=bx$로 놓고,
   이 식에 $x=2$, $y=15$를 대입하면
   $15=2b$ ∴ $b=\frac{15}{2}$
   $y=\frac{15}{2}x$이므로 이 식에 $x=30$을 대입하면
   $y=\frac{15}{2}\times30=225$
   즉, 줄넘기를 30분 동안 하면 225 kcal가 소모된다.

따라서 (i), (ii)에 의해 구하는 열량의 차는
$225-120=105(\text{kcal})$

5 $y=\frac{4}{3}x$에서 $x=3$일 때, $y=4$이므로 정비례 관계 $y=\frac{4}{3}x$의
그래프는 원점과 점 $(3, 4)$를 지나는 직선이다.
따라서 구하는 그래프는 ②이다.

6 ④ 제2사분면과 제4사분면을 지난다.

7 정비례 관계 $y=3x$의 그래프는 오른쪽 위로 향하는 직선이
므로 ③, ④, ⑤ 중 하나이다.
이때 $y=ax$에서 a의 절댓값이 클수록 그 그래프가 y축에
가까우므로 $y=3x$의 그래프는 y축에 가장 가까운 ③이다.

8 $y=-\frac{5}{2}x$의 그래프가 점 $(a, 15)$를 지나므로
이 식에 $x=a$, $y=15$를 대입하면
$15=-\frac{5}{2}\times a$ ∴ $a=15\times\left(-\frac{2}{5}\right)=-6$
또한 $y=-\frac{5}{2}x$의 그래프가 점 $(-4, b)$를 지나므로
이 식에 $x=-4$, $y=b$를 대입하면
$b=-\frac{5}{2}\times(-4)=10$
∴ $ab=-6\times10=-60$

9 그래프가 원점을 지나는 직선이므로 $y=ax$로 놓는다.
이 그래프가 점 $(-3, 4)$를 지나므로
$y=ax$에 $x=-3$, $y=4$를 대입하면
$4=a\times(-3)$ ∴ $a=-\frac{4}{3}$
∴ $y=-\frac{4}{3}x$
이 그래프가 점 $\left(\frac{9}{2}, k\right)$를 지나므로
$y=-\frac{4}{3}x$에 $x=\frac{9}{2}$, $y=k$를 대입하면
$k=-\frac{4}{3}\times\frac{9}{2}=-6$

10 $y=-2x$에 $x=-6$을 대입하면
$y=-2\times(-6)=12$ ∴ A$(-6, 12)$
$y=\frac{1}{3}x$에 $x=-6$을 대입하면
$y=\frac{1}{3}\times(-6)=-2$ ∴ B$(-6, -2)$
∴ (삼각형 OAB의 넓이)$=\frac{1}{2}\times\{12-(-2)\}\times6$
$=\frac{1}{2}\times14\times6=42$

11 ㄱ. $y=800x$ ㄴ. $y=\frac{3}{x}$ ㄷ. $y=10x$
ㄹ. $y=10-x$ ㅁ. $y=\frac{2000}{x}$
따라서 y가 x에 반비례하는 것은 ㄴ, ㅁ이다.

12 (1) 물탱크의 용량은 $3 \times 40 = 120$(L)이고 이 물탱크에 매분 x L씩 물을 넣으면 가득 채우는 데 y분이 걸리므로

$$xy = 120 \quad \therefore y = \frac{120}{x}$$

(2) $y = \frac{120}{x}$에 $y = 10$을 대입하면

$$10 = \frac{120}{x}, \ 10x = 120 \quad \therefore x = 12$$

따라서 10분 만에 물탱크에 물을 가득 채우려면 매분 12 L씩 물을 넣어야 한다.

13 ①, ③ 원점을 지나지 않고, 좌표축에 가까워지면서 한없이 뻗어 나가는 한 쌍의 매끄러운 곡선이다.

② 제2사분면과 제4사분면을 지난다.

④ $x < 0$일 때, x의 값이 증가하면 y의 값도 증가한다.

⑤ $|-5| < |-10|$이므로 $y = -\frac{10}{x}$의 그래프가 $y = -\frac{5}{x}$의 그래프보다 원점에서 더 멀다.

따라서 옳은 것은 ③이다.

14 정비례 관계 $y = ax$와 반비례 관계 $y = \frac{a}{x}$에서 $a < 0$일 때, 그 그래프가 제2사분면과 제4사분면을 지난다.

따라서 그래프가 제2사분면과 제4사분면을 지나는 것은 ①, ②이다.

15 $y = \frac{18}{x}$에 $x = -3$, $y = a$를 대입하면 $a = \frac{18}{-3} = -6$

$y = \frac{18}{x}$에 $x = b$, $y = 12$를 대입하면

$$12 = \frac{18}{b}, \ 12b = 18 \quad \therefore b = \frac{3}{2}$$

$$\therefore a + b = -6 + \frac{3}{2} = -\frac{9}{2}$$

16 $y = \frac{a}{x}$의 그래프가 점 $(4, 2)$를 지나므로

$y = \frac{a}{x}$에 $x = 4$, $y = 2$를 대입하면

$$2 = \frac{a}{4} \quad \therefore a = 8 \quad \therefore y = \frac{8}{x}$$

반비례 관계 $y = \frac{8}{x}$의 그래프 위의 점 중에서 x좌표와 y좌표가 모두 정수이려면 x좌표가 8의 약수 또는 8의 약수에 $-$ 부호를 붙인 수이어야 한다.

이때 8의 약수는 1, 2, 4, 8이므로 구하는 점은 $(1, 8)$, $(2, 4)$, $(4, 2)$, $(8, 1)$, $(-1, -8)$, $(-2, -4)$, $(-4, -2)$, $(-8, -1)$의 8개이다.

17 그래프가 좌표축에 가까워지면서 한없이 뻗어 나가는 한 쌍의 매끄러운 곡선이므로 $y = \frac{a}{x}$로 놓는다.

이 그래프가 점 $(1, -2)$를 지나므로

$y = \frac{a}{x}$에 $x = 1$, $y = -2$를 대입하면

$$-2 = \frac{a}{1} \quad \therefore a = -2$$

즉, $y = -\frac{2}{x}$이고 이 그래프가 점 $\left(-\frac{2}{3}, k\right)$를 지나므로

$y = -\frac{2}{x}$에 $x = -\frac{2}{3}$, $y = k$를 대입하면

$$k = -2 \div \left(-\frac{2}{3}\right) = -2 \times \left(-\frac{3}{2}\right) = 3$$

18 (1) 점 C의 x좌표가 -3이므로

$y = \frac{15}{x}$에 $x = -3$을 대입하면 $y = \frac{15}{-3} = -5$

$$\therefore C(-3, -5)$$

따라서 직사각형 ABCD의 네 변이 x축 또는 y축에 각각 평행하므로 점 D의 좌표는 $D(3, -5)$이다.

(2) 점 A의 x좌표가 3이므로

$y = \frac{15}{x}$에 $x = 3$을 대입하면 $y = \frac{15}{3} = 5$

$$\therefore A(3, 5)$$

따라서 직사각형 ABCD의 가로의 길이는 $3 - (-3) = 6$이고 세로의 길이는 선분 AD의 길이와 같으므로 $5 - (-5) = 10$이다.

$$\therefore (\text{직사각형 ABCD의 넓이}) = 6 \times 10 = 60$$

19 $y = \frac{1}{2}x$의 그래프가 점 $A(b, 2)$를 지나므로

$y = \frac{1}{2}x$에 $x = b$, $y = 2$를 대입하면

$$2 = \frac{1}{2} \times b \quad \therefore b = 4$$

$y = \frac{a}{x}$의 그래프가 점 $A(4, 2)$를 지나므로

$y = \frac{a}{x}$에 $x = 4$, $y = 2$를 대입하면

$$2 = \frac{a}{4} \quad \therefore a = 8$$

$$\therefore a + b = 8 + 4 = 12$$

STEP 3 쓱쓱 서술형 완성하기   P. 144~145

〈과정은 풀이 참조〉

따라 해보자	유제 1 76	유제 2 15
연습해 보자	**1** 풀이 참조	**2** 0
	3 (1) $y = \frac{14}{x}$ (2) 7	**4** 8

따라 해보자

유제 1 [1단계] y가 x에 반비례하므로 $y=\dfrac{a}{x}$로 놓고,

이 식에 $x=-6$, $y=-6$을 대입하면

$$-6=\frac{a}{-6} \qquad \therefore a=36 \qquad \therefore y=\frac{36}{x}$$

[2단계] $y=\dfrac{36}{x}$에 $x=-9$, $y=A$를 대입하면

$$A=\frac{36}{-9}=-4$$

$y=\dfrac{36}{x}$에 $x=B$, $y=\dfrac{1}{2}$을 대입하면

$$\frac{1}{2}=\frac{36}{B}, \; \frac{1}{2}B=36 \qquad \therefore B=72$$

[3단계] $\therefore B-A=72-(-4)=76$

채점 기준	
1단계	x와 y 사이의 관계식 구하기 … 40 %
2단계	A, B의 값 구하기 … 40 %
3단계	$B-A$의 값 구하기 … 20 %

유제 2 [1단계] 두 톱니바퀴 A, B가 서로 맞물려 돌아갈 때

(A의 톱니의 수)$\times$(A의 회전수)

$=$(B의 톱니의 수)$\times$(B의 회전수)

이므로 $12\times5=x\times y$ $\qquad \therefore y=\dfrac{60}{x}$

[2단계] $y=\dfrac{60}{x}$에 $y=4$를 대입하면

$$4=\frac{60}{x}, \; 4x=60 \qquad \therefore x=15$$

따라서 톱니바퀴 B의 톱니의 수는 15이다.

채점 기준	
1단계	x와 y 사이의 관계식 구하기 … 40 %
2단계	톱니바퀴 B가 1분 동안 4번 회전할 때, 톱니바퀴 B의 톱니의 수 구하기 … 60 %

연습해 보자

1 [1단계] 정비례 관계 $y=-\dfrac{3}{4}x$의 그래프는 원점과

점 $(4, -3)$을 지나는 직선이다.

[2단계] 따라서 그래프를 그리면 다음 그림과 같다.

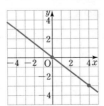

채점 기준	
1단계	그래프가 지나는 두 점 구하기 … 50 %
2단계	정비례 관계 $y=-\dfrac{3}{4}x$의 그래프 그리기 … 50 %

2 [1단계] $y=-4x$의 그래프가 세 점 A$(2a, 8)$, B$(4, 8b)$,

C$(c, -12)$를 지나므로

$y=-4x$에 $x=2a$, $y=8$을 대입하면

$8=-4\times2a$, $8=-8a$ $\qquad \therefore a=-1$

[2단계] $y=-4x$에 $x=4$, $y=8b$를 대입하면

$8b=-4\times4$, $8b=-16$ $\qquad \therefore b=-2$

[3단계] $y=-4x$에 $x=c$, $y=-12$를 대입하면

$-12=-4\times c$ $\qquad \therefore c=3$

[4단계] $\therefore a+b+c=-1+(-2)+3=0$

채점 기준	
1단계	a의 값 구하기 … 30 %
2단계	b의 값 구하기 … 30 %
3단계	c의 값 구하기 … 30 %
4단계	$a+b+c$의 값 구하기 … 10 %

3 (1) [1단계] 2명이 일주일($=7$일) 동안 하는 일의 양은 x명이

y일 동안 하는 일의 양과 같으므로

$$2\times7=x\times y \qquad \therefore y=\frac{14}{x}$$

(2) [2단계] $y=\dfrac{14}{x}$에 $y=2$를 대입하면

$$2=\frac{14}{x}, \; 2x=14 \qquad \therefore x=7$$

따라서 2일 만에 일을 완성하려고 할 때, 필요한

사람 수는 7이다.

채점 기준	
1단계	x와 y 사이의 관계식 구하기 … 50 %
2단계	2일 만에 일을 완성하려고 할 때, 필요한 사람 수 구하기 … 50 %

4 [1단계] 점 P의 x좌표를 a라 하면 점 P의 y좌표는 $\dfrac{8}{a}$이므로

점 P의 좌표는 P$\left(a, \dfrac{8}{a}\right)$이다.

[2단계] 이때 (선분 OA의 길이)$=a$,

(선분 AP의 길이)$=\dfrac{8}{a}$이므로

(직사각형 OAPB의 넓이)$=a\times\dfrac{8}{a}=8$

채점 기준	
1단계	점 P의 좌표 구하기 … 50 %
2단계	직사각형 OAPB의 넓이 구하기 … 50 %

2. 정수와 유리수

01 정수와 유리수

1   (1) -300원   (2) -4층   (3) $+6\,\text{cm}$

2   (1) $+8$ (2) -11 (3) $+\dfrac{1}{7}$ (4) -0.6

3   (1) $+3,\ +4$ (2) $-1,\ -5,\ -100$

4   3

5   (1) $-3,\ 0,\ 10,\ -\dfrac{10}{5}$ (2) $+\dfrac{1}{2},\ -\dfrac{3}{5},\ 3.14$

    (3) $+\dfrac{1}{2},\ 3.14,\ 10$ (4) $-3,\ -\dfrac{3}{5},\ -\dfrac{10}{5}$

6   (1) ○   (2) ×   (3) ×   (4) ○

1   A: -6 B: $-\dfrac{5}{2}$ C: $+\dfrac{5}{3}$ D: $+4$

2

3   (1) 7 (2) 2.6 (3) 0 (4) $\dfrac{5}{6}$

4   (1) 11 (2) 14 (3) $\dfrac{5}{4}$ (4) $\dfrac{13}{6}$

5   (1) $+9,\ -9$ (2) $+0.5$ (3) $-\dfrac{2}{3}$

6
, 8

7   (1) $-27,\ +11,\ +9,\ -4,\ 0$

    (2) $-3,\ +2,\ \dfrac{5}{4},\ -1,\ -\dfrac{1}{3}$

8   (1) ○   (2) ×   (3) ×   (4) ○

1   (1) $>$ (2) $<$ (3) $>$ (4) $<$

2   (1) $>$ (2) $<$ (3) $<$ (4) $>$

3   (1) $-8,\ -\dfrac{16}{3},\ 0,\ +2.5,\ 5$ (2) $-2,\ -\dfrac{5}{4},\ 0,\ +3,\ \dfrac{21}{4}$

4   (1) $x\le 5$ (2) $-1<x\le 6$ (3) $3\le x<8$ (4) $x\ge -\dfrac{2}{3}$

5   (1) $-2,\ -1,\ 0,\ 1,\ 2,\ 3$ (2) $-1,\ 0,\ 1,\ 2$

    (3) $-2,\ -1,\ 0,\ 1,\ 2$

6   (1) $-3,\ -2,\ -1,\ 0$ (2) $-2,\ -1,\ 0,\ 1,\ 2$

1 ④   2 ⑤   3 ②, ④   4 ①, ⑤   5 ②

6 ②, ⑤   7 ①   8 ③

9   (1)

    (2) $a=-1,\ b=3$

10   $a=-3,\ b=3$ 11 $+3,\ -3$

12   $+11,\ -11$ 13 ②   14 $-\dfrac{4}{3}$ 15 ④

16   ③, ⑤   17 $-2\le x<2$

18   (1) $-5\le x\le \dfrac{3}{4}$ (2) $-3<x\le \dfrac{7}{2}$

19   (1)

    (2) 7

20   ⑤

02 정수와 유리수의 덧셈과 뺄셈

1   (1) -4 (2) $+3$ 2   (1) $+6$ (2) -9

3   (1) -4 (2) $+\dfrac{17}{12}$ 4   (1) -7 (2) $+3$

5   (1) -6 (2) $+4$ (3) -8 (4) $+3$

6   (1) -1.6 (2) $+2.5$ (3) $+\dfrac{1}{3}$ (4) $-\dfrac{1}{15}$

7   (1) $+2$ (2) $+\dfrac{7}{5}$

1   (가) 덧셈의 교환법칙, (나) 덧셈의 결합법칙

2   (1) 교환, $-1.2,\ +5,\ -2$

    (2) $-\dfrac{1}{2}$, 결합, $-\dfrac{1}{2},\ +1,\ +\dfrac{1}{2}$

3   (1) $+4$ (2) $+17$ (3) $+5$ (4) -9 (5) -6

4   (1) -1 (2) $-\dfrac{17}{6}$ (3) -0.5 (4) $+\dfrac{2}{3}$ (5) $+4$

유형 6

1 (1) -4, $+7$ (2) -2, -7 (3) $+3$, $+13$ (4) $+2$, -6

2 (1) -3 (2) $-\dfrac{2}{5}$ (3) $+\dfrac{1}{21}$ (4) $+3.5$

3 (1) -24 (2) $-\dfrac{5}{9}$ (3) $-\dfrac{13}{12}$ (4) -7.2

4 (1) -2 (2) $+3$

5 (1) $+11$ (2) $+3$ (3) $+\dfrac{3}{2}$ (4) $+1$

6 (1) 0 (2) $+1$ (3) $-\dfrac{1}{6}$ (4) $+4.5$

7 (1) -4 (2) $+\dfrac{13}{5}$

유형 7

1 (1) -9 (2) -2 (3) $+6$

2 (1) $-\dfrac{3}{7}$ (2) $+\dfrac{1}{2}$ (3) -2

3 (1) 3 (2) -13 (3) 3 (4) -9 (5) -7

4 (1) $-\dfrac{1}{2}$ (2) -3 (3) 4 (4) -1 (5) 2

5 (1) -0.8 (2) 4.7 (3) 9 (4) 8 (5) -1

쌍둥이 기출문제

1 ① **2** ①, ③ **3** ④ **4** ⑤

5 (가) 덧셈의 교환법칙, (나) 덧셈의 결합법칙

6 ⑤ **7** $+\dfrac{3}{4}$ **8** $+\dfrac{41}{6}$ **9** ①

10 $+\dfrac{1}{8}$ **11** ④ **12** ②

13 (1) $a=-2$, $b=-13$ (2) -15 **14** -6

15 (1) -14 (2) -23 **16** $\dfrac{19}{20}$

17 ㉠$=3$, ㉡$=8$ **18** -12

O3 정수와 유리수의 곱셈과 나눗셈

유형 8

1 (1) $+10$ (2) $+21$ (3) $+1$ (4) $+3$ (5) $+6.3$

(6) $+2$ (7) $+28$ (8) $+\dfrac{2}{3}$ (9) $+\dfrac{1}{6}$ (10) $+\dfrac{1}{4}$

2 (1) -12 (2) -48 (3) -1 (4) -10 (5) -6

(6) -20 (7) -36 (8) $-\dfrac{5}{4}$ (9) $-\dfrac{6}{7}$ (10) $-\dfrac{1}{5}$

유형 9

1 (가) 곱셈의 교환법칙, (나) 곱셈의 결합법칙

2 (1) 교환, -5, -5, $+7$, $+7.7$

(2) $-\dfrac{5}{6}$, 결합, $-\dfrac{5}{6}$, $+1$, $+3.8$

3 (1) $+30$ (2) -180 (3) -96 (4) -240 (5) $+45$

4 (1) -24 (2) $-\dfrac{3}{14}$ (3) $+\dfrac{3}{32}$ (4) $+\dfrac{13}{2}$ (5) -6

유형 10

1 (1) $+9$ (2) -9 (3) -8 (4) -8

2 (1) $+1$ (2) -1

3 (1) -8 (2) $-\dfrac{9}{2}$ (3) -25 (4) -45 (5) $+\dfrac{5}{2}$

유형 11

1 (1) 1560 (2) 23 (3) -20

2 (1) -70 (2) 13 (3) 123

유형 12

1 (1) $+2$ (2) $+7$ (3) -6 (4) -5 (5) 0

2 (1) $\dfrac{1}{7}$ (2) $-\dfrac{1}{4}$ (3) 5 (4) $-\dfrac{3}{4}$

3 (1) $\dfrac{1}{3}$ (2) $-\dfrac{1}{2}$ (3) $\dfrac{6}{5}$ (4) $-\dfrac{5}{7}$ (5) $\dfrac{3}{5}$ (6) $-\dfrac{5}{3}$

4 (1) $-\dfrac{7}{6}$, $+\dfrac{7}{16}$ (2) -8 (3) $-\dfrac{5}{3}$

(4) $+\dfrac{1}{6}$ (5) $+\dfrac{1}{15}$

5 (1) -9 (2) $+16$ (3) $+\dfrac{12}{5}$ (4) -4

유형 13
P. 41

1 (1) 30　(2) -20　(3) -4　(4) 5　(5) 81

2 (1) -12　(2) -16　(3) -15　(4) 12　(5) -10

3 (1) (차례로) ⑤, ②, ①, ③, ④

　　(2) (차례로) ④, ③, ②, ①, ⑤

　　(3) (차례로) ⑤, ③, ②, ①, ④

4 (1) 7　(2) 1　(3) $-\dfrac{9}{4}$　(4) -22

쌍둥이 기출문제
P. 42~44

1 ②　　**2** ③　　**3** ③

4 (가) 곱셈의 교환법칙, (나) 곱셈의 결합법칙

5 ③　**6** ②　**7** ④　**8** 1

9 $a=100$, $b=1330$　**10** -30

11 (1) $a\times b+a\times c$ (2) 28　　**12** 8　　**13** ④

14 $\dfrac{20}{7}$　**15** $\dfrac{1}{6}$　**16** ⑤

17 (1) ㉢, ㉣, ㉡, ㉠ (2) -6　　**18** -24

단원 마무리
P. 45~47

1 9　　**2** $a=-1$, $b=3$　　**3** ④　　**4** ⑤

5 5개　　**6** ①　　**7** ㄹ, ㄴ, ㄷ, ㄱ　　**8** ④

9 $\dfrac{13}{6}$　　**10** $-\dfrac{5}{6}$　　**11** ②　　**12** -12　　**13** $-\dfrac{2}{3}$

14 ④　　**15** -20

3. 문자의 사용과 식

01 문자의 사용

유형 1
P. 50~51

1 (1) $-y$　(2) $0.1xy^2$　(3) $-6(a+b)$　(4) $-3a+10b$

2 (1) $-\dfrac{x}{y}$　(2) $\dfrac{a}{a+b}$　(3) $\dfrac{x-y}{5}$　(4) $\dfrac{a}{2}-\dfrac{4b}{3c}$

3 (1) $\dfrac{a}{bc}$　(2) $3-\dfrac{2y}{x}$　(3) $\dfrac{7(a+b)}{c}$

4 (1) $3\times a\times b$

　　(2) $(-1)\times x\times y\times y$

　　(3) $2\times(a+b)\times h$

　　(4) $5\times a\times a\times b\times x$

　　(5) $(-1.7)\times x\times y\times y\times y$

5 (1) $1\div a$　(2) $(a-b)\div3$　(3) $8\div(a+b)$

　　(4) $(x+y)\div2$　(5) $(x-y)\div(-5)$

6 (1) $5a$원

　　(2) $100\times a+500\times b$, $(100a+500b)$원

　　(3) $y-200\times x$, $(y-200x)$원

　　(4) $x\div10\left(\text{또는 } x\times\dfrac{1}{10}\right)$, $\dfrac{x}{10}$원$\left(\text{또는 } \dfrac{1}{10}x\text{원}\right)$

7 (1) $a\times2-b\times5$, $2a-5b$

　　(2) $10\times a+1\times b$, $10a+b$

　　(3) $100\times a+10\times b+1\times7$, $100a+10b+7$

8 (1) $3\times x$, $3x\,\text{cm}$　　(2) $2\times(x+y)$, $2(x+y)\,\text{cm}$

　　(3) $\dfrac{1}{2}\times a\times b$, $\dfrac{1}{2}ab\,\text{cm}^2$

9 (1) $80\times t$, $80t\,\text{km}$　(2) $x\div5$, $\dfrac{x}{5}$시간

10 (1) $\dfrac{3}{100}x$명　　　　(2) $a+a\times\dfrac{b}{100}$, $\left(a+\dfrac{ab}{100}\right)$원

　　(3) $\dfrac{17}{100}\times y$, $\dfrac{17y}{100}\,\text{g}$

O2 식의 값

유형 2   P. 52

1 (1) 3, 11 (2) 5 (3) 1

2 (1) -3, 5, -1 (2) 18 (3) -4

3 (1) $\frac{1}{3}$, 3, 12 (2) 4 (3) -3

4 (1) -3, 9 (2) -9 (3) 9 (4) -27

5 (1) -2, 5 (2) 3 (3) -10

6 (1) 2 (2) $\frac{13}{4}$ (3) 17

쌍둥이 기출문제   P. 53~54

1 ⑤   **2** ④   **3** ⑤   **4** ①, ④   **5** xy

6 $\frac{1}{2}(a+b)h$ **7** -3 **8** ⑤   **9** ①

10 ②   **11** ②   **12** $-10\,°C$

O3 일차식과 그 계산

유형 3   P. 55

1

다항식	항	상수항
(1) $-3x+7y+1$	$-3x$, $7y$, 1	1
(2) $a+2b-3$	a, $2b$, -3	-3
(3) x^2-6x+3	x^2, $-6x$, 3	3
(4) $\frac{y}{4}-\frac{1}{2}$	$\frac{y}{4}$, $-\frac{1}{2}$	$-\frac{1}{2}$

2

다항식	계수	
(1) $5x-y$	x의 계수: 5	y의 계수: -1
(2) $\frac{a}{8}-4b+1$	a의 계수: $\frac{1}{8}$	b의 계수: -4
(3) $-x^2+9x+4$	x^2의 계수: -1	x의 계수: 9

3 (1) ○ (2) ○ (3) × (4) × (5) × (6) ○

4 (1) $8x$ (2) $-15x$ (3) $2x$ (4) $\frac{5}{2}x$

5 (1) $6a+4$ (2) $-6a-15$ (3) $-a-1$ (4) $-12+3a$

6 (1) $-x+3$ (2) $3x+2$ (3) $27x+\frac{18}{5}$ (4) $-x+\frac{4}{3}$

유형 4   P. 56

1 (1) $3a$ (2) $-3b$ (3) -4

2 (1) $2x$와 $-3x$, -3과 5 (2) $6y$와 $-y$, $\frac{1}{3}$과 $-\frac{3}{5}$

(3) x^2과 $3x^2$, $-2x$와 $7x$

3 (1) $3x$ (2) $-8y$ (3) $\frac{1}{2}a$ (4) $-\frac{7}{6}b$

4 (1) $-9x$ (2) $11a$ (3) $0.5x$ (4) y (5) $\frac{13}{12}b$

5 (1) $4x+3$ (2) $2x-4$ (3) $1.1a+0.9$ (4) $-y-3$

(5) $\frac{11}{6}a-6$ (6) $-\frac{9}{10}b+\frac{10}{9}$

유형 5   P. 57~58

1 (1) $8x+2$ (2) $-2x+4$ (3) $-y+5$ (4) $2x+2$

(5) $\frac{1}{2}b-\frac{1}{3}$ (6) $-3x+3$

2 (1) $5a-14$ (2) $11x-11$ (3) $12a+4$ (4) $-x-9$

(5) $6x-11$ (6) $3a-3$

3 (1) $-3x+4$ (2) $9y-5$ (3) $a+9$ (4) $-5b-1$

(5) $y+7$ (6) $4a-8$

4 (1) $-5x+17$ (2) $-11x+13$ (3) $10x+27$

(4) $-14x-2$ (5) $-4x+6$ (6) $2x-5$

5 (1) $6x+2$ (2) $13a+5b$ (3) $-3x+4y$

6 (1) $\frac{5}{6}x-\frac{1}{3}$ (2) $\frac{13}{12}a-\frac{5}{12}$ (3) $\frac{1}{4}y-\frac{5}{4}$ (4) $\frac{2}{9}b+\frac{1}{18}$

7 (1) -3, -10 (2) $\frac{14}{15}$, $-\frac{13}{15}$

8 (1) $8x+6$ (2) $-7x+3$ (3) $-b-3$

9 (1) $-$ (2) $5x-10$ (3) $8x-14$

10 (1) $-x+2$ (2) $-3x+7$

쌍둥이 기출문제   P. 59~61

1 ③   **2** -9 **3** ②, ③   **4** ③   **5** -5

6 -2 **7** ④   **8** ㄱ, ㄷ, ㅂ   **9** ④

10 ⑤   **11** ①   **12** ⑤   **13** ④

14 $-\frac{1}{12}x+\frac{11}{12}$ **15** $5x-5$ **16** ②

17 (1) $-3x-2$ (2) $-9x+1$ **18** ④

단원 마무리   P. 62~63

1 ⑤   **2** ④   **3** ②   **4** 148회   **5** ⑤

6 ①   **7** ④   **8** ②   **9** $-\frac{3}{7}$ **10** $-x+6$

4. 일차방정식

O1 방정식과 그 해

유형 1 P. 66

1 (1) $x-10=6$ (2) $2(x+1)=14$ (3) $6+3x=x-2$
2 (1) $5a=6000$ (2) $35-2x=7$
3

x의 값	좌변	우변	참 / 거짓
0	$2\times0-5=-5$	1	거짓
1	$2\times1-5=-3$	1	거짓
2	$2\times2-5=-1$	1	거짓
3	$2\times3-5=1$	1	참

 , $x=3$
4 (1) ○ (2) × (3) × (4) ○
5 ㄱ, ㅁ, ㅂ
6 ㄴ, ㄹ, ㅂ

유형 2 P. 67

1 (1) ○ (2) × (3) ○ (4) ○ (5) × (6) ○ (7) × (8) ○
2 (1) ㄱ, ㄹ (2) ㄴ, ㄷ
3 (1) 1, 1, 8, 4, 8, 2 (2) 5, 5, -3, -2, -3, 6
4 (1) $x=-8$ (2) $x=2$
 (3) $x=20$ (4) $x=-3$

쌍둥이 기출문제
P. 68~69

1 ①, ③ **2** ㄱ, ㄴ, ㅁ, ㅂ **3** ③
4 $7000-900x=700$ **5** ⑤ **6** ④
7 ④ **8** ③, ⑤ **9** $a=-2$, $b=4$ **10** 7
11 ④ **12** ㄱ, ㄴ, ㄹ **13** ② **14** ㄱ, ㄷ

O2 일차방정식의 풀이

유형 3 P. 70

1 (1) $x=5-8$ (2) $3x-x=4$
 (3) $2x=6+4$ (4) $x+2x=-3$
2 ㄱ, ㄴ, ㄷ, ㅅ
3 $6x$, $6x$, 7, 2, 6, 3
4 (1) $x=5$ (2) $x=1$ (3) $x=-4$ (4) $x=2$ (5) $x=3$
5 (1) $x=2$ (2) $x=-3$ (3) $x=-1$ (4) $x=\dfrac{1}{2}$
 (5) $x=\dfrac{4}{13}$

유형 4 P. 71~72

1 (1) 10, -16, 16, 21, 7
 (2) 100, $-x$, $-x$, x, -33, 3, -33, -11
2 (1) $x=6$ (2) $x=\dfrac{3}{5}$ (3) $x=36$
3 (1) $x=-\dfrac{7}{2}$ (2) $x=15$ (3) $x=12$
4 15, 10, 10, 6, $3x$, 10, 6, 7, 6, $-\dfrac{6}{7}$
5 (1) $x=12$ (2) $x=-6$ (3) $x=\dfrac{1}{7}$ (4) $x=-4$
 (5) $x=1$ (6) $x=-2$
6 (1) $x=-9$ (2) $x=3$ (3) $x=\dfrac{9}{2}$ (4) $x=-1$
7 (1) $x=-10$ (2) $x=5$ (3) $x=-11$ (4) $x=15$
8 -2, -2, 3
9 -6
10 (1) $x=3$ (2) -5
11 7

O3 일차방정식의 활용

유형 5 P. 73

1 $x+2$, 18, 18, 20, 38
2 $10-x$, $10-x$, 6, 6, 4, 6, 4
3 $45+x$, $13+x$, $45+x$, $13+x$, 19, 19, 19, 64, 32

1 ❶

	갈 때	올 때
속력	시속 6 km	시속 4 km
거리	x km	x km
시간	$\dfrac{x}{6}$시간	$\dfrac{x}{4}$시간

❷ $2\dfrac{30}{60}\left(\text{또는}\ \dfrac{5}{2}\right)$, $\dfrac{x}{6}+\dfrac{x}{4}=2\dfrac{30}{60}\left(\text{또는}\ \dfrac{x}{6}+\dfrac{x}{4}=\dfrac{5}{2}\right)$

❸ 6, 6

2 ❶

	동생	형
속력	분속 60 m	분속 80 m
시간	$(x+5)$분	x분
거리	$60(x+5)$ m	$80x$ m

❷ $60(x+5)=80x$

❸ 15, 15

1 $30+x$, $10x+3$, $10x+3$, $30+x$, 8, 38

2 $x-4$, $3x$, $x-4$, $3x$, 5, 5

3 $5x+4$, $8x-14$, $5x+4=8x-14$, 6, 6

4 3000, 3000, $250x+50x=3000$, 10, 10

1 ②   **2** ⑤   **3** ②   **4** ④   **5** ①

6 $x=1$ **7** ④   **8** ④   **9** ①   **10** $\dfrac{3}{4}$

11 ③   **12** ②   **13** ③   **14** ④   **15** 15세

16 ⑤   **17** 5 cm   **18** 9 cm   **19** ①

20 (1) 13   (2) 58   **21** 6 km   **22** ②

1 ⑤   **2** −2   **3** ④   **4** ④   **5** ②

6 $x=\dfrac{1}{3}$ **7** ①   **8** 2   **9** 46   **10** ④

11 3   **12** 14분 후

5. 좌표와 그래프

01 순서쌍과 좌표

1 $A(-5)$, $B(-3)$, $C\left(-\dfrac{1}{2}\right)$, $D\left(\dfrac{5}{2}\right)$, $E(4)$

2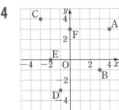

3 $A(-4, 1)$, $B(2, 3)$, $C(-3, -3)$, $D(4, -2)$, $E(0, 2)$, $F(3, 0)$

4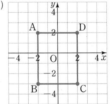

5 (1) $O(0, 0)$ (2) $P(-4, 0)$ (3) $Q(0, 5)$

6 (1) 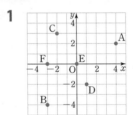   (2) 20

1

(1) 제1사분면   (2) 제3사분면

(3) 제2사분면   (4) 제4사분면

(5) 어느 사분면에도 속하지 않는다.

(6) 어느 사분면에도 속하지 않는다.

2 (1) 제2사분면   (2) 제4사분면

(3) 제1사분면   (4) 제3사분면

(5) 어느 사분면에도 속하지 않는다.

3 (1) 제4사분면   (2) −, +, 제2사분면

(3) +, +, 제1사분면   (4) −, −, 제3사분면

(5) −, +, 제2사분면

4 (1) −, +   (2) +, −, 제4사분면

(3) −, −, 제3사분면   (4) +, +, 제1사분면

(5) −, +, 제2사분면

쌍둥이 기출문제

P. 86~87

1 ①   **2** $a=-12, b=2$ **3** ③

4 $(0, 4) \to (-4, -1) \to (1, 2) \to (-3, 0)$
$\to (2, -4) \to (-2, 3)$

5 ④   **6** ②   **7** 1   **8** 13

9 (1) 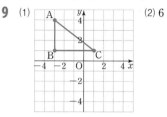 (2) 6

10 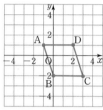 , 넓이: 9

11 ②   **12** ④   **13** 제2사분면

14 제1사분면

O2 그래프와 그 해석

유형 3

P. 88~89

1 (1) ㄴ (2) ㄱ (3) ㄷ   **2** ㄴ

3 (1) 수연, 영재, 민서 (2) 수연, 현지

4 (1) 시속 30 km (2) 60분 (3) 2번

5 (1) 35 m (2) 2분 후 (3) 6분 후

6 (1) 40분, 60분 (2) 20분

쌍둥이 기출문제

P. 90~91

1 ㄴ   **2** ③   **3** ㄷ   **4** ②   **5** ②

6 ㄱ, ㄹ   **7** (1) 수빈: 1.5 km, 유나: 1 km (2) 10분 후

8 (1) 30분 후 (2) 1 km

단원 마무리

P. 92~93

1 ②   **2** -9 **3** ④, ⑤   **4** 제4사분면

5 ㄴ   **6** (개)-ㄷ, (내)-ㄱ, (대)-ㄴ

7 (1) 6분 (2) 10분 후 (3) 분속 50 m   **8** ②, ⑤

6. 정비례와 반비례

O1 정비례

유형 1

P. 96

1 (1)

x	1	2	3	4	5	…
y	800	1600	2400	3200	4000	…

관계식: $y=800x$

(2)

x	1	2	3	4	5	…
y	4	8	12	16	20	…

관계식: $y=4x$

(3)

x	1	2	3	4	5	…
y	1.5	3	4.5	6	7.5	…

관계식: $y=1.5x$

(4)

x	1	2	3	4	5	…
y	5	10	15	20	25	…

관계식: $y=5x$

2 (1) $y=10x$, ○
(2) $y=x+3$, ×
(3) $y=100-5x$, ×
(4) $y=50x$, ○

3 (1) $y=\frac{1}{2}x$ (2) -4

4 (1) $y=-3x$ (2) 3

유형 2

P. 97

1 (1) $y=14x$ (2) 280 km

2 (1) $y=15x$ (2) 24분

3 (1) $y=2x$ (2) 6번

1 (1) 0, −3,
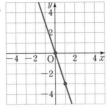

(2) 0, 1,
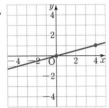

2 (1) ㄷ, ㄹ, ㅁ　(2) ㄱ, ㄴ, ㅂ
　(3) ㄷ, ㄹ, ㅁ　(4) ㄱ, ㄴ, ㅂ

3 (1) ×　(2) ◯　(3) ×　(4) ◯

4 (1) −6　(2) 8　(3) $\dfrac{3}{2}$　(4) −15　(5) $-\dfrac{1}{3}$

5 (1) $\dfrac{3}{2}$　(2) $-\dfrac{1}{2}$　(3) $-\dfrac{3}{5}$　(4) −8　(5) $\dfrac{7}{3}$

6 (1) $y=\dfrac{2}{5}x$　(2) $y=-x$　(3) $y=\dfrac{5}{4}x$　(4) $y=-\dfrac{4}{3}x$

7 (1) $y=2x$　(2) 10

쌍둥이 **기출문제**　　　　　　　　　　　P. 100～102

1 ⑤　　**2** ③　　**3** $y=3x$, 정비례　　**4** ③, ⑤

5 −10　**6** ④　**7** (1) $y=60x$　(2) 720 g

8 $y=4x$, 13분 후　**9** ②　**10** ⑤　**11** ①

12 ⑤　**13** ②, ⑤　**14** ⑤　**15** ①　**16** −9

17 $y=-\dfrac{4}{3}x$

18 $\dfrac{10}{3}$

○2 반비례

1 (1)

x	1	2	3	4	…	60
y	60	30	20	15	…	1

관계식: $y=\dfrac{60}{x}$

(2)

x	1	2	3	4	5	…
y	900	450	300	225	180	…

관계식: $y=\dfrac{900}{x}$

(3)

x	1	2	3	4	…	120
y	120	60	40	30	…	1

관계식: $y=\dfrac{120}{x}$

(4)

x	1	2	3	4	5	…
y	84	42	28	21	$\dfrac{84}{5}$	…

관계식: $y=\dfrac{84}{x}$

2 (1) $y=\dfrac{3000}{x}$, ◯　　(2) $y=5x$, ×

　(3) $y=\dfrac{12}{x}$, ◯　　(4) $y=\dfrac{20}{x}$, ◯

3 (1) $y=\dfrac{8}{x}$　(2) 1　　**4** (1) $y=-\dfrac{30}{x}$　(2) 15

1 (1) $y=\dfrac{340}{x}$　(2) $\dfrac{17}{2}$ m

2 (1) $y=\dfrac{150}{x}$　(2) 3 L

3 (1) $y=\dfrac{420}{x}$　(2) 70대

1 (1) -2, -3, 3, 2,

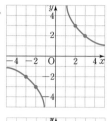

(2) 1, 2, -2, -1,

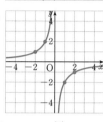

2 (1) ㄱ, ㄷ, ㅂ (2) ㄴ, ㄹ, ㅁ (3) ㄴ, ㄹ, ㅁ

3 (1) × (2) × (3) ○ (4) ○

4 (1) -6 (2) 2 (3) $-\dfrac{1}{2}$ (4) -3 (5) 12

5 (1) 10 (2) -14 (3) -15 (4) 48 (5) -6

6 (1) $y=\dfrac{3}{x}$ (2) $y=-\dfrac{21}{x}$ (3) $y=\dfrac{32}{x}$ (4) $y=-\dfrac{25}{x}$

7 (1) $y=-\dfrac{12}{x}$ (2) -3

1 ①, ③   **2** ④   **3** $y=\dfrac{42}{x}$, 반비례   **4** ④

5 -4 **6** ②   **7** $y=\dfrac{225}{x}$, 25쪽   **8** 15번

9 ④   **10** ③   **11** ①, ⑤   **12** ⑤   **13** ③

14 ③, ④   **15** -18 **16** ①   **17** $y=-\dfrac{6}{x}$

18 -15

1 ③, ⑤   **2** ⑤   **3** (1) $y=150x$ (2) $750\,\text{Wh}$

4 ㄴ, ㄷ   **5** ④   **6** ②, ④

7 (1) $y=\dfrac{1000}{x}$ (2) $25\,\text{L}$ **8** ①   **9** 7

10 $y=-\dfrac{32}{x}$ **11** ③

01 소인수분해

1 2, 3, 5, 7, 11, 13, 17, 19, 23, 29, 31, 37, 41, 43, 47, 53, 59

2

자연수	약수	소수 / 합성수
9	1, 3, 9	합성수
11	1, 11	소수
18	1, 2, 3, 6, 9, 18	합성수
32	1, 2, 4, 8, 16, 32	합성수
47	1, 47	소수

3 17, 29, 31, 43에 ○표   **4** 15, 33, 57, 123에 ○표

5 (1) ×   (2) ○   (3) ×   (4) ○   (5) ×

1

1	2	3	4	5	6	7	8	9	10
11	12	13	14	15	16	17	18	19	20
21	22	23	24	25	26	27	28	29	30
31	32	33	34	35	36	37	38	39	40
41	42	43	44	45	46	47	48	49	50
51	52	53	54	55	56	57	58	59	60

⇨ 소수: 2, 3, 5, 7, 11, 13, 17, 19, 23, 29, 31, 37, 41, 43, 47, 53, 59

3 1은 소수도 아니고 합성수도 아니다.
17의 약수는 1, 17뿐이므로 소수이다.
25의 약수는 1, 5, 25이므로 합성수이다.
29의 약수는 1, 29뿐이므로 소수이다.
31의 약수는 1, 31뿐이므로 소수이다.
43의 약수는 1, 43뿐이므로 소수이다.
81의 약수는 1, 3, 9, 27, 81이므로 합성수이다.

4 2의 약수는 1, 2뿐이므로 소수이다.
13의 약수는 1, 13뿐이므로 소수이다.
15의 약수는 1, 3, 5, 15이므로 합성수이다.
33의 약수는 1, 3, 11, 33이므로 합성수이다.
57의 약수는 1, 3, 19, 57이므로 합성수이다.
101의 약수는 1, 101뿐이므로 소수이다.
123의 약수는 1, 3, 41, 123이므로 합성수이다.

5 (1) 가장 작은 합성수는 4이다.
(3) 소수가 아닌 자연수는 1 또는 합성수이다.
(5) 3의 배수인 3, 6, 9, 12, … 중 3은 합성수가 아닌 소수이다.

1 (1) 5, 2   (2) 10, 2   (3) $\dfrac{1}{2}$, 4   (4) $\dfrac{3}{5}$, 10

2 (1) 3^4 (2) 10^5 (3) $\left(\dfrac{1}{11}\right)^3$ (4) $\dfrac{1}{5^4}$

3 (1) $2^2 \times 3^4$ (2) $3^2 \times 5 \times 7^2$

   (3) $\left(\dfrac{1}{5}\right)^2 \times \left(\dfrac{1}{7}\right)^3$ (4) $\dfrac{1}{2 \times 3^2 \times 5^3}$

4 (1) 2^4 (2) 3^3 (3) 5^3 (4) 10^4 (5) $\left(\dfrac{1}{2}\right)^5$ (6) $\left(\dfrac{1}{10}\right)^3$

5 (1) 2^2 (2) 5^3

2 (1) $\underset{\underset{\text{4번 곱}}{\rule{2.5cm}{0.4pt}}}{3 \times 3 \times 3 \times 3} = 3^4$

(2) $\underset{\underset{\text{5번 곱}}{\rule{3.5cm}{0.4pt}}}{10 \times 10 \times 10 \times 10 \times 10} = 10^5$

(3) $\underset{\underset{\text{3번 곱}}{\rule{2.5cm}{0.4pt}}}{\dfrac{1}{11} \times \dfrac{1}{11} \times \dfrac{1}{11}} = \left(\dfrac{1}{11}\right)^3$

(4) $\dfrac{1}{\underset{\underset{\text{4번 곱}}{\rule{2cm}{0.4pt}}}{5 \times 5 \times 5 \times 5}} = \dfrac{1}{5^4}$

3 (1) $2 \times 3 \times 3 \times 2 \times 3 \times 3 = \underline{2 \times 2} \times \underline{3 \times 3 \times 3 \times 3}$
                          $= 2^2 \times 3^4$

(2) $3 \times 5 \times 3 \times 7 \times 7 = \underline{3 \times 3} \times 5 \times \underline{7 \times 7}$
                          $= 3^2 \times 5 \times 7^2$

(3) $\dfrac{1}{5} \times \dfrac{1}{5} \times \dfrac{1}{7} \times \dfrac{1}{7} \times \dfrac{1}{7} = \left(\dfrac{1}{5}\right)^2 \times \left(\dfrac{1}{7}\right)^3$

(4) $\dfrac{1}{2 \times \underline{3 \times 3} \times \underline{5 \times 5 \times 5}} = \dfrac{1}{2 \times 3^2 \times 5^3}$

4 (1) $16 = 2 \times 8 = 2 \times 2 \times 4 = 2 \times 2 \times 2 \times 2 = 2^4$
(2) $27 = 3 \times 9 = 3 \times 3 \times 3 = 3^3$
(3) $125 = 5 \times 25 = 5 \times 5 \times 5 = 5^3$
(4) $10000 = 10 \times 1000$
             $= 10 \times 10 \times 100$
             $= 10 \times 10 \times 10 \times 10 = 10^4$

(5) $\dfrac{1}{32} = \dfrac{1}{2} \times \dfrac{1}{16}$
       $= \dfrac{1}{2} \times \dfrac{1}{2} \times \dfrac{1}{8}$
       $= \dfrac{1}{2} \times \dfrac{1}{2} \times \dfrac{1}{2} \times \dfrac{1}{4}$
       $= \dfrac{1}{2} \times \dfrac{1}{2} \times \dfrac{1}{2} \times \dfrac{1}{2} \times \dfrac{1}{2}$
       $= \left(\dfrac{1}{2}\right)^5$

(6) $\dfrac{1}{1000} = \dfrac{1}{10} \times \dfrac{1}{100}$
         $= \dfrac{1}{10} \times \dfrac{1}{10} \times \dfrac{1}{10}$
         $= \left(\dfrac{1}{10}\right)^3$

5 (1) (정사각형의 넓이)

=(한 변의 길이)×(한 변의 길이)

=2×2=2^2

(2) (정육면체의 부피)

=(가로의 길이)×(세로의 길이)×(높이)

=5×5×5=5^3

4

```
2) 360
2) 180
2)  90
3)  45
3)  15
     5
```

∴ 360=$2^3×3^2×5$

(1) 소인수를 모두 구하면 2, 3, 5

(2) 360=$2^3×3^2×5=2^3×3^2×5^1$에서

소인수 2의 지수는 3,

소인수 3의 지수는 2,

소인수 5의 지수는 1이다.

유형 3　　　　　　　　　　　　　　　**P. 8**

1 (1) 방법① 　　　　　　방법②

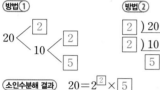

소인수분해 결과　20=$2^{\boxed{2}}×\boxed{5}$

(2) 방법① 　　　　　　방법②

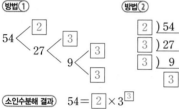

소인수분해 결과　54=$\boxed{2}×3^{\boxed{3}}$

2

(1)
```
2) 28    28=2²×7
2) 14    소인수: 2, 7
    7
```

(2)
```
2) 40    40=2³×5
2) 20    소인수: 2, 5
2) 10
    5
```

(3)
```
2) 140   140=2²×5×7
2)  70   소인수: 2, 5, 7
5)  35
     7
```

(4)
```
2) 540   540=2²×3³×5
2) 270   소인수: 2, 3, 5
3) 135
3)  45
3)  15
     5
```

3 (1) 4×6 ⇨ $2^3×3$　(2) 9^2 ⇨ 3^4　(3) 2^4, 3 ⇨ 2, 3

4 (1) 2, 3, 5

(2) 2의 지수: 3, 3의 지수: 2, 5의 지수: 1

3

(1)
```
2) 24
2) 12
2)  6
    3
```
∴ 24=$2^3×3$

(2)
```
3) 81
3) 27
3)  9
    3
```
∴ 81=3^4

(3)
```
2) 48
2) 24
2) 12
2)  6
    3
```
∴ 48=$2^4×3$

소인수

유형 4　　　　　　　　　　　　　　　**P. 9**

1 (1) 5　(2) 7　(3) 10　　**2** (1) 3　(2) 2　(3) 21

3 (1) $2^2×3×13$　(2) 39　　**4** (1) $2^2×3^2×5$　(2) 5

5 (1) 3　(2) 15　(3) 11　(4) 21

---

1 (1) 5^3 ← 5의 지수가 짝수가 되어야 한다.

⇨ $5^3×5=5×5×5×5$

$=(5×5)×(5×5)$

$=(5×5)^2$

$=25^2$

따라서 곱해야 하는 가장 작은 자연수는 5이다.

(2) $2^4×7$ ← 7의 지수가 짝수가 되어야 한다.

⇨ $2^4×7×7=2×2×2×2×7×7$

$=(2×2×7)×(2×2×7)$

$=(2×2×7)^2$

$=28^2$

따라서 곱해야 하는 가장 작은 자연수는 7이다.

(3) $2×3^2×5$ ← 2, 5의 지수가 모두 짝수가 되어야 한다.

⇨ $2×3^2×5×2×5=2×2×3×3×5×5$

$=(2×3×5)×(2×3×5)$

$=(2×3×5)^2$

$=30^2$

따라서 곱해야 하는 가장 작은 자연수는 2×5=10이다.

2 (1) 3^5 ← 3의 지수가 짝수가 되어야 한다.

⇨ $\dfrac{3^5}{3}=\dfrac{3×3×3×3×3}{3}$

$=3×3×3×3$

$=(3×3)×(3×3)$

$=(3×3)^2$

$=9^2$

따라서 나눠야 하는 가장 작은 자연수는 3이다.

(2) $2^3 \times 11^2$ ← 2의 지수가 짝수가 되어야 한다.

$$\Rightarrow \frac{2^3 \times 11^2}{2} = \frac{2 \times 2 \times 2 \times 11 \times 11}{2}$$
$$= 2 \times 2 \times 11 \times 11$$
$$= (2 \times 11) \times (2 \times 11)$$
$$= (2 \times 11)^2$$
$$= 22^2$$

따라서 나눠야 하는 가장 작은 자연수는 2이다.

(3) $2^4 \times 3 \times 7$ ← 지수가 홀수인 소인수 3, 7로 나눠야 한다.

$$\Rightarrow \frac{2^4 \times 3 \times 7}{3 \times 7} = \frac{2 \times 2 \times 2 \times 2 \times 3 \times 7}{3 \times 7}$$
$$= 2 \times 2 \times 2 \times 2$$
$$= (2 \times 2) \times (2 \times 2)$$
$$= (2 \times 2)^2$$
$$= 4^2$$

따라서 나눠야 하는 가장 작은 자연수는 $3 \times 7 = 21$이다.

3 (1), (2) $156 = 2^2 \times 3 \times 13$ ← 3, 13의 지수가 모두 짝수가 되어야 한다.

$$\Rightarrow 2^2 \times 3 \times 13 \times 3 \times 13 = 2 \times 2 \times 3 \times 3 \times 13 \times 13$$
$$= (2 \times 3 \times 13) \times (2 \times 3 \times 13)$$
$$= (2 \times 3 \times 13)^2$$
$$= 78^2$$

따라서 곱해야 하는 가장 작은 자연수는 $3 \times 13 = 39$이다.

4 (1), (2) $180 = 2^2 \times 3^2 \times 5$ ← 지수가 홀수인 소인수 5로 나눠야 한다.

$$\Rightarrow \frac{2^2 \times 3^2 \times 5}{5} = \frac{2 \times 2 \times 3 \times 3 \times 5}{5}$$
$$= 2 \times 2 \times 3 \times 3$$
$$= (2 \times 3) \times (2 \times 3)$$
$$= (2 \times 3)^2$$
$$= 6^2$$

따라서 나눠야 하는 가장 작은 자연수는 5이다.

5 (1) $\overset{\text{소인수분해}}{48 \times \square} = 2^4 \times 3 \times \square$에서

3의 지수가 짝수가 되어야 하므로
$\square = 3$

(2) $60 \times \square = 2^2 \times 3 \times 5 \times \square$에서

3, 5의 지수가 모두 짝수가 되어야 하므로
$\square = 3 \times 5 = 15$

(3) $\overset{\text{소인수분해}}{\dfrac{99}{\square}} = \dfrac{3^2 \times 11}{\square}$에서

지수가 홀수인 소인수 11로 나눠야 하므로
$\square = 11$

(4) $\dfrac{189}{\square} = \dfrac{3^3 \times 7}{\square}$에서

지수가 홀수인 소인수 3, 7로 나눠야 하므로
$\square = 3 \times 7 = 21$

1 (1)

×	1	5
1	1	5
2	2	10
2^2	4	20

⇨ 약수: 1, 2, 4, 5, 10, 20

(2) $72 = 2^3 \times 3^2$

×	1	3	3^2
1	1	3	9
2	2	6	18
2^2	4	12	36
2^3	8	24	72

⇨ 약수: 1, 2, 3, 4, 6, 8, 9, 12, 18, 24, 36, 72

(3) $108 = 2^2 \times 3^3$

×	1	3	3^2	3^3
1	1	3	9	27
2	2	6	18	54
2^2	4	12	36	108

⇨ 약수: 1, 2, 3, 4, 6, 9, 12, 18, 27, 36, 54, 108

2 (1) ㄱ, ㄴ, ㅁ　(2) ㄱ, ㄷ, ㅁ, ㅂ

3 (1) 2, 1, 6　(2) 15　(3) 24　(4) 36
(5) $2^3 \times 5^2$, 12　(6) 8

[2] 소인수분해를 이용하여 약수 구하기
a, b는 서로 다른 소수이고 l, m은 자연수일 때
$a^l \times b^m$의 약수: (a^l의 약수) × (b^m의 약수) 꼴

2 (1) $3^2 \times 5^3$의 약수는 (3^2의 약수) × (5^3의 약수) 꼴이다.

ㄷ. $2^2 \times 5$에서 2^2은 3^2의 약수 또는 5^3의 약수가 아니므로 $3^2 \times 5^3$의 약수가 아니다.

ㄹ. 3^3은 3^2의 약수가 아니므로 $3^2 \times 5^3$의 약수가 아니다.

ㅂ. 3×5^4에서 5^4은 5^3의 약수가 아니므로 $3^2 \times 5^3$의 약수가 아니다.

따라서 $3^2 \times 5^3$의 약수는 ㄱ, ㄴ, ㅁ이다.

(2) $112 = 2^4 \times 7$이므로 112의 약수는
(2^4의 약수) × (7의 약수) 꼴이다.

ㄱ. $8 = 2^3$이므로 112의 약수이다.

ㄴ. 2×5에서 5는 2^4의 약수 또는 7의 약수가 아니므로 112의 약수가 아니다.

ㄷ. $14 = 2 \times 7$이므로 112의 약수이다.

ㄹ. 7^2은 7의 약수가 아니므로 112의 약수가 아니다.

따라서 112의 약수는 ㄱ, ㄷ, ㅁ, ㅂ이다.

[3] 소인수분해를 이용하여 약수의 개수 구하기
a, b, c는 서로 다른 소수이고 l, m, n은 자연수일 때
(1) $a^l \times b^m$의 약수의 개수: $(l+1) \times (m+1)$
(2) $a^l \times b^m \times c^n$의 약수의 개수: $(l+1) \times (m+1) \times (n+1)$

3

(1) $2^2 \times 7 = 2^2 \times 7^1$이므로 약수의 개수는
$(2+1) \times (1+1) = 3 \times 2 = 6$

(2) $2^4 \times 5^2$의 약수의 개수는
$(4+1) \times (2+1) = 5 \times 3 = 15$

(3) $2^2 \times 5 \times 7^3 = 2^2 \times 5^1 \times 7^3$이므로 약수의 개수는
$(2+1) \times (1+1) \times (3+1) = 3 \times 2 \times 4 = 24$

(4) $3^2 \times 5^3 \times 7^2$의 약수의 개수는
$(2+1) \times (3+1) \times (2+1) = 3 \times 4 \times 3 = 36$

(5) $200 = 2^3 \times 5^2$이므로 약수의 개수는
$(3+1) \times (2+1) = 4 \times 3 = 12$

(6) $135 = 3^3 \times 5 = 3^3 \times 5^1$이므로 약수의 개수는
$(3+1) \times (1+1) = 4 \times 2 = 8$

쌍둥이 기출문제 P. 11~13

1 2개	**2** 1	**3** ⑤	**4** ㄷ, ㅁ	**5** ①
6 ④	**7** ②	**8** ②, ④	**9** ⑤	**10** ③, ⑤
11 2, 3, 7		**12** ①, ③	**13** (1) $2^2 \times 3 \times 11$	(2) 4
14 4	**15** 21	**16** (1) 7 (2) 21		**17** ⑤
18 ④	**19** ④	**20** ③	**21** ③	**22** ⑤

[1~4] 1보다 큰 자연수 중에서
(1) 소수: 약수가 1과 자기 자신뿐인 수 ← 약수가 2개
(2) 합성수: 소수가 아닌 수 ← 약수가 3개 이상
참고 1은 소수도 아니고 합성수도 아니다.

1 1은 소수도 아니고 합성수도 아니다.
5의 약수는 1, 5뿐이므로 소수이다.
27의 약수는 1, 3, 9, 27이므로 합성수이다.
32의 약수는 1, 2, 4, 8, 16, 32이므로 합성수이다.
47의 약수는 1, 47뿐이므로 소수이다.
51의 약수는 1, 3, 17, 51이므로 합성수이다.
63의 약수는 1, 3, 7, 9, 21, 63이므로 합성수이다.
따라서 소수는 5, 47의 2개이다.

2 자연수 11, 12, 13, 14, 15, 16, 17, 18, 19 중
소수는 11, 13, 17, 19의 4개이므로 $a=4$
합성수는 12, 14, 15, 16, 18의 5개이므로 $b=5$
∴ $b-a=5-4=1$

3 ① 1은 소수가 아니다.
② 한 자리의 자연수 중 소수는 2, 3, 5, 7의 4개이다.
③ 가장 작은 소수는 2이다.
④ 1은 약수가 1개이다.
따라서 옳은 것은 ⑤이다.

---

4 ㄱ. 2는 짝수이지만 소수이다.
ㄴ. 9의 약수는 1, 3, 9이다.
ㄹ. 두 소수 2와 3의 합은 5로 소수이다.
따라서 옳은 것은 ㄷ, ㅁ이다.

[5~8] 거듭제곱: 같은 수나 문자를 여러 번 곱한 것을 간단히 나타낸 것
• $\underbrace{a \times a \times \cdots \times a}_{a를\ \textcircled{n}번\ 곱} = a^m$ ← 지수 / 밑
• $\underbrace{a \times a \times \cdots \times a}_{a를\ \textcircled{m}번\ 곱} \times \underbrace{b \times b \times \cdots \times b}_{b를\ \textcircled{n}번\ 곱} = a^m \times b^n$

5 $5 \times 5 \times 5 \times 5 = 5^4$에서 밑은 5, 지수는 4이므로
$a=5$, $b=4$
∴ $a+b = 5+4 = 9$

6 밑이 7이고 지수가 3인 수는 7^3이다.
④ $7^3 = 7 \times 7 \times 7 = 343$

7 ① $2+2+2 = 2 \times 3$
③ $10^4 = 10 \times 10 \times 10 \times 10 = 10000$
④ $\dfrac{1}{5} \times \dfrac{1}{5} \times \dfrac{1}{5} = \left(\dfrac{1}{5}\right)^3$
⑤ $3 \times 3 \times 5 \times 3 \times 5 = 3 \times 3 \times 3 \times 5 \times 5 = 3^3 \times 5^2$
따라서 옳은 것은 ②이다.

8 ② $5^3 = 5 \times 5 \times 5 = 125$
④ $\dfrac{2}{3} \times \dfrac{2}{3} \times \dfrac{2}{3} = \left(\dfrac{2}{3}\right)^3$

[9~14] 소인수분해: 1보다 큰 자연수를 소인수만의 곱으로 나타내는 것
└→ 인수(약수) 중에서 소수인 것

9
```
2) 270
3) 135
3)  45
3)  15
    5
```
∴ $270 = 2 \times 3^3 \times 5$

10
①
```
2) 56
2) 28
2) 14
   7
```
∴ $56 = 2^3 \times 7$

②
```
2) 72
2) 36
2) 18
3)  9
    3
```
∴ $72 = 2^3 \times 3^2$

④
```
2) 150
3)  75
5)  25
    5
```
∴ $150 = 2 \times 3 \times 5^2$

따라서 소인수분해를 바르게 한 것은 ③, ⑤이다.

11 $126 = 2 \times 3^2 \times 7$이므로 126의 소인수는 2, 3, 7이다.

12 $196 = 2^2 \times 7^2$이므로 196의 소인수는 2, 7이다.

13 (1) **1단계** 132를 소인수분해 하면
$$132=2^2\times3\times11$$
(2) **2단계** $132=2^2\times3\times11=2^2\times3^1\times11^1$이므로
$$a=2,\ b=1,\ c=1$$
3단계 $\therefore a+b+c=2+1+1=4$

채점 기준		
1단계	132를 소인수분해 하기	… 50 %
2단계	a, b, c의 값 구하기	… 30 %
3단계	$a+b+c$의 값 구하기	… 20 %

14 60을 소인수분해 하면
$$60=2^2\times3\times5=2^2\times3^1\times5^1$$
즉, 소인수 2, 3, 5의 지수는 각각 2, 1, 1이므로
모든 소인수의 지수의 합은 $2+1+1=4$

[15~16] 소인수분해를 이용하여 제곱인 수 만들기
❶ 주어진 수를 소인수분해 한다.
❷ 모든 소인수의 지수가 짝수가 되도록 적당한 수를 곱하거나 적당한
수로 나눈다.

15 84를 소인수분해 하면
$$84=2^2\times3\times7$$
$84=2^2\times3\times7$에서 3, 7의 지수가 모두 짝수가 되어야 하므로
곱해야 하는 가장 작은 자연수는 $3\times7=21$이다.

16 (1) **1단계** 63을 소인수분해 하면
$$63=3^2\times7$$
2단계 $63\times a=3^2\times7\times a$에서 7의 지수가 짝수가 되어야
하므로 자연수 a의 값 중 가장 작은 수는 7이다.
$$\therefore a=7$$
(2) **3단계** $63\times a=63\times7=3^2\times7\times7=3\times3\times7\times7$
$$=(3\times7)\times(3\times7)$$
$$=(3\times7)^2=21^2$$
이므로 문제에서 구하는 어떤 자연수는 21이다.

채점 기준		
1단계	63을 소인수분해 하기	… 40 %
2단계	a의 값 구하기	… 30 %
3단계	$63\times a$가 어떤 자연수의 제곱이 되는지 구하기	… 30 %

[17~22] 소인수분해를 이용하여 약수와 약수의 개수 구하기
자연수 A가
$$A=a^m\times b^n\ (a,\ b는\ 서로\ 다른\ 소수,\ m,\ n은\ 자연수)$$
으로 소인수분해 될 때
(1) A의 약수 ⇨ (a^m의 약수)×(b^n의 약수) 꼴
(2) A의 약수의 개수 ⇨ $(m+1)\times(n+1)$

17 $2^3\times7$의 약수는 (2^3의 약수)×(7의 약수) 꼴이다.
⑤ $2^2\times7^2$에서 7^2은 7의 약수가 아니므로
$2^3\times7$의 약수가 아니다.

18 $72=2^3\times3^2$이므로
72의 약수는 (2^3의 약수)×(3^2의 약수) 꼴이다.
④ 3^3은 3^2의 약수가 아니므로 72의 약수가 아니다.

19 $(2+1)\times(2+1)=3\times3=9$

20 $120=2^3\times3\times5$이므로 120의 약수의 개수는
$$(3+1)\times(1+1)\times(1+1)=4\times2\times2=16$$

21 $2^a\times3^2$의 약수의 개수가 12이므로
$(a+1)\times(2+1)=12$에서 $(a+1)\times3=12$
$$a+1=4\qquad\therefore a=3$$

22 ① □=2일 때, $5^2\times2$의 약수의 개수는
$$(2+1)\times(1+1)=3\times2=6$$
② □=3일 때, $5^2\times3$의 약수의 개수는
$$(2+1)\times(1+1)=3\times2=6$$
③ □=5일 때, $5^2\times5=5^3$의 약수의 개수는
$$3+1=4$$
④ □=7일 때, $5^2\times7$의 약수의 개수는
$$(2+1)\times(1+1)=3\times2=6$$
⑤ □=9일 때, $5^2\times9=5^2\times3^2$의 약수의 개수는
$$(2+1)\times(2+1)=3\times3=9$$
따라서 □ 안에 알맞은 수는 ⑤이다.

o2 최대공약수와 최소공배수

유형 6 P. 14

1 (1) 1, 3, 5, 15 (2) 1, 2, 4, 8, 16
　(3) 1, 5, 7, 35 (4) 1, 2, 3, 6, 9, 18, 27, 54
2 (1) 2×3 (2) $2^2\times3$ (3) $3^2\times5$ (4) 2×3^2
　(5) 3×7 (6) $3^2\times5$
3 (1) 3 (2) 2^3(또는 8) (3) $2^3\times3$(또는 24)
　(4) 2×7(또는 14) (5) 2 (6) $2^2\times3$(또는 12)
　(7) 2×11(또는 22) (8) $2^2\times3^2$(또는 36)
4 (1) ○ (2) ○ (3) × (4) × (5) ○ (6) ×

2 (1)

$$(최대공약수)=2\times3$$

스피드 체크

1. 소인수분해

01 소인수분해

유형 1 P. 6

1 2, 3, 5, 7, 11, 13, 17, 19, 23, 29, 31, 37, 41, 43, 47, 53, 59

2

자연수	약수	소수 / 합성수
9	1, 3, 9	합성수
11	1, 11	소수
18	1, 2, 3, 6, 9, 18	합성수
32	1, 2, 4, 8, 16, 32	합성수
47	1, 47	소수

3 17, 29, 31, 43에 ○표 **4** 15, 33, 57, 123에 ○표

5 (1) × (2) ○ (3) × (4) ○ (5) ×

유형 2 P. 7

1 (1) 5, 2 (2) 10, 2 (3) $\frac{1}{2}$, 4 (4) $\frac{3}{5}$, 10

2 (1) 3^4 (2) 10^5 (3) $\left(\frac{1}{11}\right)^3$ (4) $\frac{1}{5^4}$

3 (1) $2^2 \times 3^4$ (2) $3^2 \times 5 \times 7^2$

(3) $\left(\frac{1}{5}\right)^2 \times \left(\frac{1}{7}\right)^3$ (4) $\frac{1}{2 \times 3^2 \times 5^3}$

4 (1) 2^4 (2) 3^3 (3) 5^3 (4) 10^4 (5) $\left(\frac{1}{2}\right)^5$ (6) $\left(\frac{1}{10}\right)^3$

5 (1) 2^2 (2) 5^3

유형 3 P. 8

1 (1) 방법① 방법②

소인수분해 결과 $20 = 2^{\boxed{2}} \times \boxed{5}$

(2) 방법① 방법②

소인수분해 결과 $54 = \boxed{2} \times 3^{\boxed{3}}$

2 (1) 2) 28 $28 = 2^2 \times 7$ (2) 2) 40 $40 = 2^3 \times 5$
　　 2) 14   소인수: 2, 7 　　　　2) 20   소인수: 2, 5
　　　　 7 　　　　　　　　　　　 2) 10
　　　　　　　　　　　　　　　　　　　 5

(3) 2) 140 $140 = 2^2 \times 5 \times 7$ (4) 2) 540 $540 = 2^2 \times 3^3 \times 5$
　　 2) 70   소인수: 2, 5, 7 　　　 2) 270   소인수: 2, 3, 5
　　 5) 35 　　　　　　　　　　　　 3) 135
　　　　 7 　　　　　　　　　　　　 3) 45
　　　　　　　　　　　　　　　　　　 3) 15
　　　　　　　　　　　　　　　　　　　　 5

3 (1) $4 \times 6 \Rightarrow 2^3 \times 3$ (2) $9^2 \Rightarrow 3^4$ (3) 2^4, 3 ⇨ 2, 3

4 (1) 2, 3, 5

(2) 2의 지수: 3, 3의 지수: 2, 5의 지수: 1

유형 4 P. 9

1 (1) 5 (2) 7 (3) 10 **2** (1) 3 (2) 2 (3) 21

3 (1) $2^2 \times 3 \times 13$ (2) 39 **4** (1) $2^2 \times 3^2 \times 5$ (2) 5

5 (1) 3 (2) 15 (3) 11 (4) 21

유형 5 P. 10

1 (1)

×	1	5
1	1	5
2	2	10
2^2	4	20

⇨ 약수: 1, 2, 4, 5, 10, 20

(2) $72 = 2^3 \times 3^2$

×	1	3	3^2
1	1	3	9
2	2	6	18
2^2	4	12	36
2^3	8	24	72

⇨ 약수: 1, 2, 3, 4, 6, 8, 9, 12, 18, 24, 36, 72

(3) $108 = 2^2 \times 3^3$

×	1	3	3^2	3^3
1	1	3	9	27
2	2	6	18	54
2^2	4	12	36	108

⇨ 약수: 1, 2, 3, 4, 6, 9, 12, 18, 27, 36, 54, 108

2 (1) ㄱ, ㄴ, ㅁ (2) ㄱ, ㄷ, ㅁ, ㅂ

3 (1) 2, 1, 6 (2) 15 (3) 24 (4) 36

(5) $2^3 \times 5^2$, 12 (6) 8

1 2개   **2** 1   **3** ⑤   **4** ㄷ, ㅁ   **5** ①
6 ④   **7** ②   **8** ②, ④   **9** ⑤   **10** ③, ⑤
11 2, 3, 7   **12** ①, ③   **13** (1) $2^2 \times 3 \times 11$ (2) 4
14 4   **15** 21   **16** (1) 7   (2) 21   **17** ⑤
18 ④   **19** ④   **20** ③   **21** ③   **22** ⑤

1 (1) 최대공약수: 3,   공약수: 1, 3
     (2) 최대공약수: 10,   공약수: 1, 2, 5, 10
     (3) 최대공약수: 6,   공약수: 1, 2, 3, 6
     (4) 최대공약수: 12,   공약수: 1, 2, 3, 4, 6, 12
2 (1) 최소공배수: 30,   공배수: 30, 60, 90
     (2) 최소공배수: 180,   공배수: 180, 360, 540
     (3) 최소공배수: 84,   공배수: 84, 168, 252
     (4) 최소공배수: 360, 공배수: 360, 720, 1080
3 (1) $a=2$, $b=3$ (2) $a=1$, $b=2$ (3) $a=1$, $b=3$
4 (1) $a=4$, $b=2$, $c=1$ (2) $a=3$, $b=4$, $c=2$
     (3) $a=5$, $b=3$, $c=1$

O2 최대공약수와 최소공배수

1 (1) 1, 3, 5, 15   (2) 1, 2, 4, 8, 16
     (3) 1, 5, 7, 35   (4) 1, 2, 3, 6, 9, 18, 27, 54
2 (1) 2×3 (2) $2^2 \times 3$ (3) $3^2 \times 5$ (4) 2×3^2
     (5) 3×7 (6) $3^2 \times 5$
3 (1) 3   (2) 2^3(또는 8)   (3) $2^3 \times 3$(또는 24)
     (4) 2×7(또는 14)   (5) 2   (6) $2^2 \times 3$(또는 12)
     (7) 2×11(또는 22)   (8) $2^2 \times 3^2$(또는 36)
4 (1) ○   (2) ○   (3) ×   (4) ×   (5) ○   (6) ×

1 ④   **2** 1, 5, 25   **3** 2×3^2
4 2^2(또는 4)   **5** ⑤   **6** ①, ⑤   **7** ②
8 ④   **9** ④   **10** 210   **11** ②
12 $2^2 \times 3 \times 5 \times 7$ **13** ④   **14** ④, ⑤   **15** ①
16 11

1 8개   **2** ③, ⑤   **3** ②, ⑤   **4** ④   **5** 90
6 ㄴ, ㅁ   **7** ⑤   **8** ③
9 (1) 20(또는 $2^2 \times 5$)   (2) 1, 2, 4, 5, 10, 20   **10** ②
11 ④   **12** ①   **13** ③

1 (1) 7, 14, 21   (2) 16, 32, 48   (3) 20, 40, 60
     (4) 35, 70, 105
2 (1) 6개   (2) 4개
3 (1) $2^2 \times 3 \times 5$ (2) $2 \times 3^2 \times 5^2 \times 7$ (3) $2^4 \times 3^2$
     (4) $3^2 \times 5 \times 7$ (5) $2^2 \times 3^2 \times 5^2$ (6) $2^3 \times 3^3 \times 7$
4 (1) $2^5 \times 5$(또는 160)
     (2) 3×5^2(또는 75)
     (3) $2 \times 3 \times 7 \times 13$(또는 546)
     (4) $2^3 \times 3^2 \times 5$(또는 360)
     (5) $2 \times 3^2 \times 5$(또는 90)
     (6) $2^2 \times 3^2 \times 5 \times 7$(또는 1260)
     (7) $2^2 \times 3 \times 5 \times 7$(또는 420)
     (8) $2^2 \times 3^2 \times 5 \times 11$(또는 1980)

(2)
$$2^2 \times 3 \times 5^2$$
$$2^2 \times 3 \quad\ \times 7$$
$$(최대공약수)=2^2 \times 3$$

(3)
$$3^2 \times 5$$
$$3^4 \times 5^3$$
$$(최대공약수)=3^2 \times 5$$

(4)
$$2 \times 3^2 \quad\ \times 7$$
$$2^2 \times 3^2 \times 5$$
$$(최대공약수)=2 \times 3^2$$

(5)
$$3 \times 5^2 \times 7$$
$$3^2 \times 5 \times 7$$
$$3^3 \qquad \times 7^2$$
$$(최대공약수)=3 \quad\ \times 7$$

(6)
$$2 \times 3^2 \times 5$$
$$2^2 \times 3^3 \times 5$$
$$3^2 \times 5^2 \times 7$$
$$(최대공약수)= 3^2 \times 5$$

3 (1)
$$9 = \qquad\ 3^2$$
$$12 = 2^2 \times 3$$
$$(최대공약수)= \quad\ 3$$

(2)
$$24 = 2^3 \times 3$$
$$32 = 2^5$$
$$(최대공약수)=2^3 \quad\ =8$$

(3)
$$48 = 2^4 \times 3$$
$$72 = 2^3 \times 3^2$$
$$(최대공약수)=2^3 \times 3 = 24$$

(4)
$$70 = 2 \times 5 \times 7$$
$$98 = 2 \qquad \times 7^2$$
$$(최대공약수)=2 \quad\ \times 7 = 14$$

(5)
$$8 = 2^3$$
$$10 = 2 \qquad \times 5$$
$$30 = 2 \times 3 \times 5$$
$$(최대공약수)=2$$

(6)
$$60 = 2^2 \times 3 \times 5$$
$$84 = 2^2 \times 3 \times 7$$
$$108 = 2^2 \times 3^3$$
$$(최대공약수)=2^2 \times 3 \quad\ = 12$$

(7)
$$66 = 2 \times 3 \quad\ \times 11$$
$$110 = 2 \qquad \times 5 \times 11$$
$$2^2 \times 3 \qquad \times 11$$
$$(최대공약수)=2 \qquad\qquad \times 11 = 22$$

(8)
$$180 = 2^2 \times 3^2 \times 5$$
$$216 = 2^3 \times 3^3$$
$$2^4 \times 3^3$$
$$(최대공약수)=2^2 \times 3^2 \quad\ = 36$$

참고 나눗셈을 이용하여 최대공약수 구하기

(1)
$$3\,)\underline{\ 9\quad 12\ }$$
$$\quad 3 \quad\ 4 \qquad \therefore 3$$

(2)
$$2\,)\underline{\ 24\quad 32\ }$$
$$2\,)\underline{\ 12\quad 16\ }$$
$$2\,)\underline{\ \ 6\quad\ 8\ }$$
$$\quad 3 \quad\ 4 \qquad \therefore 2 \times 2 \times 2 = 8$$

(3)
$$2\,)\underline{\ 48\quad 72\ }$$
$$2\,)\underline{\ 24\quad 36\ }$$
$$2\,)\underline{\ 12\quad 18\ }$$
$$3\,)\underline{\ \ 6\quad\ 9\ }$$
$$\quad 2 \quad\ 3 \qquad \therefore 2 \times 2 \times 2 \times 3 = 24$$

(4)
$$2\,)\underline{\ 70\quad 98\ }$$
$$7\,)\underline{\ 35\quad 49\ }$$
$$\quad 5 \quad\ 7 \qquad \therefore 2 \times 7 = 14$$

(5)
$$2\,)\underline{\ 8\quad 10\quad 30\ }$$
$$\quad 4 \quad\ 5 \quad 15 \qquad \therefore 2$$

(6)
$$2\,)\underline{\ 60\quad 84\quad 108\ }$$
$$2\,)\underline{\ 30\quad 42\quad\ 54\ }$$
$$3\,)\underline{\ 15\quad 21\quad\ 27\ }$$
$$\quad 5 \quad\ 7 \quad\ 9 \qquad \therefore 2 \times 2 \times 3 = 12$$

4 (3) 12와 51의 최대공약수는 3이므로 서로소가 아니다.
(4) 15와 18의 최대공약수는 3이므로 서로소가 아니다.
(6) 20과 34의 최대공약수는 2이므로 서로소가 아니다.

유형 7   P. 15

1 (1) 7, 14, 21 (2) 16, 32, 48 (3) 20, 40, 60
(4) 35, 70, 105
2 (1) 6개 (2) 4개
3 (1) $2^2 \times 3 \times 5$ (2) $2 \times 3^2 \times 5^2 \times 7$ (3) $2^4 \times 3^2$
(4) $3^2 \times 5 \times 7$ (5) $2 \times 3^2 \times 5^2$ (6) $2^3 \times 3^3 \times 7$
4 (1) $2^5 \times 5$(또는 160)
(2) 3×5^2(또는 75)
(3) $2 \times 3 \times 7 \times 13$(또는 546)
(4) $2^3 \times 3^2 \times 5$(또는 360)
(5) $2 \times 3^2 \times 5$(또는 90)
(6) $2^2 \times 3^2 \times 5 \times 7$(또는 1260)
(7) $2^2 \times 3 \times 5 \times 7$(또는 420)
(8) $2^2 \times 3^2 \times 5 \times 11$(또는 1980)

1 (1) 두 자연수의 공배수는 두 수의 최소공배수인 7의 배수이므로 7, 14, 21, …이다.
(2) 두 자연수의 공배수는 두 수의 최소공배수인 16의 배수이므로 16, 32, 48, …이다.

(3) 두 자연수의 공배수는 두 수의 최소공배수인 20의 배수
　　이므로 20, 40, 60, …이다.
(4) 두 자연수의 공배수는 두 수의 최소공배수인 35의 배수
　　이므로 35, 70, 105, …이다.

2 (1) 두 자연수의 공배수는 두 수의 최소공배수인 15의 배수
　　이고 이 중에서 100 이하인 수는 15, 30, 45, 60, 75, 90
　　의 6개이다.
(2) 두 자연수의 공배수는 두 수의 최소공배수인 25의 배수
　　이고 이 중에서 100 이하인 수는 25, 50, 75, 100의 4개
　　이다.

3 (1)
$$
\begin{aligned}
& 2 \times 3 \\
& 2^2 \times 3 \times 5 \\
\hline
(\text{최소공배수}) = & 2^2 \times 3 \times 5
\end{aligned}
$$

(2)
$$
\begin{aligned}
& 2 \times 3^2 \times 5 \\
& 2 \times 3 \quad\quad \times 7 \\
& \quad\quad 3 \times 5^2 \times 7 \\
\hline
(\text{최소공배수}) = & 2 \times 3^2 \times 5^2 \times 7
\end{aligned}
$$

(3)
$$
\begin{aligned}
& 2 \times 3^2 \\
& 2^4 \times 3 \\
\hline
(\text{최소공배수}) = & 2^4 \times 3^2
\end{aligned}
$$

(4)
$$
\begin{aligned}
& 3^2 \times 5 \\
& 3 \quad\quad \times 7 \\
\hline
(\text{최소공배수}) = & 3^2 \times 5 \times 7
\end{aligned}
$$

(5)
$$
\begin{aligned}
& 2 \times 3^2 \\
& \quad\quad 3 \times 5 \\
& 2^2 \times 3 \times 5^2 \\
\hline
(\text{최소공배수}) = & 2^2 \times 3^2 \times 5^2
\end{aligned}
$$

(6)
$$
\begin{aligned}
& 2 \times 3^3 \times 7 \\
& 2^2 \quad\quad\quad \times 7 \\
& 2^3 \quad\quad\quad \times 7 \\
\hline
(\text{최소공배수}) = & 2^3 \times 3^3 \times 7
\end{aligned}
$$

4 (1)
$$
\begin{aligned}
10 = & \; 2 \quad\quad \times 5 \\
32 = & \; 2^5 \\
\hline
(\text{최소공배수}) = & \; 2^5 \times 5 = 160
\end{aligned}
$$

(2)
$$
\begin{aligned}
15 = & \; 3 \times 5 \\
75 = & \; 3 \times 5^2 \\
\hline
(\text{최소공배수}) = & \; 3 \times 5^2 = 75
\end{aligned}
$$

(3)
$$
\begin{aligned}
42 = & \; 2 \times 3 \times 7 \\
78 = & \; 2 \times 3 \quad\quad \times 13 \\
\hline
(\text{최소공배수}) = & \; 2 \times 3 \times 7 \times 13 = 546
\end{aligned}
$$

(4)
$$
\begin{aligned}
60 = & \; 2^2 \times 3 \times 5 \\
72 = & \; 2^3 \times 3^2 \\
\hline
(\text{최소공배수}) = & \; 2^3 \times 3^2 \times 5 = 360
\end{aligned}
$$

(5)
$$
\begin{aligned}
18 = & \; 2 \times 3^2 \\
30 = & \; 2 \times 3 \times 5 \\
45 = & \quad\quad 3^2 \times 5 \\
\hline
(\text{최소공배수}) = & \; 2 \times 3^2 \times 5 = 90
\end{aligned}
$$

(6)
$$
\begin{aligned}
20 = & \; 2^2 \quad\quad \times 5 \\
36 = & \; 2^2 \times 3^2 \\
42 = & \; 2 \times 3 \quad\quad \times 7 \\
\hline
(\text{최소공배수}) = & \; 2^2 \times 3^2 \times 5 \times 7 = 1260
\end{aligned}
$$

(7)
$$
\begin{aligned}
& \quad\quad 5 \times 7 \\
70 = & \; 2 \quad\quad \times 5 \times 7 \\
84 = & \; 2^2 \times 3 \quad\quad \times 7 \\
\hline
(\text{최소공배수}) = & \; 2^2 \times 3 \times 5 \times 7 = 420
\end{aligned}
$$

(8)
$$
\begin{aligned}
66 = & \; 2 \times 3 \quad\quad \times 11 \\
99 = & \quad\quad 3^2 \quad\quad \times 11 \\
& \; 2^2 \times 3 \times 5 \\
\hline
(\text{최소공배수}) = & \; 2^2 \times 3^2 \times 5 \times 11 = 1980
\end{aligned}
$$

참고 나눗셈을 이용하여 최소공배수 구하기
(1)
$$
\begin{array}{r|ll}
2 & 10 & 32 \\
\hline
& 5 & 16
\end{array}
\quad \therefore 2 \times 5 \times 16 = 160
$$

(2)
$$
\begin{array}{r|ll}
3 & 15 & 75 \\
5 & 5 & 25 \\
\hline
& 1 & 5
\end{array}
\quad \therefore 3 \times 5 \times 1 \times 5 = 75
$$

(3)
$$
\begin{array}{r|ll}
2 & 42 & 78 \\
3 & 21 & 39 \\
\hline
& 7 & 13
\end{array}
\quad \therefore 2 \times 3 \times 7 \times 13 = 546
$$

(4)
$$
\begin{array}{r|ll}
2 & 60 & 72 \\
2 & 30 & 36 \\
3 & 15 & 18 \\
\hline
& 5 & 6
\end{array}
\quad \therefore 2 \times 2 \times 3 \times 5 \times 6 = 360
$$

(5)
$$
\begin{array}{r|lll}
3 & 18 & 30 & 45 \\
2 & 6 & 10 & 15 \\
3 & 3 & 5 & 15 \\
5 & 1 & 5 & 5 \\
\hline
& 1 & 1 & 1
\end{array}
$$
$$\therefore 3 \times 2 \times 3 \times 5 \times 1 \times 1 \times 1 = 90$$

(6)
$$
\begin{array}{r|lll}
2 & 20 & 36 & 42 \\
2 & 10 & 18 & 21 \\
3 & 5 & 9 & 21 \\
\hline
& 5 & 3 & 7
\end{array}
$$
$$\therefore 2 \times 2 \times 3 \times 5 \times 3 \times 7 = 1260$$

P. 16

1 (1) 최대공약수: 3, 공약수: 1, 3
　 (2) 최대공약수: 10, 공약수: 1, 2, 5, 10
　 (3) 최대공약수: 6, 공약수: 1, 2, 3, 6
　 (4) 최대공약수: 12, 공약수: 1, 2, 3, 4, 6, 12
2 (1) 최소공배수: 30, 공배수: 30, 60, 90
　 (2) 최소공배수: 180, 공배수: 180, 360, 540
　 (3) 최소공배수: 84, 공배수: 84, 168, 252
　 (4) 최소공배수: 360, 공배수: 360, 720, 1080
3 (1) $a=2$, $b=3$　(2) $a=1$, $b=2$　(3) $a=1$, $b=3$
4 (1) $a=4$, $b=2$, $c=1$　(2) $a=3$, $b=4$, $c=2$
　 (3) $a=5$, $b=3$, $c=1$

쌍둥이 기출문제 **P. 17~18**

1 ④　　**2** 1, 5, 25　　**3** 2×3^2
4 2^2(또는 4)　　**5** ⑤　　**6** ①, ⑤　**7** ②
8 ④　　**9** ④　　**10** 210　　**11** ②
12 $2^2\times3\times5\times7$　　**13** ④　　**14** ④, ⑤　**15** ①
16 11

[1~2] 최대공약수의 성질
공약수는 최대공약수의 약수이다.

1 두 자연수 A, B의 공약수는 두 수의 최대공약수인 10의 약수이므로 1, 2, 5, 10이다.
따라서 공약수가 아닌 것은 ④이다.

2 두 자연수의 공약수는 두 수의 최대공약수인 25의 약수이므로 1, 5, 25이다.

[3~4] 최대공약수 구하기
공통인 소인수 중 지수가 작거나 같은 것을 택하여 곱한다.

3
$$\begin{array}{c}2^3\times3^3\\2\times3^2\times7^2\\\hline(\text{최대공약수})=2\times3^2\end{array}$$

4
$$\begin{array}{rl}12=&2^2\times3\\40=&2^3\quad\times5\\60=&2^2\times3\times5\\\hline(\text{최대공약수})=&2^2\qquad=4\end{array}$$

5
$$\begin{array}{c}2\times3^2\times5\\2^2\times3^3\quad\times7\\\hline(\text{최대공약수})=2\times3^2\quad=18\end{array}$$
즉, 두 수의 공약수는 최대공약수 18의 약수와 같으므로 1, 2, 3, 6, 9, 18이다.
따라서 공약수가 아닌 것은 ⑤이다.

6
$$\begin{array}{rl}45=&3^2\times5\\&3\times5^2\\&2\times3^2\times5\\\hline(\text{최대공약수})=&3\times5=15\end{array}$$
즉, 세 수의 공약수는 최대공약수인 15의 약수와 같으므로 1, 3, 5, 15이다.
따라서 공약수인 것은 ①, ⑤이다.

[7~8] 서로소
두 자연수가 서로소 ⇨ 두 자연수의 최대공약수가 1이다.

7 두 자연수의 최대공약수를 각각 구하면 다음과 같다.
① 3　② 1　③ 3　④ 3　⑤ 7
따라서 서로소인 두 자연수로 짝 지어진 것은 ②이다.

8 두 자연수의 최대공약수를 각각 구하면 다음과 같다.
①, ②, ③, ⑤ 1　④ 13
따라서 서로소인 두 자연수로 짝 지어진 것이 아닌 것은 ④이다.

[9~10] 최소공배수의 성질
공배수는 최소공배수의 배수이다.

9 두 자연수의 공배수는 두 수의 최소공배수인 24의 배수이므로 공배수가 아닌 것은 ④이다.

10 두 자연수의 공배수는 두 수의 최소공배수인 30의 배수이므로 30, 60, 90, 120, 150, 180, 210, …이다.
따라서 두 수의 공배수 중 200에 가장 가까운 수는 210이다.

[11~12] 최소공배수 구하기
공통인 소인수와 공통이 아닌 소인수를 모두 곱한다. 이때 공통인 소인수에서는 지수가 크거나 같은 것을 택한다.

11
$$\begin{array}{c}2\times3^2\\2^2\times3^2\times5\\2\times3\times5^2\\\hline(\text{최소공배수})=2^2\times3^2\times5^2\end{array}$$

12
$$\begin{array}{rl}140=&2^2\quad\times5\times7\\\hline(\text{최소공배수})=&2^2\times3\times5\times7\end{array}$$

13

$$\begin{array}{r} 2 \times 3^2 \times 5^2 \\ 2^2 \times 3^3 \quad\ \times 7 \\ \hline \end{array}$$
$$(최소공배수)=2^2 \times 3^3 \times 5^2 \times 7$$

두 수의 공배수는 최소공배수인 $2^2 \times 3^3 \times 5^2 \times 7$의 배수와 같다.

④ $2^2 \times 3^4 \times 5 \times 7^2$은 $2^2 \times 3^3 \times 5^2 \times 7$의 배수가 아니므로
공배수가 아니다.

14

$$\begin{array}{r} 2^2 \times 3^3 \times 7 \\ 2 \times 3^2 \times 7^2 \\ 63 = \quad\ \ 3^2 \times 7 \\ \hline \end{array}$$
$$(최소공배수)=2^2 \times 3^3 \times 7^2$$

세 수의 공배수는 최소공배수인 $2^2 \times 3^3 \times 7^2$의 배수와 같다.

④ $2^2 \times 3^4 \times 7^2 = 2^2 \times 3^3 \times 7^2 \times \underline{3}$

⑤ $2^4 \times 3^5 \times 7^3 = 2^2 \times 3^3 \times 7^2 \times 2 \times 2 \times 3 \times 3 \times 7$

따라서 세 수의 공배수는 ④, ⑤이다.

[15~16] 최대공약수와 최소공배수가 주어질 때, 밑과 지수 구하기
주어진 수와 최대공약수 또는 최소공배수를 각 소인수의 지수끼리 비교한다.
➡ 최대공약수: 공통인 소인수 중 지수가 작거나 같은 것을 택한다.
　최소공배수: 모든 소인수를 곱하고 지수는 크거나 같은 것을 택한다.

15

$$\begin{array}{r} 2^2 \times 3^a \times 5 \\ 2^4 \times 3^5 \times 5^b \\ \hline \end{array}$$
$$(최대공약수)=2^2 \times \boxed{3^3} \times 5$$
$$(최소공배수)=2^4 \times 3^5 \times \boxed{5^2}$$

따라서 $a=3$, $b=2$이므로
$a+b=3+2=5$

16

$$\begin{array}{r} 2^a \times 3 \quad\ \times b \times 11 \\ 2^4 \times 3^2 \times 5^2 \\ 2^4 \times \boxed{3^3} \times 5^2 \\ \hline \end{array}$$
$$(최대공약수)=\boxed{2^3} \times 3 \times \boxed{5}$$
$$(최소공배수)=2^4 \times 3^c \times 5^2 \times 11$$

따라서 $a=3$, $b=5$, $c=3$이므로
$a+b+c=3+5+3=11$

 마무리　　　　　　　　　　　P. 19~21

1 8개　　**2** ③, ⑤　**3** ②, ⑤　**4** ④　　**5** 90
6 ㄴ, ㅁ　**7** ⑤　　**8** ③
9 (1) 20(또는 $2^2 \times 5$)　(2) 1, 2, 4, 5, 10, 20　**10** ②
11 ④　　**12** ①　　**13** ③

1 자연수 중 약수가 2개인 것은 소수이므로 20 이하의 자연수
중 소수는 2, 3, 5, 7, 11, 13, 17, 19의 8개이다.

2
① $2^3 = 8$
② $3 \times 3 \times 3 \times 3 = 3^4$
④ $100000 = 10^5$
따라서 옳은 것은 ③, ⑤이다.

3
① $24 = 2^3 \times 3$
③ $100 = 2^2 \times 5^2$
④ $180 = 2^2 \times 3^2 \times 5$
따라서 옳은 것은 ②, ⑤이다.

4 $234 = 2 \times 3^2 \times 13$이므로 234의 소인수는 2, 3, 13이다.
따라서 모든 소인수의 합은 $2+3+13=18$

5 $120 = 2^3 \times 3 \times 5$이므로
$120 \times x = 2^3 \times 3 \times 5$가 어떤 자연수 y의 제곱이 되려면
모든 소인수의 지수가 짝수가 되어야 하므로
가장 작은 자연수 x의 값은 $x = 2 \times 3 \times 5 = 30$
이때 $120 \times 30 = (2 \times 2 \times 2 \times 3 \times 5) \times (2 \times 3 \times 5)$
$\qquad = (2 \times 2 \times 2 \times 2) \times (3 \times 3) \times (5 \times 5)$
$\qquad = (2 \times 2 \times 3 \times 5) \times (2 \times 2 \times 3 \times 5)$
$\qquad = (2 \times 2 \times 3 \times 5)^2$
$\qquad = 60^2$
이므로 $y = 60$
$\therefore x + y = 30 + 60 = 90$

6 $150 = 2 \times 3 \times 5^2$이므로 150의 약수는
(2의 약수) × (3의 약수) × (5^2의 약수) 꼴이다.
ㄴ. 3^2은 3의 약수가 아니므로 150의 약수가 아니다.
ㅁ. $2^2 \times 3 \times 5^2$에서 2^2은 2의 약수가 아니므로 150의 약수가
아니다.

7 주어진 수의 약수의 개수를 각각 구하면 다음과 같다.
① $(3+1) \times (2+1) = 12$
② $(1+1) \times (2+1) \times (1+1) = 12$
③ $(2+1) \times (3+1) = 12$
④ $84 = 2^2 \times 3 \times 7$이므로 약수의 개수는
$(2+1) \times (1+1) \times (1+1) = 12$
⑤ $112 = 2^4 \times 7$이므로 약수의 개수는
$(4+1) \times (1+1) = 10$
따라서 약수의 개수가 다른 하나는 ⑤이다.

8

$$\begin{array}{r} 2^2 \times 3^3 \\ 2^3 \times 3^2 \quad\ \times 7 \\ 2^4 \times 3^2 \times 5 \\ \hline \end{array}$$
$$(최대공약수)=2^2 \times 3^2$$

9 (1) **1단계** 세 수 80, 140, 200을 각각 소인수분해 하면
$80 = 2^4 \times 5$, $140 = 2^2 \times 5 \times 7$, $200 = 2^3 \times 5^2$
2단계 따라서 세 수 80, 140, 200의 최대공약수는
$2^2 \times 5 = 20$

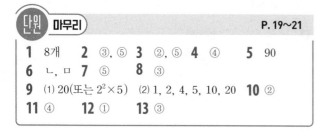

(2) **3단계** 세 수 80, 140, 200의 공약수는 세 수의
최대공약수인 20의 약수와 같으므로
1, 2, 4, 5, 10, 20

채점 기준		
1단계	세 수 80, 140, 200을 소인수분해 하기	… 20 %
2단계	세 수 80, 140, 200의 최대공약수 구하기	… 30 %
3단계	세 수 80, 140, 200의 공약수 구하기	… 50 %

10 2, 5, 13, 15, 17, 24, 27 중 10($=2 \times 5$)과 서로소인 수는
2인 배수도 아니고, 5의 배수도 아니어야 하므로 13, 17,
27의 3개이다.

11 두 수의 최소공배수를 구하면
① $2^2 \times 3^2 \times 7$ ② $2^3 \times 3 \times 7$ ③ $2^2 \times 3 \times 7$
④ $2^3 \times 3^2 \times 7$ ⑤ $2^5 \times 3^4 \times 5 \times 7$
따라서 두 수의 최소공배수가 $2^3 \times 3^2 \times 7$인 것은 ④이다.

12 $12 = 2^2 \times 3$, $84 = 2^2 \times 3 \times 7$이므로
세 수의 최소공배수는 $2^3 \times 3^2 \times 7$
즉, 세 수의 공배수는 $2^3 \times 3^2 \times 7$의 배수이다.
① $2^3 \times 3 \times 7$은 $2^3 \times 3^2 \times 7$의 배수가 아니므로
공배수가 아니다.

13

따라서 $a = 2$, $b = 3$이므로
$a + b = 2 + 3 = 5$

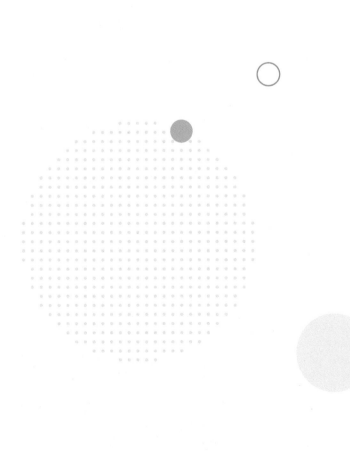

01 정수와 유리수

1 (1) -300원　(2) -4층　(3) $+6\,\text{cm}$

2 (1) $+8$　(2) -11　(3) $+\dfrac{1}{7}$　(4) -0.6

3 (1) $+3$, $+4$　(2) -1, -5, -100

4 3

5 (1) -3, 0, 10, $-\dfrac{10}{5}$　　(2) $+\dfrac{1}{2}$, $-\dfrac{3}{5}$, 3.14

(3) $+\dfrac{1}{2}$, 3.14, 10　　(4) -3, $-\dfrac{3}{5}$, $-\dfrac{10}{5}$

6 (1) ○　(2) ×　(3) ×　(4) ○

3 (1) 양수
　⇨ 0보다 큰 수로 양의 부호 +를 붙인 수
　∴ $+3$, $+4$
(2) 음수
　⇨ 0보다 작은 수로 음의 부호 −를 붙인 수
　∴ -1, -5, -100

4 정수는 $+5$, $\dfrac{4}{2}(=2)$, -7의 3개이다.

5 (1) 정수
　⇨ 양의 정수, 0, 음의 정수
　∴ -3, 0, 10, $-\dfrac{10}{5}(=-2)$
(2) 주어진 수는 모두 유리수이므로 정수가 아닌 유리수는 주어진 수에서 (1)의 정수를 제외한 수이다.
　∴ $+\dfrac{1}{2}$, $-\dfrac{3}{5}$, 3.14
(3) 양의 유리수
　⇨ 0보다 큰 수
　⇨ 양의 부호 +를 붙인 수
　　또는 + 부호를 생략한 수
　∴ $+\dfrac{1}{2}$, 3.14, 10
(4) 음의 유리수
　⇨ 0보다 작은 수
　⇨ 음의 부호 −를 붙인 수
　∴ -3, $-\dfrac{3}{5}$, $-\dfrac{10}{5}$

6 (2) 정수는 양의 정수, 0, 음의 정수로 이루어져 있다.
(3) 가장 작은 양의 유리수는 알 수 없다.

1 A: -6　B: $-\dfrac{5}{2}$　C: $+\dfrac{5}{3}$　D: $+4$

2
```
   (2)              (3)        (1)   (4)
 ┼──┼──┼──┼──┼──┼──┼──┼──┼──┼──┼──┼
 -5  -4  -3  -2  -1  0  +1  +2  +3  +4  +5
```

3 (1) 7　(2) 2.6　(3) 0　(4) $\dfrac{5}{6}$

4 (1) 11　(2) 14　(3) $\dfrac{5}{4}$　(4) $\dfrac{13}{6}$

5 (1) $+9$, -9　(2) $+0.5$　(3) $-\dfrac{2}{3}$

6
```
 ┼──┼──●──┼──┼──┼──┼──┼──┼──●──┼──┼  , 8
 -5  -4  -3  -2  -1  0  +1  +2  +3  +4  +5
```

7 (1) -27, $+11$, $+9$, -4, 0
(2) -3, $+2$, $\dfrac{5}{4}$, -1, $-\dfrac{1}{3}$

8 (1) ○　(2) ×　(3) ×　(4) ○

3 (3) 0은 수직선 위에서 원점에 대응하는 점이므로 0에 대응하는 점과 원점 사이의 거리는 0이다.
　∴ (0의 절댓값)$=0$

4 (1) $|-11|=(-11$의 절댓값$)=11$
(2) $|+14|=(+14$의 절댓값$)=14$
(3) $\left|-\dfrac{5}{4}\right|=\left(-\dfrac{5}{4}$의 절댓값$\right)=\dfrac{5}{4}$
(4) $\left|+\dfrac{13}{6}\right|=\left(+\dfrac{13}{6}$의 절댓값$\right)=\dfrac{13}{6}$

[5] 오른쪽 수직선에서 절댓값이 $a(a>0)$인 수는 $+a$, $-a$와 같이 a에 + 부호와 − 부호를 붙인 두 수이다.

5 (2) 절댓값이 0.5인 수는 $+0.5$, -0.5이고, 이 중 양수는 $+0.5$이다.
(3) 절댓값이 $\dfrac{2}{3}$인 수는 $+\dfrac{2}{3}$, $-\dfrac{2}{3}$이고, 이 중 음수는 $-\dfrac{2}{3}$이다.

6 절댓값이 4인 수에 대응하는 점은 원점으로부터의 거리가 4인 점이므로 이를 수직선 위에 모두 나타내면 다음 그림과 같다.

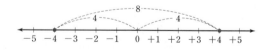

따라서 두 수에 대응하는 두 점 사이의 거리는 8이다.

7 (1) 주어진 수의 절댓값을 각각 구하면 다음과 같다.

수	-4	0	$+11$	-27	$+9$
절댓값	4	0	11	27	9

따라서 절댓값이 큰 수부터 차례로 나열하면
-27, $+11$, $+9$, -4, 0

(2) 주어진 수의 절댓값을 각각 구하면 다음과 같다.

수	$+2$	$-\dfrac{1}{3}$	-3	$\dfrac{5}{4}$	-1
절댓값	$2\left(=\dfrac{24}{12}\right)$	$\dfrac{1}{3}\left(=\dfrac{4}{12}\right)$	$3\left(=\dfrac{36}{12}\right)$	$\dfrac{5}{4}\left(=\dfrac{15}{12}\right)$	$1\left(=\dfrac{12}{12}\right)$

따라서 절댓값이 큰 수부터 차례로 나열하면
$-3,\ +2,\ \dfrac{5}{4},\ -1,\ -\dfrac{1}{3}$

8 (2) 예 $|+2|=2,\ |-3|=3$이므로 $|+2|<|-3|$
(3) 절댓값이 0인 수는 0뿐이다.

유형 3 **P. 26**

1 (1) $>$ (2) $<$ (3) $>$ (4) $<$

2 (1) $>$ (2) $<$ (3) $<$ (4) $>$

3 (1) $-8,\ -\dfrac{16}{3},\ 0,\ +2.5,\ 5$ (2) $-2,\ -\dfrac{5}{4},\ 0,\ +3,\ \dfrac{21}{4}$

4 (1) $x\leq 5$ (2) $-1<x\leq 6$ (3) $3\leq x<8$ (4) $x\geq-\dfrac{2}{3}$

5 (1) $-2,\ -1,\ 0,\ 1,\ 2,\ 3$ (2) $-1,\ 0,\ 1,\ 2$
(3) $-2,\ -1,\ 0,\ 1,\ 2$

6 (1) $-3,\ -2,\ -1,\ 0$ (2) $-2,\ -1,\ 0,\ 1,\ 2$

[1~3] 수의 대소 관계
(1) (음수)<0<(양수)
(2) 양수끼리는 절댓값이 큰 수가 크다.
(3) 음수끼리는 절댓값이 큰 수가 작다.
(4) 수직선에서 오른쪽에 있는 점에 대응하는 수가 더 크다.

1 (2) $|-6|=6,\ |-1|=1$이므로 $|-6|>|-1|$
$\therefore -6<-1$
(3) (음수)<(양수)이므로 $+3>-7$
(4) (음수)<0이므로 $-5<0$

2 (1) $+3=+\dfrac{9}{3}$이므로 $+\dfrac{11}{3}>+3$
(2) $\left|-\dfrac{1}{2}\right|=\dfrac{1}{2}=\dfrac{3}{6},\ \left|-\dfrac{1}{3}\right|=\dfrac{1}{3}=\dfrac{2}{6}$이므로
$\left|-\dfrac{1}{2}\right|>\left|-\dfrac{1}{3}\right|$ $\therefore -\dfrac{1}{2}<-\dfrac{1}{3}$
(3) $+\dfrac{7}{5}=+1.4$이므로 $+\dfrac{7}{5}<+1.8$
(4) $|-2.7|=2.7,\ |-3.5|=3.5$이므로
$|-2.7|<|-3.5|$ $\therefore -2.7>-3.5$

---

3 (1) (음수)<0<(양수)이므로 음수와 양수를 구분하여 각각의 대소를 비교하면 다음과 같다.
(i) 음수: $-8,\ -\dfrac{16}{3}$
$|-8|=8=\dfrac{24}{3},\ \left|-\dfrac{16}{3}\right|=\dfrac{16}{3}$이므로
$|-8|>\left|-\dfrac{16}{3}\right|$ $\therefore -8<-\dfrac{16}{3}$
(ii) 양수: $+2.5,\ 5$
$+2.5<5$
따라서 (음수)<0<(양수)이고, (i), (ii)에 의해
작은 수부터 차례로 나열하면
$-8,\ -\dfrac{16}{3},\ 0,\ +2.5,\ 5$

다른 풀이
주어진 수를 수직선 위에 나타내면 다음 그림과 같다.

따라서 작은 수부터 차례로 나열하면
$-8,\ -\dfrac{16}{3},\ 0,\ +2.5,\ 5$

(2) (음수)<0<(양수)이므로 음수와 양수를 구분하여 각각의 대소를 비교하면 다음과 같다.
(i) 음수: $-\dfrac{5}{4},\ -2$
$\left|-\dfrac{5}{4}\right|=\dfrac{5}{4},\ |-2|=2=\dfrac{8}{4}$이므로
$\left|-\dfrac{5}{4}\right|<|-2|$ $\therefore -\dfrac{5}{4}>-2$
(ii) 양수: $+3,\ \dfrac{21}{4}$
$+3=+\dfrac{12}{4}$이므로 $+3<\dfrac{21}{4}$
따라서 (음수)<0<(양수)이고, (i), (ii)에 의해
작은 수부터 차례로 나열하면
$-2,\ -\dfrac{5}{4},\ 0,\ +3,\ \dfrac{21}{4}$

다른 풀이
주어진 수를 수직선 위에 나타내면 다음 그림과 같다.

따라서 작은 수부터 차례로 나열하면
$-2,\ -\dfrac{5}{4},\ 0,\ +3,\ \dfrac{21}{4}$

4 (1) x는 5보다 크지 않다. $\Rightarrow x\leq 5$
작거나 같다.
(2) x는 -1보다 크고 6보다 작거나 같다.
$\Rightarrow -1<x\leq 6$
(3) x는 3 이상이고 8 미만이다. $\Rightarrow 3\leq x<8$
(4) x는 $-\dfrac{2}{3}$보다 작지 않다. $\Rightarrow x\geq-\dfrac{2}{3}$
크거나 같다.

5

(1)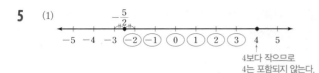

4보다 작으므로 4는 포함되지 않는다.

(2)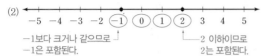

−1보다 크거나 같으므로 −1은 포함된다.

2 이하이므로 2는 포함된다.

(3) 절댓값이 2인 정수는 −2, 2이므로 절댓값이 2 이하인 정수는 −2 이상 2 이하인 정수이다.

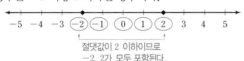

절댓값이 2 이하이므로 −2, 2가 모두 포함된다.

6

(1)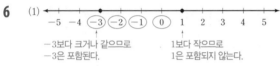

−3보다 크거나 같으므로 −3은 포함된다.

1보다 작으므로 1은 포함되지 않는다.

(2)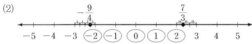

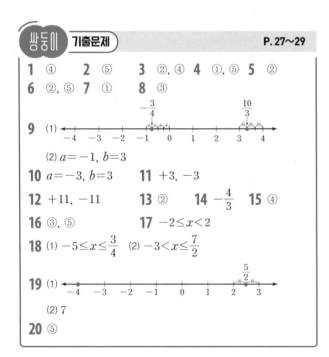

쌍둥이 **기출문제** P. 27~29

1 ④ **2** ⑤ **3** ②, ④ **4** ①, ⑤ **5** ②
6 ②, ⑤ **7** ① **8** ③
9 (1)

(2) $a=-1$, $b=3$
10 $a=-3$, $b=3$ **11** $+3$, -3
12 $+11$, -11 **13** ② **14** $-\dfrac{4}{3}$ **15** ④
16 ③, ⑤ **17** $-2 \le x < 2$
18 (1) $-5 \le x \le \dfrac{3}{4}$ (2) $-3 < x \le \dfrac{7}{2}$
19 (1)

(2) 7
20 ⑤

[1~2] 서로 반대되는 성질의 두 수량을 나타낼 때, 어떤 기준을 중심으로 한쪽 수량에는 + 부호를, 다른 쪽 수량에는 − 부호를 붙여 나타낸다.

예							
+	이익	해발	득점	증가	영상	인상	~ 후
−	손해	해저	실점	감소	영하	인하	~ 전

---

1 ① −600원 ② −300 m
③ −15점 ⑤ +9℃
따라서 옳은 것은 ④이다.

2 ⑤ 1 kg 감소했다. ⇨ −1 kg

[3~4] 유리수의 분류

유리수 ─┬─ 정수 ─┬─ 양의 정수 (자연수)
　　　　│　　　　├─ 0
　　　　│　　　　└─ 음의 정수
　　　　└─ 정수가 아닌 유리수

3 ① 정수는 4, 0, $-\dfrac{9}{3}(=-3)$의 3개이다.

② 주어진 수는 모두 유리수이므로 유리수는 6개이다.

③ 양수는 4, $+\dfrac{1}{3}$의 2개이다.

④ 음수는 −5.5, $-\dfrac{5}{4}$, $-\dfrac{9}{3}$의 3개이다.

⑤ 자연수는 4의 1개이다.

따라서 옳지 않은 것은 ②, ④이다.

4 ③ $-\dfrac{16}{4}=-4$ ⇨ 정수

따라서 정수가 아닌 유리수는 ①, ⑤이다.

5 ② B: $-1\dfrac{2}{3}=-\dfrac{5}{3}$

6 ① A: -4 ② B: $-2\dfrac{1}{3}=-\dfrac{7}{3}$

③ C: $-\dfrac{2}{3}$ ④ D: $+1\dfrac{1}{2}=+\dfrac{3}{2}$

따라서 옳은 것은 ②, ⑤이다.

7 주어진 수에 대응하는 점을 수직선 위에 나타내면 다음 그림과 같다.

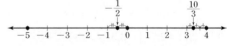

따라서 가장 왼쪽에 있는 점에 대응하는 수는 ①이다.

다른 풀이

수의 대소 관계에서 $-3 < -1.5 < 0 < +\dfrac{9}{2} < +6$이므로 수직선 위에 나타내었을 때, 가장 왼쪽에 있는 점에 대응하는 수는 ①이다.

8 주어진 수에 대응하는 점을 수직선 위에 나타내면 다음 그림과 같다.

따라서 가장 오른쪽에 있는 점에 대응하는 수는 ③이다.

수의 대소 관계에서 $-5<-\dfrac{1}{2}<0<\dfrac{10}{3}<4$이므로 수직선 위에 나타내었을 때, 가장 오른쪽에 있는 점에 대응하는 수는 ③이다.

[9~10] 절댓값
원점과 어떤 수에 대응하는 점 사이의 거리를 절댓값이라 하고, 절댓값은 어떤 수에서 부호를 떼어 낸 수로 생각하면 편리하다.

9 (1), (2) $-\dfrac{3}{4}$과 $\dfrac{10}{3}\left(=3\dfrac{1}{3}\right)$에 대응하는 점을 각각 수직선 위에 나타내면 다음 그림과 같다.

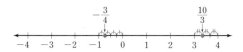

따라서 $-\dfrac{3}{4}$에 가장 가까운 정수는 -1이므로 $a=-1$,

$\dfrac{10}{3}$에 가장 가까운 정수는 3이므로 $b=3$

10 1단계 $-\dfrac{8}{3}\left(=2\dfrac{2}{3}\right)$과 $\dfrac{14}{5}\left(=2\dfrac{4}{5}\right)$에 대응하는 점을 각각 수직선 위에 나타내면 다음과 같다.

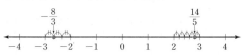

2단계 따라서 $-\dfrac{8}{3}$에 가장 가까운 정수는 -3이므로

$a=-3$

3단계 $\dfrac{14}{5}$에 가장 가까운 정수는 3이므로

$b=3$

채점 기준	
1단계 $-\dfrac{8}{3}$과 $\dfrac{14}{5}$에 대응하는 점을 수직선 위에 나타내기	… 40 %
2단계 a의 값 구하기	… 30 %
3단계 b의 값 구하기	… 30 %

[11~12] 절댓값이 같고 부호가 반대인 두 수에 대응하는 두 점 사이의 거리가 a이면 두 점은 원점으로부터 서로 반대 방향으로 $\dfrac{a}{2}$만큼 떨어져 있다.

⇨ 두 수는 $-\dfrac{a}{2}$, $\dfrac{a}{2}$이다.

11 두 점 사이의 거리가 6이므로 두 수는 수직선에서 원점으로부터 각각 $\dfrac{6}{2}=3$만큼 떨어져 있는 점에 대응하는 수이다.
따라서 구하는 두 수는 $+3$, -3이다.

12 두 점 사이의 거리가 22이므로 두 수는 수직선에서 원점으로부터 각각 $\dfrac{22}{2}=11$만큼 떨어져 있는 점에 대응하는 수이다.
따라서 구하는 두 수는 $+11$, -11이다.

13 ① $\left|-\dfrac{2}{3}\right|=\dfrac{2}{3}$ ② $|-3|=3$ ③ $|2|=2$
④ $|0|=0$ ⑤ $\left|\dfrac{1}{2}\right|=\dfrac{1}{2}$
이므로 주어진 수의 절댓값의 대소를 비교하면
$|0|<\left|\dfrac{1}{2}\right|<\left|-\dfrac{2}{3}\right|<|2|<|-3|$
따라서 절댓값이 가장 큰 수는 ②이다.

14 주어진 수의 절댓값을 각각 구하면
$|-1.5|=1.5$, $\left|-\dfrac{4}{3}\right|=\dfrac{4}{3}$, $|1|=1$, $|0|=0$,
$\left|+\dfrac{1}{2}\right|=\dfrac{1}{2}$, $|-0.8|=0.8$, $|+2|=2$
따라서 절댓값이 큰 수부터 차례로 나열하면
$+2$, -1.5, $-\dfrac{4}{3}$, 1, -0.8, $+\dfrac{1}{2}$, 0이므로
세 번째에 오는 수는 $-\dfrac{4}{3}$이다.

[15~16] (음수)<0<(양수)이고, 양수는 절댓값이 큰 수가 더 크고, 음수는 절댓값이 큰 수가 더 작다.

15 ① $-4<0$ ② $-3<\dfrac{2}{3}$
③ $0<+5$ ⑤ $+1>-7$
따라서 옳은 것은 ④이다.

16 ② $\dfrac{4}{5}\left(=\dfrac{28}{35}\right)>\dfrac{4}{7}\left(=\dfrac{20}{35}\right)$
③ $-\dfrac{3}{4}\left(=-\dfrac{9}{12}\right)>-\dfrac{4}{3}\left(=-\dfrac{16}{12}\right)$
⑤ $|-4|=4$이므로 $-4<|-4|$
따라서 옳지 않은 것은 ③, ⑤이다.

17 x는 -2보다 크거나 같고 2보다 작다.
⇨ $-2\le x<2$

18 (1) x는 -5보다 작지 않고 $\dfrac{3}{4}$보다 크지 않다.
크거나 같고   작거나 같다.
⇨ $-5\le x\le\dfrac{3}{4}$
(2) x는 -3 초과이고 $\dfrac{7}{2}$ 이하이다.
⇨ $-3<x\le\dfrac{7}{2}$

19 (1), (2) -4와 $\dfrac{5}{2}$에 대응하는 점을 각각 수직선 위에 나타내면 다음 그림과 같다.

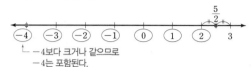

$\qquad$ -4보다 크거나 같으므로
$\qquad$ -4는 포함된다.

따라서 -4보다 크거나 같고 $\dfrac{5}{2}$보다 작은 정수는
-4, -3, -2, -1, 0, 1, 2의 7개이다.

20 $-\dfrac{13}{4}$과 3에 대응하는 점을 각각 수직선 위에 나타내면 다음 그림과 같다.

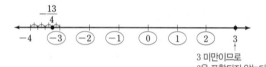

$\qquad\qquad\qquad\qquad$ 3 미만이므로
$\qquad\qquad\qquad\qquad$ 3은 포함되지 않는다.

따라서 $-\dfrac{13}{4}$과 3 사이에 있는 정수는
-3, -2, -1, 0, 1, 2의 6개이다.

---

o2 정수와 유리수의 덧셈과 뺄셈

유형 4 $\qquad\qquad\qquad\qquad\qquad\qquad$ **P. 30**

1 (1) -4 (2) $+3$ $\qquad$ **2** (1) $+6$ (2) -9
3 (1) -4 (2) $+\dfrac{17}{12}$ $\qquad$ **4** (1) -7 (2) $+3$
5 (1) -6 (2) $+4$ (3) -8 (4) $+3$
6 (1) -1.6 (2) $+2.5$ (3) $+\dfrac{1}{3}$ (4) $-\dfrac{1}{15}$
7 (1) $+2$ (2) $+\dfrac{7}{5}$

---

1 (1)

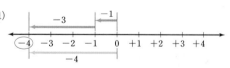

$\therefore (-1)+(-3)=-4$

(2)

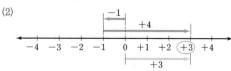

$\therefore (-1)+(+4)=+3$

[2~3] 부호가 같은 두 수의 덧셈
(1) 부호가 같은 두 수의 덧셈은 두 수의 절댓값의 합에 공통인 부호를 붙인다.
(2) 분수인 경우, 분모의 최소공배수로 통분한 후 (1)과 같은 방법으로 계산한다.

2 (1) $(+1)+(+5)=+(1+5)=+6$
$\quad$ (2) $(-5)+(-4)=-(5+4)=-9$

3 (1) $(-2.3)+(-1.7)=-(2.3+1.7)=-4$
$\quad$ (2) $\left(+\dfrac{2}{3}\right)+\left(+\dfrac{3}{4}\right)=\left(+\dfrac{8}{12}\right)+\left(+\dfrac{9}{12}\right)$
$\qquad\qquad\qquad\qquad =+\left(\dfrac{8}{12}+\dfrac{9}{12}\right)=+\dfrac{17}{12}$

4 어떤 수에 0을 더하거나 0에 어떤 수를 더하여도 그 합은 그 수 자신이 되므로
$\quad$ (1) $(-7)+0=-7$ $\qquad$ (2) $0+(+3)=+3$

[5~6] 부호가 다른 두 수의 덧셈
(1) 부호가 다른 두 수의 덧셈은 두 수의 절댓값의 차에 절댓값이 큰 수의 부호를 붙인다.
(2) 분수인 경우, 분모의 최소공배수로 통분한 후 (1)과 같은 방법으로 계산한다.

5 (1) $(-9)+(+3)=-(9-3)=-6$
$\quad$ (2) $(+10)+(-6)=+(10-6)=+4$
$\quad$ (3) $(+5)+(-13)=-(13-5)=-8$
$\quad$ (4) $(-17)+(+20)=+(20-17)=+3$

6 (1) $(-5.3)+(+3.7)=-(5.3-3.7)=-1.6$
$\quad$ (2) $(+3)+(-0.5)=+(3-0.5)=+2.5$
$\quad$ (3) $\left(-\dfrac{4}{9}\right)+\left(+\dfrac{7}{9}\right)=+\left(\dfrac{7}{9}-\dfrac{4}{9}\right)=+\dfrac{3}{9}=+\dfrac{1}{3}$
$\quad$ (4) $\left(-\dfrac{2}{5}\right)+\left(+\dfrac{1}{3}\right)=\left(-\dfrac{6}{15}\right)+\left(+\dfrac{5}{15}\right)$
$\qquad\qquad\qquad\qquad =-\left(\dfrac{6}{15}-\dfrac{5}{15}\right)=-\dfrac{1}{15}$

7 (1) $(-1)+(+3)=+(3-1)=+2$
$\quad$ (2) $(+2)+\left(-\dfrac{3}{5}\right)=\left(+\dfrac{10}{5}\right)+\left(-\dfrac{3}{5}\right)$
$\qquad\qquad\qquad\qquad =+\left(\dfrac{10}{5}-\dfrac{3}{5}\right)=+\dfrac{7}{5}$

유형 **5**

1 (가) 덧셈의 교환법칙, (나) 덧셈의 결합법칙

2 (1) 교환, -1.2, $+5$, -2

　(2) $-\dfrac{1}{2}$, 결합, $-\dfrac{1}{2}$, $+1$, $+\dfrac{1}{2}$

3 (1) $+4$　(2) $+17$　(3) $+5$　(4) -9　(5) -6

4 (1) -1　(2) $-\dfrac{17}{6}$　(3) -0.5　(4) $+\dfrac{2}{3}$　(5) $+4$

---

2 (1) $(+6.2)+(-7)+(-1.2)$

$=(-7)+(+6.2)+(-1.2)$　덧셈의 $\boxed{교환}$ 법칙

$=(-7)+\{(+6.2)+(\boxed{-1.2})\}$　덧셈의 결합법칙

$=(-7)+(\boxed{+5})$

$=\boxed{-2}$

(2) $\left(+\dfrac{2}{3}\right)+\left(-\dfrac{1}{2}\right)+\left(+\dfrac{1}{3}\right)$

$=\left(+\dfrac{2}{3}\right)+\left(+\dfrac{1}{3}\right)+\left(\boxed{-\dfrac{1}{2}}\right)$　덧셈의 교환법칙

$=\left\{\left(+\dfrac{2}{3}\right)+\left(+\dfrac{1}{3}\right)\right\}+\left(\boxed{-\dfrac{1}{2}}\right)$　덧셈의 $\boxed{결합}$ 법칙

$=(\boxed{+1})+\left(-\dfrac{1}{2}\right)$

$=\boxed{+\dfrac{1}{2}}$

[3~4] 덧셈의 계산 법칙을 이용하여

(1) 양수는 양수끼리, 음수는 음수끼리 모아서 계산하면 편리하다.

(2) 부호가 서로 반대이고, 절댓값이 같은 두 수의 합은 0이므로 그 두 수를 먼저 계산하는 것이 편리하다.

(3) 분수가 있는 식은 분모가 같은 것끼리 모아서 계산하면 편리하다.

3 (1) $(+4)+(-10)+(+10)$

$=(+4)+(+10)+(-10)$

$=\{(+4)+(+10)\}+(-10)$

$=(+14)+(-10)$

$=+(14-10)=+4$

다른 풀이

$(+4)+(-10)+(+10)$

$=(+4)+\{(-10)+(+10)\}$

$=(+4)+0=+4$

(2) $(-3)+(+17)+(+3)=(-3)+\{(+17)+(+3)\}$

$=(-3)+(+20)$

$=+(20-3)=+17$

다른 풀이

$(-3)+(+17)+(+3)=(-3)+(+3)+(+17)$

$=\{(-3)+(+3)\}+(+17)$

$=0+(+17)=+17$

(3) $(+6)+(+15)+(-16)$

$=\{(+6)+(+15)\}+(-16)$

$=(+21)+(-16)$

$=+(21-16)=+5$

(4) $(-7)+(-13)+(+11)$

$=\{(-7)+(-13)\}+(+11)$

$=(-20)+(+11)$

$=-(20-11)=-9$

(5) $(-22)+(+15)+(-8)+(+9)$

$=(-22)+(-8)+(+15)+(+9)$

$=\{(-22)+(-8)\}+\{(+15)+(+9)\}$

$=(-30)+(+24)$

$=-(30-24)=-6$

4 (1) $\left(+\dfrac{3}{5}\right)+(-2)+\left(+\dfrac{2}{5}\right)$

$=\left(+\dfrac{3}{5}\right)+\left(+\dfrac{2}{5}\right)+(-2)$

$=\left\{\left(+\dfrac{3}{5}\right)+\left(+\dfrac{2}{5}\right)\right\}+(-2)$

$=(+1)+(-2)$

$=-(2-1)=-1$

(2) $\left(-\dfrac{3}{2}\right)+\left(+\dfrac{1}{3}\right)+\left(-\dfrac{5}{3}\right)$

$=\left(-\dfrac{3}{2}\right)+\left\{\left(+\dfrac{1}{3}\right)+\left(-\dfrac{5}{3}\right)\right\}$

$=\left(-\dfrac{3}{2}\right)+\left(-\dfrac{4}{3}\right)$

$=\left(-\dfrac{9}{6}\right)+\left(-\dfrac{8}{6}\right)$

$=-\dfrac{17}{6}$

(3) $(-2.8)+(+5.5)+(-3.2)$

$=(-2.8)+(-3.2)+(+5.5)$

$=\{(-2.8)+(-3.2)\}+(+5.5)$

$=(-6)+(+5.5)$

$=-(6-5.5)=-0.5$

(4) $\left(+\dfrac{4}{3}\right)+\left(-\dfrac{1}{2}\right)+\left(+\dfrac{3}{2}\right)+\left(-\dfrac{5}{3}\right)$

$=\left(+\dfrac{4}{3}\right)+\left(-\dfrac{5}{3}\right)+\left(-\dfrac{1}{2}\right)+\left(+\dfrac{3}{2}\right)$

$=\left\{\left(+\dfrac{4}{3}\right)+\left(-\dfrac{5}{3}\right)\right\}+\left\{\left(-\dfrac{1}{2}\right)+\left(+\dfrac{3}{2}\right)\right\}$

$=\left(-\dfrac{1}{3}\right)+(+1)$

$=+\left(1-\dfrac{1}{3}\right)=+\dfrac{2}{3}$

(5) $(+2.7)+(+5)+(-0.7)+(-3)$

$=(+2.7)+(-0.7)+(+5)+(-3)$

$=\{(+2.7)+(-0.7)\}+\{(+5)+(-3)\}$

$=(+2)+(+2)$

$=+(2+2)=+4$

다른 풀이

$(+2.7)+(+5)+(-0.7)+(-3)$

$=\{(+2.7)+(+5)\}+\{(-0.7)+(-3)\}$

$=(+7.7)+(-3.7)$

$=+(7.7-3.7)=+4$

1　(1) -4, $+7$　(2) -2, -7　(3) $+3$, $+13$　(4) $+2$, -6

2　(1) -3　(2) $-\dfrac{2}{5}$　(3) $+\dfrac{1}{21}$　(4) $+3.5$

3　(1) -24　(2) $-\dfrac{5}{9}$　(3) $-\dfrac{13}{12}$　(4) -7.2

4　(1) -2　(2) $+3$

5　(1) $+11$　(2) $+3$　(3) $+\dfrac{3}{2}$　(4) $+1$

6　(1) 0　　(2) $+1$　(3) $-\dfrac{1}{6}$　(4) $+4.5$

7　(1) -4　(2) $+\dfrac{13}{5}$

2　(1) $(+1)-(+4)=(+1)+(-4)$
$$=-(4-1)=-3$$
(2) $\left(+\dfrac{1}{5}\right)-\left(+\dfrac{3}{5}\right)=\left(+\dfrac{1}{5}\right)+\left(-\dfrac{3}{5}\right)$
$$=-\left(\dfrac{3}{5}-\dfrac{1}{5}\right)=-\dfrac{2}{5}$$
(3) $\left(+\dfrac{3}{7}\right)-\left(+\dfrac{8}{21}\right)=\left(+\dfrac{3}{7}\right)+\left(-\dfrac{8}{21}\right)$
$$=\left(+\dfrac{9}{21}\right)+\left(-\dfrac{8}{21}\right)$$
$$=+\left(\dfrac{9}{21}-\dfrac{8}{21}\right)=+\dfrac{1}{21}$$
(4) $(+6.7)-(+3.2)=(+6.7)+(-3.2)$
$$=+(6.7-3.2)=+3.5$$

3　(1) $(-12)-(+12)=(-12)+(-12)$
$$=-(12+12)=-24$$
(2) $\left(-\dfrac{1}{9}\right)-\left(+\dfrac{4}{9}\right)=\left(-\dfrac{1}{9}\right)+\left(-\dfrac{4}{9}\right)$
$$=-\left(\dfrac{1}{9}+\dfrac{4}{9}\right)=-\dfrac{5}{9}$$
(3) $\left(-\dfrac{3}{4}\right)-\left(+\dfrac{1}{3}\right)=\left(-\dfrac{3}{4}\right)+\left(-\dfrac{1}{3}\right)$
$$=\left(-\dfrac{9}{12}\right)+\left(-\dfrac{4}{12}\right)$$
$$=-\left(\dfrac{9}{12}+\dfrac{4}{12}\right)=-\dfrac{13}{12}$$
(4) $(-4.2)-(+3)=(-4.2)+(-3)$
$$=-(4.2+3)=-7.2$$

4　(1) $0-(+2)=0+(-2)=-2$
(2) $0-(-3)=0+(+3)=+3$

5　(1) $(+3)-(-8)=(+3)+(+8)$
$$=+(3+8)=+11$$
(2) $\left(+\dfrac{4}{3}\right)-\left(-\dfrac{5}{3}\right)=\left(+\dfrac{4}{3}\right)+\left(+\dfrac{5}{3}\right)$
$$=+\left(\dfrac{4}{3}+\dfrac{5}{3}\right)$$
$$=+\dfrac{9}{3}=+3$$

(3) $\left(+\dfrac{5}{6}\right)-\left(-\dfrac{2}{3}\right)=\left(+\dfrac{5}{6}\right)+\left(+\dfrac{2}{3}\right)$
$$=\left(+\dfrac{5}{6}\right)+\left(+\dfrac{4}{6}\right)$$
$$=+\left(\dfrac{5}{6}+\dfrac{4}{6}\right)=+\dfrac{9}{6}=+\dfrac{3}{2}$$
(4) $(+0.9)-(-0.1)=(+0.9)+(+0.1)$
$$=+(0.9+0.1)=+1$$

6　(1) $(-7)-(-7)=(-7)+(+7)=0$
(2) $\left(-\dfrac{1}{8}\right)-\left(-\dfrac{9}{8}\right)=\left(-\dfrac{1}{8}\right)+\left(+\dfrac{9}{8}\right)$
$$=+\left(\dfrac{9}{8}-\dfrac{1}{8}\right)=+\dfrac{8}{8}=+1$$
(3) $\left(-\dfrac{2}{3}\right)-\left(-\dfrac{1}{2}\right)=\left(-\dfrac{2}{3}\right)+\left(+\dfrac{1}{2}\right)$
$$=\left(-\dfrac{4}{6}\right)+\left(+\dfrac{3}{6}\right)$$
$$=-\left(\dfrac{4}{6}-\dfrac{3}{6}\right)=-\dfrac{1}{6}$$
(4) $(-2.3)-(-6.8)=(-2.3)+(+6.8)$
$$=+(6.8-2.3)=+4.5$$

7　(1) $(-1)-(+3)=(-1)+(-3)=-(1+3)=-4$
(2) $(+2)-\left(-\dfrac{3}{5}\right)=(+2)+\left(+\dfrac{3}{5}\right)=+\left(2+\dfrac{3}{5}\right)$
$$=+\left(\dfrac{10}{5}+\dfrac{3}{5}\right)=+\dfrac{13}{5}$$

1　(1) -9　　(2) -2　　(3) $+6$

2　(1) $-\dfrac{3}{7}$　(2) $+\dfrac{1}{2}$　(3) -2

3　(1) 3　　(2) -13　(3) 3　　(4) -9　　(5) -7

4　(1) $-\dfrac{1}{2}$　(2) -3　(3) 4　　(4) -1　　(5) 2

5　(1) -0.8　(2) 4.7　(3) 9　　(4) 8　　(5) -1

1　(1) $(-2)-(+10)+(+3)=(-2)+(-10)+(+3)$
$$=\{(-2)+(-10)\}+(+3)$$
$$=(-12)+(+3)$$
$$=-(12-3)=-9$$
(2) $(-17)+(+12)-(-3)$
$$=(-17)+(+12)+(+3)$$
$$=(-17)+\{(+12)+(+3)\}$$
$$=(-17)+(+15)=-(17-15)=-2$$
(3) $(+3)-(-9)+(-5)-(+1)$
$$=(+3)+(+9)+(-5)+(-1)$$
$$=\{(+3)+(+9)\}+\{(-5)+(-1)\}$$
$$=(+12)+(-6)=+(12-6)=+6$$

2 (1) $\left(-\dfrac{2}{7}\right)-\left(-\dfrac{3}{7}\right)+\left(-\dfrac{4}{7}\right)$

$=\left(-\dfrac{2}{7}\right)+\left(+\dfrac{3}{7}\right)+\left(-\dfrac{4}{7}\right)$

$=\left(-\dfrac{2}{7}\right)+\left(-\dfrac{4}{7}\right)+\left(+\dfrac{3}{7}\right)$

$=\left\{\left(-\dfrac{2}{7}\right)+\left(-\dfrac{4}{7}\right)\right\}+\left(+\dfrac{3}{7}\right)$

$=\left(-\dfrac{6}{7}\right)+\left(+\dfrac{3}{7}\right)$

$=-\left(\dfrac{6}{7}-\dfrac{3}{7}\right)=-\dfrac{3}{7}$

(2) $\left(+\dfrac{9}{4}\right)+\left(-\dfrac{3}{2}\right)-\left(+\dfrac{1}{4}\right)$

$=\left(+\dfrac{9}{4}\right)+\left(-\dfrac{3}{2}\right)+\left(-\dfrac{1}{4}\right)$

$=\left(+\dfrac{9}{4}\right)+\left(-\dfrac{1}{4}\right)+\left(-\dfrac{3}{2}\right)$

$=\left\{\left(+\dfrac{9}{4}\right)+\left(-\dfrac{1}{4}\right)\right\}+\left(-\dfrac{3}{2}\right)$

$=(+2)+\left(-\dfrac{3}{2}\right)=+\left(2-\dfrac{3}{2}\right)$

$=+\left(\dfrac{4}{2}-\dfrac{3}{2}\right)=+\dfrac{1}{2}$

> **다른 풀이**
>
> $\left(+\dfrac{9}{4}\right)+\left(-\dfrac{3}{2}\right)-\left(+\dfrac{1}{4}\right)$
>
> $=\left(+\dfrac{9}{4}\right)+\left\{\left(-\dfrac{3}{2}\right)+\left(-\dfrac{1}{4}\right)\right\}$
>
> $=\left(+\dfrac{9}{4}\right)+\left\{\left(-\dfrac{6}{4}\right)+\left(-\dfrac{1}{4}\right)\right\}$
>
> $=\left(+\dfrac{9}{4}\right)+\left(-\dfrac{7}{4}\right)=+\left(\dfrac{9}{4}-\dfrac{7}{4}\right)$
>
> $=+\dfrac{2}{4}=+\dfrac{1}{2}$

(3) $\left(-\dfrac{3}{2}\right)+\left(-\dfrac{1}{5}\right)-\left(-\dfrac{1}{2}\right)-\left(+\dfrac{4}{5}\right)$

$=\left(-\dfrac{3}{2}\right)+\left(-\dfrac{1}{5}\right)+\left(+\dfrac{1}{2}\right)+\left(-\dfrac{4}{5}\right)$

$=\left(-\dfrac{3}{2}\right)+\left(+\dfrac{1}{2}\right)+\left(-\dfrac{1}{5}\right)+\left(-\dfrac{4}{5}\right)$

$=\left\{\left(-\dfrac{3}{2}\right)+\left(+\dfrac{1}{2}\right)\right\}+\left\{\left(-\dfrac{1}{5}\right)+\left(-\dfrac{4}{5}\right)\right\}$

$=\left(-\dfrac{2}{2}\right)+\left(-\dfrac{5}{5}\right)$

$=(-1)+(-1)=-2$

3 (1) $-2+5=(-2)+(+5)=+(5-2)=3$

(2) $-4-9=(-4)-(+9)=(-4)+(-9)$
$\qquad =-(4+9)=-13$

(3) $-10+15-2=(-10)+(+15)-(+2)$
$\qquad =(-10)+(+15)+(-2)$
$\qquad =(-10)+(-2)+(+15)$
$\qquad =\{(-10)+(-2)\}+(+15)$
$\qquad =(-12)+(+15)$
$\qquad =+(15-12)=3$

> **다른 풀이**
>
> $-10+15-2=-10-2+15=-12+15=3$

(4) $-1-3-5=(-1)-(+3)-(+5)$
$\qquad =(-1)+(-3)+(-5)$
$\qquad =\{(-1)+(-3)\}+(-5)$
$\qquad =(-4)+(-5)$
$\qquad =-(4+5)=-9$

> **다른 풀이**
>
> $-1-3-5=-4-5=-9$

(5) $-7+4-10+6$
$=(-7)+(+4)-(+10)+(+6)$
$=(-7)+(+4)+(-10)+(+6)$
$=(-7)+(-10)+(+4)+(+6)$
$=\{(-7)+(-10)\}+\{(+4)+(+6)\}$
$=(-17)+(+10)$
$=-(17-10)=-7$

> **다른 풀이**
>
> $-7+4-10+6=-7-10+4+6$
> $\qquad =-17+10=-7$

4 (1) $1-\dfrac{3}{2}=(+1)-\left(+\dfrac{3}{2}\right)=(+1)+\left(-\dfrac{3}{2}\right)$

$=\left(+\dfrac{2}{2}\right)+\left(-\dfrac{3}{2}\right)$

$=-\left(\dfrac{3}{2}-\dfrac{2}{2}\right)=-\dfrac{1}{2}$

(2) $-\dfrac{1}{4}-\dfrac{11}{4}=\left(-\dfrac{1}{4}\right)-\left(+\dfrac{11}{4}\right)$

$=\left(-\dfrac{1}{4}\right)+\left(-\dfrac{11}{4}\right)$

$=-\left(\dfrac{1}{4}+\dfrac{11}{4}\right)=-\dfrac{12}{4}=-3$

(3) $-\dfrac{5}{7}+3+\dfrac{12}{7}=\left(-\dfrac{5}{7}\right)+(+3)+\left(+\dfrac{12}{7}\right)$

$=\left(-\dfrac{5}{7}\right)+\left\{\left(+\dfrac{21}{7}\right)+\left(+\dfrac{12}{7}\right)\right\}$

$=\left(-\dfrac{5}{7}\right)+\left(+\dfrac{33}{7}\right)=+\left(\dfrac{33}{7}-\dfrac{5}{7}\right)$

$=\dfrac{28}{7}=4$

> **다른 풀이**
>
> $-\dfrac{5}{7}+3+\dfrac{12}{7}=-\dfrac{5}{7}+\dfrac{12}{7}+3=\dfrac{7}{7}+3=1+3=4$

(4) $-\dfrac{5}{6}+\dfrac{1}{2}-\dfrac{2}{3}=\left(-\dfrac{5}{6}\right)+\left(+\dfrac{1}{2}\right)-\left(+\dfrac{2}{3}\right)$

$=\left(-\dfrac{5}{6}\right)+\left(+\dfrac{3}{6}\right)+\left(-\dfrac{4}{6}\right)$

$=\left(-\dfrac{5}{6}\right)+\left(-\dfrac{4}{6}\right)+\left(+\dfrac{3}{6}\right)$

$=\left\{\left(-\dfrac{5}{6}\right)+\left(-\dfrac{4}{6}\right)\right\}+\left(+\dfrac{3}{6}\right)$

$=\left(-\dfrac{9}{6}\right)+\left(+\dfrac{3}{6}\right)$

$=-\left(\dfrac{9}{6}-\dfrac{3}{6}\right)=-\dfrac{6}{6}=-1$

다른 풀이

$$-\frac{5}{6}+\frac{1}{2}-\frac{2}{3}=-\frac{5}{6}-\frac{2}{3}+\frac{1}{2}=-\frac{5}{6}-\frac{4}{6}+\frac{3}{6}$$
$$=-\frac{9}{6}+\frac{3}{6}=-\frac{6}{6}=-1$$

(5) $\dfrac{1}{4}-\dfrac{7}{5}-\dfrac{5}{4}+\dfrac{22}{5}$

$$=\left(+\frac{1}{4}\right)-\left(+\frac{7}{5}\right)-\left(+\frac{5}{4}\right)+\left(+\frac{22}{5}\right)$$
$$=\left(+\frac{1}{4}\right)+\left(-\frac{7}{5}\right)+\left(-\frac{5}{4}\right)+\left(+\frac{22}{5}\right)$$
$$=\left(+\frac{1}{4}\right)+\left(-\frac{5}{4}\right)+\left(-\frac{7}{5}\right)+\left(+\frac{22}{5}\right)$$
$$=\left\{\left(+\frac{1}{4}\right)+\left(-\frac{5}{4}\right)\right\}+\left\{\left(-\frac{7}{5}\right)+\left(+\frac{22}{5}\right)\right\}$$
$$=\left(-\frac{4}{4}\right)+\left(+\frac{15}{5}\right)=(-1)+(+3)$$
$$=+(3-1)=2$$

다른 풀이

$$\frac{1}{4}-\frac{7}{5}-\frac{5}{4}+\frac{22}{5}=\frac{1}{4}-\frac{5}{4}-\frac{7}{5}+\frac{22}{5}$$
$$=-\frac{4}{4}+\frac{15}{5}$$
$$=-1+3=2$$

5 (1) $-8.3+7.5=(-8.3)+(+7.5)$
$$=-(8.3-7.5)=-0.8$$

(2) $-2.5+6+1.2=(-2.5)+(+6)+(+1.2)$
$$=(-2.5)+\{(+6)+(+1.2)\}$$
$$=(-2.5)+(+7.2)$$
$$=+(7.2-2.5)=4.7$$

다른 풀이

$-2.5+6+1.2=-2.5+7.2=4.7$

(3) $6.2-2.3+5.1=(+6.2)-(+2.3)+(+5.1)$
$$=(+6.2)+(-2.3)+(+5.1)$$
$$=(+6.2)+(+5.1)+(-2.3)$$
$$=\{(+6.2)+(+5.1)\}+(-2.3)$$
$$=(+11.3)+(-2.3)$$
$$=+(11.3-2.3)=9$$

다른 풀이

$6.2-2.3+5.1=6.2+5.1-2.3$
$$=11.3-2.3=9$$

(4) $2-6.7+11+1.7$
$$=(+2)-(+6.7)+(+11)+(+1.7)$$
$$=(+2)+(-6.7)+(+11)+(+1.7)$$
$$=(+2)+(+11)+(-6.7)+(+1.7)$$
$$=\{(+2)+(+11)\}+\{(-6.7)+(+1.7)\}$$
$$=(+13)+(-5)$$
$$=+(13-5)=8$$

다른 풀이

$2-6.7+11+1.7=2+11-6.7+1.7$
$$=13-5=8$$

(5) $1.8-1.2-3.8+2.2$
$$=(+1.8)-(+1.2)-(+3.8)+(+2.2)$$
$$=(+1.8)+(-1.2)+(-3.8)+(+2.2)$$
$$=(+1.8)+(+2.2)+(-1.2)+(-3.8)$$
$$=\{(+1.8)+(+2.2)\}+\{(-1.2)+(-3.8)\}$$
$$=(+4)+(-5)=-(5-4)=-1$$

다른 풀이

$1.8-1.2-3.8+2.2=1.8+2.2-1.2-3.8$
$$=4-5=-1$$

기출문제   P. 34~36

1 ①   **2** ①, ③   **3** ④   **4** ⑤
5 ㈎ 덧셈의 교환법칙, ㈏ 덧셈의 결합법칙   **6** ⑤
7 $+\dfrac{3}{4}$ **8** $+\dfrac{41}{6}$ **9** ①   **10** $+\dfrac{1}{8}$ **11** ④
12 ②   **13** (1) $a=-2$, $b=-13$ (2) -15
14 -6 **15** (1) -14 (2) -23 **16** $\dfrac{19}{20}$
17 ㉠$=3$, ㉡$=8$ **18** -12

[3~4] 두 수의 덧셈과 뺄셈
(1) 두 수의 덧셈
- 부호가 같으면 ⇨ 절댓값의 합에 공통인 부호를 붙인다.
- 부호가 다르면 ⇨ 절댓값의 차에 절댓값이 큰 수의 부호를 붙인다.

(2) 두 수의 뺄셈: 빼는 수의 부호를 바꾸어 덧셈으로 고쳐서 계산한다.

3 ④ $\left(-\dfrac{1}{4}\right)-\left(-\dfrac{2}{3}\right)=\left(-\dfrac{1}{4}\right)+\left(+\dfrac{2}{3}\right)$
$$=\left(-\frac{3}{12}\right)+\left(+\frac{8}{12}\right)$$
$$=+\left(\frac{8}{12}-\frac{3}{12}\right)=+\frac{5}{12}$$

⑤ $\left(-\dfrac{5}{6}\right)-\left(+\dfrac{1}{3}\right)=\left(-\dfrac{5}{6}\right)+\left(-\dfrac{1}{3}\right)$
$$=\left(-\frac{5}{6}\right)+\left(-\frac{2}{6}\right)$$
$$=-\left(\frac{5}{6}+\frac{2}{6}\right)=-\frac{7}{6}$$

따라서 계산 결과가 옳지 않은 것은 ④이다.

4 ① $\left(-\dfrac{1}{2}\right)+\left(+\dfrac{5}{6}\right)=\left(-\dfrac{3}{6}\right)+\left(+\dfrac{5}{6}\right)$
$$=+\left(\frac{5}{6}-\frac{3}{6}\right)=+\frac{1}{3}$$

② $\left(+\dfrac{1}{2}\right)+\left(-\dfrac{1}{6}\right)=\left(+\dfrac{3}{6}\right)+\left(-\dfrac{1}{6}\right)$
$$=+\left(\frac{3}{6}-\frac{1}{6}\right)=+\frac{1}{3}$$

③ $\left(+\dfrac{2}{3}\right)-\left(+\dfrac{1}{3}\right)=\left(+\dfrac{2}{3}\right)+\left(-\dfrac{1}{3}\right)$

$=+\left(\dfrac{2}{3}-\dfrac{1}{3}\right)=+\dfrac{1}{3}$

④ $\left(+\dfrac{3}{4}\right)-\left(+\dfrac{5}{12}\right)=\left(+\dfrac{3}{4}\right)+\left(-\dfrac{5}{12}\right)$

$=\left(+\dfrac{9}{12}\right)+\left(-\dfrac{5}{12}\right)$

$=+\left(\dfrac{9}{12}-\dfrac{5}{12}\right)=+\dfrac{1}{3}$

⑤ $\left(-\dfrac{4}{5}\right)-\left(-\dfrac{7}{15}\right)=\left(-\dfrac{4}{5}\right)+\left(+\dfrac{7}{15}\right)$

$=\left(-\dfrac{12}{15}\right)+\left(+\dfrac{7}{15}\right)$

$=-\left(\dfrac{12}{15}-\dfrac{7}{15}\right)=-\dfrac{1}{3}$

따라서 계산 결과가 나머지 넷과 다른 하나는 ⑤이다.

6 ⑤ ㉢: $+5$

7 주어진 수를 각각 통분하면 다음과 같다.

수	$-\dfrac{5}{4}$	$+\dfrac{1}{3}$	$+2$	$-\dfrac{7}{8}$	0
통분	$-\dfrac{30}{24}$	$+\dfrac{8}{24}$	$+\dfrac{48}{24}$	$-\dfrac{21}{24}$	0

따라서 가장 큰 수는 $+2$이고, 가장 작은 수는 $-\dfrac{5}{4}$이므로

그 합은 $(+2)+\left(-\dfrac{5}{4}\right)=\left(+\dfrac{8}{4}\right)+\left(-\dfrac{5}{4}\right)=+\dfrac{3}{4}$

8 주어진 수를 각각 통분하면 다음과 같다.

수	$-\dfrac{5}{3}$	$+\dfrac{7}{3}$	$-\dfrac{9}{2}$	$-\dfrac{3}{4}$	$+\dfrac{2}{3}$
통분	$-\dfrac{20}{12}$	$+\dfrac{28}{12}$	$-\dfrac{54}{12}$	$-\dfrac{9}{12}$	$+\dfrac{8}{12}$

따라서 가장 큰 수는 $+\dfrac{7}{3}$이므로 $a=+\dfrac{7}{3}$이고

가장 작은 수는 $-\dfrac{9}{2}$이므로 $b=-\dfrac{9}{2}$

$\therefore a-b=\left(+\dfrac{7}{3}\right)-\left(-\dfrac{9}{2}\right)$

$=\left(+\dfrac{7}{3}\right)+\left(+\dfrac{9}{2}\right)$

$=\left(+\dfrac{14}{6}\right)+\left(+\dfrac{27}{6}\right)$

$=+\dfrac{41}{6}$

[9~10] 덧셈과 뺄셈의 혼합 계산
❶ 뺄셈을 모두 덧셈으로 고친다.
❷ 덧셈의 계산 법칙을 이용하여 계산한다.

9 $(+2)+(-5)-(+9)=(+2)+(-5)+(-9)$

$=(+2)+\{(-5)+(-9)\}$

$=(+2)+(-14)=-12$

---

10 $\left(-\dfrac{8}{9}\right)-\left(-\dfrac{9}{8}\right)+\left(-\dfrac{1}{9}\right)=\left(-\dfrac{8}{9}\right)+\left(+\dfrac{9}{8}\right)+\left(-\dfrac{1}{9}\right)$

$=\left(-\dfrac{8}{9}\right)+\left(-\dfrac{1}{9}\right)+\left(+\dfrac{9}{8}\right)$

$=\left\{\left(-\dfrac{8}{9}\right)+\left(-\dfrac{1}{9}\right)\right\}+\left(+\dfrac{9}{8}\right)$

$=(-1)+\left(+\dfrac{9}{8}\right)$

$=\left(-\dfrac{8}{8}\right)+\left(+\dfrac{9}{8}\right)=+\dfrac{1}{8}$

11 ① $4+7-2=(4+7)-2=11-2=9$

② $4+\dfrac{2}{5}-5=4-5+\dfrac{2}{5}=(4-5)+\dfrac{2}{5}$

$=-1+\dfrac{2}{5}=-\dfrac{5}{5}+\dfrac{2}{5}=-\dfrac{3}{5}$

③ $-\dfrac{1}{2}-\dfrac{1}{4}+\dfrac{1}{8}=-\dfrac{4}{8}-\dfrac{2}{8}+\dfrac{1}{8}$

$=\left(-\dfrac{4}{8}-\dfrac{2}{8}\right)+\dfrac{1}{8}$

$=-\dfrac{6}{8}+\dfrac{1}{8}=-\dfrac{5}{8}$

④ $-1.2+2.1+1.1=-1.2+(2.1+1.1)$

$=-1.2+3.2=2$

⑤ $-\dfrac{3}{4}-1-\dfrac{1}{2}+3=-\dfrac{3}{4}-\dfrac{1}{2}-1+3$

$=\left(-\dfrac{3}{4}-\dfrac{2}{4}\right)+(-1+3)$

$=-\dfrac{5}{4}+2$

$=-\dfrac{5}{4}+\dfrac{8}{4}=\dfrac{3}{4}$

따라서 계산 결과가 옳은 것은 ④이다.

12 ① $-1-\dfrac{1}{2}+3=-1+3-\dfrac{1}{2}=(-1+3)-\dfrac{1}{2}$

$=2-\dfrac{1}{2}=\dfrac{4}{2}-\dfrac{1}{2}=\dfrac{3}{2}$

② $4+\dfrac{1}{2}-1.5=4+0.5-1.5=4+(0.5-1.5)$

$=4-1=3$

③ $2-1.6+4-3=(2-1.6)+(4-3)$

$=0.4+1=1.4$

④ $-1+2-3+4=-1-3+2+4=(-1-3)+(2+4)$

$=-4+6=2$

⑤ $-0.5+0.75+1.5=-0.5+1.5+0.75$

$=(-0.5+1.5)+0.75$

$=1+0.75=1.75$

따라서 계산 결과가 가장 큰 것은 ②이다.

[13~14] 어떤 수보다 ■만큼 큰(작은) 수
(1) 어떤 수보다 ■만큼 큰 수 ⇨ (어떤 수)+■
(2) 어떤 수보다 ■만큼 작은 수 ⇨ (어떤 수)−■

13 (1) a는 3보다 5만큼 작은 수이므로
$a=3-5=-2$
b는 -6보다 -7만큼 큰 수이므로
$b=-6+(-7)=-13$
(2) $a+b=-2+(-13)=-15$

14 a는 4보다 -6만큼 큰 수이므로
$a=4+(-6)=-2$
b는 -3보다 -7만큼 작은 수이므로
$b=-3-(-7)=-3+(+7)=4$
$\therefore a-b=-2-4=-6$

[15~18] 덧셈과 뺄셈 사이의 관계
(1) ●+■=▲ ⇨ ●=▲−■, ■=▲−●
(2) ●−■=▲ ⇨ ●=▲+■, ■=●−▲

15 (1) **1단계** 어떤 수를 □라 하면
□+9=−5이므로
□=−5−9=−14
따라서 어떤 수는 −14이다.
(2) **2단계** 어떤 수는 −14이므로 바르게 계산하면
$-14-9=-23$

채점 기준		
1단계	어떤 수 구하기	… 60 %
2단계	바르게 계산한 답 구하기	… 40 %

16 어떤 수를 □라 하면
$\square-\left(-\dfrac{2}{5}\right)=\dfrac{7}{4}$이므로
$\square=\dfrac{7}{4}+\left(-\dfrac{2}{5}\right)=\dfrac{35}{20}+\left(-\dfrac{8}{20}\right)=\dfrac{27}{20}$
따라서 어떤 수는 $\dfrac{27}{20}$이므로 바르게 계산하면
$\dfrac{27}{20}+\left(-\dfrac{2}{5}\right)=\dfrac{27}{20}+\left(-\dfrac{8}{20}\right)=\dfrac{19}{20}$

17 $6+(-2)+1=5$이므로
$6+㉠+(-4)=5$에서 ㉠$+2=5$
$\therefore ㉠=5-2=3$
$-4+㉡+1=5$에서 ㉡$-3=5$
$\therefore ㉡=5+3=8$

18 $4+5+(-8)=1$이므로
$2+㉠+4=1$에서 ㉠$+6=1$
$\therefore ㉠=1-6=-5$
$2+㉡+(-8)=1$에서 ㉡$-6=1$
$\therefore ㉡=1+6=7$
$\therefore ㉠-㉡=-5-7=-12$

03 정수와 유리수의 곱셈과 나눗셈

유형 **8** P. 37

1 (1) $+10$ (2) $+21$ (3) $+1$ (4) $+3$ (5) $+6.3$
(6) $+2$ (7) $+28$ (8) $+\dfrac{2}{3}$ (9) $+\dfrac{1}{6}$ (10) $+\dfrac{1}{4}$
2 (1) -12 (2) -48 (3) -1 (4) -10 (5) -6
(6) -20 (7) -36 (8) $-\dfrac{5}{4}$ (9) $-\dfrac{6}{7}$ (10) $-\dfrac{1}{5}$

1 (1) $(+2)\times(+5)=+(2\times5)=+10$
(2) $(-3)\times(-7)=+(3\times7)=+21$
(3) $(-1)\times(-1)=+(1\times1)=+1$
(4) $(+1.5)\times(+2)=+(1.5\times2)=+3$
(5) $(-9)\times(-0.7)=+(9\times0.7)=+6.3$
(6) $\left(-\dfrac{1}{3}\right)\times(-6)=+\left(\dfrac{1}{3}\times6\right)=+2$
(7) $(+16)\times\left(+\dfrac{7}{4}\right)=+\left(16\times\dfrac{7}{4}\right)=+28$
(8) $\left(+\dfrac{3}{4}\right)\times\left(+\dfrac{8}{9}\right)=+\left(\dfrac{3}{4}\times\dfrac{8}{9}\right)=+\dfrac{2}{3}$
(9) $\left(-\dfrac{7}{15}\right)\times\left(-\dfrac{5}{14}\right)=+\left(\dfrac{7}{15}\times\dfrac{5}{14}\right)=+\dfrac{1}{6}$
(10) $\left(+\dfrac{5}{6}\right)\times(+0.3)=+\left(\dfrac{5}{6}\times\dfrac{3}{10}\right)=+\dfrac{1}{4}$

2 (1) $(+4)\times(-3)=-(4\times3)=-12$
(2) $(-6)\times(+8)=-(6\times8)=-48$
(3) $(-1)\times(+1)=-(1\times1)=-1$
(4) $(+2.5)\times(-4)=-(2.5\times4)=-10$
(5) $(+5)\times(-1.2)=-(5\times1.2)=-6$
(6) $(-8)\times\left(+\dfrac{5}{2}\right)=-\left(8\times\dfrac{5}{2}\right)=-20$
(7) $\left(-\dfrac{4}{3}\right)\times(+27)=-\left(\dfrac{4}{3}\times27\right)=-36$
(8) $\left(+\dfrac{3}{2}\right)\times\left(-\dfrac{5}{6}\right)=-\left(\dfrac{3}{2}\times\dfrac{5}{6}\right)=-\dfrac{5}{4}$
(9) $\left(-\dfrac{9}{4}\right)\times\left(+\dfrac{8}{21}\right)=-\left(\dfrac{9}{4}\times\dfrac{8}{21}\right)=-\dfrac{6}{7}$
(10) $(-0.7)\times\left(+\dfrac{2}{7}\right)=-\left(\dfrac{7}{10}\times\dfrac{2}{7}\right)=-\dfrac{1}{5}$

유형 **9** P. 38

1 (가) 곱셈의 교환법칙, (나) 곱셈의 결합법칙
2 (1) 교환, -5, -5, $+7$, $+7.7$
(2) $-\dfrac{5}{6}$, 결합, $-\dfrac{5}{6}$, $+1$, $+3.8$
3 (1) $+30$ (2) -180 (3) -96 (4) -240 (5) $+45$
4 (1) -24 (2) $-\dfrac{3}{14}$ (3) $+\dfrac{3}{32}$ (4) $+\dfrac{13}{2}$ (5) -6

2

(1) $(-5) \times (+1.1) \times (-1.4)$

$= (+1.1) \times (\boxed{-5}) \times (-1.4) \leftarrow$ 곱셈의 $\boxed{교환}$ 법칙

$= (+1.1) \times \{(\boxed{-5}) \times (-1.4)\} \leftarrow$ 곱셈의 결합법칙

$= (+1.1) \times (\boxed{+7})$

$= \boxed{+7.7}$

(2) $\left(-\dfrac{6}{5}\right) \times (+3.8) \times \left(-\dfrac{5}{6}\right)$

$= \left(-\dfrac{6}{5}\right) \times \left(\boxed{-\dfrac{5}{6}}\right) \times (+3.8) \leftarrow$ 곱셈의 교환법칙

$= \left\{\left(-\dfrac{6}{5}\right) \times \left(\boxed{-\dfrac{5}{6}}\right)\right\} \times (+3.8) \leftarrow$ 곱셈의 $\boxed{결합}$ 법칙

$= (\boxed{+1}) \times (+3.8)$

$= \boxed{+3.8}$

[3~4] 세 수 이상의 곱셈에서

(1) 음수가 **짝수** 개이면 부호는 **+**가 된다.

(2) 음수가 **홀수** 개이면 부호는 **−**가 된다.

3

(1) $(-2) \times (-3) \times (+5) = +(2 \times 3 \times 5) = +30$

다른 풀이

$(-2) \times (-3) \times (+5) = (-2) \times (+5) \times (-3)$

$= \{(-2) \times (+5)\} \times (-3)$

$= (-10) \times (-3) = +30$

(2) $(-4) \times (-9) \times (-5) = -(4 \times 9 \times 5) = -180$

다른 풀이

$(-4) \times (-9) \times (-5) = (-4) \times (-5) \times (-9)$

$= \{(-4) \times (-5)\} \times (-9)$

$= (+20) \times (-9) = -180$

(3) $(+4) \times (-8) \times (+3) = -(4 \times 8 \times 3) = -96$

(4) $(-2) \times (+6) \times (-5) \times (-4)$

$= -(2 \times 6 \times 5 \times 4) = -240$

다른 풀이

$(-2) \times (+6) \times (-5) \times (-4)$

$= (-2) \times (-5) \times (+6) \times (-4)$

$= \{(-2) \times (-5)\} \times \{(+6) \times (-4)\}$

$= (+10) \times (-24) = -240$

(5) $(-3) \times (-5) \times (-1) \times (-3)$

$= +(3 \times 5 \times 1 \times 3) = +45$

4

(1) $(-4) \times \left(-\dfrac{4}{5}\right) \times \left(-\dfrac{15}{2}\right) = -\left(4 \times \dfrac{4}{5} \times \dfrac{15}{2}\right)$

$= -24$

(2) $\left(+\dfrac{1}{4}\right) \times \left(-\dfrac{3}{2}\right) \times \left(+\dfrac{4}{7}\right) = -\left(\dfrac{1}{4} \times \dfrac{3}{2} \times \dfrac{4}{7}\right)$

$= -\dfrac{3}{14}$

(3) $\left(-\dfrac{5}{6}\right) \times \left(-\dfrac{3}{8}\right) \times \left(+\dfrac{3}{10}\right) = +\left(\dfrac{5}{6} \times \dfrac{3}{8} \times \dfrac{3}{10}\right)$

$= +\dfrac{3}{32}$

다른 풀이

$\left(-\dfrac{5}{6}\right) \times \left(-\dfrac{3}{8}\right) \times \left(+\dfrac{3}{10}\right)$

$= \left\{\left(-\dfrac{5}{6}\right) \times \left(+\dfrac{3}{10}\right)\right\} \times \left(-\dfrac{3}{8}\right)$

$= \left(-\dfrac{1}{4}\right) \times \left(-\dfrac{3}{8}\right) = +\dfrac{3}{32}$

(4) $\left(+\dfrac{3}{5}\right) \times (-4) \times \left(-\dfrac{13}{24}\right) \times (+5)$

$= +\left(\dfrac{3}{5} \times 4 \times \dfrac{13}{24} \times 5\right) = +\dfrac{13}{2}$

다른 풀이

$\left(+\dfrac{3}{5}\right) \times (-4) \times \left(-\dfrac{13}{24}\right) \times (+5)$

$= \left\{\left(+\dfrac{3}{5}\right) \times (+5)\right\} \times \left\{(-4) \times \left(-\dfrac{13}{24}\right)\right\}$

$= (+3) \times \left(+\dfrac{13}{6}\right) = +\dfrac{13}{2}$

(5) $\left(-\dfrac{9}{2}\right) \times \left(+\dfrac{5}{4}\right) \times \left(-\dfrac{2}{3}\right) \times \left(-\dfrac{8}{5}\right)$

$= -\left(\dfrac{9}{2} \times \dfrac{5}{4} \times \dfrac{2}{3} \times \dfrac{8}{5}\right) = -6$

다른 풀이

$\left(-\dfrac{9}{2}\right) \times \left(+\dfrac{5}{4}\right) \times \left(-\dfrac{2}{3}\right) \times \left(-\dfrac{8}{5}\right)$

$= \left\{\left(-\dfrac{9}{2}\right) \times \left(-\dfrac{2}{3}\right)\right\} \times \left\{\left(+\dfrac{5}{4}\right) \times \left(-\dfrac{8}{5}\right)\right\}$

$= (+3) \times (-2) = -6$

유형 10 P. 39

1 (1) $+9$ (2) -9 (3) -8 (4) -8

2 (1) $+1$ (2) -1

3 (1) -8 (2) $-\dfrac{9}{2}$ (3) -25 (4) -45 (5) $+\dfrac{5}{2}$

1

(1) $(-3)^2 = (-3) \times (-3) = +(3 \times 3) = +9$

(2) $-3^2 = -(3 \times 3) = -9$

(3) $(-2)^3 = (-2) \times (-2) \times (-2) = -(2 \times 2 \times 2) = -8$

(4) $-2^3 = -(2 \times 2 \times 2) = -8$

2

(1) $(-1)^{50} = \underbrace{(-1) \times (-1) \times \cdots \times (-1)}_{\text{음수가 50개(짝수 개)}} = +1$

(2) $(-1)^{101} = \underbrace{(-1) \times (-1) \times \cdots \times (-1)}_{\text{음수가 101개(홀수 개)}} = -1$

3

(1) $(-4)^2 \times \left(-\dfrac{1}{2}\right) = (+16) \times \left(-\dfrac{1}{2}\right) = -8$

(2) $(-2)^3 \times \left(-\dfrac{3}{4}\right)^2 = (-8) \times \left(+\dfrac{9}{16}\right) = -\dfrac{9}{2}$

(3) $(-1)^5 \times (-5)^2 = (-1) \times (+25) = -25$

(4) $(-3)^2 \times (-5) \times (-1)^6 = (+9) \times (-5) \times (+1)$

$= -(9 \times 5 \times 1) = -45$

$(5)\ (-6)^2 \times \left(-\dfrac{5}{9}\right) \times \left(-\dfrac{1}{2}\right)^3$

$\quad = (+36) \times \left(-\dfrac{5}{9}\right) \times \left(-\dfrac{1}{8}\right)$

$\quad = +\left(36 \times \dfrac{5}{9} \times \dfrac{1}{8}\right) = +\dfrac{5}{2}$

유형 11　　　　　　　　　　　　　　　　P. 39

1　(1) 1560　(2) 23　(3) -20

2　(1) -70　(2) 13　(3) 123

1　(1) $15 \times (100+4) = 15 \times 100 + 15 \times 4$
$\qquad\qquad\qquad\qquad\quad = 1500 + 60 = 1560$

$(2)\ 20 \times \left(\dfrac{7}{4} - \dfrac{3}{5}\right) = 20 \times \dfrac{7}{4} - 20 \times \dfrac{3}{5}$
$\qquad\qquad\qquad\qquad = 35 - 12 = 23$

$(3)\ \left\{3 + \left(-\dfrac{11}{7}\right)\right\} \times (-14)$

$\quad = 3 \times (-14) + \left(-\dfrac{11}{7}\right) \times (-14)$

$\quad = -42 + 22 = -20$

2　$(1)\ (-7) \times 9.8 + (-7) \times 0.2 = (-7) \times (9.8 + 0.2)$
$\qquad\qquad\qquad\qquad\qquad\qquad = (-7) \times 10 = -70$

$(2)\ \dfrac{9}{7} \times 13 - \dfrac{2}{7} \times 13 = \left(\dfrac{9}{7} - \dfrac{2}{7}\right) \times 13$
$\qquad\qquad\qquad\qquad = \dfrac{7}{7} \times 13 = 1 \times 13 = 13$

$(3)\ 6.8 \times 12.3 + 3.2 \times 12.3 = (6.8 + 3.2) \times 12.3$
$\qquad\qquad\qquad\qquad\qquad = 10 \times 12.3 = 123$

유형 12　　　　　　　　　　　　　　　　P. 40

1　(1) $+2$　(2) $+7$　(3) -6　(4) -5　(5) 0

2　(1) $\dfrac{1}{7}$　(2) $-\dfrac{1}{4}$　(3) 5　(4) $-\dfrac{3}{4}$

3　(1) $\dfrac{1}{3}$　(2) $-\dfrac{1}{2}$　(3) $\dfrac{6}{5}$　(4) $-\dfrac{5}{7}$　(5) $\dfrac{3}{5}$　(6) $-\dfrac{5}{3}$

4　(1) $-\dfrac{7}{6}, +\dfrac{7}{16}$　(2) -8　(3) $-\dfrac{5}{3}$

$\quad$(4) $+\dfrac{1}{6}$　(5) $+\dfrac{1}{15}$

5　(1) -9　(2) $+16$　(3) $+\dfrac{12}{5}$　(4) -4

1　$(1)\ (+10) \div (+5) = +(10 \div 5) = +2$
$\quad (2)\ (-21) \div (-3) = +(21 \div 3) = +7$
$\quad (3)\ (-12) \div (+2) = -(12 \div 2) = -6$

$(4)\ (+35) \div (-7) = -(35 \div 7) = -5$

(5) 0을 0이 아닌 수로 나누면 그 몫은 항상 0이므로
$\quad 0 \div (+6) = 0$

3　(1) $3 = \dfrac{3}{1}$　　　　　$\Rightarrow$ 역수: $\dfrac{1}{3}$

$\quad$(2) $-2 = -\dfrac{2}{1}$　　　$\Rightarrow$ 역수: $-\dfrac{1}{2}$

$\quad$(3) $\dfrac{5}{6}$　　　　　　$\Rightarrow$ 역수: $\dfrac{6}{5}$

$\quad$(4) $-\dfrac{7}{5}$　　　　　$\Rightarrow$ 역수: $-\dfrac{5}{7}$

$\quad$(5) $1\dfrac{2}{3} = \dfrac{5}{3}$　　　$\Rightarrow$ 역수: $\dfrac{3}{5}$

$\quad$(6) $-0.6 = -\dfrac{6}{10} = -\dfrac{3}{5}\ \Rightarrow$ 역수: $-\dfrac{5}{3}$

4　$(1)\ \left(-\dfrac{3}{8}\right) \div \left(-\dfrac{6}{7}\right) = \left(-\dfrac{3}{8}\right) \times \boxed{-\dfrac{7}{6}} = +\dfrac{7}{16}$

$\quad (2)\ \left(+\dfrac{2}{5}\right) \div \left(-\dfrac{1}{20}\right) = \left(+\dfrac{2}{5}\right) \times (-20) = -8$

$\quad (3)\ (-3) \div \left(+\dfrac{9}{5}\right) = (-3) \times \left(+\dfrac{5}{9}\right) = -\dfrac{5}{3}$

$\quad (4)\ (+1.25) \div \left(+\dfrac{15}{2}\right) = \left(+\dfrac{125}{100}\right) \times \left(+\dfrac{2}{15}\right)$
$\qquad\qquad\qquad\qquad\qquad = +\dfrac{1}{6}$

$\quad (5)\ (-0.7) \div (-10.5) = \left(-\dfrac{7}{10}\right) \div \left(-\dfrac{105}{10}\right)$
$\qquad\qquad\qquad\qquad = \left(-\dfrac{7}{10}\right) \times \left(-\dfrac{10}{105}\right)$
$\qquad\qquad\qquad\qquad = +\dfrac{1}{15}$

5　$(1)\ (+4) \div \left(-\dfrac{10}{3}\right) \div \left(+\dfrac{2}{15}\right)$

$\quad = (+4) \times \left(-\dfrac{3}{10}\right) \times \left(+\dfrac{15}{2}\right)$

$\quad = -\left(4 \times \dfrac{3}{10} \times \dfrac{15}{2}\right) = -9$

$\quad (2)\ (-20) \div \left(+\dfrac{5}{6}\right) \div \left(-\dfrac{3}{2}\right)$

$\quad = (-20) \times \left(+\dfrac{6}{5}\right) \times \left(-\dfrac{2}{3}\right)$

$\quad = +\left(20 \times \dfrac{6}{5} \times \dfrac{2}{3}\right) = +16$

$\quad (3)\ \left(-\dfrac{9}{4}\right) \div (-5) \div \left(+\dfrac{3}{16}\right)$

$\quad = \left(-\dfrac{9}{4}\right) \times \left(-\dfrac{1}{5}\right) \times \left(+\dfrac{16}{3}\right)$

$\quad = +\left(\dfrac{9}{4} \times \dfrac{1}{5} \times \dfrac{16}{3}\right) = +\dfrac{12}{5}$

$\quad (4)\ \left(+\dfrac{3}{7}\right) \div \left(-\dfrac{5}{14}\right) \div \left(+\dfrac{3}{10}\right)$

$\quad = \left(+\dfrac{3}{7}\right) \times \left(-\dfrac{14}{5}\right) \times \left(+\dfrac{10}{3}\right)$

$\quad = -\left(\dfrac{3}{7} \times \dfrac{14}{5} \times \dfrac{10}{3}\right) = -4$

1 (1) 30　　(2) −20　(3) −4　　(4) 5　　(5) 81
2 (1) −12　(2) −16　(3) −15　(4) 12　(5) −10
3 (1) (차례로) ⑤, ②, ①, ③, ④
　　(2) (차례로) ④, ③, ②, ①, ⑤
　　(3) (차례로) ⑤, ③, ②, ①, ④
4 (1) 7　(2) 1　(3) $-\dfrac{9}{4}$　(4) −22

1 (1) $(-5)\times\dfrac{3}{4}\div\left(-\dfrac{1}{8}\right)=(-5)\times\dfrac{3}{4}\times(-8)$
$\qquad\qquad\qquad\qquad=+\left(5\times\dfrac{3}{4}\times8\right)=30$

(2) $\dfrac{5}{6}\div\left(-\dfrac{7}{12}\right)\times14=\dfrac{5}{6}\times\left(-\dfrac{12}{7}\right)\times14$
$\qquad\qquad\qquad\qquad=-\left(\dfrac{5}{6}\times\dfrac{12}{7}\times14\right)=-20$

(3) $\dfrac{3}{2}\times\left(-\dfrac{2}{3}\right)^2\div\left(-\dfrac{1}{6}\right)=\dfrac{3}{2}\times\dfrac{4}{9}\times(-6)$
$\qquad\qquad\qquad\qquad=-\left(\dfrac{3}{2}\times\dfrac{4}{9}\times6\right)=-4$

(4) $(-2)^3\times(-1)^5\div\dfrac{8}{5}=(-8)\times(-1)\times\dfrac{5}{8}$
$\qquad\qquad\qquad\qquad=+\left(8\times1\times\dfrac{5}{8}\right)=5$

(5) $(-3^2)\div\left(-\dfrac{4}{5}\right)\times\dfrac{36}{5}=(-9)\times\left(-\dfrac{5}{4}\right)\times\dfrac{36}{5}$
$\qquad\qquad\qquad\qquad=+\left(9\times\dfrac{5}{4}\times\dfrac{36}{5}\right)=81$

2 (1) $(-3)\times8-24\div(-2)=(-24)-(-12)$
$\qquad\qquad\qquad\qquad\qquad=(-24)+(+12)=-12$

(2) $(-12)\div(-3)+(-5)\times(+4)$
$\quad=(+4)+(-20)=-16$

(3) $3+12\div4-3\times7=3+3-21$
$\qquad\qquad\qquad\quad=6-21=-15$

(4) $6\div\left(-\dfrac{3}{5}\right)-2+9\times\dfrac{8}{3}$
$\quad=6\times\left(-\dfrac{5}{3}\right)-2+24$
$\quad=-10-2+24=12$

(5) $(-2)^2\div\dfrac{1}{10}+(-5)^2\div\left(-\dfrac{1}{2}\right)$
$\quad=4\times10+25\times(-2)$
$\quad=40+(-50)=-10$

4 (1) $9-\{25\div(-5)+7\}=9-(-5+7)$
$\qquad\qquad\qquad\qquad=9-2=7$

(2) $13-4\times\{2-(-1)^3\}=13-4\times\{2-(-1)\}$
$\qquad\qquad\qquad\qquad=13-4\times\{2+(+1)\}$
$\qquad\qquad\qquad\qquad=13-4\times3$
$\qquad\qquad\qquad\qquad=13-12=1$

(3) $\dfrac{3}{4}\times\left\{(-2)^2-\dfrac{2}{5}\right\}\div\left(-\dfrac{6}{5}\right)$
$=\dfrac{3}{4}\times\left(4-\dfrac{2}{5}\right)\times\left(-\dfrac{5}{6}\right)$
$=\dfrac{3}{4}\times\dfrac{18}{5}\times\left(-\dfrac{5}{6}\right)$
$=-\left(\dfrac{3}{4}\times\dfrac{18}{5}\times\dfrac{5}{6}\right)=-\dfrac{9}{4}$

(4) $\left[-7+\left\{1-\dfrac{1}{3}\times\left(-\dfrac{3}{2}\right)^2\right\}\div\dfrac{1}{12}\right]\times\dfrac{11}{2}$
$=\left\{-7+\left(1-\dfrac{1}{3}\times\dfrac{9}{4}\right)\div\dfrac{1}{12}\right\}\times\dfrac{11}{2}$
$=\left\{-7+\left(1-\dfrac{3}{4}\right)\div\dfrac{1}{12}\right\}\times\dfrac{11}{2}$
$=\left(-7+\dfrac{1}{4}\times12\right)\times\dfrac{11}{2}$
$=(-7+3)\times\dfrac{11}{2}$
$=(-4)\times\dfrac{11}{2}=-22$

쌍둥이 기출문제　　　　　　　　　**P. 42~44**

1 ②　　　**2** ③　　　**3** ③
4 ㈎ 곱셈의 교환법칙, ㈏ 곱셈의 결합법칙
5 ③　　**6** ②　　**7** ④　　**8** 1
9 $a=100$, $b=1330$　**10** −30
11 (1) $a\times b+a\times c$　(2) 28　　　**12** 8　　　**13** ④
14 $\dfrac{20}{7}$　　**15** $\dfrac{1}{6}$　　**16** ⑤
17 (1) ㉢, ㉣, ㉡, ㉠　(2) −6　　　**18** −24

[1~2] 두 수의 곱셈과 나눗셈
(1) 두 수의 부호가 같은 경우 ⎡ 곱셈 ⇨ +(절댓값의 곱)
　　　　　　　　　　　　　 ⎣ 나눗셈 ⇨ +(절댓값의 몫)
(2) 두 수의 부호가 다른 경우 ⎡ 곱셈 ⇨ −(절댓값의 곱)
　　　　　　　　　　　　　 ⎣ 나눗셈 ⇨ −(절댓값의 몫)

1 ① $(+2)\times(+4)=+(2\times4)=+8$
② $(+6)\times(-2)=-(6\times2)=-12$
③ $(-10)\div(+5)=-(10\div5)=-2$
④ $(+1.6)\div(-0.4)=-(1.6\div0.4)=-4$
⑤ $\left(-\dfrac{3}{2}\right)\div\left(-\dfrac{3}{8}\right)=\left(-\dfrac{3}{2}\right)\times\left(-\dfrac{8}{3}\right)$
$\qquad\qquad\qquad\quad=+\left(\dfrac{3}{2}\times\dfrac{8}{3}\right)=+4$

따라서 계산 결과가 가장 작은 것은 ②이다.

2 ① $(+4) \times \left(-\dfrac{3}{4}\right) = -\left(4 \times \dfrac{3}{4}\right) = -3$

② $(-9) \div (+3) = -(9 \div 3) = -3$

③ $(+1.2) \times (-3) = -(1.2 \times 3) = -3.6$

④ $\left(+\dfrac{2}{3}\right) \div \left(-\dfrac{2}{9}\right) = \left(+\dfrac{2}{3}\right) \times \left(-\dfrac{9}{2}\right)$

$= -\left(\dfrac{2}{3} \times \dfrac{9}{2}\right) = -3$

⑤ $\left(-\dfrac{5}{3}\right) \times \left(+\dfrac{9}{5}\right) = -\left(\dfrac{5}{3} \times \dfrac{9}{5}\right) = -3$

따라서 계산 결과가 나머지 넷과 다른 하나는 ③이다.

[5~8] $(-a)^n$과 $-a^n$의 계산

(1) • $(-a)^n = \underbrace{(-a) \times (-a) \times \cdots \times (-a)}_{-a를\ n번\ 곱}$

• $-a^n = -(\underbrace{a \times a \times \cdots \times a}_{a를\ n번\ 곱})$

$\quad\quad\quad$ └ $-$ 부호가 붙은 것

(2) • $(-1)^n = \begin{cases} n이\ 홀수이면\ -1 \\ n이\ 짝수이면\ +1 \end{cases}$

• $-1^n = -1$

5 ① $-4^2 = -(4 \times 4) = -16$

② $(-4)^3 = (-4) \times (-4) \times (-4) = -64$

③ $-(-4^3) = -\{-(4 \times 4 \times 4)\}$

$= -(-64) = 64$

④ $(-4)^2 = (-4) \times (-4) = 16$

⑤ $-4 \times (-4)^2 = -4 \times (-4) \times (-4)$

$= -(4 \times 4 \times 4) = -64$

따라서 계산 결과가 가장 큰 것은 ③이다.

6 ① $\left(-\dfrac{1}{2}\right)^2 = \left(-\dfrac{1}{2}\right) \times \left(-\dfrac{1}{2}\right) = \dfrac{1}{4}$

② $-\left(\dfrac{1}{2}\right)^2 = -\left(\dfrac{1}{2} \times \dfrac{1}{2}\right) = -\dfrac{1}{4}$

③ $\left(-\dfrac{1}{2}\right)^3 = \left(-\dfrac{1}{2}\right) \times \left(-\dfrac{1}{2}\right) \times \left(-\dfrac{1}{2}\right)$

$= -\left(\dfrac{1}{2} \times \dfrac{1}{2} \times \dfrac{1}{2}\right) = -\dfrac{1}{8}$

④ $-\left(-\dfrac{1}{2}\right)^3 = -\left\{\left(-\dfrac{1}{2}\right) \times \left(-\dfrac{1}{2}\right) \times \left(-\dfrac{1}{2}\right)\right\}$

$= -\left\{-\left(\dfrac{1}{2} \times \dfrac{1}{2} \times \dfrac{1}{2}\right)\right\}$

$= -\left(-\dfrac{1}{8}\right) = \dfrac{1}{8}$

⑤ $\dfrac{1}{(-2)^3} = \dfrac{1}{(-2) \times (-2) \times (-2)} = \dfrac{1}{-(2 \times 2 \times 2)}$

$= \dfrac{1}{-8} = -\dfrac{1}{8}$

따라서 계산 결과가 가장 작은 것은 ②이다.

7 $(-1)^{1001} \div (-1)^{1003} \times (-1)^{1004}$

$= -1 \div (-1) \times 1 = 1$

8 〔1단계〕 $(-1)^{2024} = 1$, $(-1)^{2025} = -1$, $1^{2026} = 1$이므로

〔2단계〕 주어진 식을 계산하면

$(-1)^{2024} - (-1)^{2025} - 1^{2026}$

$= 1 - (-1) - 1$

$= 1 + 1 - 1 = 1$

채점 기준		
1단계	$(-1)^{2024}$, $(-1)^{2025}$, 1^{2026}의 값 구하기	… 40 %
2단계	주어진 식 계산하기	… 60 %

[9~12] 분배법칙

세 수 a, b, c에 대하여

(1) $\underline{a \times (b+c)} = \underline{a \times b} + \underline{a \times c}$

(2) $\underline{(a+b) \times c} = \underline{a \times c} + \underline{b \times c}$

9 $14 \times 95 = \underline{14 \times (100 - 5)}$ ┐ 분배법칙: $a \times (b+c) = a \times b + a \times c$

$= \underline{14 \times 100} - \underline{14 \times 5}$ ◄

$= 1400 - 70$

$= 1330$

$\therefore a = 100$, $b = 1330$

10 $(-2.75) \times 15 + 0.75 \times 15$ ┐ 분배법칙: $a \times c + b \times c = (a+b) \times c$

$= \underline{(-2.75 + 0.75) \times 15}$ ◄

$= (-2) \times 15$

$= -30$

11 (2) $a \times b = 12$, $a \times c = 16$이므로

$a \times (b+c) = \underline{a \times b} + \underline{a \times c} = \underline{12} + \underline{16} = 28$

12 $a \times b = 32$, $a \times c = 24$이므로

$a \times (b-c) = \underline{a \times b} - \underline{a \times c} = \underline{32} - \underline{24} = 8$

[13~14] 역수 구하기: $\dfrac{\bullet}{\blacktriangle} \Rightarrow \dfrac{\blacktriangle}{\bullet}$

(1) 정수는 분모를 1로 고쳐서 역수를 구한다.

(2) 대분수는 가분수로 고쳐서 역수를 구한다.

(3) 소수는 분수로 고쳐서 역수를 구한다.

13 $\dfrac{5}{9}$의 역수는 $\dfrac{9}{5}$이므로 $a = \dfrac{9}{5}$

$-3\left(= -\dfrac{3}{1}\right)$의 역수는 $-\dfrac{1}{3}$이므로 $b = -\dfrac{1}{3}$

$\therefore a \times b = \dfrac{9}{5} \times \left(-\dfrac{1}{3}\right) = -\left(\dfrac{9}{5} \times \dfrac{1}{3}\right) = -\dfrac{3}{5}$

14 $0.28\left(= \dfrac{7}{25}\right)$의 역수는 $\dfrac{25}{7}$이므로 $a = \dfrac{25}{7}$

$-1\dfrac{2}{5}\left(= -\dfrac{7}{5}\right)$의 역수는 $-\dfrac{5}{7}$이므로 $b = -\dfrac{5}{7}$

$\therefore a + b = \dfrac{25}{7} + \left(-\dfrac{5}{7}\right) = \dfrac{20}{7}$

[15~16] 곱셈과 나눗셈의 혼합 계산
❶ 거듭제곱이 있으면 거듭제곱을 먼저 계산한다.
❷ 나눗셈을 곱셈으로 고친다.
❸ 음수가 홀수 개이면 ➖ 부호를, 음수가 짝수 개이면 ➕ 부호를 각 수의 절댓값의 곱에 붙인다.

15
$$\left(-\frac{9}{10}\right) \times \left(\frac{2}{3}\right)^2 \div \left(-\frac{12}{5}\right) = \left(-\frac{9}{10}\right) \times \frac{4}{9} \times \left(-\frac{5}{12}\right)$$
$$= +\left(\frac{9}{10} \times \frac{4}{9} \times \frac{5}{12}\right) = \frac{1}{6}$$

16
① $4 \times (-5) \div (-2) = 4 \times (-5) \times \left(-\frac{1}{2}\right)$
$$= +\left(4 \times 5 \times \frac{1}{2}\right) = 10$$
② $(-60) \div 12 \div (-3)^2 = (-60) \div 12 \div 9$
$$= (-60) \times \frac{1}{12} \times \frac{1}{9}$$
$$= -\left(60 \times \frac{1}{12} \times \frac{1}{9}\right)$$
$$= -\frac{5}{9}$$
③ $16 \times \frac{3}{4} \div \left(-\frac{6}{5}\right) = 16 \times \frac{3}{4} \times \left(-\frac{5}{6}\right)$
$$= -\left(16 \times \frac{3}{4} \times \frac{5}{6}\right)$$
$$= -10$$
④ $\frac{1}{4} \times (-10) \div (-2)^2 = \frac{1}{4} \times (-10) \div 4$
$$= \frac{1}{4} \times (-10) \times \frac{1}{4}$$
$$= -\left(\frac{1}{4} \times 10 \times \frac{1}{4}\right)$$
$$= -\frac{5}{8}$$
⑤ $\left(-\frac{2}{3}\right) \div \frac{4}{9} \times \frac{3}{4} = \left(-\frac{2}{3}\right) \times \frac{9}{4} \times \frac{3}{4}$
$$= -\left(\frac{2}{3} \times \frac{9}{4} \times \frac{3}{4}\right)$$
$$= -\frac{9}{8}$$
따라서 옳지 않은 것은 ⑤이다.

[17~18] 덧셈, 뺄셈, 곱셈, 나눗셈의 혼합 계산
❶ 거듭제곱이 있으면 거듭제곱을 먼저 계산한다.
❷ ( ) → { } → [ ]의 순서로 계산한다.
❸ 곱셈, 나눗셈을 한다.
❹ 덧셈, 뺄셈을 한다.

17 (1) [1단계]
$$-\frac{3}{5} - \frac{3}{4} \div \left\{\left(\frac{2}{3} - \frac{1}{2}\right) \times \frac{5}{6}\right\}$$
$\quad\quad\quad\quad\quad\uparrow\quad\uparrow\quad\quad\uparrow\quad\quad\uparrow$
$\quad\quad\quad\quad\quad㉠\quad㉡\quad\quad㉢\quad\quad㉣$
에서 계산 순서를 차례로 나열하면
㉢, ㉣, ㉡, ㉠

(2) [2단계]
$$-\frac{3}{5} - \frac{3}{4} \div \left\{\left(\frac{2}{3} - \frac{1}{2}\right) \times \frac{5}{6}\right\}$$
$$= -\frac{3}{5} - \frac{3}{4} \div \left\{\left(\frac{4}{6} - \frac{3}{6}\right) \times \frac{5}{6}\right\}$$
$$= -\frac{3}{5} - \frac{3}{4} \div \left(\frac{1}{6} \times \frac{5}{6}\right)$$
$$= -\frac{3}{5} - \frac{3}{4} \div \frac{5}{36} = -\frac{3}{5} - \frac{3}{4} \times \frac{36}{5}$$
$$= -\frac{3}{5} - \frac{27}{5} = -\frac{30}{5} = -6$$

채점 기준	
1단계	계산 순서를 차례로 나열하기 … 40 %
2단계	계산 결과 구하기 … 60 %

18
$$3 - \left[2 \times \left\{(-3)^2 - 6 \div \left(-\frac{3}{2}\right)\right\} + 1\right]$$
$$= 3 - \left[2 \times \left\{9 - 6 \div \left(-\frac{3}{2}\right)\right\} + 1\right]$$
$$= 3 - \left[2 \times \left\{9 - 6 \times \left(-\frac{2}{3}\right)\right\} + 1\right]$$
$$= 3 - \{2 \times (9 + 4) + 1\}$$
$$= 3 - (2 \times 13 + 1) = 3 - (26 + 1)$$
$$= 3 - 27 = -24$$

단원 마무리
P. 45~47

1 9	**2** $a = -1, b = 3$	**3** ④	**4** ⑤				
5 5개	**6** ①	**7** ㄹ, ㄴ, ㄷ, ㄱ	**8** ④				
9 $\frac{13}{6}$	**10** $-\frac{5}{6}$	**11** ②	**12** -12	**13** $-\frac{2}{3}$
14 ④	**15** -20						

1 양의 유리수는 $+3.5$, $+8$의 2개이므로 $a = 2$
음의 유리수는 -1, $-\frac{2}{3}$, -2.9, $-\frac{40}{8}$의 4개이므로
$b = 4$
정수가 아닌 유리수는 $+3.5$, $-\frac{2}{3}$, -2.9의 3개이므로
$c = 3$
$\therefore a + b + c = 2 + 4 + 3 = 9$

2 $-\frac{4}{3}\left(= -1\frac{1}{3}\right)$와 $\frac{13}{4}\left(= 3\frac{1}{4}\right)$에 대응하는 점을 각각 수직선 위에 나타내면 다음 그림과 같다.

따라서 $-\frac{4}{3}$에 가장 가까운 정수는 -1이고, $\frac{13}{4}$에 가장 가까운 정수는 3이므로 $a = -1$, $b = 3$

3 ① $\left|\dfrac{5}{4}\right|=\dfrac{5}{4}(=1.25)$ ② $|-0.1|=0.1$

③ $\left|\dfrac{9}{2}\right|=\dfrac{9}{2}(=4.5)$ ④ $|-4.6|=4.6$ ⑤ $|0|=0$

이므로 주어진 수의 절댓값의 대소를 비교하면

$|0|<|-0.1|<\left|\dfrac{5}{4}\right|<\left|\dfrac{9}{2}\right|<|-4.6|$

따라서 절댓값이 가장 큰 수는 ④이다.

4 □ 안에 들어갈 부등호의 방향은 다음과 같다.

①, ②, ③, ④ <   ⑤ >

따라서 부등호의 방향이 나머지 넷과 다른 하나는 ⑤이다.

5 $\dfrac{13}{5}=2\dfrac{3}{5}$이므로 -2 이상이고 $\dfrac{13}{5}$보다 작은 정수는

$-2,\ -1,\ 0,\ 1,\ 2$의 5개이다.

7 ㄱ. $(+11)+(-6)=+(11-6)=+5$

ㄴ. $(-2)+\left(+\dfrac{24}{7}\right)=+\left(\dfrac{24}{7}-2\right)$

$=+\left(\dfrac{24}{7}-\dfrac{14}{7}\right)=+\dfrac{10}{7}$

ㄷ. $\left(+\dfrac{3}{8}\right)-\left(-\dfrac{13}{8}\right)=\left(+\dfrac{3}{8}\right)+\left(+\dfrac{13}{8}\right)$

$=+\left(\dfrac{3}{8}+\dfrac{13}{8}\right)=+2$

ㄹ. $\left(-\dfrac{2}{9}\right)-\left(+\dfrac{1}{3}\right)=\left(-\dfrac{2}{9}\right)+\left(-\dfrac{1}{3}\right)=-\left(\dfrac{2}{9}+\dfrac{1}{3}\right)$

$=-\left(\dfrac{2}{9}+\dfrac{3}{9}\right)=-\dfrac{5}{9}$

따라서 계산 결과가 작은 것부터 차례로 나열하면

ㄹ, ㄴ, ㄷ, ㄱ이다.

8 ④ $-1.1-5-(+0.9)=-1.1-5-0.9$

$=-1.1-0.9-5$

$=-(1.1+0.9)-5$

$=-2-5=-7$

9 $a=5+\left(-\dfrac{1}{3}\right)=\dfrac{15}{3}+\left(-\dfrac{1}{3}\right)=\dfrac{14}{3}$

$b=2-\left(-\dfrac{1}{2}\right)=\dfrac{4}{2}+\dfrac{1}{2}=\dfrac{5}{2}$

$\therefore a-b=\dfrac{14}{3}-\dfrac{5}{2}=\dfrac{28}{6}-\dfrac{15}{6}=\dfrac{13}{6}$

10 어떤 수를 □라 하면 $□-\left(-\dfrac{3}{4}\right)=\dfrac{2}{3}$이므로

$□=\dfrac{2}{3}+\left(-\dfrac{3}{4}\right)=\dfrac{8}{12}+\left(-\dfrac{9}{12}\right)=-\dfrac{1}{12}$

따라서 어떤 수는 $-\dfrac{1}{12}$이므로 바르게 계산하면

$-\dfrac{1}{12}+\left(-\dfrac{3}{4}\right)=-\dfrac{1}{12}+\left(-\dfrac{9}{12}\right)$

$=-\dfrac{10}{12}=-\dfrac{5}{6}$

11 ① $-(-2)^2=-\{(-2)\times(-2)\}=-4$

② $(-2)^3=(-2)\times(-2)\times(-2)=-8$

③ $-2^2=-(2\times2)=-4$

④ $\left(-\dfrac{1}{2}\right)^2=\left(-\dfrac{1}{2}\right)\times\left(-\dfrac{1}{2}\right)=\dfrac{1}{4}$

⑤ $-\left(\dfrac{1}{2}\right)^4=-\left(\dfrac{1}{2}\times\dfrac{1}{2}\times\dfrac{1}{2}\times\dfrac{1}{2}\right)=-\dfrac{1}{16}$

따라서 계산 결과가 가장 작은 것은 ②이다.

12 $13.2\times(-0.12)+86.8\times(-0.12)$

$=(13.2+86.8)\times(-0.12)$

$=100\times(-0.12)=-12$

13 (1단계) $1.5=\dfrac{15}{10}=\dfrac{3}{2}$이므로 1.5의 역수는 $\dfrac{2}{3}$이다.

$\therefore a=\dfrac{2}{3}$

(2단계) $-\dfrac{3}{4}$의 역수는 $-\dfrac{4}{3}$이므로 $b=-\dfrac{4}{3}$

(3단계) $\therefore a+b=\dfrac{2}{3}+\left(-\dfrac{4}{3}\right)=-\dfrac{2}{3}$

채점 기준		
1단계	a의 값 구하기	… 30%
2단계	b의 값 구하기	… 30%
3단계	$a+b$의 값 구하기	… 40%

14 ① $(-2)\times(-8)=+(2\times8)=+16$

② $(+7)\times(-3)=-(7\times3)=-21$

③ $(+24)\div(+8)=+(24\div8)=+3$

④ $(-56)\div(-7)\times(+4)=(-56)\times\left(-\dfrac{1}{7}\right)\times(+4)$

$=+\left(56\times\dfrac{1}{7}\times4\right)=+32$

⑤ $(-3)^2\times(+2)\div(+6)=(+9)\times(+2)\div(+6)$

$=(+9)\times(+2)\times\left(+\dfrac{1}{6}\right)$

$=+\left(9\times2\times\dfrac{1}{6}\right)=+3$

따라서 계산 결과가 가장 큰 것은 ④이다.

15 $-1-\left[20\times\left\{\left(-\dfrac{1}{2}\right)^3\div\left(-\dfrac{5}{2}\right)+1\right\}-2\right]$

$=-1-\left[20\times\left\{\left(-\dfrac{1}{8}\right)\div\left(-\dfrac{5}{2}\right)+1\right\}-2\right]$

$=-1-\left[20\times\left\{\left(-\dfrac{1}{8}\right)\times\left(-\dfrac{2}{5}\right)+1\right\}-2\right]$

$=-1-\left\{20\times\left(\dfrac{1}{20}+1\right)-2\right\}$

$=-1-\left(20\times\dfrac{21}{20}-2\right)$

$=-1-(21-2)=-1-19=-20$

01 문자의 사용

유형 1   P. 50~51

1 (1) $-y$ (2) $0.1xy^2$ (3) $-6(a+b)$ (4) $-3a+10b$

2 (1) $-\dfrac{x}{y}$ (2) $\dfrac{a}{a+b}$ (3) $\dfrac{x-y}{5}$ (4) $\dfrac{a}{2}-\dfrac{4b}{3c}$

3 (1) $\dfrac{a}{bc}$ (2) $3-\dfrac{2y}{x}$ (3) $\dfrac{7(a+b)}{c}$

4 (1) $3\times a\times b$ (2) $(-1)\times x\times y\times y$ (3) $2\times(a+b)\times h$
     (4) $5\times a\times a\times b\times x$ (5) $(-1.7)\times x\times y\times y\times y$

5 (1) $1\div a$ (2) $(a-b)\div 3$ (3) $8\div(a+b)$
     (4) $(x+y)\div 2$ (5) $(x-y)\div(-5)$

6 (1) $5a$원   (2) $100\times a+500\times b$, $(100a+500b)$원
     (3) $y-200\times x$, $(y-200x)$원
     (4) $x\div 10\left(\text{또는 } x\times\dfrac{1}{10}\right)$, $\dfrac{x}{10}$원$\left(\text{또는 }\dfrac{1}{10}x\text{원}\right)$

7 (1) $a\times 2-b\times 5$, $2a-5b$ (2) $10\times a+1\times b$, $10a+b$
     (3) $100\times a+10\times b+1\times 7$, $100a+10b+7$

8 (1) $3\times x$, $3x$ cm   (2) $2\times(x+y)$, $2(x+y)$ cm
     (3) $\dfrac{1}{2}\times a\times b$, $\dfrac{1}{2}ab$ cm^2

9 (1) $80\times t$, $80t$ km   (2) $x\div 5$, $\dfrac{x}{5}$시간

10 (1) $\dfrac{3}{100}x$명   (2) $a+a\times\dfrac{b}{100}$, $\left(a+\dfrac{ab}{100}\right)$원
     (3) $\dfrac{17}{100}\times y$, $\dfrac{17y}{100}$ g

---

1 (1) $y\times(-1)=-y$
     $\uparrow$ 1은 생략한다.
     (2) $y\times 0.1\times x\times y=0.1\times x\times y\times y=0.1\times x\times(y\times y)$
                 $=0.1xy^2$
     (3) $(a+b)\times(-6)=-6(a+b)$
     (4) $\underbrace{(-3)\times a}_{-3a}+\underbrace{b\times 10}_{10b}=-3a+10b$
                        $\uparrow$ 생략할 수 없다.

2 (1) $x\div(-y)=x\times\left(-\dfrac{1}{y}\right)=-\dfrac{x}{y}$
     (2) $a\div(a+b)=a\times\dfrac{1}{a+b}=\dfrac{a}{a+b}$
     (3) $(x-y)\div 5=(x-y)\times\dfrac{1}{5}=\dfrac{x-y}{5}$
     (4) $a\div 2-b\div\dfrac{3}{4}c=a\times\dfrac{1}{2}-b\times\dfrac{4}{3c}=\underbrace{\dfrac{a}{2}}-\underbrace{\dfrac{4b}{3c}}$
                                           생략할 수 없다.

3 (1) $a\div b\div c=a\times\dfrac{1}{b}\times\dfrac{1}{c}=\dfrac{a}{bc}$

---

(2) $3-2\div x\times y=3-2\times\dfrac{1}{x}\times y=3-\dfrac{2y}{x}$

    주의 $2\div x\times y=2\div xy=\dfrac{2}{xy}$ ($\times$)

(3) $(a+b)\times 7\div c=(a+b)\times 7\times\dfrac{1}{c}$
                     $=\dfrac{7(a+b)}{c}$

[4] $\overset{\times}{\underset{\overset{\uparrow\uparrow}{}}{abc}}=a\times b\times c$

4 (1) $3\overset{\times}{ab}=3\times a\times b$
           $\underset{\times}{}$
     (2) $-xy^2=(-1)\times x\times \underline{y^2}$
              $=(-1)\times x\times\underline{y\times y}$
     (3) $2(a+b)h=2\times(a+b)\times h$
     (4) $5a^2bx=5\times a^2\times b\times x$
              $=5\times\underline{a\times a}\times b\times x$
     (5) $-1.7xy^3=(-1.7)\times x\times\underline{y^3}$
               $=(-1.7)\times x\times\underline{y\times y\times y}$

[5] $\dfrac{b}{a}=b\div a$

5 (1) $\dfrac{1}{a}=1\div a$
     (2) $\dfrac{a-b}{3}=(a-b)\div 3$
     (3) $\dfrac{8}{a+b}=8\div(a+b)$
     (4) $\dfrac{1}{2}(x+y)=\dfrac{x+y}{2}=(x+y)\div 2$
     (5) $-\dfrac{1}{5}(x-y)=\dfrac{x-y}{-5}=(x-y)\div(-5)$

6 (1) 한 개에 a원인 사과 5개의 가격
     $\Rightarrow a\times 5=5a$(원)
     (2) $\underset{(100\times a)\text{원}}{\underline{100원짜리\ 동전\ a개}}$와 $\underset{(500\times b)\text{원}}{\underline{500원짜리\ 동전\ b개}}$를 합한 금액
     $\Rightarrow 100\times a+500\times b=100a+500b$(원)
     (3) $\underset{(200\times x)\text{원}}{\underline{한 자루에 200원인 연필 x자루}}$를 사고 y원을 냈을 때의
     거스름돈
     $\Rightarrow y-200\times x=y-200x$(원)
     (4) 사탕 10개의 가격이 x원일 때, 사탕 1개의 가격
     $\Rightarrow x\div 10=x\times\dfrac{1}{10}=\dfrac{x}{10}\left(\text{또는 }\dfrac{1}{10}x\right)$(원)

유형편 라이트

7
(1) $\underset{a\times2}{\underline{a\text{를 2배 한 것}}}$에서 $\underset{b\times5}{\underline{b\text{를 5배 한 것}}}$을 $\underline{\text{뺀 수}}$

$\Rightarrow a\times2-b\times5=2a-5b$

(2) $\underset{10\times a}{\underline{\text{십의 자리의 숫자가 }a}}$, $\underset{1\times b}{\underline{\text{일의 자리의 숫자가 }b}}$인 두 자리의

자연수

$\Rightarrow 10\times a+1\times b=10a+b$

(3) $\underset{100\times a}{\underline{\text{백의 자리의 숫자가 }a}}$, $\underset{10\times b}{\underline{\text{십의 자리의 숫자가 }b}}$, $\underset{1\times7}{\underline{\text{일의 자리의}}}$

$\underline{\text{숫자가 7}}$인 세 자리의 자연수

$\Rightarrow 100\times a+10\times b+1\times7=100a+10b+7$

8
(1) $3\times x=3x\,(\text{cm})$

(2) $2\times(x+y)=2(x+y)\,(\text{cm})$

(3) $\frac{1}{2}\times a\times b=\frac{1}{2}ab\,(\text{cm}^2)$

9
(1) $80\times t=80t\,(\text{km})$

(2) $x\div5=x\times\frac{1}{5}=\frac{x}{5}\,(\text{시간})$

10
(1) $x\times\frac{3}{100}=\frac{3}{100}x\,(\text{명})$

(2) (정가)=(원가)+(이익)에서

(이익)$=a\times\dfrac{b}{100}\,(\text{원})$이므로

(정가)$=a+a\times\dfrac{b}{100}=a+\dfrac{ab}{100}\,(\text{원})$

(3) (소금의 양)$=\dfrac{(\text{소금물의 농도})}{100}\times(\text{소금물의 양})$이므로

(소금의 양)$=\dfrac{17}{100}\times y=\dfrac{17y}{100}\,(\text{g})$

식의 값

P. 52

1 (1) 3, 11 (2) 5 (3) 1
2 (1) -3, 5, -1 (2) 18 (3) -4
3 (1) $\frac{1}{3}$, 3, 12 (2) 4 (3) -3
4 (1) -3, 9 (2) -9 (3) 9 (4) -27
5 (1) -2, 5 (2) 3 (3) -10
6 (1) 2 (2) $\frac{13}{4}$ (3) 17

1 $2a+5$에 주어진 a의 값을 대입하면
(1) $2\times\boxed{3}+5=6+5=\boxed{11}$
(2) $2\times0+5=0+5=5$
(3) $2\times(-2)+5=-4+5=1$

2 주어진 식에 $x=-3$, $y=5$를 대입하면
(1) $2x+y=2\times(\boxed{-3})+\boxed{5}=-6+5=\boxed{-1}$
(2) $-x+3y=-(-3)+3\times5=3+15=18$
(3) $x-\frac{1}{5}y=-3-\frac{1}{5}\times5=-3-1=-4$

3 주어진 식을 나눗셈 기호를 사용하여 나타낸 후 $a=\frac{1}{3}$을
대입하면
(1) $\dfrac{4}{a}=4\div a=4\div\boxed{\dfrac{1}{3}}=4\times\boxed{3}=\boxed{12}$
(2) $\dfrac{2}{a}-2=2\div a-2=2\div\dfrac{1}{3}-2$
$=2\times3-2=4$
(3) $6-\dfrac{3}{a}=6-3\div a=6-3\div\dfrac{1}{3}$
$=6-3\times3=6-9=-3$

4 주어진 식에 $a=-3$을 대입하면
(1) $a^2=(\boxed{-3})^2=\boxed{9}$
(2) $-a^2=-(-3)^2=-(+9)=-9$
(3) $(-a)^2=\{-(-3)\}^2=3^2=9$
(4) $a^3=(-3)^3=-27$
> **참고** $(-3)^3=(-3)\times(-3)\times(-3)$
> $=-(3\times3\times3)=-27$

5 주어진 식에 $b=-2$를 대입하면
(1) $b^2+1=(\boxed{-2})^2+1=4+1=\boxed{5}$
(2) $7-b^2=7-(-2)^2=7-4=3$
(3) $b^3+\dfrac{4}{b}=(-2)^3+\dfrac{4}{-2}=-8-2=-10$

6 주어진 식에 $a=\frac{1}{2}$, $b=-1$을 대입하면
(1) $4a^2+b^2=4\times\left(\dfrac{1}{2}\right)^2+(-1)^2$
$=4\times\dfrac{1}{4}+1$
$=1+1=2$
(2) $a^2-6ab=\left(\dfrac{1}{2}\right)^2-6\times\dfrac{1}{2}\times(-1)$
$=\dfrac{1}{4}+3=\dfrac{13}{4}$
(3) $\dfrac{10}{a}-3b^2=10\div\dfrac{1}{2}-3\times(-1)^2$
$=10\times2-3$
$=20-3=17$

[1~6] 곱셈 기호와 나눗셈 기호의 생략
(1) 곱셈 기호의 생략
　① 수는 문자 앞에 쓴다. 단, 문자 앞의 1은 생략한다.
　② 문자는 알파벳 순서로 쓰고, 같은 문자의 곱은 거듭제곱으로 나타
　　낸다.
(2) 나눗셈 기호의 생략
　나눗셈 기호를 생략하고 분수 꼴로 나타내거나
　역수의 곱셈으로 고친 후 곱셈 기호를 생략한다.

1　⑤ $2 \times x \div y \div z = 2 \times x \times \dfrac{1}{y} \times \dfrac{1}{z} = \dfrac{2x}{yz}$

2　ㄱ. $a \times b \div c = a \times b \times \dfrac{1}{c} = \dfrac{ab}{c}$

　　ㄴ. $a \div b \times c = a \times \dfrac{1}{b} \times c = \dfrac{ac}{b}$

　　ㄷ. $a \times \left(\dfrac{1}{b} \div c \right) = a \times \left(\dfrac{1}{b} \times \dfrac{1}{c} \right)$
　　　　　　　　　　$= a \times \dfrac{1}{bc} = \dfrac{a}{bc}$

　　ㄹ. $a \div (b \div c) = a \div \dfrac{b}{c} = a \times \dfrac{c}{b} = \dfrac{ac}{b}$

　　따라서 옳은 것은 ㄴ, ㄷ이다.

3　⑤ (판매한 가격) = (정가) $-$ (할인 금액)
　　　　　　　　$= 2000 - 2000 \times \dfrac{a}{100}$
　　　　　　　　$= 2000 - 20a$(원)

4　① $3500 \times a + 1800 \times b = 3500a + 1800b$(원)
　　② (정가) = (원가) + (이익)
　　　　　　$= 800 + 800 \times \dfrac{a}{100}$
　　　　　　$= 800 + 8a$(원)
　　③ (소금의 양) $= \dfrac{(\text{소금물의 농도})}{100} \times (\text{소금물의 양})$
　　　　　　　　$= \dfrac{a}{100} \times 400 = 4a$(g)
　　④ $(a+b) \div 2 = (a+b) \times \dfrac{1}{2} = \dfrac{a+b}{2}$
　　⑤ $10 \times a + 1 \times b = 10a + b$
　　따라서 옳은 것은 ①, ④이다.

5　(평행사변형의 넓이) = (밑변의 길이) $\times$ (높이)
　　　　　　　　　　$= x \times y = xy$

6　(사다리꼴의 넓이)
　　$= \dfrac{1}{2} \times \{ (\text{윗변의 길이}) + (\text{아랫변의 길이}) \} \times (\text{높이})$
　　$= \dfrac{1}{2} \times (a+b) \times h$
　　$= \dfrac{1}{2}(a+b)h$

[7~10] 식의 값을 구하는 방법
① 생략된 곱셈, 나눗셈 기호를 다시 쓴다.
② 문자에 주어진 수를 대입하여 계산한다.
　주의 문자에 음수를 대입할 때는 반드시 괄호를 사용한다.

7　$-a^2 + 2a = -(-1)^2 + 2 \times (-1)$
　　　　　　$= -1 - 2$
　　　　　　$= -3$

8　① $-x = -(-5) = 5$
　　② $x^2 = (-5)^2 = 25$
　　③ $-(-x)^2 = -\{-(-5)\}^2 = -5^2 = -25$
　　④ $\dfrac{25}{x} = \dfrac{25}{-5} = -5$
　　⑤ $-x^2 + x = -(-5)^2 + (-5)$
　　　　　　　$= -25 - 5 = -30$
　　따라서 식의 값이 가장 작은 것은 ⑤이다.

9　$4a^2 - 2b = 4 \times 2^2 - 2 \times (-3)$
　　　　　　$= 16 + 6 = 22$

10　$2xy - 4y^2 = 2 \times 1 \times \left(-\dfrac{1}{2} \right) - 4 \times \left(-\dfrac{1}{2} \right)^2$
　　　　　　　$= -1 - 4 \times \dfrac{1}{4}$
　　　　　　　$= -1 - 1$
　　　　　　　$= -2$

[11~12] 식의 값의 활용
문장으로 주어진 식의 값 문제는 어떤 문자에 어떤 값을 대입해야 하는지
먼저 파악한 후 식의 값을 구한다.

11　$0.6x + 331$에 $x = 15$를 대입하면
　　　$0.6 \times 15 + 331 = 9 + 331 = 340$
　　　따라서 기온이 15℃일 때, 소리의 속력은 초속 340 m이다.

12　$20 - 6h$에 $h = 5$를 대입하면
　　　$20 - 6 \times 5 = 20 - 30 = -10$(℃)
　　　따라서 지면에서 높이가 5 km인 곳의 기온은 -10℃이다.

03 일차식과 그 계산

유형 **3** P. 55

1 풀이 참조   **2** 풀이 참조

3 (1) ○ (2) ○ (3) × (4) × (5) × (6) ○

4 (1) $8x$ (2) $-15x$ (3) $2x$ (4) $\dfrac{5}{2}x$

5 (1) $6a+4$ (2) $-6a-15$ (3) $-a-1$ (4) $-12+3a$

6 (1) $-x+3$ (2) $3x+2$ (3) $27x+\dfrac{18}{5}$ (4) $-x+\dfrac{4}{3}$

1

다항식	항	상수항
(1) $-3x+7y+1$	$-3x,\ 7y,\ 1$	1
(2) $a+2b-3$	$a,\ 2b,\ -3$	-3
(3) x^2-6x+3	$x^2,\ -6x,\ 3$	3
(4) $\dfrac{y}{4}-\dfrac{1}{2}$	$\dfrac{y}{4},\ -\dfrac{1}{2}$	$-\dfrac{1}{2}$

2

다항식	계수	
(1) $5x-y$	x의 계수: 5	y의 계수: -1
(2) $\dfrac{a}{8}-4b+1$	a의 계수: $\dfrac{1}{8}$	b의 계수: -4
(3) $-x^2+9x+4$	x^2의 계수: -1	x의 계수: 9

3 (1), (2), (6) 다항식의 차수가 1이므로 일차식이다.

(3) 다항식의 차수가 2이므로 일차식이 아니다.

(4) $0\times x+5=0+5=5$의 상수항뿐이므로 일차식이 아니다.

(5) 분모에 문자가 있는 식은 다항식이 아니므로 일차식이 아니다.

[4] 단항식과 수의 곱셈, 나눗셈

(1) (단항식)×(수): 수끼리 곱한 후 문자 앞에 쓴다.

(2) (단항식)÷(수): 나누는 수의 역수를 곱한다.

4 (1) $2x\times4=(2\times4)x=8x$

(2) $5\times(-3x)=\{5\times(-3)\}x=-15x$

(3) $8x\div4=8x\times\dfrac{1}{4}=\left(8\times\dfrac{1}{4}\right)x=2x$

(4) $(-3x)\div\left(-\dfrac{6}{5}\right)=(-3x)\times\left(-\dfrac{5}{6}\right)$

$\qquad=\left\{(-3)\times\left(-\dfrac{5}{6}\right)\right\}x=\dfrac{5}{2}x$

5 (1) $2(3a+2)=2\times(3a+2)$

$\qquad=2\times3a+2\times2$

$\qquad=6a+4$

(2) $3(-2a-5)=3\times(-2a-5)$

$\qquad=3\times(-2a)-3\times5$

$\qquad=-6a-15$

(3) $-(a+1)=(-1)\times(a+1)$ ——— 괄호 안의 모든 항의 부호가 바뀐다.

$\qquad=(-1)\times a+(-1)\times1$

$\qquad=-a-1$ ◂———

(4) $(4-a)\times(-3)=4\times(-3)-a\times(-3)$

$\qquad=-12+3a$

6 (1) $(-2x+6)\div2=(-2x+6)\times\dfrac{1}{2}$

$\qquad=-2x\times\dfrac{1}{2}+6\times\dfrac{1}{2}$

$\qquad=-x+3$

(2) $(-12x-8)\div(-4)=(-12x-8)\times\left(-\dfrac{1}{4}\right)$

$\qquad=-12x\times\left(-\dfrac{1}{4}\right)-8\times\left(-\dfrac{1}{4}\right)$

$\qquad=3x+2$

(3) $\left(9x+\dfrac{6}{5}\right)\div\dfrac{1}{3}=\left(9x+\dfrac{6}{5}\right)\times3=9x\times3+\dfrac{6}{5}\times3$

$\qquad=27x+\dfrac{18}{5}$

(4) $\left(\dfrac{3}{2}x-2\right)\div\left(-\dfrac{3}{2}\right)=\left(\dfrac{3}{2}x-2\right)\times\left(-\dfrac{2}{3}\right)$

$\qquad=\dfrac{3}{2}x\times\left(-\dfrac{2}{3}\right)-2\times\left(-\dfrac{2}{3}\right)$

$\qquad=-x+\dfrac{4}{3}$

유형 **4** P. 56

1 (1) $3a$ (2) $-3b$ (3) -4

2 (1) $2x$와 $-3x$, -3과 5 (2) $6y$와 $-y$, $\dfrac{1}{3}$과 $-\dfrac{3}{5}$

(3) x^2과 $3x^2$, $-2x$와 $7x$

3 (1) $3x$ (2) $-8y$ (3) $\dfrac{1}{2}a$ (4) $-\dfrac{7}{6}b$

4 (1) $-9x$ (2) $11a$ (3) $0.5x$ (4) y (5) $\dfrac{13}{12}b$

5 (1) $4x+3$ (2) $2x-4$ (3) $1.1a+0.9$ (4) $-y-3$

(5) $\dfrac{11}{6}a-6$ (6) $-\dfrac{9}{10}b+\dfrac{10}{9}$

[1~2] 덧셈식으로 고친 후 동류항을 찾으면 편리하다.

1 $2a-3b+3+3a+b-4$

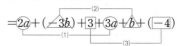

2 (1) $2x-3-3x+5=\underset{\text{동류항}}{\underline{2x}+(-3)+\underset{\text{동류항}}{\underline{(-3x)}+5}}$

(2) $\dfrac{1}{3}+6y-y-\dfrac{3}{5}=\underset{\text{동류항}}{\underline{\dfrac{1}{3}}+\underset{\text{동류항}}{\underline{6y}+(-y)}+\left(-\dfrac{3}{5}\right)}$

(3) $x^2-2x+4+3x^2+7x=\underset{\text{동류항}}{\underline{x^2}+\underset{\text{동류항}}{\underline{(-2x)}+4+\underline{3x^2}+7x}}$

3 (1) $-2x+5x=(-2+5)x=3x$

(2) $-7y-y=(-7-1)y=-8y$

(3) $-\dfrac{1}{2}a+a=\left(-\dfrac{1}{2}+1\right)a=\dfrac{1}{2}a$

(4) $\dfrac{1}{2}b-\dfrac{5}{3}b=\left(\dfrac{1}{2}-\dfrac{5}{3}\right)b=\left(\dfrac{3}{6}-\dfrac{10}{6}\right)b=-\dfrac{7}{6}b$

4 (1) $-2x+3x-10x=(-2+3-10)x=-9x$

(2) $7a-11a+15a=(7-11+15)a=11a$

(3) $2.8x-1.3x-x=(2.8-1.3-1)x=0.5x$

(4) $\dfrac{5}{2}y-3y+\dfrac{3}{2}y=\left(\dfrac{5}{2}-3+\dfrac{3}{2}\right)y=y$

(5) $-\dfrac{1}{4}b+2b-\dfrac{2}{3}b=\left(-\dfrac{1}{4}+2-\dfrac{2}{3}\right)b$

$=\left(-\dfrac{3}{12}+\dfrac{24}{12}-\dfrac{8}{12}\right)b$

$=\dfrac{13}{12}b$

5 (1) $7x-1-3x+4=7x-3x-1+4$

$=4x+3$

(2) $-2x+9+4x-13=-2x+4x+9-13$

$=2x-4$

(3) $5.4a+1.7-4.3a-0.8=5.4a-4.3a+1.7-0.8$

$=1.1a+0.9$

(4) $-\dfrac{1}{2}+6y-\dfrac{5}{2}-7y=6y-7y-\dfrac{1}{2}-\dfrac{5}{2}$

$=-y-\dfrac{6}{2}$

$=-y-3$

(5) $\dfrac{1}{3}a-1+\dfrac{3}{2}a-5=\dfrac{1}{3}a+\dfrac{3}{2}a-1-5$

$=\dfrac{2}{6}a+\dfrac{9}{6}a-6$

$=\dfrac{11}{6}a-6$

(6) $\dfrac{2}{3}-\dfrac{7}{5}b+\dfrac{4}{9}+\dfrac{1}{2}b=-\dfrac{7}{5}b+\dfrac{1}{2}b+\dfrac{2}{3}+\dfrac{4}{9}$

$=-\dfrac{14}{10}b+\dfrac{5}{10}b+\dfrac{6}{9}+\dfrac{4}{9}$

$=-\dfrac{9}{10}b+\dfrac{10}{9}$

1 (1) $8x+2$ (2) $-2x+4$ (3) $-y+5$ (4) $2x+2$

(5) $\dfrac{1}{2}b-\dfrac{1}{3}$ (6) $-3x+3$

2 (1) $5a-14$ (2) $11x-11$ (3) $12a+4$ (4) $-x-9$

(5) $6x-11$ (6) $3a-3$

3 (1) $-3x+4$ (2) $9y-5$ (3) $a+9$ (4) $-5b-1$

(5) $y+7$ (6) $4a-8$

4 (1) $-5x+17$ (2) $-11x+13$ (3) $10x+27$

(4) $-14x-2$ (5) $-4x+6$ (6) $2x-5$

5 (1) $6x+2$ (2) $13a+5b$ (3) $-3x+4y$

6 (1) $\dfrac{5}{6}x-\dfrac{1}{3}$ (2) $\dfrac{13}{12}a-\dfrac{5}{12}$ (3) $\dfrac{1}{4}y-\dfrac{5}{4}$ (4) $\dfrac{2}{9}b+\dfrac{1}{18}$

7 (1) $-3,\ -10$ (2) $\dfrac{14}{15},\ -\dfrac{13}{15}$

8 (1) $8x+6$ (2) $-7x+3$ (3) $-b-3$

9 (1) $-$ (2) $5x-10$ (3) $8x-14$

10 (1) $-x+2$ (2) $-3x+7$

1 (1) $(3x+4)+(5x-2)=3x+4+5x-2$

$=3x+5x+4-2$

$=8x+2$

(2) $(2x-5)+(-4x+9)=2x-5-4x+9$

$=2x-4x-5+9$

$=-2x+4$

(3) $(-6y-2)+(5y+7)=-6y-2+5y+7$

$=-6y+5y-2+7$

$=-y+5$

(4) $\left(\dfrac{3}{2}x-3\right)+\left(\dfrac{1}{2}x+5\right)=\dfrac{3}{2}x-3+\dfrac{1}{2}x+5$

$=\dfrac{3}{2}x+\dfrac{1}{2}x-3+5$

$=\dfrac{4}{2}x+2=2x+2$

(5) $\left(\dfrac{1}{3}-\dfrac{3}{4}b\right)+\left(-\dfrac{2}{3}+\dfrac{5}{4}b\right)=\dfrac{1}{3}-\dfrac{3}{4}b-\dfrac{2}{3}+\dfrac{5}{4}b$

$=-\dfrac{3}{4}b+\dfrac{5}{4}b+\dfrac{1}{3}-\dfrac{2}{3}$

$=\dfrac{2}{4}b-\dfrac{1}{3}=\dfrac{1}{2}b-\dfrac{1}{3}$

(6) $(0.5x-1)+(-3.5x+4)=0.5x-1-3.5x+4$

$=0.5x-3.5x-1+4$

$=-3x+3$

2 (1) $4(3a-2)+(-7a-6)=12a-8-7a-6$

$=12a-7a-8-6$

$=5a-14$

(2) $(5x+7)+3(2x-6)=5x+7+6x-18$

$=5x+6x+7-18$

$=11x-11$

(3) $2(a-8)+5(2a+4)=2a-16+10a+20$
$\qquad =2a+10a-16+20$
$\qquad =12a+4$

(4) $5(-x+3)+8\left(\dfrac{1}{2}x-3\right)=-5x+15+4x-24$
$\qquad =-5x+4x+15-24$
$\qquad =-x-9$

(5) $4(x-2)+\dfrac{1}{3}(6x-9)=4x-8+2x-3$
$\qquad =4x+2x-8-3$
$\qquad =6x-11$

(6) $\dfrac{1}{2}(4a-2)+\dfrac{1}{6}(6a-12)=2a-1+a-2$
$\qquad =2a+a-1-2$
$\qquad =3a-3$

3 (1) $(2x-3)-(5x-7)=2x-3-5x+7$
$\qquad =2x-5x-3+7$
$\qquad =-3x+4$

(2) $(7y+4)-(-2y+9)=7y+4+2y-9$
$\qquad =7y+2y+4-9$
$\qquad =9y-5$

(3) $(-2a+4)-(-3a-5)=-2a+4+3a+5$
$\qquad =-2a+3a+4+5$
$\qquad =a+9$

(4) $\left(\dfrac{1}{5}-6b\right)-\left(\dfrac{6}{5}-b\right)=\dfrac{1}{5}-6b-\dfrac{6}{5}+b$
$\qquad =-6b+b+\dfrac{1}{5}-\dfrac{6}{5}$
$\qquad =-5b-1$

(5) $\left(\dfrac{2}{3}y+1\right)-\left(-\dfrac{1}{3}y-6\right)=\dfrac{2}{3}y+1+\dfrac{1}{3}y+6$
$\qquad =\dfrac{2}{3}y+\dfrac{1}{3}y+1+6$
$\qquad =y+7$

(6) $(3.7a-3)-(-0.3a+5)=3.7a-3+0.3a-5$
$\qquad =3.7a+0.3a-3-5$
$\qquad =4a-8$

4 (1) $(-3x+7)-2(x-5)=-3x+7-2x+10$
$\qquad =-3x-2x+7+10$
$\qquad =-5x+17$

(2) $4(-2x+1)-3(x-3)=-8x+4-3x+9$
$\qquad =-8x-3x+4+9$
$\qquad =-11x+13$

(3) $-(-4x-3)+3(2x+8)=4x+3+6x+24$
$\qquad =4x+6x+3+24$
$\qquad =10x+27$

(4) $-6\left(\dfrac{2}{3}+x\right)+8\left(\dfrac{1}{4}-x\right)=-4-6x+2-8x$
$\qquad =-6x-8x-4+2$
$\qquad =-14x-2$

(5) $-\left(\dfrac{3}{2}x+6\right)-4\left(\dfrac{5}{8}x-3\right)=-\dfrac{3}{2}x-6-\dfrac{5}{2}x+12$
$\qquad =-\dfrac{3}{2}x-\dfrac{5}{2}x-6+12$
$\qquad =-4x+6$

(6) $-\dfrac{1}{3}(6x+9)-\dfrac{2}{5}(-10x+5)=-2x-3+4x-2$
$\qquad =-2x+4x-3-2$
$\qquad =2x-5$

5 (1) $4x-\{6-2(x+4)\}=4x-(6-2x-8)$
$\qquad =4x-(-2x+6-8)$
$\qquad =4x-(-2x-2)$
$\qquad =4x+2x+2$
$\qquad =6x+2$

(2) $9a+6b-\{a-(5a-b)\}=9a+6b-(a-5a+b)$
$\qquad =9a+6b-(-4a+b)$
$\qquad =9a+6b+4a-b$
$\qquad =9a+4a+6b-b$
$\qquad =13a+5b$

(3) $3x-5y-\{6(x-y)-3y\}=3x-5y-(6x-6y-3y)$
$\qquad =3x-5y-(6x-9y)$
$\qquad =3x-5y-6x+9y$
$\qquad =3x-6x-5y+9y$
$\qquad =-3x+4y$

6 (1) $\dfrac{x}{2}+\dfrac{x-1}{3}=\dfrac{3x}{6}+\dfrac{2(x-1)}{6}$
$\qquad =\dfrac{3x+2x-2}{6}$
$\qquad =\dfrac{5x-2}{6}$
$\qquad =\dfrac{5}{6}x-\dfrac{1}{3}$

(2) $\dfrac{a-2}{3}+\dfrac{3a+1}{4}=\dfrac{4(a-2)}{12}+\dfrac{3(3a+1)}{12}$
$\qquad =\dfrac{4a-8+9a+3}{12}$
$\qquad =\dfrac{4a+9a-8+3}{12}$
$\qquad =\dfrac{13a-5}{12}$
$\qquad =\dfrac{13}{12}a-\dfrac{5}{12}$

(3) $\dfrac{3y+1}{4}-\dfrac{y+3}{2}=\dfrac{3y+1}{4}-\dfrac{2(y+3)}{4}$
$\qquad =\dfrac{3y+1-2y-6}{4}$
$\qquad =\dfrac{3y-2y+1-6}{4}$
$\qquad =\dfrac{y-5}{4}$
$\qquad =\dfrac{1}{4}y-\dfrac{5}{4}$

(4) $\dfrac{2b-1}{6}-\dfrac{b-2}{9}=\dfrac{3(2b-1)}{18}-\dfrac{2(b-2)}{18}$

$\qquad\qquad\qquad=\dfrac{6b-3-2b+4}{18}$

$\qquad\qquad\qquad=\dfrac{6b-2b-3+4}{18}$

$\qquad\qquad\qquad=\dfrac{4b+1}{18}$

$\qquad\qquad\qquad=\dfrac{2}{9}b+\dfrac{1}{18}$

7 (1) $-\dfrac{1}{2}(12x+16)+\dfrac{1}{3}(9x-6)=-6x-8+3x-2$

$\qquad\qquad\qquad\qquad\qquad\qquad\quad=-6x+3x-8-2$

$\qquad\qquad\qquad\qquad\qquad\qquad\quad=-3x-10$

따라서 x의 계수는 -3, 상수항은 -10이다.

(2) $\dfrac{8x-1}{5}-\dfrac{2x+2}{3}=\dfrac{3(8x-1)}{15}-\dfrac{5(2x+2)}{15}$

$\qquad\qquad\qquad\quad=\dfrac{24x-3-10x-10}{15}$

$\qquad\qquad\qquad\quad=\dfrac{24x-10x-3-10}{15}$

$\qquad\qquad\qquad\quad=\dfrac{14x-13}{15}=\dfrac{14}{15}x-\dfrac{13}{15}$

따라서 x의 계수는 $\dfrac{14}{15}$, 상수항은 $-\dfrac{13}{15}$이다.

8 (1) $\boxed{}=5x+7+(3x-1)=5x+7+3x-1$

$\qquad\qquad=5x+3x+7-1=8x+6$

(2) $\boxed{}=-2x+1-(5x-2)=-2x+1-5x+2$

$\qquad\qquad=-2x-5x+1+2=-7x+3$

(3) $\boxed{}=3b-2-(4b+1)=3b-2-4b-1$

$\qquad\qquad=3b-4b-2-1=-b-3$

9 (2) (어떤 다항식)$-(3x-4)=2x-6$이므로

(어떤 다항식)$=2x-6+(3x-4)=2x-6+3x-4$

$\qquad\qquad\qquad\quad=2x+3x-6-4=5x-10$

(3) 어떤 다항식이 $5x-10$이므로 바르게 계산하면

$(5x-10)+(3x-4)=5x-10+3x-4$

$\qquad\qquad\qquad=5x+3x-10-4$

$\qquad\qquad\qquad=8x-14$

10 (1) 어떤 다항식을 $\boxed{}$라 하면

$\boxed{}+(2x-5)=x-3$

$\therefore \boxed{}=x-3-(2x-5)=x-3-2x+5$

$\qquad\qquad=x-2x-3+5=-x+2$

따라서 어떤 다항식은 $-x+2$이다.

(2) 어떤 다항식이 $-x+2$이므로 바르게 계산하면

$(-x+2)-(2x-5)=-x+2-2x+5$

$\qquad\qquad\qquad=-x-2x+2+5$

$\qquad\qquad\qquad=-3x+7$

1 ③	**2** -9	**3** ②, ③	**4** ③	**5** -5
6 -2	**7** ④	**8** ㄱ, ㄷ, ㅂ		**9** ④
10 ⑤	**11** ①	**12** ⑤	**13** ④	
14 $-\dfrac{1}{12}x+\dfrac{11}{12}$		**15** $5x-5$	**16** ②	
17 (1) $-3x-2$		(2) $-9x+1$		**18** ④

[1~2] 다항식의 이해

(1) 다항식: 한 개 또는 두 개 이상의 항의 합으로 이루어진 식

(2) 단항식: 다항식 중에서 항이 한 개뿐인 식

(3) 항의 차수: 어떤 항에서 문자가 곱해진 개수

(4) 다항식의 차수: 다항식에서 차수가 가장 큰 항의 차수

1 ① a^2+a는 항이 2개이므로 단항식이 아니다.

② x^2-2x+3에서 x의 계수는 -2이다.

③ $-3y$는 단항식, 즉 다항식 중에서 항이 한 개뿐인 식이다.

④ $3a^2+4a-3$에서 상수항은 -3이다.

⑤ x^3+2x의 다항식의 차수는 3이다.

따라서 옳은 것은 ③이다.

2 $-\dfrac{3}{4}x^2+7x+2$에서 항은 $-\dfrac{3}{4}x^2$, $7x$, 2의 3개이고

x^2의 계수는 $-\dfrac{3}{4}$, 상수항은 2이므로

$a=3$, $b=-\dfrac{3}{4}$, $c=2$

$\therefore 2abc=2\times3\times\left(-\dfrac{3}{4}\right)\times2=-9$

[3~4] 일차식: 차수가 1인 다항식 ⇨ $ax+b$ (a, b는 상수, $a\neq0$) 꼴

주의 분모에 문자가 포함된 식은 다항식이 아니므로 일차식이 아니다.

3 ① 상수항뿐이므로 일차식이 아니다.

④ 다항식의 차수가 2이므로 일차식이 아니다.

⑤ 분모에 문자가 있는 식은 다항식이 아니므로 일차식이 아니다.

따라서 일차식은 ②, ③이다.

4 ㄷ. 다항식의 차수가 3이므로 일차식이 아니다.

ㄹ. 분모에 문자가 있는 식은 다항식이 아니므로 일차식이 아니다.

ㅂ. $0\times x+6=6$의 상수항뿐이므로 일차식이 아니다.

따라서 일차식은 ㄱ, ㄴ, ㅁ의 3개이다.

5 $5(2x-3)=5\times2x-5\times3=10x-15$

따라서 $a=10$, $b=-15$이므로

$a+b=10+(-15)=-5$

6 $(12x+6) \div (-3) = (12x+6) \times \left(-\dfrac{1}{3}\right)$

$\qquad = 12x \times \left(-\dfrac{1}{3}\right) + 6 \times \left(-\dfrac{1}{3}\right)$

$\qquad = -4x - 2$

따라서 $a=-4$, $b=-2$이므로

$a-b=-4-(-2)=-4+2=-2$

[7~8] 동류항: 문자가 같고, 차수도 같은 항
참고 상수항끼리는 모두 동류항이다.

7 ① 차수가 다르므로 동류항이 아니다.

② 문자가 다르므로 동류항이 아니다.

③ $\dfrac{4}{x}$는 분모에 문자가 있으므로 다항식이 아니다.

⑤ 차수가 다르므로 동류항이 아니다.

따라서 동류항끼리 짝 지어진 것은 ④이다.

8 ㄴ, ㄹ. 차수가 다르므로 동류항이 아니다.

ㅁ. $\dfrac{9}{x}$는 분모에 문자가 있으므로 다항식이 아니다.

ㅂ. 상수항끼리는 동류항이다.

따라서 동류항끼리 짝 지어진 것은 ㄱ, ㄷ, ㅂ이다.

[9~12] ❶ 괄호가 있으면 분배법칙을 이용하여 괄호를 푼다.
❷ 동류항끼리 모아서 계산한다.

9 $(-2a+4)+(-3a+2) = -2a+4-3a+2$

$\qquad = -2a-3a+4+2$

$\qquad = -5a+6$

10 ① $(2x+11)+(x-4) = 2x+11+x-4$

$\qquad = 2x+x+11-4 = \underline{3x+7}$

② $(-8x+1)+(-x-7) = -8x+1-x-7$

$\qquad = -8x-x+1-7 = \underline{-9x-6}$

③ $(9x+13)-(7x-5) = 9x+13-7x+5$

$\qquad = 9x-7x+13+5 = \underline{2x+18}$

④ $(4x-3)-(2x-6) = 4x-3-2x+6$

$\qquad = 4x-2x-3+6 = \underline{2x+3}$

⑤ $(-4x-10)-(-12x+10) = -4x-10+12x-10$

$\qquad = -4x+12x-10-10$

$\qquad = \underline{8x-20}$

따라서 계산하였을 때, x의 계수가 가장 큰 것은 ⑤이다.

11 $4(2x+1)-3(x-2) = 8x+4-3x+6$

$\qquad = 8x-3x+4+6$

$\qquad = 5x+10$

따라서 x의 계수는 5, 상수항은 10이므로 구하는 곱은

$5 \times 10 = 50$

12 $\dfrac{1}{3}(9x-6)+\dfrac{1}{2}(-2x+10) = 3x-2-x+5$

$\qquad = 3x-x-2+5$

$\qquad = 2x+3$

따라서 x의 계수는 2, 상수항은 3이므로 구하는 합은

$2+3=5$

13 $\dfrac{x}{3}+\dfrac{x+2}{6} = \dfrac{2x}{6}+\dfrac{x+2}{6} = \dfrac{2x+x+2}{6}$

$\qquad = \dfrac{3x+2}{6} = \dfrac{1}{2}x+\dfrac{1}{3}$

14 $\dfrac{x+3}{4}-\dfrac{2x-1}{6} = \dfrac{3(x+3)}{12}-\dfrac{2(2x-1)}{12}$

$\qquad = \dfrac{3x+9-4x+2}{12} = \dfrac{3x-4x+9+2}{12}$

$\qquad = \dfrac{-x+11}{12} = -\dfrac{1}{12}x+\dfrac{11}{12}$

[15~16] 문자에 식을 대입할 때는 괄호를 사용한다.

15 $A=2x+1$, $B=-x+2$이므로

$A-3B = (2x+1)-3(-x+2)$

$\qquad = 2x+1+3x-6$

$\qquad = 2x+3x+1-6$

$\qquad = 5x-5$

16 $B+2(A-B) = B+2A-2B$

$\qquad = 2A+B-2B$

$\qquad = 2A-B$

$A=-3x+5$, $B=x-4$이므로

$2A-B = 2(-3x+5)-(x-4)$

$\qquad = -6x+10-x+4$

$\qquad = -6x-x+10+4$

$\qquad = -7x+14$

17 (1) 【1단계】 어떤 다항식을 ☐라 하면

$\qquad$ ☐$+(6x-3)=3x-5$

$\qquad$ 【2단계】 ∴ ☐$=3x-5-(6x-3)=3x-5-6x+3$

$\qquad\qquad = 3x-6x-5+3 = -3x-2$

$\qquad$ 따라서 어떤 다항식은 $-3x-2$이다.

(2) 【3단계】 어떤 다항식이 $-3x-2$이므로

$\qquad$ 바르게 계산하면

$\qquad (-3x-2)-(6x-3) = -3x-2-6x+3$

$\qquad\qquad = -3x-6x-2+3$

$\qquad\qquad = -9x+1$

채점 기준		
1단계	어떤 다항식을 ☐라 하고 식 세우기	⋯ 30 %
2단계	어떤 다항식 구하기	⋯ 30 %
3단계	바르게 계산한 식 구하기	⋯ 40 %

18 어떤 다항식을 $\boxed{}$ 라 하면

$$\boxed{}-(4x-6)=-7x-1$$

$$\therefore \boxed{}=-7x-1+(4x-6)$$
$$=-7x-1+4x-6$$
$$=-7x+4x-1-6$$
$$=-3x-7$$

따라서 어떤 다항식은 $-3x-7$이므로 바르게 계산하면

$$(-3x-7)+(4x-6)=-3x-7+4x-6$$
$$=-3x+4x-7-6$$
$$=x-13$$

단원 마무리

1 ⑤	2 ④	3 ②	4 148회	5 ⑤
6 ①	7 ④	8 ②	9 $-\dfrac{3}{7}$	10 $-x+6$

1 ① $0.1 \times x = 0.1x$

② $3 \times \dfrac{1}{2} \times x = \dfrac{3}{2}x$

③ $3 \div a + b = \dfrac{3}{a} + b$

④ $(-1) \times (x+y) = -(x+y)$

⑤ $x \div (y \div 4) = x \div \dfrac{y}{4} = x \times \dfrac{4}{y} = \dfrac{4x}{y}$

따라서 옳은 것은 ⑤이다.

2 (거스름돈)$=10000-$(라면 x개의 가격)
$$=10000-750x(원)$$

3 ① $-6x+y=-6 \times \left(-\dfrac{1}{3}\right)+2=2+2=4$

② $3x-4y=3 \times \left(-\dfrac{1}{3}\right)-4 \times 2=-1-8=-9$

③ $9x^2-y=9 \times \left(-\dfrac{1}{3}\right)^2-2=9 \times \dfrac{1}{9}-2=1-2=-1$

④ $\dfrac{5}{x}+5y=5 \div \left(-\dfrac{1}{3}\right)+5 \times 2=5 \times (-3)+10$
$$=-15+10=-5$$

⑤ $4xy-\dfrac{y^2}{3}=4 \times \left(-\dfrac{1}{3}\right) \times 2-\dfrac{2^2}{3}=-\dfrac{8}{3}-\dfrac{4}{3}$
$$=-\dfrac{12}{3}=-4$$

따라서 식의 값이 가장 작은 것은 ②이다.

4 $\dfrac{36}{5}x-32$에 $x=25$를 대입하면

$$\dfrac{36}{5} \times 25-32=180-32=148$$

따라서 기온이 $25\,^{\circ}\text{C}$일 때, 귀뚜라미는 1분 동안 148회를 운다.

5 $-6x^2+x-3$에서 다항식의 차수는 2, x의 계수는 1, 상수항은 -3이므로 $a=2$, $b=1$, $c=-3$

$$\therefore a+b-c=2+1-(-3)=2+1+3=6$$

6 ② 분모에 문자가 있는 식은 다항식이 아니므로 일차식이 아니다.

③ 다항식의 차수가 2이므로 일차식이 아니다.

④ $0 \times x+7=7$의 상수항뿐이므로 일차식이 아니다.

⑤ 다항식의 차수가 3이므로 일차식이 아니다.

따라서 일차식은 ①이다.

7 ① $2(1-3x)=2-6x$

② $\dfrac{1}{5}(5x-3)=x-\dfrac{3}{5}$

③ $-\dfrac{1}{4}(8x-24)=-2x+6$

④ $(4x-6) \div \dfrac{2}{3}=(4x-6) \times \dfrac{3}{2}=6x-9$

⑤ $(5x-10) \div \left(-\dfrac{1}{5}\right)=(5x-10) \times (-5)=-25x+50$

따라서 옳은 것은 ④이다.

8 ② 차수가 다르므로 동류항이 아니다.

9 $\dfrac{x-3}{7}-\dfrac{2x-1}{3}=\dfrac{3(x-3)}{21}-\dfrac{7(2x-1)}{21}$

$$=\dfrac{3x-9-14x+7}{21}=\dfrac{3x-14x-9+7}{21}$$

$$=\dfrac{-11x-2}{21}=-\dfrac{11}{21}x-\dfrac{2}{21}$$

따라서 $a=-\dfrac{11}{21}$, $b=-\dfrac{2}{21}$이므로

$$a-b=-\dfrac{11}{21}-\left(-\dfrac{2}{21}\right)=-\dfrac{11}{21}+\dfrac{2}{21}$$

$$=-\dfrac{9}{21}=-\dfrac{3}{7}$$

10 1단계 어떤 다항식을 $\boxed{}$ 라 하면

$$\boxed{}-(2x+7)=-5x-8$$

2단계 $\therefore \boxed{}=-5x-8+(2x+7)$
$$=-5x-8+2x+7$$
$$=-5x+2x-8+7$$
$$=-3x-1$$

3단계 따라서 어떤 다항식은 $-3x-1$이므로 바르게 계산하면

$$(-3x-1)+(2x+7)=-3x-1+2x+7$$
$$=-3x+2x-1+7$$
$$=-x+6$$

채점 기준		
1단계	어떤 다항식을 $\boxed{}$ 라 하고 식 세우기	⋯ 30 %
2단계	어떤 다항식 구하기	⋯ 30 %
3단계	바르게 계산한 식 구하기	⋯ 40 %

3. 문자의 사용과 식 | 47

01 방정식과 그 해

P. 66

1 (1) $x-10=6$ (2) $2(x+1)=14$ (3) $6+3x=x-2$
2 (1) $5a=6000$ (2) $35-2x=7$
3 표는 풀이 참조, $x=3$
4 (1) ○ (2) × (3) × (4) ○
5 ㄱ, ㅁ, ㅂ   **6** ㄴ, ㄹ, ㅂ

1 (1) $\underline{x에서\ 10을\ 빼면}$ / $\underline{6과\ 같다.}$ ⇨ $x-10=6$
  $\quad\ \ {}_{x-10}\qquad\qquad {}_{=6}$

 (2) $\underline{x에\ 1을\ 더한\ 것의\ 2배는}$ / $\underline{14와\ 같다.}$ ⇨ $2(x+1)=14$
  $\quad\ \ {}_{(x+1)\times2}\qquad\qquad {}_{=14}$

 (3) $\underline{6에\ x의\ 3배를\ 더한\ 것은}$ / $\underline{x에서\ 2를\ 뺀\ 것과\ 같다.}$
  $\quad\ \ {}_{6+x\times3}\qquad\qquad\qquad {}_{=x-2}$
  ⇨ $6+3x=x-2$

2 (1) $\underline{박물관의\ 학생\ 1명당\ 입장료가\ a원일\ 때,\ 학생\ 5명의\ 입}$
  $\underline{장료는}$ / $\underline{6000원이다.}$
  $\quad\ \ {}_{5\times a}\qquad {}_{=6000}$
  ⇨ $5a=6000$

 (2) $\underline{귤\ 35개를\ x명의\ 학생에게\ 2개씩\ 나누어\ 주었더니}$ / $\underline{7개}$
  $\quad\qquad\qquad {}_{35-x\times2}$
  $\underline{가\ 남았다.}$
  $\ \ {}_{=7}$
  ⇨ $35-2x=7$

3

x의 값	좌변	우변	참 / 거짓
0	$2\times0-5=-5$	1	거짓
1	$2\times1-5=-3$	1	거짓
2	$2\times2-5=-1$	1	거짓
3	$2\times3-5=1$	1	참

$x=3$일 때 등식이 참이 되므로 방정식 $2x-5=1$의 해는
$x=3$이다.

[4~5] $x=a$가 방정식의 해(근)인지 확인할 때는
⇨ 방정식에 $x=a$를 대입하여 (좌변)=(우변)인지 확인한다.

4 (1) 주어진 방정식에 $x=-1$을 대입하면
  $-1+4=3\ (\bigcirc)$
 (2) 주어진 방정식에 $x=2$를 대입하면
  $\underline{4\times2-10}\neq-8\ (\times)$
  $\ \ {}_{=-2}$
 (3) 주어진 방정식에 $x=0$을 대입하면
  $\underline{2\times(0+1)}\neq0\ (\times)$
  $\ \ {}_{=2}$

 (4) 주어진 방정식에 $x=6$을 대입하면
  $1-\dfrac{1}{2}\times6=-2\ (\bigcirc)$

5 각 방정식에 $x=2$를 대입하면
 ㄱ. $4\times2-2=6$ ㄴ. $\underline{2+2}\neq0$
  $\qquad\qquad\qquad\qquad\qquad\quad {}_{=4}$
 ㄷ. $3\neq\underline{2-1}$ ㄹ. $\underline{0.6\times2+1.8}\neq2$
  $\quad\ \ {}_{=1}$ $\qquad\qquad\qquad\quad {}_{=3}$
 ㅁ. $-5\times2+7=-3$ ㅂ. $\dfrac{2}{4}+1=\dfrac{3}{2}$

 따라서 해가 $x=2$인 것은 ㄱ, ㅁ, ㅂ이다.

[6] 항등식: 미지수에 어떠한 값을 대입하여도 항상 참이 되는 등식
 ⇨ 좌변과 우변을 각각 정리했을 때
  (좌변)=(우변)인 등식
  예 $\underline{3x+1}=\underline{4x+1-x}$
   $\ \ {}_{3x+1}\qquad {}_{3x+1}$

6 ㄱ. $3x-1=2$ ⇨ (좌변)≠(우변)이므로 항등식이 아니다.
 ㄴ. $\underline{2x-x}=\underline{x}$ ⇨ (좌변)=(우변)이므로 항등식이다.
  $\ \ {}_{x}\quad {}_{=x}$
 ㄷ. $x+2>7$ ⇨ 등식이 아니므로 항등식이 아니다.
 ㄹ. $\underline{3(x+1)-6}=\underline{3(x-1)}$
  $\ \ {}_{3x+3-6}\qquad {}_{3x-3}$
  ⇨ (좌변)=(우변)이므로 항등식이다.
 ㅁ. $x=-4$ ⇨ (좌변)≠(우변)이므로 항등식이 아니다.
 ㅂ. $\underline{-(x-1)}=\underline{1-x}$
  $\ \ {}_{-x+1}\quad {}_{=1-x}$
  ⇨ (좌변)=(우변)이므로 항등식이다.
 따라서 항등식은 ㄴ, ㄹ, ㅂ이다.

유형 2

P. 67

1 (1) ○ (2) × (3) ○ (4) ○ (5) × (6) ○ (7) × (8) ○
2 (1) ㄱ, ㄹ (2) ㄴ, ㄷ
3 (1) 1, 1, 8, 4, 8, 2 (2) 5, 5, -3, -2, -3, 6
4 (1) $x=-8$ (2) $x=2$
  (3) $x=20$ (4) $x=-3$

1 (1) $a=b$의 양변에 1을 더하면
  $a+1=b+1\ (\bigcirc)$
 (2) $a=b$의 양변에서 3을 빼면
  $a-3=b-3$
  ∴ $a-3\neq3-b\ (\times)$
 (3) $a=b$의 양변에 -4를 곱하면
  $-4a=-4b\ (\bigcirc)$

(4) $a=b$의 양변을 2로 나누면

$\dfrac{a}{2}=\dfrac{b}{2}$ ($\bigcirc$)

(5) $a+3=b-3$의 양변에서 3을 빼면

$a+3-3=b-3-3$이므로 $a=b-6$

$\therefore a\neq b$ ($\times$)

(6) $2a+5=2b+5$의 양변에서 5를 빼면

$2a+5-5=2b+5-5$이므로 $2a=2b$

이때 $2a=2b$의 양변을 2로 나누면

$\dfrac{2a}{2}=\dfrac{2b}{2}$

$\therefore a=b$ ($\bigcirc$)

(7) $\dfrac{a}{3}=\dfrac{b}{2}$의 양변에 9를 곱하면

$\dfrac{a}{3}\times9=\dfrac{b}{2}\times9$이므로 $3a=\dfrac{9}{2}b$

$\therefore 3a\neq2b$ ($\times$)

참고 $\dfrac{a}{3}=\dfrac{b}{2}$의 양변에 6을 곱하면

$\dfrac{a}{3}\times6=\dfrac{b}{2}\times6$이므로 $2a=3b$

(8) $20a=12b$의 양변을 4로 나누면

$\dfrac{20}{4}a=\dfrac{12}{4}b$

$\therefore 5a=3b$ ($\bigcirc$)

2 (1)

$3x-2=10$

$3x-2+2=10+2$ (가) 양변에 2를 더한다. ⇨ ㄱ

$3x=12$

$\dfrac{3x}{3}=\dfrac{12}{3}$ (나) 양변을 3으로 나눈다. ⇨ ㄹ

$\therefore x=4$

(2)

$\dfrac{1}{3}x+7=4$

$\dfrac{1}{3}x+7-7=4-7$ (가) 양변에서 7을 뺀다. ⇨ ㄴ

$\dfrac{1}{3}x=-3$

$\dfrac{1}{3}x\times3=-3\times3$ (나) 양변에 3을 곱한다. ⇨ ㄷ

$\therefore x=-9$

4 (1)

$2x+9=-7$

$2x+9-9=-7-9$ 양변에서 9를 뺀다.

$2x=-16$

$\dfrac{2x}{2}=\dfrac{-16}{2}$ 양변을 2로 나눈다.

$\therefore x=-8$

(2)

$5x-2=8$

$5x-2+2=8+2$ 양변에 2를 더한다.

$5x=10$

$\dfrac{5x}{5}=\dfrac{10}{5}$ 양변을 5로 나눈다.

$\therefore x=2$

(3)

$\dfrac{1}{4}x-3=2$

$\dfrac{1}{4}x-3+3=2+3$ 양변에 3을 더한다.

$\dfrac{1}{4}x=5$

$\dfrac{1}{4}x\times4=5\times4$ 양변에 4를 곱한다.

$\therefore x=20$

(4)

$\dfrac{2}{3}x+1=-1$

$\dfrac{2}{3}x+1-1=-1-1$ 양변에서 1을 뺀다.

$\dfrac{2}{3}x=-2$

$\dfrac{2}{3}x\times\dfrac{3}{2}=-2\times\dfrac{3}{2}$ 양변에 $\dfrac{3}{2}$을 곱한다.

$\therefore x=-3$

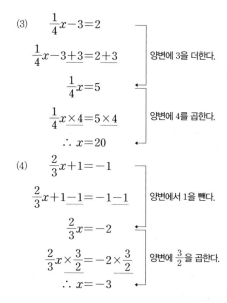

쌍둥이 **기출문제**

P. 68~69

1 ①, ③	**2** ㄱ, ㄴ, ㅁ, ㅂ	**3** ③
4 $7000-900x=700$		**5** ⑤ **6** ④
7 ④	**8** ③, ⑤ **9** $a=-2, b=4$	**10** 7
11 ④	**12** ㄱ, ㄴ, ㄹ	**13** ② **14** ㄱ, ㄷ

[1~2] 등식은 등호($=$)를 사용하여 두 수나 식이 같음을 나타낸 식이므로 등호가 없는 식은 등식이 아니다.

1 ① $2x+1$ ⇨ 다항식

③ $0>-1$ ⇨ 부등호를 사용한 식

2 ㄷ. $2\times40\geq50$ ⇨ 부등호를 사용한 식

ㄹ. $2x^2+2$ ⇨ 다항식

따라서 등식은 ㄱ, ㄴ, ㅁ, ㅂ이다.

3 어떤 수 x의 3배에서 5를 뺀 것은 / 어떤 수 x에 1을 더한

$\underbrace{}_{x\times3-5}$ $\underbrace{}_{=x+1}$

것과 같다.

⇨ $3x-5=x+1$

4 7000원을 내고 한 자루에 900원인 볼펜 x자루를 샀더니 / 거

$\underbrace{}_{7000-900\times x}$

스름돈이 700원이었다.

$\underbrace{}_{=700}$

⇨ $7000-900x=700$

5 각 방정식에 $x=7$을 대입하면

① $\underset{=11}{7+4}\neq 7$

② $\underset{=5}{2\times 7-9}\neq 3$

③ $\underset{=10}{5\times 7-25}\neq \underset{=8}{7+1}$

④ $\underset{=18}{3\times(7-1)}\neq \underset{=8}{7+1}$

⑤ $\dfrac{1}{5}\times(7+3)=2$

따라서 해가 $x=7$인 것은 ⑤이다.

6 각 방정식의 x에 [ ] 안의 수를 대입하면

① $\underset{=1}{3-2}\neq 10$

② $\underset{=-3}{\dfrac{1}{3}\times(-3)-2}\neq -1$

③ $\underset{=-5}{-5\times 1}\neq \underset{=7}{1+6}$

④ $2\times(1-2)=-2$

⑤ $\underset{=9}{5\times\left(-\dfrac{1}{5}\right)+10}\neq \underset{=-2}{10\times\left(-\dfrac{1}{5}\right)}$

따라서 [ ] 안의 수가 주어진 방정식의 해인 것은 ④이다.

7 ① $5x=5$ ⇨ (좌변)$\neq$(우변)이므로 항등식이 아니다.

② $x+1=2x$ ⇨ (좌변)$\neq$(우변)이므로 항등식이 아니다.

③ (좌변)$=2x+3x=5x$

⇨ (좌변)$\neq$(우변)이므로 항등식이 아니다.

④ (우변)$=4x-x=3x$

⇨ (좌변)$=$(우변)이므로 항등식이다.

⑤ (좌변)$=8(x+2)=8x+16$

⇨ (좌변)$\neq$(우변)이므로 항등식이 아니다.

따라서 항등식인 것은 ④이다.

8 x의 값에 관계없이 항상 참이 되는 등식은 항등식이다.

① $x-3=1$ ⇨ (좌변)$\neq$(우변)이므로 항등식이 아니다.

② $3x+1=-2$ ⇨ (좌변)$\neq$(우변)이므로 항등식이 아니다.

③ (우변)$=2x+1-x=x+1$

⇨ (좌변)$=$(우변)이므로 항등식이다.

④ (우변)$=3(x-1)=3x-3$

⇨ (좌변)$\neq$(우변)이므로 항등식이 아니다.

⑤ (우변)$=2(2x-3)=4x-6$

⇨ (좌변)$=$(우변)이므로 항등식이다.

따라서 x의 값에 관계없이 항상 참이 되는 등식은 ③, ⑤이다.

[9~10] 항등식이 되는 조건
$\boxed{ax+b=cx+d}$가 x에 대한 항등식이다.
⇨ $a=c,\ b=d$

9 $ax+4=-2x+b$가 x에 대한 항등식이므로 좌변과 우변의 x의 계수와 상수항이 각각 같아야 한다.

$\therefore a=-2,\ b=4$

10 $3(x-a)=bx+12$가 x의 값에 관계없이 항상 성립하므로 x에 대한 항등식이다.

즉, 좌변과 우변의 x의 계수와 상수항이 각각 같아야 한다.

이때 좌변의 괄호를 풀면 $3x-3a$이므로

$3=b,\ -3a=12$

따라서 $a=-4,\ b=3$이므로 $b-a=3-(-4)=3+4=7$

11 ① $a=b$의 양변에 c를 더하면 $a+c=b+c$

② $a=b$의 양변에서 5를 빼면 $a-5=b-5$

③ $a+7=b+7$의 양변에서 7을 빼면

$a+7-7=b+7-7$ $\therefore a=b$

④ $a=1,\ b=2,\ c=0$이면

$1\times 0=2\times 0$이지만 $1\neq 2$이다.

⑤ $\dfrac{a}{5}=\dfrac{b}{2}$의 양변에 10을 곱하면

$\dfrac{a}{5}\times 10=\dfrac{b}{2}\times 10$ $\therefore 2a=5b$

따라서 옳지 않은 것은 ④이다.

12 ㄱ. $a=b$의 양변에 -5를 곱하면 $-5a=-5b$

ㄴ. $-9a=-9b$의 양변을 -9로 나누면

$\dfrac{-9a}{-9}=\dfrac{-9b}{-9}$ $\therefore a=b$

ㄷ. $\dfrac{a}{8}=\dfrac{b}{6}$의 양변에 16을 곱하면

$\dfrac{a}{8}\times 16=\dfrac{b}{6}\times 16$ $\therefore 2a=\dfrac{8}{3}b$

ㄹ. $a=b$의 양변을 2로 나누면 $\dfrac{a}{2}=\dfrac{b}{2}$

$\dfrac{a}{2}=\dfrac{b}{2}$의 양변에서 1을 빼면

$\dfrac{a}{2}-1=\dfrac{b}{2}-1$

따라서 옳은 것은 ㄱ, ㄴ, ㄹ이다.

13

$4x+13=25$

$4x+13-13=25-13$ ㈎ 양변에서 13을 뺀다.

$4x=12$

$\dfrac{4x}{4}=\dfrac{12}{4}$ 양변을 4로 나눈다.

$\therefore x=3$

따라서 ㈎에 이용된 등식의 성질은 ②이다.

14

$$\frac{1}{2}x-3=-1$$

$$\frac{1}{2}x-3\underline{+3}=-1\underline{+3} \qquad \text{(가) 양변에 3을 더한다.}$$

$$\frac{1}{2}x=2$$

$$\frac{1}{2}x\underline{\times 2}=2\underline{\times 2} \qquad \text{(나) 양변에 2를 곱한다.}$$

$$\therefore x=4$$

따라서 (가), (나)에 이용된 등식의 성질은 각각 ㄱ, ㄷ이다.

---

02 일차방정식의 풀이

유형 3 　　　　　　　　　　　　　　　　**P. 70**

1 (1) $x=5-8$ 　　(2) $3x-x=4$
　　(3) $2x=6+4$ 　　(4) $x+2x=-3$

2 ㄱ, ㄴ, ㄷ, ㅅ 　　**3** $6x,\ 6x,\ 7,\ 2,\ 6,\ 3$

4 (1) $x=5$ (2) $x=1$ (3) $x=-4$ (4) $x=2$ (5) $x=3$

5 (1) $x=2$ 　(2) $x=-3$ 　(3) $x=-1$
　　(4) $x=\dfrac{1}{2}$ 　(5) $x=\dfrac{4}{13}$

---

[1] $+\square$를 이항 $\Rightarrow -\square$, $\ -\square$를 이항 $\Rightarrow +\square$

1 (1) $x\underline{+8}=5 \Rightarrow x=5\underline{-8}$
　　(2) $3x=\underline{x}+4 \Rightarrow 3x\underline{-x}=4$
　　(3) $2x\underline{-4}=6 \Rightarrow 2x=6\underline{+4}$
　　(4) $x=\underline{-2x}-3 \Rightarrow x\underline{+2x}=-3$

[2] 일차방정식은 다음 두 조건을 모두 만족시킨다.
① 등식이다.
② 정리하여 (일차식)$=0$ 꼴로 나타낼 수 있다.

2 ㄱ. $x=2$에서 $\underline{x-2=0}_{\text{일차식}} \Rightarrow$ 일차방정식

ㄴ. $-(x-1)=x-1$에서 $-x+1=x-1$
　　$-x+1-x+1=0$
　　$\therefore \underline{-2x+2=0}_{\text{일차식}} \Rightarrow$ 일차방정식

ㄷ. $4x-x=4$에서 $3x=4$
　　$\therefore \underline{3x-4=0}_{\text{일차식}} \Rightarrow$ 일차방정식

ㄹ. $x+3=x^2+1$에서 $x+3-x^2-1=0$
　　$\therefore \underline{-x^2+x+2=0}_{\text{일차식이 아니다.}} \Rightarrow$ 일차방정식이 아니다.

ㅁ. $5x-2>0 \Rightarrow$ 등식이 아니므로 일차방정식이 아니다.

ㅂ. $2x+5=x+(x+5)$에서 $2x+5=2x+5$
　　$2x+5-2x-5=0$
　　$\therefore 0=0 \Rightarrow$ 일차방정식이 아니다.

ㅅ. $3x-x^2=4-x^2$에서 $3x-x^2-4+x^2=0$
　　$\therefore \underline{3x-4=0}_{\text{일차식}} \Rightarrow$ 일차방정식

ㅇ. $4x-8 \Rightarrow$ 등식이 아니므로 일차방정식이 아니다.
따라서 일차방정식은 ㄱ, ㄴ, ㄷ, ㅅ이다.

3

$$8x-7=6x-1 \qquad -7,\ \boxed{6x}\ \text{을(를) 각각 이항하면}$$

$$8x-\boxed{6x}=-1+\boxed{7}$$

$$\boxed{2}x=\boxed{6}$$

$$\therefore x=\boxed{3}$$

4 (1) $5-2x=-5$에서 $-2x=-5-5$
　　$-2x=-10$ 　$\therefore x=5$

(2) $5x+\dfrac{1}{2}=\dfrac{11}{2}$에서 $5x=\dfrac{11}{2}-\dfrac{1}{2}$
　　$5x=5$ 　$\therefore x=1$

(3) $-3x=-x+8$에서 $-3x+x=8$
　　$-2x=8$ 　$\therefore x=-4$

(4) $x+1=-2x+7$에서 $x+2x=7-1$
　　$3x=6$ 　$\therefore x=2$

(5) $10-4x=x-5$에서 $-4x-x=-5-10$
　　$-5x=-15$ 　$\therefore x=3$

5 (1) $x+10=3(x+2)$에서 괄호를 풀면
　　$x+10=3x+6$
　　$x-3x=6-10,\ -2x=-4$
　　$\therefore x=2$

(2) $8x-5(x-1)=-4$에서 괄호를 풀면
　　$8x-5x+5=-4$
　　$8x-5x=-4-5,\ 3x=-9$
　　$\therefore x=-3$

(3) $x+4(x+1)=-3-2x$에서 괄호를 풀면
　　$x+4x+4=-3-2x$
　　$x+4x+2x=-3-4,\ 7x=-7$
　　$\therefore x=-1$

(4) $6\left(x-\dfrac{1}{2}\right)=2-4x$에서 괄호를 풀면
　　$6x-3=2-4x$
　　$6x+4x=2+3,\ 10x=5$
　　$\therefore x=\dfrac{1}{2}$

(5) $8\left(\dfrac{x}{2}+\dfrac{1}{4}\right)-3=-9\left(x-\dfrac{1}{3}\right)$에서 괄호를 풀면
　　$4x+2-3=-9x+3$
　　$4x-1=-9x+3,\ 4x+9x=3+1$
　　$13x=4$ 　$\therefore x=\dfrac{4}{13}$

1 (1) $10, -16, 16, 21, 7$

(2) $100, -x, -x, x, -33, 3, -33, -11$

2 (1) $x=6$　(2) $x=\dfrac{3}{5}$　(3) $x=36$

3 (1) $x=-\dfrac{7}{2}$　(2) $x=15$　(3) $x=12$

4 $15, 10, 10, 6, 3x, 10, 6, 7, 6, -\dfrac{6}{7}$

5 (1) $x=12$　(2) $x=-6$　(3) $x=\dfrac{1}{7}$　(4) $x=-4$

(5) $x=1$　(6) $x=-2$

6 (1) $x=-9$　(2) $x=3$　(3) $x=\dfrac{9}{2}$　(4) $x=-1$

7 (1) $x=-10$　(2) $x=5$　(3) $x=-11$　(4) $x=15$

8 $-2, -2, 3$　　　**9** -6

10 (1) $x=3$　(2) -5　　**11** 7

---

1 (1) $0.3x-1.6=0.5$　　양변에 $\boxed{10}$ 을 곱하면

$3x-16=5$　　$\boxed{-16}$ 을 이항하면

$3x=5+\boxed{16}$

$3x=\boxed{21}$

$\therefore x=\boxed{7}$

(2) $0.02x+0.33=-0.01x$　　양변에 $\boxed{100}$ 을 곱하면

$2x+33=\boxed{-x}$　　$33, \boxed{-x}$ 를 각각 이항하면

$2x+\boxed{x}=\boxed{-33}$

$\boxed{3}\,x=\boxed{-33}$

$\therefore x=\boxed{-11}$

2 (1) 양변에 10을 곱하면

$14x-28=5x+26$

$14x-5x=26+28$

$9x=54$　　$\therefore x=6$

(2) 양변에 100을 곱하면

$88x-24=36-12x$

$88x+12x=36+24$

$100x=60$　　$\therefore x=\dfrac{3}{5}$

(3) 양변에 100을 곱하면

$18x+40=20x-32$

$18x-20x=-32-40$

$-2x=-72$　　$\therefore x=36$

3 (1) 양변에 10을 곱하면

$16x+50=4(x+2)$

$16x+50=4x+8$

$16x-4x=8-50, 12x=-42$

$\therefore x=-\dfrac{7}{2}$

(2) 양변에 100을 곱하면

$15(x-1)=20x-90$

$15x-15=20x-90$

$15x-20x=-90+15, -5x=-75$

$\therefore x=15$

(3) 양변에 100을 곱하면

$30(2x-1)=46(x+3),$

$60x-30=46x+138$

$60x-46x=138+30, 14x=168$

$\therefore x=12$

4　$\dfrac{2x}{3}=\dfrac{x-2}{5}$　　양변에 $\boxed{15}$ 를 곱하면

$\boxed{10}\,x=3(x-2)$　　괄호를 풀면

$\boxed{10}\,x=3x-\boxed{6}$　　$\boxed{3x}$ 를 이항하면

$\boxed{10}\,x-3x=-\boxed{6}$

$\boxed{7}\,x=-\boxed{6}$

$\therefore x=\boxed{-\dfrac{6}{7}}$

5 (1) 양변에 3을 곱하면

$2x-15=x-3$

$2x-x=-3+15$　　$\therefore x=12$

(2) 양변에 4를 곱하면

$x-6=4x+12$

$x-4x=12+6$

$-3x=18$　　$\therefore x=-6$

(3) 양변에 12를 곱하면

$4x-9=-3x-8$

$4x+3x=-8+9$

$7x=1$　　$\therefore x=\dfrac{1}{7}$

(4) 양변에 18을 곱하면

$8x+24=3x+4$

$8x-3x=4-24$

$5x=-20$　　$\therefore x=-4$

(5) 양변에 6을 곱하면

$15x+1=4x+12$

$15x-4x=12-1$

$11x=11$　　$\therefore x=1$

(6) 양변에 20을 곱하면

$-15x+14=8x+60$

$-15x-8x=60-14$

$-23x=46$　　$\therefore x=-2$

6 (1) 양변에 4를 곱하면

$x-3=2(x+3)$

$x-3=2x+6, x-2x=6+3$

$-x=9$　　$\therefore x=-9$

(2) 양변에 10을 곱하면
$$6(x+2)-5(x+1)=10$$
$$6x+12-5x-5=10, \ x+7=10$$
$$\therefore x=3$$

(3) 양변에 15를 곱하면
$$10x-3(2-x)=15(x-1)$$
$$10x-6+3x=15x-15, \ 13x-6=15x-15$$
$$13x-15x=-15+6, \ -2x=-9$$
$$\therefore x=\frac{9}{2}$$

(4) 양변에 6을 곱하면
$$3(1+3x)-(x-1)=2+6x$$
$$3+9x-x+1=2+6x, \ 8x+4=2+6x$$
$$8x-6x=2-4, \ 2x=-2$$
$$\therefore x=-1$$

7 (1) 소수를 분수로 고치면
$$\frac{4x+1}{5}=\frac{3}{5}(x-3)$$
양변에 5를 곱하면
$$4x+1=3(x-3)$$
$$4x+1=3x-9$$
$$4x-3x=-9-1 \qquad \therefore x=-10$$

(2) 소수를 분수로 고치면
$$\frac{3x-5}{2}-3=\frac{2}{5}x$$
양변에 10을 곱하면
$$5(3x-5)-30=4x$$
$$15x-25-30=4x$$
$$15x-55=4x, \ 15x-4x=55$$
$$11x=55 \qquad \therefore x=5$$

(3) 소수를 분수로 고치면
$$\frac{1}{5}x-3=\frac{1}{2}(x-1)+\frac{4}{5}$$
양변에 10을 곱하면
$$2x-30=5(x-1)+8$$
$$2x-30=5x-5+8$$
$$2x-30=5x+3, \ 2x-5x=3+30$$
$$-3x=33 \qquad \therefore x=-11$$

(4) 소수를 분수로 고치면
$$\frac{2x+1}{3}-\frac{1}{4}(3x-7)=\frac{5}{6}$$
양변에 12를 곱하면
$$4(2x+1)-3(3x-7)=10$$
$$8x+4-9x+21=10, \ -x+25=10$$
$$-x=-15 \qquad \therefore x=15$$

8 $4x+a=6x+7$에 $x=-2$를 대입하면
$$4\times(\boxed{-2})+a=6\times(\boxed{-2})+7$$
$$-8+a=-12+7, \ a=-5+8$$
$$\therefore a=\boxed{3}$$

9 $3(x+4)=x-a$에 $x=-3$을 대입하면
$$3\times(-3+4)=-3-a$$
$$3=-3-a$$
$$\therefore a=-3-3=-6$$

10 (1) $2x-1=-x+8$에서 $2x+x=8+1$
$$3x=9 \qquad \therefore x=3$$

(2) 주어진 두 일차방정식의 해가 서로 같으므로
$x=3$은 $2x+a=1$의 해이다.
따라서 $2x+a=1$에 $x=3$을 대입하면
$$2\times3+a=1, \ 6+a=1$$
$$\therefore a=1-6=-5$$

11 $7-5x=-x+15$에서 $-5x+x=15-7$
$$-4x=8 \qquad \therefore x=-2$$
주어진 두 일차방정식의 해가 서로 같으므로
$x=-2$는 $5x+a=-3$의 해이다.
따라서 $5x+a=-3$에 $x=-2$를 대입하면
$$5\times(-2)+a=-3, \ -10+a=-3$$
$$\therefore a=-3+10=7$$

03 일차방정식의 활용

유형 **5**   P. 73

1 $x+2$, 18, 18, 20, 38
2 $10-x$, $10-x$, 6, 6, 4, 6, 4
3 $45+x$, $13+x$, $45+x$, $13+x$, 19, 19, 19, 64, 32

1 연속하는 두 짝수를 x, $x+2$라 하면
두 짝수의 합이 38이므로 $x+(\boxed{x+2})=38$
$$x+x+2=38, \ 2x=36 \qquad \therefore x=\boxed{18}$$
따라서 연속하는 두 짝수는 $\boxed{18}$, $18+2=\boxed{20}$이다.
확인 구한 연속하는 두 짝수를 합하면 $18+20=\boxed{38}$이므로 문제의 뜻에 맞는다.

2 사탕을 x개 샀다고 하면 과자는 $(\boxed{10-x})$개를 샀다.
사탕 x개의 값은 $300x$원이고, 과자 $(10-x)$개의 값은 $1500(10-x)$원이므로
$$300x+1500(\boxed{10-x})=7800$$
$$300x+15000-1500x=7800$$
$$-1200x=-7200 \qquad \therefore x=\boxed{6}$$
따라서 사탕은 $\boxed{6}$개, 과자는 $10-6=\boxed{4}$(개)를 샀다.
확인 $300\times\boxed{6}+1500\times\boxed{4}=7800$(원)이므로 문제의 뜻에 맞는다.

3 x년 후에 어머니의 나이가 딸의 나이의 2배가 된다고 하면
x년 후의 어머니의 나이는 $(\boxed{45+x})$세,
딸의 나이는 $(\boxed{13+x})$세이므로
$\boxed{45+x}=2(\boxed{13+x})$

$45+x=26+2x,\ -x=-19 \qquad \therefore x=\boxed{19}$

따라서 $\boxed{19}$년 후에 어머니의 나이는 딸의 나이의 2배가 된다.

확인 $\boxed{19}$년 후의 어머니의 나이는 $\boxed{64}$세, 딸의 나이는 $\boxed{32}$세이므로 문제의 뜻에 맞는다.

유형 6 P. 74

1 ❶ 표는 풀이 참조
  ❷ $2\dfrac{30}{60}\left(\text{또는 } \dfrac{5}{2}\right),\ \dfrac{x}{6}+\dfrac{x}{4}=2\dfrac{30}{60}\left(\text{또는 } \dfrac{x}{6}+\dfrac{x}{4}=\dfrac{5}{2}\right)$
  ❸ 6, 6
2 ❶ 표는 풀이 참조
  ❷ $60(x+5)=80x$
  ❸ 15, 15

---

1 ❶ 두 지점 A, B 사이의 거리를 x km라 하면

	갈 때	올 때
속력	시속 6 km	시속 4 km
거리	x km	x km
시간	$\dfrac{x}{6}$시간	$\dfrac{x}{4}$시간

❷ 총 2시간 30분이 걸렸으므로
(갈 때 걸린 시간)+(올 때 걸린 시간)
$=\boxed{2\dfrac{30}{60}}(\text{시간})\left(\text{또는 } \boxed{\dfrac{5}{2}}\text{시간}\right)$

$\Rightarrow \dfrac{x}{6}+\dfrac{x}{4}=2\dfrac{30}{60}\left(\text{또는 } \dfrac{x}{6}+\dfrac{x}{4}=\dfrac{5}{2}\right)$

❸ $2\dfrac{30}{60}=2\dfrac{1}{2}=\dfrac{5}{2}$이므로 $\dfrac{x}{6}+\dfrac{x}{4}=\dfrac{5}{2}$
양변에 12를 곱하면
$2x+3x=30,\ 5x=30 \qquad \therefore x=\boxed{6}$

따라서 두 지점 A, B 사이의 거리는 $\boxed{6}$ km이다.

확인 갈 때 걸린 시간은 $\dfrac{6}{6}=1$(시간), 올 때 걸린 시간은
$\dfrac{6}{4}=\dfrac{3}{2}$(시간)이므로 총 $1+\dfrac{3}{2}=\dfrac{5}{2}$(시간)이 된다.
즉, 문제의 뜻에 맞는다.

---

2 ❶ 형이 출발한 지 x분 후에 동생을 만난다고 하면

	동생	형
속력	분속 60 m	분속 80 m
시간	$(x+5)$분	x분
거리	$60(x+5)$ m	$80x$ m

❷ (동생이 이동한 거리)=(형이 이동한 거리)이므로
$\Rightarrow 60(x+5)=80x$

❸ $60(x+5)=80x$에서 괄호를 풀면
$60x+300=80x$

$-20x=-300 \qquad \therefore x=\boxed{15}$

따라서 형이 출발한 지 $\boxed{15}$분 후에 동생을 만난다.

확인 (동생이 이동한 거리)$=60\times(15+5)=1200(\text{m})$,
(형이 이동한 거리)$=80\times15=1200(\text{m})$이므로
(동생이 이동한 거리)=(형이 이동한 거리)이다.
즉, 문제의 뜻에 맞는다.

한 걸음 더 연습 P. 75

1 $30+x,\ 10x+3,\ 10x+3,\ 30+x,\ 8,\ 38$
2 $x-4,\ 3x,\ x-4,\ 3x,\ 5,\ 5$
3 $5x+4,\ 8x-14,\ 5x+4=8x-14,\ 6,\ 6$
4 $3000,\ 3000,\ 250x+50x=3000,\ 10,\ 10$

1 처음 자연수의 일의 자리의 숫자를 x라 하자.
십의 자리의 숫자는 3이므로 처음 자연수는 $\boxed{30+x}$
십의 자리의 숫자와 일의 자리의 숫자를 바꾼 수는 $\boxed{10x+3}$
바꾼 수는 처음 수의 2배보다 7만큼 크므로
$\boxed{10x+3}=2\times(\boxed{30+x})+7$

$10x+3=60+2x+7,\ 8x=64 \qquad \therefore x=\boxed{8}$
따라서 처음 자연수의 십의 자리의 숫자는 3, 일의 자리의 숫자는 8이므로 처음 자연수는 $\boxed{38}$이다.

확인 $83=38\times2+7$이므로 문제의 뜻에 맞는다.

2 처음 정사각형의 한 변의 길이를 x cm라 하자.
가로의 길이는 4 cm만큼 줄였으므로 $(\boxed{x-4})$ cm
세로의 길이는 3배로 늘였으므로 $\boxed{3x}$ cm
새로 만든 직사각형의 둘레의 길이가 처음 정사각형의 둘레의 길이보다 12 cm만큼 더 길어졌으므로
$2\times\{(\boxed{x-4})+\boxed{3x}\}=4x+12$

$2(4x-4)=4x+12,\ 8x-8=4x+12$

$4x=20 \qquad \therefore x=\boxed{5}$

따라서 처음 정사각형의 한 변의 길이는 $\boxed{5}$ cm이다.

확인 $2\times\{(5-4)+3\times5\}=4\times5+12$이므로 문제의 뜻에 맞는다.

3 학생 수를 x라 하자.

한 학생에게 사탕을 5개씩 나누어 주면 4개가 남으므로

(사탕의 개수)$=\boxed{5x+4}$

한 학생에게 사탕을 8개씩 나누어 주면 14개가 부족하므로

(사탕의 개수)$=\boxed{8x-14}$

사탕의 개수는 일정하므로

$\boxed{5x+4=8x-14}$, $-3x=-18$ ∴ $x=\boxed{6}$

따라서 학생 수는 $\boxed{6}$이다.

[확인] $5\times6+4=8\times6-14$이므로 문제의 뜻에 맞는다.

4 두 사람이 출발한 지 x분 후에 만난다고 하자.

	민희	할머니
속력	분속 250 m	분속 50 m
시간	x분	x분
거리	$250x$ m	$50x$ m

$3\,\text{km}=\boxed{3000}$ m이므로

(민희가 이동한 거리)$+$(할머니가 이동한 거리)$=\boxed{3000}$ (m)

방정식을 세우면 $\boxed{250x+50x=3000}$

$300x=3000$ ∴ $x=\boxed{10}$

따라서 두 사람은 출발한 지 $\boxed{10}$분 후에 만난다.

[확인] 민희가 이동한 거리는 $250\times10=2500$ (m)

할머니가 이동한 거리는 $50\times10=500$ (m)

$2500+500=3000$ (m)이므로 문제의 뜻에 맞는다.

[주의] 속력이 분속 ▲ m이므로 걸린 시간은 '분'으로, 거리는 'm'로 단위를 통일해야 한다.

쌍둥이 기출문제

P. 76~78

1 ②	**2** ⑤	**3** ②	**4** ④	**5** ①
6 $x=1$	**7** ④	**8** ④	**9** ①	**10** $\dfrac{3}{4}$
11 ③	**12** ②	**13** ③	**14** ④	**15** 15세
16 ⑤	**17** 5 cm	**18** 9 cm	**19** ①	
20 (1) 13 (2) 58		**21** 6 km	**22** ②	

[1~2] 일차방정식

등식의 모든 항을 좌변으로 이항하여 정리한 식이 (일차식)$=0$ 꼴이면 일차방정식이다.

1 ① $3x+4$ ⇨ 등식이 아니므로 일차방정식이 아니다.

② $x^2-5x=x^2+1$에서 $-5x-1=0$ ⇨ 일차방정식

③ $7x+14=7(2+x)$에서 $7x+14=14+7x$

$0=0$ ⇨ 일차방정식이 아니다.

④ $2x+3-x=x+3$에서 $0=0$ ⇨ 일차방정식이 아니다.

⑤ $x^2-x=x+2$에서

$x^2-2x-2=0$ ⇨ 일차방정식이 아니다.

따라서 일차방정식인 것은 ②이다.

2 ① $2x+3=x-5$에서 $x+8=0$ ⇨ 일차방정식

② $6-x=3x+5$에서 $-4x+1=0$ ⇨ 일차방정식

③ $x^2+2=x^2-x+3$에서 $x-1=0$ ⇨ 일차방정식

④ $3x=2$에서 $3x-2=0$ ⇨ 일차방정식

⑤ $4(x+5)-x=3x+20$에서 $4x+20-x=3x+20$

$0=0$ ⇨ 일차방정식이 아니다.

따라서 일차방정식이 아닌 것은 ⑤이다.

[3~4] 일차방정식의 풀이

❶ 괄호가 있으면 분배법칙을 이용하여 괄호를 먼저 푼다.

❷ 일차항은 좌변으로, 상수항은 우변으로 각각 이항하여 정리한다.

❸ 양변을 x의 계수로 나누어 $x=$(수) 꼴로 나타낸다.

❹ 구한 해가 일차방정식을 참이 되게 하는지 확인한다.

3 $x+5=-2x-4$에서

$x+2x=-4-5$, $3x=-9$

∴ $x=-3$

4 ① $x+2=3$에서 $x=3-2=1$

② $2x+5=7$에서 $2x=7-5$

$2x=2$ ∴ $x=1$

③ $-x+4=3x$에서 $-x-3x=-4$

$-4x=-4$ ∴ $x=1$

④ $3x+7=-2(x-1)$에서 $3x+7=-2x+2$

$3x+2x=2-7$, $5x=-5$ ∴ $x=-1$

⑤ $6\left(\dfrac{x}{3}-\dfrac{1}{2}\right)=4\left(x-\dfrac{5}{4}\right)$에서 $2x-3=4x-5$

$2x-4x=-5+3$, $-2x=-2$ ∴ $x=1$

따라서 해가 나머지 넷과 다른 하나는 ④이다.

[5~8] 계수에 소수 또는 분수가 있으면 양변에 적당한 수를 곱하여 계수를 모두 정수로 고쳐서 방정식을 푼다.

(1) 계수가 소수인 경우 ⇨ 양변에 10, 100, 1000, …을 곱한다.

(2) 계수가 분수인 경우 ⇨ 양변에 분모의 최소공배수를 곱한다.

5 양변에 10을 곱하면

$2x-30=5x$

$2x-5x=30$, $-3x=30$ ∴ $x=-10$

6 양변에 100을 곱하면

$70x=5(x-4)+85$

$70x=5x-20+85$, $70x-5x=65$

$65x=65$ ∴ $x=1$

7 양변에 12를 곱하면

$6x+3=8x$

$6x-8x=-3$, $-2x=-3$ ∴ $x=\dfrac{3}{2}$

8 양변에 21을 곱하면
$7x-3(5x+6)=21(1-x)$
$7x-15x-18=21-21x,\ -8x-18=21-21x$
$-8x+21x=21+18,\ 13x=39$
$\therefore\ x=3$

[9~10] 일차방정식의 해가 주어질 때, 상수의 값 구하기
⇨ 해를 주어진 일차방정식에 대입하여 상수의 값을 구한다.

9 주어진 방정식에 $x=5$를 대입하면
$5+6=3\times5+a$
$11=15+a,\ -a=4$
$\therefore\ a=-4$

10 주어진 방정식에 $x=-4$를 대입하면
$\dfrac{1}{5}\times(-4-6)=2a\times(-4)+4$
$-2=-8a+4,\ 8a=6$
$\therefore\ a=\dfrac{3}{4}$

[11~12] 두 일차방정식의 해가 서로 같을 때, 상수의 값 구하기
❶ 두 일차방정식 중 해를 구할 수 있는 일차방정식의 해를 먼저 구한다.
❷ ❶에서 구한 해를 다른 방정식에 대입하여 상수의 값을 구한다.

11 $2x+3=5x+9$에서
$2x-5x=9-3,\ -3x=6$
$\therefore\ x=-2$
주어진 두 일차방정식의 해가 서로 같으므로
$x=-2$는 $ax-6=4x$의 해이다.
따라서 $ax-6=4x$에 $x=-2$를 대입하면
$a\times(-2)-6=4\times(-2),\ -2a-6=-8$
$-2a=-8+6,\ -2a=-2$
$\therefore\ a=1$

12 $3x-2=2x+3$에서
$3x-2x=3+2$ $\therefore\ x=5$
주어진 두 일차방정식의 해가 서로 같으므로
$x=5$는 $ax+3=x-7$의 해이다.
따라서 $ax+3=x-7$에 $x=5$를 대입하면
$a\times5+3=5-7,\ 5a+3=-2$
$5a=-2-3,\ 5a=-5$
$\therefore\ a=-1$

13 연속하는 세 자연수 중 가장 작은 수를 x라 하면
세 자연수는 $x,\ x+1,\ x+2$이다.
세 자연수의 합이 99이므로
$x+(x+1)+(x+2)=99$
$3x+3=99,\ 3x=96$
$\therefore\ x=32$
따라서 세 자연수 중 가장 작은 수는 32이다.

14 연속하는 세 자연수 중 가장 큰 수를 x라 하면
세 자연수는 $x-2,\ x-1,\ x$이다.
세 자연수의 합이 126이므로
$(x-2)+(x-1)+x=126$
$3x-3=126,\ 3x=129$
$\therefore\ x=43$
따라서 세 자연수 중 가장 큰 수는 43이다.

15 동생의 나이를 x세라 하면
형의 나이는 $(x+7)$세이다.
두 사람의 나이의 합이 37세이므로
$x+(x+7)=37$
$2x+7=37,\ 2x=37-7$
$2x=30$ $\therefore\ x=15$
따라서 동생의 나이는 15세이다.

16 현재 아들의 나이를 x세라 하면
어머니의 나이는 $(x+25)$세이고, 9년 후의 아들의 나이는
$(x+9)$세, 어머니의 나이는 $\{(x+25)+9\}$세이다.
9년 후에 어머니의 나이가 아들의 나이의 2배이므로
$(x+25)+9=2(x+9)$
$x+34=2x+18,\ x-2x=18-34$
$-x=-16$ $\therefore\ x=16$
따라서 현재 아들의 나이는 16세이다.

17 직사각형의 세로의 길이를 $x\,\mathrm{cm}$라 하면
가로의 길이는 $(x+4)\,\mathrm{cm}$이다.
직사각형의 둘레의 길이가 $28\,\mathrm{cm}$이므로
$2\{(x+4)+x\}=28$
$2(2x+4)=28,\ 4x+8=28$
$4x=20$ $\therefore\ x=5$
따라서 직사각형의 세로의 길이는 $5\,\mathrm{cm}$이다.

18 사다리꼴의 윗변의 길이를 $x\,\mathrm{cm}$라 하면
아랫변의 길이는 $2x\,\mathrm{cm}$이다.
사다리꼴의 넓이가 $162\,\mathrm{cm}^2$이므로
$\dfrac{1}{2}\times(x+2x)\times12=162$
$3x\times6=162,\ 18x=162$ $\therefore\ x=9$
따라서 사다리꼴의 윗변의 길이는 $9\,\mathrm{cm}$이다.

19 학생 수를 x라 할 때, 한 학생에게 연필을
4자루씩 나누어 주면 1자루가 남으므로
(연필의 수)$=4x+1$
5자루씩 나누어 주면 6자루가 부족하므로
(연필의 수)$=5x-6$
연필의 수는 일정하므로
$4x+1=5x-6,\ -x=-7$ $\therefore\ x=7$
따라서 학생 수는 7이다.

20 (1) **1단계** 학생 수를 x라 할 때, 한 학생에게 공책을
5권씩 나누어 주면 7권이 부족하므로
(공책의 수)$=5x-7$
4권씩 나누어 주면 6권이 남으므로
(공책의 수)$=4x+6$
공책의 수는 일정하므로
$5x-7=4x+6$
2단계 $5x-4x=6+7$ $\therefore x=13$
따라서 학생 수는 13이다.
(2) **3단계** 공책의 수는 $5\times13-7=58$

채점 기준		
1단계	학생 수를 x라 하고, 조건에 맞는 일차방정식 세우기	··· 40 %
2단계	학생 수 구하기	··· 30 %
3단계	공책의 수 구하기	··· 30 %

21 등산로의 길이를 x km라 하면

	올라갈 때	내려올 때
속력	시속 3 km	시속 4 km
거리	x km	x km
시간	$\dfrac{x}{3}$시간	$\dfrac{x}{4}$시간

총 3시간 30분, 즉 $3\dfrac{30}{60}=\dfrac{7}{2}$시간이 걸렸으므로
(올라갈 때 걸린 시간)+(내려올 때 걸린 시간)$=\dfrac{7}{2}$(시간)
$\dfrac{x}{3}+\dfrac{x}{4}=\dfrac{7}{2}$
양변에 12를 곱하면 $4x+3x=42$
$7x=42$ $\therefore x=6$
따라서 등산로의 길이는 6 km이다.

22 올라간 거리를 x km라 하면

	올라갈 때	내려올 때
속력	시속 4 km	시속 3 km
거리	x km	$(x+2)$ km
시간	$\dfrac{x}{4}$시간	$\dfrac{x+2}{3}$시간

총 3시간이 걸렸으므로
(올라갈 때 걸린 시간)+(내려올 때 걸린 시간)$=3$(시간)
$\dfrac{x}{4}+\dfrac{x+2}{3}=3$
양변에 12를 곱하면 $3x+4(x+2)=36$
$3x+4x+8=36$
$7x=28$ $\therefore x=4$
따라서 올라간 거리는 4 km이다.

단원 마무리 P.79~81

1	⑤	**2**	-2	**3**	④	**4**	④	**5**	②
6	$x=\dfrac{1}{3}$	**7**	①	**8**	2	**9**	46	**10**	④
11	3	**12**	14분 후						

1 ⑤ $15-2x=1$

2 $ax+12=3b-6x$가 모든 x에 대하여 항상 참이므로
x에 대한 항등식이다.
즉, 좌변과 우변의 x의 계수와 상수항이 각각 같아야 하므로
$a=-6$, $12=3b$
따라서 $a=-6$, $b=4$이므로
$a+b=-6+4=-2$

3 ① $a=-b$의 양변에 3을 더하면 $a+3=3-b$
② $a=2b$의 양변에 c를 곱하면 $ac=2bc$
③ $\dfrac{a}{8}=\dfrac{b}{4}$의 양변에 8을 곱하면 $a=2b$
④ $a=3b$의 양변에서 3을 빼면 $a-3=3b-3$
$\therefore a-3=3(b-1)$
⑤ $a=b$의 양변에 c를 곱하면 $ac=bc$
$ac=bc$의 양변에서 d를 빼면 $ac-d=bc-d$
따라서 옳지 않은 것은 ④이다.

4 $\dfrac{3x-1}{4}=5$ ⎱ (개) 양변에 4를 곱한다.
$3x-1=20$ ⎱ (내) 양변에 1을 더한다.
$3x=21$ ⎱ (대) 양변을 3으로 나눈다.
$\therefore x=7$
따라서 (개), (내), (대)에 이용된 등식의 성질을 차례로 나열하면
ㄷ, ㄱ, ㄹ이다.

5 ㄱ. $2x-3=x+7$에서 $x-10=0$ ⇨ 일차방정식
ㄴ. $x^2+2x=x^2-3x+7$에서 $5x-7=0$ ⇨ 일차방정식
ㄷ. $x^2-1=x+1$에서 $x^2-x-2=0$
⇨ 일차방정식이 아니다.
ㄹ. $6x+4=3\left(2x+\dfrac{4}{3}\right)$에서 $6x+4=6x+4$
$0=0$ ⇨ 일차방정식이 아니다.
따라서 일차방정식은 ㄱ, ㄴ이다.

6 양변에 24를 곱하면
$3(7x-3)-18(x-1)=10$
$21x-9-18x+18=10$
$3x+9=10$
$3x=1$ $\therefore x=\dfrac{1}{3}$

7 주어진 방정식에 $x=-2$를 대입하면
$3-2\times(-2)=2(-2a+2)-5$
$3+4=-4a+4-5$, $7=-4a-1$
$4a=-8$ $\therefore a=-2$

8 [1단계] $0.4x-0.7=0.3(x-4)$의 양변에 10을 곱하면
$4x-7=3(x-4)$
$4x-7=3x-12$, $4x-3x=-12+7$
$\therefore x=-5$
[2단계] 주어진 두 일차방정식의 해가 같으므로
$x=-5$는 $ax+4=3x+9$의 해이다.
따라서 $ax+4=3x+9$에 $x=-5$를 대입하면
$a\times(-5)+4=3\times(-5)+9$
$-5a=-10$ $\therefore a=2$

채점 기준		
1단계	$0.4x-0.7=0.3(x-4)$의 해 구하기	… 50%
2단계	상수 a의 값 구하기	… 50%

9 연속하는 세 짝수 중 가장 작은 수를 x라 하면
세 짝수는 x, $x+2$, $x+4$이다.
세 짝수의 합이 144이므로
$x+(x+2)+(x+4)=144$
$3x+6=144$, $3x=138$ $\therefore x=46$
따라서 세 짝수 중 가장 작은 수는 46이다.

10 재민이가 문구점에서 샤프를 x자루 샀다고 하면
샤프심은 $(9-x)$개를 샀다.
샤프 x자루의 값은 $1100x$원이고,
샤프심 $(9-x)$개의 값은 $300(9-x)$원이므로
$300(9-x)+1100x=7500$
$2700-300x+1100x=7500$
$-300x+1100x=7500-2700$
$800x=4800$ $\therefore x=6$
따라서 재민이가 구매한 샤프의 개수는 6이다.

11 새로 만든 삼각형의 밑변의 길이는 $(12-x)$ cm,
높이는 $8+4=12$(cm)이다.
새로 만든 삼각형의 넓이가 처음 삼각형의 넓이보다 6 cm^2
만큼 늘어났으므로
$\frac{1}{2}\times(12-x)\times12=\left(\frac{1}{2}\times12\times8\right)+6$
$6(12-x)=54$, $72-6x=54$
$-6x=-18$ $\therefore x=3$

12 [1단계] 재석이가 출발한 지 x분 후에 세호를 만난다고 하면

	세호	재석
속력	분속 70 m	분속 110 m
시간	$(x+8)$분	x분
거리	$70(x+8)$ m	$110x$ m

두 사람이 이동한 거리는 같으므로
$70(x+8)=110x$
[2단계] 괄호를 풀면 $70x+560=110x$
$70x-110x=-560$
$-40x=-560$ $\therefore x=14$
[3단계] 따라서 재석이가 출발한 지 14분 후에 세호를 만난다.

채점 기준		
1단계	재석이가 출발한 지 x분 후에 세호를 만난다고 하고, 조건에 맞는 일차방정식 세우기	… 40%
2단계	일차방정식 풀기	… 40%
3단계	재석이가 출발한 지 몇 분 후에 세호를 만나는지 구하기	… 20%

01 순서쌍과 좌표

유형 1 P. 84

1 $A(-5)$, $B(-3)$, $C\left(-\dfrac{1}{2}\right)$, $D\left(\dfrac{5}{2}\right)$, $E(4)$

2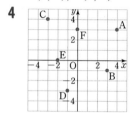

3 $A(-4, 1)$, $B(2, 3)$, $C(-3, -3)$, $D(4, -2)$, $E(0, 2)$, $F(3, 0)$

4

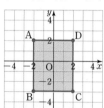

5 (1) $O(0, 0)$ (2) $P(-4, 0)$ (3) $Q(0, 5)$
6 (1) 풀이 참조 (2) 20

5 (1) 원점 O는 x좌표가 0, y좌표가 0이다.
 ∴ $O(0, 0)$
 (2) x축 위에 있으므로 y좌표가 0이다.
 ∴ $P(-4, 0)$
 (3) y축 위에 있으므로 x좌표가 0이다.
 ∴ $Q(0, 5)$

6 (1) 네 점 A, B, C, D를 좌표평면 위에 나타내고,
사각형 ABCD를 그리면 다음 그림과 같다.

(2) (1)에서 사각형 ABCD는 직사각형이다.
 ∴ (사각형 ABCD의 넓이)
  =(가로의 길이)×(세로의 길이)
  =4×5
  =20

유형 2 P. 85

1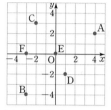

(1) 제1사분면 (2) 제3사분면
(3) 제2사분면 (4) 제4사분면
(5) 어느 사분면에도 속하지 않는다.
(6) 어느 사분면에도 속하지 않는다.
2 (1) 제2사분면 (2) 제4사분면
(3) 제1사분면 (4) 제3사분면
(5) 어느 사분면에도 속하지 않는다.
3 (1) 제4사분면 (2) $-$, $+$, 제2사분면
(3) $+$, $+$, 제1사분면 (4) $-$, $-$, 제3사분면
(5) $-$, $+$, 제2사분면
4 (1) $-$, $+$ (2) $+$, $-$, 제4사분면
(3) $-$, $-$, 제3사분면 (4) $+$, $+$, 제1사분면
(5) $-$, $+$, 제2사분면

3 (1) (a, b) ⇨ $(+, -)$: 제4사분면
(2) (b, a) ⇨ $(-, +)$: 제2사분면
(3) $-b>0$이므로 $(a, -b)$ ⇨ $(+, +)$: 제1사분면
(4) $-a<0$이므로 $(-a, b)$ ⇨ $(-, -)$: 제3사분면
(5) $-a<0$, $-b>0$이므로
 $(-a, -b)$ ⇨ $(-, +)$: 제2사분면

4 (1) 점 (a, b)가 제2사분면 위의 점이므로 $a<0$, $b>0$
(2) (b, a) ⇨ $(+, -)$: 제4사분면
(3) $-b<0$이므로 $(a, -b)$ ⇨ $(-, -)$: 제3사분면
(4) $-a>0$이므로 $(-a, b)$ ⇨ $(+, +)$: 제1사분면
(5) $-b<0$, $-a>0$이므로
 $(-b, -a)$ ⇨ $(-, +)$: 제2사분면

쌍둥이 기출문제
P. 86~87

1 ① **2** $a=-12$, $b=2$ **3** ③
4 $(0, 4) \rightarrow (-4, -1) \rightarrow (1, 2) \rightarrow (-3, 0)$
 $\rightarrow (2, -4) \rightarrow (-2, 3)$
5 ④ **6** ② **7** 1 **8** 13
9 (1) 풀이 참조 (2) 6 **10** 좌표평면은 풀이 참조, 9
11 ② **12** ④ **13** 제2사분면 **14** 제1사분면

1 두 순서쌍 $(a, -2)$, $(-5, b+3)$이 서로 같으므로
$a=-5$이고, $-2=b+3$에서 $b=-5$
∴ $a+b=-5+(-5)=-10$

2 두 순서쌍 $\left(\dfrac{1}{3}a, 1\right)$, $(-4, 2b-3)$이 서로 같으므로
$\dfrac{1}{3}a=-4$에서 $a=-12$
$1=2b-3$에서 $-2b=-4$ ∴ $b=2$

3 ① $A(-4, 2)$ ② $B(-2, 1)$
④ $D(2, 1)$ ⑤ $E(1, 0)$
따라서 옳은 것은 ③이다.

[5~8] x축 또는 y축 위의 점의 좌표
(1) x축 위의 점의 좌표 ⇨ y좌표가 0 ⇨ (x좌표, 0)
(2) y축 위의 점의 좌표 ⇨ x좌표가 0 ⇨ (0, y좌표)

5 x축 위에 있으므로 y좌표가 0이다.
따라서 x좌표가 3이고, y좌표가 0인 점의 좌표는 $(3, 0)$이다.

6 y축 위에 있으므로 x좌표가 0이다.
따라서 x좌표가 0이고, y좌표가 -2인 점의 좌표는 $(0, -2)$이다.

7 점 $A(-2a, 3a+3)$은 x축 위의 점이므로 y좌표가 0이다.
즉, $3a+3=0$에서 $3a=-3$ ∴ $a=-1$
점 $B(2b-4, 5b-7)$은 y축 위의 점이므로 x좌표가 0이다.
즉, $2b-4=0$에서 $2b=4$ ∴ $b=2$
∴ $a+b=-1+2=1$

8 점 $P\left(a-3, \dfrac{1}{3}a-5\right)$는 x축 위의 점이므로 y좌표가 0이다.
즉, $\dfrac{1}{3}a-5=0$에서 $\dfrac{1}{3}a=5$ ∴ $a=15$
점 $Q(10-5b, b+6)$은 y축 위의 점이므로 x좌표가 0이다.
즉, $10-5b=0$에서 $-5b=-10$ ∴ $b=2$
∴ $a-b=15-2=13$

9 (1) [1단계] 세 점 A, B, C를 좌표평면 위에 나타내고, 삼각형 ABC를 그리면 다음 그림과 같다.

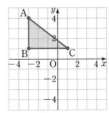

(2) [2단계] (선분 AB의 길이)$=4-1=3$,
(선분 BC의 길이)$=1-(-3)=4$이므로

[3단계] (삼각형 ABC의 넓이)$=\dfrac{1}{2}\times4\times3=6$

채점 기준		
1단계	좌표평면 위에 세 점 A, B, C를 나타내고 삼각형 ABC 그리기	⋯ 40 %
2단계	두 선분 AB, BC의 길이 구하기	⋯ 30 %
3단계	삼각형 ABC의 넓이 구하기	⋯ 30 %

10 네 점 A, B, C, D를 좌표평면 위에 나타내고, 사각형 ABCD를 그리면 다음 그림과 같다.

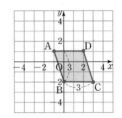

이때 사각형 ABCD는 평행사변형이고 밑변의 길이는 3, 높이는 3이므로
(사각형 ABCD의 넓이)$=3\times3=9$

[11~14] 사분면 위의 점의 x좌표와 y좌표의 부호
(1) 제1사분면: $(+, +)$ (2) 제2사분면: $(-, +)$
(3) 제3사분면: $(-, -)$ (4) 제4사분면: $(+, -)$
이때 좌표축 위의 점(x축 위의 점, y축 위의 점, 원점)은 어느 사분면에도 속하지 않는다.

11 ① 제1사분면
③ y축 위의 점이므로 어느 사분면에도 속하지 않는다.
④ 제4사분면
⑤ 제3사분면
따라서 제2사분면 위의 점은 ②이다.

12 ① 점 $(0, -5)$는 y축 위의 점이다.
② 점 $(2, 0)$은 x축 위의 점이므로 어느 사분면에도 속하지 않는다.
③ 점 $(-2, 3)$은 제2사분면 위의 점이다.
⑤ 점 $(2, 4)$와 점 $(4, 2)$는 서로 다른 점이다.
따라서 옳은 것은 ④이다.

13 점 (a, b)가 제4사분면 위의 점이므로
$a>0$, $b<0$
따라서 $-a<0$, $-b>0$이므로
점 $(-a, -b)$는 제2사분면 위의 점이다.

14 점 $P(a, -b)$가 제3사분면 위의 점이므로
$a<0$, $-b<0$
따라서 $b>0$, $-a>0$이므로
점 $Q(b, -a)$는 제1사분면 위의 점이다.

02 그래프와 그 해석

유형 3   P. 88~89

1 (1) ㄴ   (2) ㄱ   (3) ㄷ   **2** ㄴ
3 (1) 수연, 영재, 민서   (2) 수연, 현지
4 (1) 시속 30 km   (2) 60분   (3) 2번
5 (1) 35 m   (2) 2분 후   (3) 6분 후
6 (1) 40분, 60분   (2) 20분

1 (1), (2), (3)그래프에서 x축은 시간, y축은 속력을 나타내므로
상황에 알맞은 그래프의 모양을 생각하면 다음과 같다.

상황	속력을 올린다.	속력을 유지한다.	속력을 줄인다.
그래프 모양	오른쪽 위로 향한다.	수평이다.	오른쪽 아래로 향한다.

따라서 (1), (2), (3)의 상황에 알맞은 그래프를 각각 고르
면 ㄴ, ㄱ, ㄷ이다.

3 (1) 양초를 다 태우면 양초의 길이가 0이 되므로 양초를 다
태운 학생은 수연, 영재, 민서이다.
(2) 양초를 태우는 도중에 불을 끄면 양초의 길이가 변함없
이 일정한 구간이 있어야 하므로 양초를 태우는 도중에
불을 끈 적이 있는 학생은 수연, 현지이다.

4 (2) 자동차가 시속 60 km로 달린 시간은 출발한 지 1시간
30분 후부터 2시간 30분 후까지 60분 동안이다.
(3) 속력이 일정하다가 증가로 바뀌는 것은 출발한 지 1시간
후와 출발한 지 2시간 30분 후이므로 모두 2번이다.

5
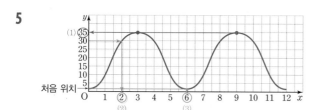
(1) 재승이가 탑승한 칸이 지면으로부터 가장 높은 곳에 있
을 때의 높이는 y의 값 중 가장 큰 값이다.
따라서 $y=35$가 가장 큰 값이므로 35 m이다.
(2) 재승이가 탑승한 칸의 높이가 처음으로 30 m가 되는 때
는 y의 값이 처음으로 30이 될 때 x의 값이다.
따라서 y의 값이 처음으로 30이 되는 때는 $x=2$일 때이
므로 탑승한 지 2분 후이다.
(3) 재승이가 탑승한 칸이 한 바퀴 돌아 처음 위치에 돌아오
는 때는 y의 값이 처음($x=0$일 때) y의 값과 첫 번째로
같아지는 때, 즉 $x=6$일 때이므로 탑승한 지 6분 후이다.

6 (2) 집에서 도서관까지 걸어서 갈 때는 자전거로 갈 때보다
$60-40=20$(분) 더 걸린다.

쌍둥이 기출문제   P. 90~91

1 ㄴ   **2** ③   **3** ㄷ   **4** ②   **5** ②
6 ㄱ, ㄹ   **7** (1) 수빈: 1.5 km, 유나: 1 km   (2) 10분 후
8 (1) 30분 후   (2) 1 km

[1~2] 상황에 알맞은 그래프를 찾을 때는 그래프에서 x축과 y축이
각각 무엇을 나타내는지 확인하고, 상황에 알맞은 그래프의 모양을
생각한다.

1 그래프에서 x축은 시간, y축은 물의 온도를 나타내므로 상
황에 알맞은 그래프의 모양을 생각하면 다음과 같다.

상황	온도가 높아진다.	온도가 변함없다.
그래프 모양	오른쪽 위로 향한다.	수평이다.

따라서 주어진 상황에 알맞은 그래프는 ㄴ이다.

2 그래프에서 x축은 시간, y축은 잉크 양을 나타내므로 상황
에 알맞은 그래프의 모양을 생각하면 다음과 같다.

상황	프린터를 사용한다.	잉크통을 다시 채운다.	프린터를 사용한다.
그래프 모양	오른쪽 아래로 향한다.	오른쪽 위로 향한다.	오른쪽 아래로 향한다.

따라서 주어진 상황에 알맞은 그래프는 ③이다.

[3~4]

컵의 단면	물의 높이	그래프
	일정하게 높아진다.	
	점점 느리게 높아진다.	
	점점 빠르게 높아진다.	

3 종이컵의 폭이 위로 갈수록 점점 넓어지므로 물의 높이는
점점 느리게 높아진다. 따라서 알맞은 그래프는 ㄷ이다.

4 컵의 아랫부분은 폭이 좁으면서 일정하고, 윗부분은 폭이
넓으면서 일정하다. 따라서 물의 높이가 빠르고 일정하게
높아지다가 느리고 일정하게 높아지므로 그래프로 알맞은
것은 ②이다.

[5~8] 좌표가 주어진 그래프를 해석할 때는 x축과 y축이 각각 무엇
을 나타내는지 확인하고, 그래프에서 좌표를 읽어 필요한 값을 구한다.

5 ② 소율이는 달리기를 시작한 지 30분 후부터 50분 후까지
20분 동안 멈춰 있었으므로 달린 시간은
총 $70-20=50$(분)이다.

6 ㄴ. 윤재는 11시부터 11시 30분까지 휴게소에 머물렀으므로
　　　휴게소에 머문 시간은 30분이다.
　　ㄷ. 휴게소에서 캠핑장까지의 거리는
　　　　$100-40=60(km)$이다.
　　따라서 옳은 것은 ㄱ, ㄹ이다.

7 (2) 수빈이와 유나는 영화관까지 가는 데 각각 20분, 30분이
　　　걸렸으므로 수빈이가 영화관에 도착한 지
　　　$30-20=10(분)$ 후에 유나가 도착하였다.

8 (1) 30분에서 두 그래프가 처음으로 만나므로 출발한 지 30
　　　분 후에 성진이와 민재가 처음으로 다시 만났다.
　　(2) 출발한 지 40분 후에 성진이와 민재는 각각 4 km, 3 km
　　　를 이동하였으므로 성진이와 민재 사이의 거리는
　　　$4-3=1(km)$이다.

---

5 그래프에서 x축은 시간, y축은 집에서 떨어진 거리를 나타내
므로 상황에 알맞은 그래프의 모양을 생각하면 다음과 같다.

상황	공연장에 간다.	공연을 본다.	집으로 돌아온다.
그래프 모양	오른쪽 위로 향한다.	수평이다.	오른쪽 아래로 향한다.

따라서 주어진 상황에 알맞은 그래프는 ㄴ이다.

6 용기의 밑면의 반지름의 길이가 길수록 같은 시간 동안 물의
높이가 느리게 높아진다.
세 용기 (개), (내), (대)의 밑면의 반지름의 길이는 (개)<(내)<(대)
이므로 각 용기에 해당하는 그래프는
(개)−ㄷ, (내)−ㄱ, (대)−ㄴ이다.

7 (1) 로봇이 정지한 동안에는 속력이 분속 0 m이므로 출발한
　　　지 16분 후부터 22분 후까지 6분 동안 정지하였다.
　　(2) 로봇의 속력이 감소하기 시작한 때는 그래프가 오른쪽
　　　아래로 향하기 시작한 때이므로 출발한 지 10분 후이다.
　　(3) 로봇이 가장 빨리 이동할 때는 출발한 지 4분 후부터 10
　　　분 후까지이고, 이때 속력은 분속 50 m이다.

8 ② B 선수만 도중에 달리기를 멈추었다가 다시 달렸다.
　　③ B 선수는 출발한 지 12초 후부터 20초 후까지 8초 동안
　　　달리기를 멈추었다.
　　④ A 선수는 출발한 지 36초 후, B 선수는 출발한 지 40초
　　　후에 도착하였으므로 A 선수가 도착하고 $40-36=4(초)$
　　　후에 B 선수가 도착하였다.
　　⑤ 출발선에서 100 m 떨어진 지점 이후부터 A 선수가 B
　　　선수를 앞서기 시작하였다.
　　따라서 옳지 않은 것은 ②, ⑤이다.

 마무리　　　　　　　　　　　　　　　P. 92~93

1 ②	**2** −9	**3** ④, ⑤	**4** 제4사분면
5 ㄴ	**6** (개)−ㄷ, (내)−ㄱ, (대)−ㄴ		
7 (1) 6분　(2) 10분 후　(3) 분속 50 m		**8** ②, ⑤	

1 ② B(4, 0)

2 점 $\left(-3a+5, \dfrac{a}{2}-3\right)$은 x축 위의 점이므로 y좌표가 0이다.

즉, $\dfrac{a}{2}-3=0$에서 $\dfrac{a}{2}=3$　∴ $a=6$

점 $(2b+3, 1-4b)$는 y축 위의 점이므로 x좌표가 0이다.

즉, $2b+3=0$에서 $2b=-3$　∴ $b=-\dfrac{3}{2}$

∴ $ab=6 \times \left(-\dfrac{3}{2}\right)=-9$

3 ④ 점 $(-5, 1)$은 제2사분면 위의 점이다.
　　⑤ 점 $(-3, 0)$은 x축 위의 점이므로 어느 사분면에도 속하
　　　지 않는다.

4 [1단계] 점 $A(-a, b)$가 제2사분면 위의 점이므로
　　　　　　$-a<0, b>0$
　　[2단계] 따라서 $a>0, -b<0$이므로 점 $B(a, -b)$는
　　　　　　제4사분면 위의 점이다.

채점 기준	
1단계	$-a, b$의 부호 구하기　… 50 %
2단계	점 B가 위치한 사분면 구하기　… 50 %

01 정비례

유형 1   P. 96

1 (1) 800, 1600, 2400, 3200, 4000, $y=800x$
   (2) 4, 8, 12, 16, 20, $y=4x$
   (3) 1.5, 3, 4.5, 6, 7.5, $y=1.5x$
   (4) 5, 10, 15, 20, 25, $y=5x$

2 (1) $y=10x$, ○   (2) $y=x+3$, ×
   (3) $y=100-5x$, ×   (4) $y=50x$, ○

3 (1) $y=\dfrac{1}{2}x$ (2) -4 **4** (1) $y=-3x$ (2) 3

3 (1) y가 x에 정비례하므로 $y=ax$로 놓고,
     이 식에 $x=4$, $y=2$를 대입하면

$$2=a\times 4 \qquad \therefore a=\frac{1}{2}$$

$$\therefore y=\frac{1}{2}x$$

   (2) $y=\dfrac{1}{2}x$에 $x=-8$을 대입하면

$$y=\frac{1}{2}\times(-8)=-4$$

4 (1) y가 x에 정비례하므로 $y=ax$로 놓고,
     이 식에 $x=-2$, $y=6$을 대입하면

$$6=a\times(-2) \qquad \therefore a=-3$$
$$\therefore y=-3x$$

   (2) $y=-3x$에 $x=-1$을 대입하면
$$y=-3\times(-1)=3$$

유형 2   P. 97

1 (1) $y=14x$ (2) 280 km   **2** (1) $y=15x$ (2) 24분

3 (1) $y=2x$ (2) 6번

1 (1) x L의 휘발유로 달릴 수 있는 거리는 $14x$ km이므로
     $y=14x$
   (2) $y=14x$에 $x=20$을 대입하면 $y=14\times 20=280$
     따라서 휘발유 20 L로 달릴 수 있는 거리는 280 km이다.

2 (1) x분 동안 인쇄할 수 있는 종이는 $15x$장이므로
     $y=15x$
   (2) $y=15x$에 $y=360$을 대입하면
     $360=15x \qquad \therefore x=24$
     따라서 종이 360장을 인쇄하려면 24분이 걸린다.

3 (1) 두 톱니바퀴 A, B가 서로 맞물려 돌아갈 때
     (A의 톱니의 수)×(A의 회전수)
     =(B의 톱니의 수)×(B의 회전수)
     이므로 $30\times x=15\times y \qquad \therefore y=2x$
   (2) $y=2x$에 $x=3$을 대입하면
     $y=2\times 3=6$
     따라서 톱니바퀴 A가 3번 회전하면 톱니바퀴 B는 6번
     회전한다.

유형 3   P. 98~99

1 (1) 0, -3, 그래프는 풀이 참조
   (2) 0, 1, 그래프는 풀이 참조

2 (1) ㄷ, ㄹ, ㅁ (2) ㄱ, ㄴ, ㅂ
   (3) ㄷ, ㄹ, ㅁ (4) ㄱ, ㄴ, ㅂ

3 (1) × (2) ○ (3) × (4) ○

4 (1) -6 (2) 8 (3) $\dfrac{3}{2}$ (4) -15 (5) $-\dfrac{1}{3}$

5 (1) $\dfrac{3}{2}$ (2) $-\dfrac{1}{2}$ (3) $-\dfrac{3}{5}$ (4) -8 (5) $\dfrac{7}{3}$

6 (1) $y=\dfrac{2}{5}x$ (2) $y=-x$ (3) $y=\dfrac{5}{4}x$ (4) $y=-\dfrac{4}{3}x$

7 (1) $y=2x$ (2) 10

[1] 정비례 관계 $y=ax(a\neq 0)$의 그래프를 그릴 때는 원점 이외의 한 점을 구하여 원점과 구한 점을 직선으로 연결한다.

1 (1) $y=-3x$에서
     $x=0$일 때, $y=0 \qquad \therefore (0, 0)$
     $x=1$일 때, $y=-3 \qquad \therefore (1, -3)$
     따라서 $y=-3x$의 그래프는
     오른쪽 그림과 같이 두 점
     $(0, 0)$, $(1, -3)$을 지나는 직
     선이다.

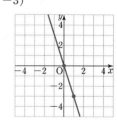

   (2) $y=\dfrac{1}{4}x$에서
     $x=0$일 때, $y=0 \qquad \therefore (0, 0)$
     $x=4$일 때, $y=1 \qquad \therefore (4, 1)$
     따라서 $y=\dfrac{1}{4}x$의 그래프는 오
     른쪽 그림과 같이 두 점 $(0, 0)$,
     $(4, 1)$을 지나는 직선이다.

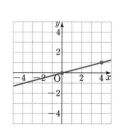

2 (1), (3) $y=ax$에서 $a<0$일 때, 그래프는 오른쪽 아래로 향하는 직선이고, 제2사분면과 제4사분면을 지난다.

∴ ㄷ, ㄹ, ㅁ

(2), (4) $y=ax$에서 $a>0$일 때, 그래프는 제1사분면과 제3사분면을 지나고, x의 값이 증가하면 y의 값도 증가한다.

∴ ㄱ, ㄴ, ㅂ

---

[3] 점 (p, q)가 정비례 관계 ~의 그래프 위에 있다.
⇨ 주어진 정비례 관계식에 $x=p$, $y=q$를 대입하면 등식이 성립한다.

3 (1) $y=6x$에 $x=2$, $y=4$를 대입하면

$4 \neq 6 \times 2$

따라서 점 $(2, 4)$는 정비례 관계 $y=6x$의 그래프 위에 있지 않다.

(2) $y=6x$에 $x=-1$, $y=-6$을 대입하면

$-6=6 \times (-1)$

따라서 점 $(-1, -6)$은 정비례 관계 $y=6x$의 그래프 위에 있다.

(3) $y=6x$에 $x=-\dfrac{1}{3}$, $y=2$를 대입하면

$2 \neq 6 \times \left(-\dfrac{1}{3}\right)$

따라서 점 $\left(-\dfrac{1}{3}, 2\right)$는 정비례 관계 $y=6x$의 그래프 위에 있지 않다.

(4) $y=6x$에 $x=\dfrac{1}{9}$, $y=\dfrac{2}{3}$를 대입하면

$\dfrac{2}{3}=6 \times \dfrac{1}{9}$

따라서 점 $\left(\dfrac{1}{9}, \dfrac{2}{3}\right)$는 정비례 관계 $y=6x$의 그래프 위에 있다.

4 (1) $y=-\dfrac{2}{3}x$에 $x=9$, $y=a$를 대입하면

$a=-\dfrac{2}{3} \times 9 = -6$

(2) $y=-\dfrac{2}{3}x$에 $x=-12$, $y=a$를 대입하면

$a=-\dfrac{2}{3} \times (-12) = 8$

(3) $y=-\dfrac{2}{3}x$에 $x=a$, $y=-1$을 대입하면

$-1=-\dfrac{2}{3} \times a$ ∴ $a=(-1) \times \left(-\dfrac{3}{2}\right) = \dfrac{3}{2}$

(4) $y=-\dfrac{2}{3}x$에 $x=a$, $y=10$을 대입하면

$10=-\dfrac{2}{3} \times a$ ∴ $a=10 \times \left(-\dfrac{3}{2}\right) = -15$

(5) $y=-\dfrac{2}{3}x$에 $x=3a$, $y=a+1$을 대입하면

$a+1=-\dfrac{2}{3} \times 3a$, $a+1=-2a$

$3a=-1$ ∴ $a=-\dfrac{1}{3}$

5 (1) $y=ax$에 $x=4$, $y=6$을 대입하면

$6=a \times 4$ ∴ $a=\dfrac{3}{2}$

(2) $y=ax$에 $x=-4$, $y=2$를 대입하면

$2=a \times (-4)$ ∴ $a=-\dfrac{1}{2}$

(3) $y=ax$에 $x=5$, $y=-3$을 대입하면

$-3=a \times 5$ ∴ $a=-\dfrac{3}{5}$

(4) $y=ax$에 $x=-2$, $y=16$을 대입하면

$16=a \times (-2)$ ∴ $a=-8$

(5) $y=ax$에 $x=-6$, $y=-14$를 대입하면

$-14=a \times (-6)$ ∴ $a=\dfrac{7}{3}$

[6~7] 그래프가 원점을 지나는 직선이면 x와 y 사이의 관계식은 $y=ax$ 꼴이다. (단, a는 상수)

6 (1) 그래프가 원점을 지나는 직선이므로 $y=ax$로 놓는다.

이 그래프가 점 $(5, 2)$를 지나므로

$y=ax$에 $x=5$, $y=2$를 대입하면

$2=a \times 5$ ∴ $a=\dfrac{2}{5}$

∴ $y=\dfrac{2}{5}x$

(2) 그래프가 원점을 지나는 직선이므로 $y=ax$로 놓는다.

이 그래프가 점 $(-2, 2)$를 지나므로

$y=ax$에 $x=-2$, $y=2$를 대입하면

$2=a \times (-2)$ ∴ $a=-1$

∴ $y=-x$

(3) 그래프가 원점을 지나는 직선이므로 $y=ax$로 놓는다.

이 그래프가 점 $(-4, -5)$를 지나므로

$y=ax$에 $x=-4$, $y=-5$를 대입하면

$-5=a \times (-4)$ ∴ $a=\dfrac{5}{4}$

∴ $y=\dfrac{5}{4}x$

(4) 그래프가 원점을 지나는 직선이므로 $y=ax$로 놓는다.

이 그래프가 점 $(-6, 8)$을 지나므로

$y=ax$에 $x=-6$, $y=8$을 대입하면

$8=a \times (-6)$ ∴ $a=-\dfrac{4}{3}$

∴ $y=-\dfrac{4}{3}x$

7 (1) 그래프가 원점을 지나는 직선이므로 $y=ax$로 놓는다.

이 그래프가 점 $(2, 4)$를 지나므로

$y=ax$에 $x=2$, $y=4$를 대입하면

$4=a \times 2$ ∴ $a=2$

∴ $y=2x$

(2) $y=2x$에 $x=5$, $y=k$를 대입하면

$k=2 \times 5=10$

1 ⑤	**2** ③	**3** $y=3x$, 정비례	**4** ③, ⑤
5 -10	**6** ④	**7** (1) $y=60x$ (2) $720\,g$
8 $y=4x$, 13분 후	**9** ②	**10** ⑤	**11** ①
12 ⑤	**13** ②, ⑤	**14** ⑤	**15** ①	**16** -9
17 $y=-\dfrac{4}{3}x$	**18** $\dfrac{10}{3}$

[1~4] 정비례 ▷ $y=ax$ 꼴

1 y가 x에 정비례하면 $y=ax$ 꼴이다.

② $xy=3$에서 $y=\dfrac{3}{x}$

따라서 y가 x에 정비례하는 것은 ⑤이다.

2 y가 x에 정비례하면 $y=ax$ 꼴이다.

ㄷ. $\dfrac{y}{x}=10$에서 $y=10x$

따라서 y가 x에 정비례하는 것은 ㄱ, ㄷ이다.

4 ① $y=1000x$

② (정사각형의 둘레의 길이)$=4\times$(한 변의 길이)이므로

$y=4x$

③ (직각삼각형의 넓이)$=\dfrac{1}{2}\times$(밑변의 길이)$\times$(높이)이므로

$\dfrac{1}{2}\times x\times y=8$, $xy=16$ ∴ $y=\dfrac{16}{x}$

④ (거리)$=$(속력)$\times$(시간)이므로 $y=40x$

⑤ $y=15-0.2x$

따라서 y가 x에 정비례하지 않는 것은 ③, ⑤이다.

[5~6] 정비례 관계식 구하기
▷ $y=ax$로 놓고, a의 값을 구한다.

5 (1단계) y가 x에 정비례하므로 $y=ax$로 놓고,

이 식에 $x=3$, $y=15$를 대입하면

$15=a\times3$ ∴ $a=5$ ∴ $y=5x$

(2단계) $y=5x$에 $x=-2$를 대입하면

$y=5\times(-2)=-10$

채점 기준		
1단계	x와 y 사이의 관계식 구하기	… 50 %
2단계	$x=-2$일 때, y의 값 구하기	… 50 %

6 y가 x에 정비례하므로 $y=ax$로 놓고,

이 식에 $x=-2$, $y=8$을 대입하면

$8=a\times(-2)$ ∴ $a=-4$ ∴ $y=-4x$

$y=-4x$에 $x=-3$, $y=A$를 대입하면

$A=-4\times(-3)=12$

$y=-4x$에 $x=B$, $y=-4$를 대입하면

$-4=-4\times B$ ∴ $B=1$

∴ $A-B=12-1=11$

[7~8] 정비례 관계의 활용
❶ x와 y 사이의 관계식을 구한다. ▷ $y=ax$ 꼴
❷ 주어진 조건($x=p$ 또는 $y=q$)을 대입하여 필요한 값을 구한다.

7 (1) 빵 1개를 만드는 데 필요한 밀가루의 양은 $60\,g$이므로

빵 x개를 만드는 데 필요한 밀가루의 양은 $60x\,g$이다.

즉, x와 y 사이의 관계식을 구하면 $y=60x$

(2) $y=60x$에 $x=12$를 대입하면

$y=60\times12=720$

따라서 빵 12개를 만드는 데 필요한 밀가루의 양은 $720\,g$

이다.

8 물의 높이는 매분 $4\,cm$씩 높아지므로

x분 후의 물의 높이는 $4x\,cm$이다.

즉, $y=4x$이므로 이 식에 $y=52$를 대입하면

$52=4x$ ∴ $x=13$

따라서 물을 넣기 시작한 지 13분 후에 물의 높이가 $52\,cm$가

된다.

9 $y=-2x$에서

$x=-2$일 때, $y=-2\times(-2)=4$ ∴ $(-2,\ 4)$

$x=-1$일 때, $y=-2\times(-1)=2$ ∴ $(-1,\ 2)$

$x=0$일 때, $y=-2\times0=0$ ∴ $(0,\ 0)$

$x=1$일 때, $y=-2\times1=-2$ ∴ $(1,\ -2)$

$x=2$일 때, $y=-2\times2=-4$ ∴ $(2,\ -4)$

따라서 x의 값이 -2, -1, 0, 1, 2일 때,

정비례 관계 $y=-2x$의 그래프는 ②이다.

10 $y=\dfrac{1}{3}x$에서 $x=3$일 때, $y=\dfrac{1}{3}\times3=1$이므로

정비례 관계 $y=\dfrac{1}{3}x$의 그래프는 원점과 점 $(3,\ 1)$을 지나는

직선이다.

따라서 구하는 그래프는 ⑤이다.

11 정비례 관계 $y=\dfrac{1}{2}x$의 그래프는 오

른쪽 그림과 같다.

①, ③ 그래프는 제1사분면과 제3사

분면을 지나고, x의 값이 증가하

면 y의 값도 증가한다.

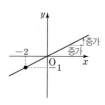

② 오른쪽 위로 향하는 직선이다.

④ $y=\dfrac{1}{2}x$에 $x=-2$, $y=1$을 대입하면 $1\neq\dfrac{1}{2}\times(-2)$이

므로 점 $(-2,\ 1)$을 지나지 않는다.

⑤ 원점을 지난다.

따라서 옳은 것은 ①이다.

12 ⑤ a의 절댓값이 클수록 y축에 가깝다.

[13~16] 점 (p, q)가 정비례 관계 ~의 그래프 위에 있다.
⇨ 정비례 관계 ~의 그래프가 점 (p, q)를 지난다.
⇨ 주어진 정비례 관계식에 $x=p$, $y=q$를 대입하면 등식이 성립한다.

13 ① $y=\dfrac{5}{2}x$에 $x=-4$, $y=10$을 대입하면 $10\neq\dfrac{5}{2}\times(-4)$

② $y=\dfrac{5}{2}x$에 $x=0$, $y=0$을 대입하면 $0=\dfrac{5}{2}\times0$

③ $y=\dfrac{5}{2}x$에 $x=\dfrac{1}{5}$, $y=2$를 대입하면 $2\neq\dfrac{5}{2}\times\dfrac{1}{5}$

④ $y=\dfrac{5}{2}x$에 $x=1$, $y=-\dfrac{5}{2}$를 대입하면 $-\dfrac{5}{2}\neq\dfrac{5}{2}\times1$

⑤ $y=\dfrac{5}{2}x$에 $x=2$, $y=5$를 대입하면 $5=\dfrac{5}{2}\times2$

따라서 정비례 관계 $y=\dfrac{5}{2}x$의 그래프 위의 점은 ②, ⑤이다.

14 ① $y=-5x$에 $x=2$, $y=-10$을 대입하면 $-10=-5\times2$
② $y=-5x$에 $x=1$, $y=-5$를 대입하면 $-5=-5\times1$
③ $y=-5x$에 $x=\dfrac{1}{5}$, $y=-1$을 대입하면 $-1=-5\times\dfrac{1}{5}$
④ $y=-5x$에 $x=-3$, $y=15$를 대입하면
  $15=-5\times(-3)$
⑤ $y=-5x$에 $x=-5$, $y=1$을 대입하면 $1\neq-5\times(-5)$
따라서 정비례 관계 $y=-5x$의 그래프 위의 점이 아닌 것은 ⑤이다.

15 $y=ax$의 그래프가 점 $(6, -5)$를 지나므로
$y=ax$에 $x=6$, $y=-5$를 대입하면
$-5=a\times6$ ∴ $a=-\dfrac{5}{6}$

즉, $y=-\dfrac{5}{6}x$이고, 이 그래프가 점 $\left(k, \dfrac{5}{2}\right)$를 지나므로
$y=-\dfrac{5}{6}x$에 $x=k$, $y=\dfrac{5}{2}$를 대입하면
$\dfrac{5}{2}=-\dfrac{5}{6}\times k$ ∴ $k=-3$

16 [1단계] $y=ax$의 그래프가 점 $(8, 6)$을 지나므로
  $y=ax$에 $x=8$, $y=6$을 대입하면
  $6=a\times8$ ∴ $a=\dfrac{3}{4}$

[2단계] 즉, $y=\dfrac{3}{4}x$이고, 이 그래프가 점 $(b, -9)$를 지나므로
  $y=\dfrac{3}{4}x$에 $x=b$, $y=-9$를 대입하면
  $-9=\dfrac{3}{4}\times b$ ∴ $b=-9\times\dfrac{4}{3}=-12$

[3단계] ∴ $4a+b=4\times\dfrac{3}{4}+(-12)=3-12=-9$

채점 기준		
1단계	상수 a의 값 구하기	… 40 %
2단계	b의 값 구하기	… 40 %
3단계	$4a+b$의 값 구하기	… 20 %

17 그래프가 원점을 지나는 직선이므로 $y=ax$로 놓는다.
이 그래프가 점 $(-3, 4)$를 지나므로
$y=ax$에 $x=-3$, $y=4$를 대입하면
$4=a\times(-3)$ ∴ $a=-\dfrac{4}{3}$

∴ $y=-\dfrac{4}{3}x$

18 그래프가 원점을 지나는 직선이므로 $y=ax$로 놓는다.
이 그래프가 점 $(3, 2)$를 지나므로
$y=ax$에 $x=3$, $y=2$를 대입하면
$2=a\times3$ ∴ $a=\dfrac{2}{3}$

즉, $y=\dfrac{2}{3}x$이고, 이 그래프가 점 $(5, k)$를 지나므로
$y=\dfrac{2}{3}x$에 $x=5$, $y=k$를 대입하면 $k=\dfrac{2}{3}\times5=\dfrac{10}{3}$

02 반비례

유형 4   P. 103

1 (1) 60, 30, 20, 15, 1, $y=\dfrac{60}{x}$

(2) 900, 450, 300, 225, 180, $y=\dfrac{900}{x}$

(3) 120, 60, 40, 30, 1, $y=\dfrac{120}{x}$

(4) 84, 42, 28, 21, $\dfrac{84}{5}$, $y=\dfrac{84}{x}$

2 (1) $y=\dfrac{3000}{x}$, ○   (2) $y=5x$, ×

(3) $y=\dfrac{12}{x}$, ○   (4) $y=\dfrac{20}{x}$, ○

3 (1) $y=\dfrac{8}{x}$ (2) 1   **4** (1) $y=-\dfrac{30}{x}$ (2) 15

3 (1) y가 x에 반비례하므로 $y=\dfrac{a}{x}$로 놓고,
  이 식에 $x=4$, $y=2$를 대입하면
  $2=\dfrac{a}{4}$ ∴ $a=8$

  ∴ $y=\dfrac{8}{x}$

(2) $y=\dfrac{8}{x}$에 $x=8$을 대입하면 $y=\dfrac{8}{8}=1$

4 (1) y가 x에 반비례하므로 $y=\dfrac{a}{x}$로 놓고,

이 식에 $x=6$, $y=-5$를 대입하면

$-5=\dfrac{a}{6}$ $\quad\therefore a=-30$

$\therefore y=-\dfrac{30}{x}$

(2) $y=-\dfrac{30}{x}$에 $x=-2$를 대입하면 $y=-\dfrac{30}{-2}=15$

유형 **5**   P. 104

1 (1) $y=\dfrac{340}{x}$ (2) $\dfrac{17}{2}$ m   **2** (1) $y=\dfrac{150}{x}$ (2) 3 L

3 (1) $y=\dfrac{420}{x}$ (2) 70대

1 (1) y는 x에 반비례하므로 $y=\dfrac{a}{x}$로 놓고,

이 식에 $x=17$, $y=20$을 대입하면

$20=\dfrac{a}{17}$ $\quad\therefore a=340$

$\therefore y=\dfrac{340}{x}$

(2) $y=\dfrac{340}{x}$에 $x=40$을 대입하면 $y=\dfrac{340}{40}=\dfrac{17}{2}$

따라서 진동수가 40 Hz일 때, 음파의 파장은 $\dfrac{17}{2}$ m이다.

2 (1) (매분 넣는 물의 양)×(물이 가득 찰 때까지 걸리는 시간)

$=150$

이므로 $x\times y=150$ $\quad\therefore y=\dfrac{150}{x}$

(2) $y=\dfrac{150}{x}$에 $y=50$을 대입하면

$50=\dfrac{150}{x}$, $50x=150$ $\quad\therefore x=3$

따라서 50분 만에 물통에 물을 가득 채우려면 매분 3 L씩 물을 넣어야 한다.

3 (1) 똑같은 기계 30대로 14시간 동안 작업한 일의 양은

똑같은 기계 x대로 y시간 동안 작업한 일의 양과 같으므로

$30\times 14=x\times y$ $\quad\therefore y=\dfrac{420}{x}$

(2) $y=\dfrac{420}{x}$에 $y=6$을 대입하면

$6=\dfrac{420}{x}$, $6x=420$ $\quad\therefore x=70$

따라서 6시간 만에 일을 끝내려면 70대의 기계로 작업해야 한다.

유형 **6**   P. 105~106

1 (1) -2, -3, 3, 2, 그래프는 풀이 참조

(2) 1, 2, -2, -1, 그래프는 풀이 참조

2 (1) ㄱ, ㄷ, ㅂ (2) ㄴ, ㄹ, ㅁ (3) ㄴ, ㄹ, ㅁ

3 (1) × (2) × (3) ○ (4) ○

4 (1) -6 (2) 2 (3) $-\dfrac{1}{2}$ (4) -3 (5) 12

5 (1) 10 (2) -14 (3) -15 (4) 48 (5) -6

6 (1) $y=\dfrac{3}{x}$ (2) $y=-\dfrac{21}{x}$ (3) $y=\dfrac{32}{x}$ (4) $y=-\dfrac{25}{x}$

7 (1) $y=-\dfrac{12}{x}$ (2) -3

[1] 반비례 관계 $y=\dfrac{a}{x}\,(a\neq 0)$의 그래프를 그릴 때는 x좌표, y좌표가 모두 정수인 점을 구하여 그 점들을 매끄러운 곡선으로 연결하면 그래프를 쉽게 그릴 수 있다.

1 (1) $y=\dfrac{6}{x}$에서

$x=-3$일 때, $y=-2$ $\quad\therefore (-3,\,-2)$

$x=-2$일 때, $y=-3$ $\quad\therefore (-2,\,-3)$

$x=2$일 때, $y=3$ $\quad\therefore (2,\,3)$

$x=3$일 때, $y=2$ $\quad\therefore (3,\,2)$

따라서 $y=\dfrac{6}{x}$의 그래프는 오른쪽 그림과 같이 위의 네 점을 지나는 한 쌍의 매끄러운 곡선이다.

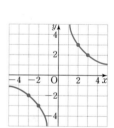

(2) $y=-\dfrac{2}{x}$에서

$x=-2$일 때, $y=1$ $\quad\therefore (-2,\,1)$

$x=-1$일 때, $y=2$ $\quad\therefore (-1,\,2)$

$x=1$일 때, $y=-2$ $\quad\therefore (1,\,-2)$

$x=2$일 때, $y=-1$ $\quad\therefore (2,\,-1)$

따라서 $y=-\dfrac{2}{x}$의 그래프는 오른쪽 그림과 같이 위의 네 점을 지나는 한 쌍의 매끄러운 곡선이다.

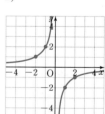

2 (1) $y=\dfrac{a}{x}$에서 $a>0$일 때, 그래프는 제1사분면과 제3사분면을 지난다. $\quad\therefore$ ㄱ, ㄷ, ㅂ

(2), (3) $y=\dfrac{a}{x}$에서 $a<0$일 때, 그래프는 제2사분면과 제4사분면을 지나고, $x>0$인 범위에서 x의 값이 증가하면 y의 값도 증가한다. $\quad\therefore$ ㄴ, ㄹ, ㅁ

[3] 점 (p, q)가 반비례 관계 $\sim$의 그래프 위에 있다.
⇨ 주어진 반비례 관계식에 $x=p$, $y=q$를 대입하면 등식이 성립한다.

3 (1) $y=\dfrac{8}{x}$에 $x=-2$, $y=4$를 대입하면 $4\neq\dfrac{8}{-2}$

따라서 점 $(-2, 4)$는 반비례 관계 $y=\dfrac{8}{x}$의 그래프 위에 있지 않다.

(2) $y=\dfrac{8}{x}$에 $x=-1$, $y=-\dfrac{1}{8}$을 대입하면 $-\dfrac{1}{8}\neq\dfrac{8}{-1}$

따라서 점 $\left(-1, -\dfrac{1}{8}\right)$은 반비례 관계 $y=\dfrac{8}{x}$의 그래프 위에 있지 않다.

(3) $y=\dfrac{8}{x}$에 $x=8$, $y=1$을 대입하면 $1=\dfrac{8}{8}$

따라서 점 $(8, 1)$은 반비례 관계 $y=\dfrac{8}{x}$의 그래프 위에 있다.

(4) $y=\dfrac{8}{x}$에 $x=4$, $y=2$를 대입하면 $2=\dfrac{8}{4}$

따라서 점 $(4, 2)$는 반비례 관계 $y=\dfrac{8}{x}$의 그래프 위에 있다.

4 (1) $y=-\dfrac{24}{x}$에 $x=4$, $y=a$를 대입하면 $a=-\dfrac{24}{4}=-6$

(2) $y=-\dfrac{24}{x}$에 $x=-12$, $y=a$를 대입하면 $a=-\dfrac{24}{-12}=2$

(3) $y=-\dfrac{24}{x}$에 $x=48$, $y=a$를 대입하면

$a=-\dfrac{24}{48}=-\dfrac{1}{2}$

(4) $y=-\dfrac{24}{x}$에 $x=a$, $y=8$을 대입하면

$8=-\dfrac{24}{a}$, $8a=-24$ $\therefore a=-3$

(5) $y=-\dfrac{24}{x}$에 $x=a$, $y=-2$를 대입하면

$-2=-\dfrac{24}{a}$, $-2a=-24$ $\therefore a=12$

5 (1) $y=\dfrac{a}{x}$에 $x=5$, $y=2$를 대입하면

$2=\dfrac{a}{5}$ $\therefore a=10$

(2) $y=\dfrac{a}{x}$에 $x=-2$, $y=7$을 대입하면

$7=\dfrac{a}{-2}$ $\therefore a=-14$

(3) $y=\dfrac{a}{x}$에 $x=3$, $y=-5$를 대입하면

$-5=\dfrac{a}{3}$ $\therefore a=-15$

(4) $y=\dfrac{a}{x}$에 $x=-6$, $y=-8$을 대입하면

$-8=\dfrac{a}{-6}$ $\therefore a=48$

(5) $y=\dfrac{a}{x}$에 $x=-9$, $y=\dfrac{2}{3}$를 대입하면

$\dfrac{2}{3}=\dfrac{a}{-9}$ $\therefore a=\dfrac{2}{3}\times(-9)=-6$

[6~7] 그래프가 한 쌍의 매끄러운 곡선이면 x와 y 사이의 관계식은 $y=\dfrac{a}{x}$ 꼴이다. (단, a는 상수)

6 (1) 그래프가 한 쌍의 매끄러운 곡선이므로 $y=\dfrac{a}{x}$로 놓는다.

이 그래프가 점 $(1, 3)$을 지나므로

$y=\dfrac{a}{x}$에 $x=1$, $y=3$을 대입하면

$3=\dfrac{a}{1}$ $\therefore a=3$

$\therefore y=\dfrac{3}{x}$

(2) 그래프가 한 쌍의 매끄러운 곡선이므로 $y=\dfrac{a}{x}$로 놓는다.

이 그래프가 점 $(7, -3)$을 지나므로

$y=\dfrac{a}{x}$에 $x=7$, $y=-3$을 대입하면

$-3=\dfrac{a}{7}$ $\therefore a=-21$

$\therefore y=-\dfrac{21}{x}$

(3) 그래프가 한 쌍의 매끄러운 곡선이므로 $y=\dfrac{a}{x}$로 놓는다.

이 그래프가 점 $(-4, -8)$을 지나므로

$y=\dfrac{a}{x}$에 $x=-4$, $y=-8$을 대입하면

$-8=\dfrac{a}{-4}$ $\therefore a=32$

$\therefore y=\dfrac{32}{x}$

(4) 그래프가 한 쌍의 매끄러운 곡선이므로 $y=\dfrac{a}{x}$로 놓는다.

이 그래프가 점 $(-5, 5)$를 지나므로

$y=\dfrac{a}{x}$에 $x=-5$, $y=5$를 대입하면

$5=\dfrac{a}{-5}$ $\therefore a=-25$

$\therefore y=-\dfrac{25}{x}$

7 (1) 그래프가 한 쌍의 매끄러운 곡선이므로 $y=\dfrac{a}{x}$로 놓는다.

이 그래프가 점 $(-2, 6)$을 지나므로

$y=\dfrac{a}{x}$에 $x=-2$, $y=6$을 대입하면

$6=\dfrac{a}{-2}$ $\therefore a=-12$ $\therefore y=-\dfrac{12}{x}$

(2) $y=-\dfrac{12}{x}$에 $x=4$, $y=k$를 대입하면 $k=-\dfrac{12}{4}=-3$

1 ①, ③	**2** ④	**3** $y=\dfrac{42}{x}$, 반비례	**4** ④
5 -4	**6** ②	**7** $y=\dfrac{225}{x}$, 25쪽	**8** 15번
9 ④	**10** ③	**11** ①, ⑤ **12** ⑤	**13** ③
14 ③, ④	**15** -18	**16** ①	**17** $y=-\dfrac{6}{x}$
18 -15			

[1~4] 반비례 ⇨ $y=\dfrac{a}{x}$ 꼴

1 y가 x에 반비례하면 $y=\dfrac{a}{x}$ 꼴이다.

　③ $xy=5$에서 $y=\dfrac{5}{x}$　　⑤ $\dfrac{y}{x}=\dfrac{1}{6}$에서 $y=\dfrac{1}{6}x$

　따라서 y가 x에 반비례하는 것은 ①, ③이다.

2 x의 값이 2배, 3배, 4배, ...로 변함에 따라 y의 값은 $\dfrac{1}{2}$배,

　$\dfrac{1}{3}$배, $\dfrac{1}{4}$배, ...로 변하는 관계가 있을 때, y는 x에 반비례하

　므로 $y=\dfrac{a}{x}$ 꼴이다.

　④ $xy=2$에서 $y=\dfrac{2}{x}$

　따라서 y가 x에 반비례하는 것은 ④이다.

3 (마름모의 넓이)

　$=\dfrac{1}{2}\times$(한 대각선의 길이)$\times$(다른 대각선의 길이)

　이므로 $\dfrac{1}{2}\times x\times y=21$에서 $xy=42$　　∴ $y=\dfrac{42}{x}$

　이때 y는 x에 반비례한다.

4 ① $y=1500x$　　　② $y=500x$

　③ $2(x+y)=18$에서 $2y=18-2x$　　∴ $y=9-x$

　④ $y=\dfrac{2}{x}$　　　⑤ $y=3x$

　따라서 y가 x에 반비례하는 것은 ④이다.

[5~6] 반비례 관계식 구하기
⇨ $y=\dfrac{a}{x}$로 놓고, a의 값을 구한다.

5 1단계 y가 x에 반비례하므로 $y=\dfrac{a}{x}$로 놓고,

　　　이 식에 $x=-2$, $y=8$을 대입하면

　　　$8=\dfrac{a}{-2}$　　∴ $a=-16$　　∴ $y=-\dfrac{16}{x}$

　2단계 $y=-\dfrac{16}{x}$에 $x=4$를 대입하면

　　　$y=-\dfrac{16}{4}=-4$

채점 기준		
1단계	x와 y 사이의 관계식 구하기	··· 50%
2단계	$x=4$일 때, y의 값 구하기	··· 50%

6 y가 x에 반비례하므로 $y=\dfrac{a}{x}$로 놓고,

　이 식에 $x=2$, $y=18$을 대입하면

　$18=\dfrac{a}{2}$　　∴ $a=36$　　∴ $y=\dfrac{36}{x}$

　$y=\dfrac{36}{x}$에 $x=6$, $y=A$를 대입하면 $A=\dfrac{36}{6}=6$

　$y=\dfrac{36}{x}$에 $x=B$, $y=4$를 대입하면

　$4=\dfrac{36}{B}$, $4B=36$　　∴ $B=9$

　∴ $A+B=6+9=15$

[7~8] 반비례 관계의 활용
❶ x와 y 사이의 관계식을 구한다. ⇨ $y=\dfrac{a}{x}$ 꼴
❷ 주어진 조건($x=p$ 또는 $y=q$)을 대입하여 필요한 값을 구한다.

7 $x\times y=225$　　∴ $y=\dfrac{225}{x}$

　$y=\dfrac{225}{x}$에 $y=9$를 대입하면

　$9=\dfrac{225}{x}$, $9x=225$　　∴ $x=25$

　따라서 책을 9일 만에 모두 읽으려면
　하루에 25쪽씩 읽어야 한다.

8 두 톱니바퀴 A, B가 서로 맞물려 돌아갈 때
　(A의 톱니의 수)$\times$(A의 회전수)
　$=$(B의 톱니의 수)$\times$(B의 회전수)

　이므로 $20\times9=x\times y$　　∴ $y=\dfrac{180}{x}$

　$y=\dfrac{180}{x}$에 $x=12$를 대입하면 $y=\dfrac{180}{12}=15$

　따라서 톱니바퀴 B는 1분 동안 15번 회전한다.

9 $y=-\dfrac{7}{x}$에서 $-7<0$이므로

　그래프는 제2사분면과 제4사분면을 지나는 한 쌍의 매끄러
　운 곡선이다.

　따라서 반비례 관계 $y=-\dfrac{7}{x}$의 그래프로 알맞은 것은
　④이다.

10 그래프가 한 쌍의 매끄러운 곡선이므로 $y=\dfrac{a}{x}$ 꼴이고,

　제1사분면과 제3사분면을 지나므로 $a>0$이다.
　따라서 구하는 것은 ③이다.

유형편 라이트

11 반비례 관계 $y=\dfrac{4}{x}$의 그래프는 오른

쪽 그림과 같다.

② 좌표축에 가까워지지만 좌표축과
　만나지 않는다.

③ 원점을 지나지 않는다.

④ $y=\dfrac{4}{x}$에 $x=-2$, $y=2$를 대입하면 $2\neq\dfrac{4}{-2}$이므로 점

　$(-2, 2)$를 지나지 않는다.

따라서 옳은 것은 ①, ⑤이다.

12 ④ $y=\dfrac{a}{x}$에 $x=1$, $y=a$를 대입하면

　$a=\dfrac{a}{1}$이므로 점 $(1, a)$를 지난다.

⑤ $a>0$, $x<0$일 때, x의 값이 증가하면 y의 값은 감소한다.

따라서 옳지 않은 것은 ⑤이다.

[13~16] 점 (p, q)가 반비례 관계 $\sim$의 그래프 위에 있다.

⇨ 반비례 관계 $\sim$의 그래프가 점 (p, q)를 지난다.

⇨ 주어진 반비례 관계식에 $x=p$, $y=q$를 대입하면 등식이 성립한다.

---

13 ① $y=\dfrac{18}{x}$에 $x=-18$, $y=-1$을 대입하면 $-1=\dfrac{18}{-18}$

② $y=\dfrac{18}{x}$에 $x=-9$, $y=-2$를 대입하면 $-2=\dfrac{18}{-9}$

③ $y=\dfrac{18}{x}$에 $x=-3$, $y=6$을 대입하면 $6\neq\dfrac{18}{-3}$

④ $y=\dfrac{18}{x}$에 $x=1$, $y=18$을 대입하면 $18=\dfrac{18}{1}$

⑤ $y=\dfrac{18}{x}$에 $x=6$, $y=3$을 대입하면 $3=\dfrac{18}{6}$

따라서 반비례 관계 $y=\dfrac{18}{x}$의 그래프가 지나는 점이 아닌 것은 ③이다.

14 ① $y=-\dfrac{10}{x}$에 $x=-10$, $y=-1$을 대입하면

　$-1\neq-\dfrac{10}{-10}$

② $y=-\dfrac{10}{x}$에 $x=-4$, $y=-\dfrac{5}{2}$를 대입하면

　$-\dfrac{5}{2}\neq-\dfrac{10}{-4}$

③ $y=-\dfrac{10}{x}$에 $x=-2$, $y=5$를 대입하면 $5=-\dfrac{10}{-2}$

④ $y=-\dfrac{10}{x}$에 $x=5$, $y=-2$를 대입하면 $-2=-\dfrac{10}{5}$

⑤ $y=-\dfrac{10}{x}$에 $x=6$, $y=\dfrac{5}{3}$를 대입하면

　$\dfrac{5}{3}\neq-\dfrac{10}{6}$

따라서 반비례 관계 $y=-\dfrac{10}{x}$의 그래프 위의 점은

③, ④이다.

15 $y=\dfrac{a}{x}$의 그래프가 점 $(9, 6)$을 지나므로

　$y=\dfrac{a}{x}$에 $x=9$, $y=6$을 대입하면

　$6=\dfrac{a}{9}$　∴ $a=54$

즉, $y=\dfrac{54}{x}$이고, 이 그래프가 점 $(b, -3)$을 지나므로

　$y=\dfrac{54}{x}$에 $x=b$, $y=-3$을 대입하면

　$-3=\dfrac{54}{b}$, $-3b=54$　∴ $b=-18$

16 $y=\dfrac{a}{x}$의 그래프가 점 $(-4, 5)$를 지나므로

　$y=\dfrac{a}{x}$에 $x=-4$, $y=5$를 대입하면

　$5=\dfrac{a}{-4}$　∴ $a=-20$

즉, $y=-\dfrac{20}{x}$이고, 이 그래프가 점 $(2, b)$를 지나므로

　$y=-\dfrac{20}{x}$에 $x=2$, $y=b$를 대입하면

　$b=-\dfrac{20}{2}=-10$

　∴ $a-b=-20-(-10)=-20+10=-10$

17 (1단계) 그래프가 한 쌍의 매끄러운 곡선이므로

　$y=\dfrac{a}{x}$로 놓는다.

(2단계) 이 그래프가 점 $(-3, 2)$를 지나므로

　$y=\dfrac{a}{x}$에 $x=-3$, $y=2$를 대입하면

　$2=\dfrac{a}{-3}$　∴ $a=-6$

(3단계) 따라서 그래프가 나타내는 x와 y 사이의 관계식은

　$y=-\dfrac{6}{x}$이다.

	채점 기준	
1단계	그래프가 나타내는 x와 y 사이의 관계식을 $y=\dfrac{a}{x}$로 놓기	… 30 %
2단계	상수 a의 값 구하기	… 40 %
3단계	그래프가 나타내는 x와 y 사이의 관계식 구하기	… 30 %

18 그래프가 한 쌍의 매끄러운 곡선이므로 $y=\dfrac{a}{x}$로 놓는다.

이 그래프가 점 $(5, 9)$를 지나므로

　$y=\dfrac{a}{x}$에 $x=5$, $y=9$를 대입하면

　$9=\dfrac{a}{5}$　∴ $a=45$

즉, $y=\dfrac{45}{x}$이고, 이 그래프가 점 $(-3, k)$를 지나므로

　$y=\dfrac{45}{x}$에 $x=-3$, $y=k$를 대입하면

　$k=\dfrac{45}{-3}=-15$

1	③, ⑤	2	⑤	3	(1) $y=150x$ (2) $750\,\mathrm{Wh}$
4	ㄴ, ㄷ	5	④	6	②, ④	7	(1) $y=\dfrac{1000}{x}$ (2) $25\,\mathrm{L}$
8	①	9	7	10	$y=-\dfrac{32}{x}$	11	③

1 x의 값이 2배, 3배, 4배, …로 변함에 따라 y의 값도 2배, 3배, 4배, …로 변하는 관계가 있을 때, y는 x에 정비례하므로 $y=ax$ 꼴이다.

① $xy=10$에서 $y=\dfrac{10}{x}$

⑤ $\dfrac{y}{x}=5$에서 $y=5x$

따라서 y가 x에 정비례하는 것은 ③, ⑤이다.

2 y가 x에 정비례하므로 $y=ax$로 놓고,
이 식에 $x=3$, $y=-7$을 대입하면

$-7=a\times 3$ ∴ $a=-\dfrac{7}{3}$

∴ $y=-\dfrac{7}{3}x$

따라서 $y=-\dfrac{7}{3}x$에 $x=-6$을 대입하면

$y=-\dfrac{7}{3}\times(-6)=14$

3 (1) [1단계] y가 x에 정비례하므로 $y=ax$로 놓고,
이 식에 $x=2$, $y=300$을 대입하면

$300=a\times 2$ ∴ $a=150$

∴ $y=150x$

(2) [2단계] $y=150x$에 $x=5$를 대입하면

$y=150\times 5=750$

따라서 텔레비전을 5시간 동안 시청하였을 때, 소모되는 전력량은 $750\,\mathrm{Wh}$이다.

채점 기준	
1단계	x와 y 사이의 관계식 구하기 ··· 50 %
2단계	텔레비전을 5시간 동안 시청하였을 때, 소모되는 전력량 구하기 ··· 50 %

4 ㄱ. $y=-6x$에 $x=-2$, $y=-12$를 대입하면

$-12\neq -6\times(-2)$

ㄹ. x의 값이 증가하면 y의 값은 감소한다.

ㅁ. $|-5|<|-6|$이므로
정비례 관계 $y=-6x$의 그래프는
정비례 관계 $y=-5x$의 그래프보다 y축에 더 가깝다.

따라서 옳은 것은 ㄴ, ㄷ이다.

참고 정비례 관계 $y=ax\,(a\neq 0)$의 그래프는 a의 절댓값이 클수록 y축에 가깝다.

5 그래프가 원점을 지나는 직선이므로 $y=ax$로 놓는다.
이 그래프가 점 $(-2, 3)$을 지나므로
$y=ax$에 $x=-2$, $y=3$을 대입하면

$3=a\times(-2)$ ∴ $a=-\dfrac{3}{2}$

∴ $y=-\dfrac{3}{2}x$

① $y=-\dfrac{3}{2}x$에 $x=9$, $y=-6$을 대입하면

$-6\neq -\dfrac{3}{2}\times 9$

② $y=-\dfrac{3}{2}x$에 $x=6$, $y=9$를 대입하면

$9\neq -\dfrac{3}{2}\times 6$

③ $y=-\dfrac{3}{2}x$에 $x=\dfrac{1}{2}$, $y=-\dfrac{3}{2}$을 대입하면

$-\dfrac{3}{2}\neq -\dfrac{3}{2}\times\dfrac{1}{2}$

④ $y=-\dfrac{3}{2}x$에 $x=-4$, $y=6$을 대입하면

$6=-\dfrac{3}{2}\times(-4)$

⑤ $y=-\dfrac{3}{2}x$에 $x=-8$, $y=-12$를 대입하면

$-12\neq -\dfrac{3}{2}\times(-8)$

따라서 주어진 그래프 위에 있는 점은 ④이다.

6 ② $y=-\dfrac{2}{x}$

③ $y=3x-1$

④ $y=\dfrac{100}{x}$

⑤ $y=5x$

따라서 y가 x에 반비례하는 것은 ②, ④이다.

7 (1) 물탱크의 용량은 $20\times 50=1000(\mathrm{L})$이고, 이 물탱크에 매분 $x\,\mathrm{L}$씩 물을 넣으면 가득 채우는 데 y분이 걸리므로

$xy=1000$ ∴ $y=\dfrac{1000}{x}$

(2) $y=\dfrac{1000}{x}$에 $y=40$을 대입하면

$40=\dfrac{1000}{x}$, $40x=1000$ ∴ $x=25$

따라서 빈 물탱크를 40분 만에 가득 채우려면 매분 $25\,\mathrm{L}$씩 물을 넣어야 한다.

8 $y=\dfrac{15}{x}$에서 $15>0$이므로 그래프는 제1사분면과 제3사분면을 지나는 한 쌍의 매끄러운 곡선이다.
따라서 반비례 관계 $y=\dfrac{15}{x}$의 그래프로 알맞은 것은 ①이다.

9 [1단계] 반비례 관계 $y=-\dfrac{56}{x}$의 그래프가

점 $(a, 8)$을 지나므로

$y=-\dfrac{56}{x}$에 $x=a$, $y=8$을 대입하면

$8=-\dfrac{56}{a}$, $8a=-56$ $\therefore a=-7$

[2단계] 또 반비례 관계 $y=-\dfrac{56}{x}$의 그래프가

점 $(-4, b)$를 지나므로

$y=-\dfrac{56}{x}$에 $x=-4$, $y=b$를 대입하면

$b=-\dfrac{56}{-4}=14$

[3단계] $\therefore a+b=-7+14=7$

채점 기준		
1단계	a의 값 구하기	… 40 %
2단계	b의 값 구하기	… 40 %
3단계	$a+b$의 값 구하기	… 20 %

10 ㈎에서 y가 x에 반비례하므로 $y=\dfrac{a}{x}$로 놓는다.

㈏에서 그래프가 점 $(-4, 8)$을 지나므로

$y=\dfrac{a}{x}$에 $x=-4$. $y=8$을 대입하면

$8=\dfrac{a}{-4}$ $\therefore a=-32$

$\therefore y=-\dfrac{32}{x}$

11 ① 그래프가 한 쌍의 매끄러운 곡선이므로
y는 x에 반비례한다.

② y가 x에 반비례하므로 $y=\dfrac{a}{x}$로 놓는다.

이 그래프가 점 $(7, 5)$를 지나므로

$y=\dfrac{a}{x}$에 $x=7$, $y=5$를 대입하면 $5=\dfrac{a}{7}$ $\therefore a=35$

$\therefore y=\dfrac{35}{x}$

③ $y=\dfrac{35}{x}$에 $x=-5$, $y=-7$을 대입하면 $-7=\dfrac{35}{-5}$

즉, 점 $(-5, -7)$을 지난다.

④ $x>0$일 때, x의 값이 증가하면 y의 값은 감소한다.

⑤ $xy=35$이므로 xy의 값이 일정하다.

따라서 옳은 것은 ③이다.